St-Joseph

intemporelle

Martin

jardin

LA MAISON
LEBREUX
Auberge du Passant et Maisons de Campagne

2, Longue-Pointe
Petite-Vallée (Québec) G0E 1Y0
Tél. : 418 393-3105
Courriel : lamaisonlebreux@globetrotter.net
Site web : www.lamaisonlebreux.com

AUBERGE
du Passant MD
CERTIFIÉE

On vous ouvre notre monde!

MAISON
de Campagne
CERTIFIÉE

On vous ouvre notre monde!

Direction du projet
Odette Chaput
Directrice générale
(Fédération des Agricotours
du Québec)
André Duchesne
(Guides de voyage Ulysse)

Supervision du projet
Diane Drapeau

**Recherche et rédaction
des textes régionaux**
Diane Drapeau

Conception graphique
Martine Lavallée
(Spin design)

Infographie
Guides de voyage Ulysse

Collaboration
Diane Lamoureux
Hélène Bérubé

Publicité
Diane Lamoureux

**Développement
informatique**
Alain Berthiaume
André Duchesne
Raphaël Corbeil
Jean-Raynald Lemay

**Photographie
de page couverture**
Auberge du Mange Grenouille,
Le Bic (Bas-Saint-Laurent)
© Simon Jutras

Auberge Jas-Plats, Chaudière-Appalaches

Distribution

Canada :
Guides de voyage Ulysse
4176, rue Saint-Denis, Montréal (Québec) H2W 2M5
☎ (514) 843-9882, poste 2232
fax : (514) 843-9448, info@ulysse.ca
www.guidesulysse.com info@ulysse.ca

Belgique :
Interforum Benelux
Fond Jean-Pâques, 6
1348 Louvain-La-Neuve
☎ (010) 42 03 30
fax : (010) 42 03 52

France :
Interforum
3, allée de la Seine
94854 Ivry-sur-Seine Cedex
☎ 01 49 59 10 10
fax : 01 49 59 10 72

Suisse :
Interforum Suisse
☎ (26) 460 80 60
fax : (26) 460 80 68

Pour tout autre pays, contactez
Guides de voyage Ulysse (Montréal)

Catalogage avant publication de Bibliothèque et Archives nationales du Québec et Bibliothèque et Archives Canada

Vedette principale au titre :
    Gîtes et Auberges du Passant, Tables et Relais du Terroir au Québec
    Fait suite à: Gîtes et Auberges du Passant au Québec.
    Comprend un index.
    ISBN 978-2-89464-881-0

1. Chambre et petit déjeuner (Hôtellerie) - Québec (Province) - Répertoires. I. Tourisme rural - Québec (Province)
- Répertoires. 3. Auberges - Québec (Province) - Répertoires. 4. Tables champêtres - Québec (Province) -
Répertoires.
TX907.5.C22Q8   917.1406'45   C2002-300424-X

Gîtes et Auberges du Passant[MD] **& Tables et Relais du Terroir**[MD] **certifiés**
Marques de certification appartenant à la Fédération des Agricotours du Québec
4545, av. Pierre-De Coubertin, C.P. 1000, Succursale M
Montréal (Québec) H1V 3R2   (514) 252-3138 fax (514) 252-3173

www.gitesetaubergesdupassant.com • info@gitesetaubergesdupassant.com
www.inns-bb.com • info@inns-bb.com
www.tablesetrelaisduterroir.com • info@tablesetrelaisduterroir.com
www.terroircuisineandproducts.com • info@terroircuisineandproducts.com

Imprimé au Canada

Le Bocage, Cantons-de-l'Est

C'est ici que je veux Être

LES CANTONS-DE-L'EST

Demandez le coffret de 3 disques compacts (20 $) et la carte du Chemin des Cantons qui traverse une trentaine de villes et villages et s'étend sur 415 km. Laissez-vous raconter deux siècles d'histoire à travers son patrimoine bâti sous influences américaine et britannique.

www.chemindescantons.qc.ca ou 1 800 355-5755

Sommaire

À la Chouette, Charlevoix

On vous ouvre notre monde!

C'est avec beaucoup de fierté que nous vous présentons notre « cuvée 2009 » ; une sélection de plus de 550 établissements certifiés selon des normes de qualité supérieure.

Saviez-vous que depuis 34 ans, la Fédération des Agricotours du Québec accorde une certification distinctive aux meilleurs bed & breakfasts et petites auberges du Québec ? En effet, les établissements que nous certifions doivent non seulement être classifiés 3 soleils ou 2 étoiles et plus, mais leurs propriétaires doivent également respecter, de façon constante, des normes de qualité et d'éthique touchant l'accueil, la connaissance de leur région touristique, les repas servis et l'aménagement. De plus, des mesures de contrôle, telles que des fiches d'appréciation et des visites, sont également mises en place pour assurer le respect des normes ainsi que la promesse de qualité faite à notre clientèle.

Outre ses renommés « Gîtes et Auberges du Passant^{MD} », la Fédération certifie également des fermes agrotouristiques, pour vous faire découvrir la passion des producteurs agricoles de chez nous et leurs produits du terroir québécois. Enfin, ne manquez pas les succulentes suggestions des Tables aux Saveurs du Terroir^{MD}, où la cuisine des régions est à l'honneur.

Pour faciliter votre choix, parmi nos certifications d'hébergement, de restauration et d'agrotourisme, chaque région est présentée en trois sections :

Gîtes et Auberges du Passant^{MD}
Maisons de Campagne et de Ville

Tables aux Saveurs du Terroir^{MD}
& Champêtres^{MD}

Relais du Terroir^{MD}
& Fermes Découverte

Auberge du Mange Grenouille, Bas-Saint-Laurent

Auberge du Mange Grenouille, Bas-Saint-Laurent

© Photodisc

Il ne me reste plus qu'à vous souhaiter un agréable séjour à l'intérieur du plus grand réseau de qualité au Québec !

Pierre Pilon, président
Fédération des Agricotours du Québec*
www.gitesetaubergesdupassant.com
www.tablesetrelaisduterroir.com

*Propriétaire des marques de certification :
Gîte du Passant^{MD}, Auberge du Passant^{MD}, Maison de Campagne ou de Ville, Table Champêtre^{MD}, Table aux Saveurs du Terroir^{MD},
Relais du Terroir^{MD} et Ferme Découverte.

Notre promesse de qualité

« En choisissant un établissement certifié, vous vous assurez de vivre une expérience humaine et authentique. Véritables ambassadeurs de leur région, les propriétaires de nos établissements vous ouvrent leur monde. "Vivez les belles régions du Québec... comme personne" en découvrant leurs attraits, leur histoire, leurs saveurs et les gens qui les habitent. »

 Chambre d'hôte avec service d'un petit-déjeuner aux saveurs régionales. Situé à la campagne, à la ferme, en banlieue ou à la ville, il offre 5 chambres ou moins en location. Le Gîte du Passant^{MD} à la Ferme offre en plus des activités reliées à la ferme. Classification minimale : 3 soleils.

 Chambre d'hôte offerte dans une petite auberge au cachet typique de la région (25 ch. et moins). Inclus le service d'un petit-déjeuner aux saveurs régionales. Plusieurs d'entre elles se démarquent par l'offre d'une « Table aux Saveurs du Terroir^{MD} » où les produits du terroir québécois sont à l'honneur. Classification minimale : 2 étoiles.

 Maison, chalet, appartement ou studio tout équipés (literie et serviettes de bain incluses) pour un séjour autonome. Ces maisons offrent toutes les attentions souhaitées pour rendre votre séjour agréable. La *Maison de Campagne à la Ferme* offre en plus des activités reliées à la ferme.

 Table d'hôte offerte dans l'intimité chaleureuse d'une maison de ferme ou d'une dépendance. Les repas mettent en valeur majoritairement les produits de la ferme. Possibilité d'une visite des lieux. À chaque ferme ses productions, à chaque « Table Champêtre^{MD} » ses spécialités...

 Lieu pour acheter des produits du terroir québécois provenant directement de la ferme et de la région. Possibilité d'une visite de l'exploitation agricole, pour en savoir plus sur ce que vous achetez et, par le fait même, sur les différentes méthodes de production et de transformation des produits.

 Service d'animation offert par un exploitant agricole dans le cadre d'une activité récréative et éducative pour les groupes, la famille ou individuellement.

 Table aux Saveurs du Terroir^{MD} : nouveau concept de restauration mettant en valeur les produits issus du terroir québécois et les particularités culinaires de nos belles régions. Autant de saveurs à découvrir que de façons de servir les produits du Québec selon un savoir-faire culinaire bien de chez nous...

On vous ouvre notre monde!

www.gitesetaubergesdupassant.com
www.tablesetrelaisduterroir.com

Renseignements pratiques

Prix de l'Excellence

Découvrez nos lauréats de l'Excellence dans les différentes régions touristiques. Catégorie «*Coup de cœur du public*»: un hommage aux hôtes qui se sont illustrés de façon remarquable par leur accueil de tous les jours envers leur clientèle.

Fiche d'appréciation et concours

Merci de nous faire parvenir vos commentaires et suggestions en utilisant la fiche d'appréciation disponible dans nos établissements certifiés. Les informations ainsi recueillies sont très précieuses, car elles nous permettent d'améliorer constamment la qualité des services offerts. C'est aussi à partir des fiches d'appréciation que nous décernons les Prix de l'Excellence «*Coup de cœur du public*».
GAGNEZ UN SÉJOUR: chacune des fiches d'appréciation que vous nous faites parvenir vous donne la chance de gagner un séjour de 2 nuits pour 2 personnes.

Pour une découverte régionale

- **Forfait-Charme**: offrez-vous un forfait pour deux personnes incluant deux nuits d'hébergement, deux petits-déjeuners, un cocktail, un souper aux saveurs régionales et un petit cadeau de la région. Réservez directement dans les Gîtes et Auberges du Passant^(MD) certifiés annonçant le Forfait-Charme.

- **Table aux Saveurs du Terroir^(MD)**: table mettant à l'honneur les produits du terroir des régions du Québec.

Certification « Bienvenue cyclistes ! ^(MD) »

Surveillez la mention **Certifié « Bienvenue cyclistes ! ^(MD)**», une certification qui garantit aux cyclotouristes un hébergement avec des services adaptés à leurs besoins : un abri sécurisé pour les vélos, de l'outillage, de l'information sur les lieux de réparation, un petit-déjeuner adapté, s'il y a un service de restauration. Pour plus d'information : 1 800 567-8356, www.routeverte.com

Taxes et modalités de paiement

Ce guide publie le prix maximum de la chambre la plus chère et le prix maximum de la chambre la moins chère peu importe la saison. Le tarif des gîtes et auberges inclut le petit-déjeuner et certains offrent le plan PAM incluant le repas du soir. Le tarif enfant signifie : enfant de 12 ans et moins partageant la chambre de ses parents.

Si l'établissement est soumis aux lois fédérales et provinciales en matière de taxation, des taxes de 7 % et 7,5 % (TPS, TVQ) s'ajouteront au coût du séjour. Plusieurs régions touristiques appliquent une taxe par nuit d'hébergement, (2 $ ou 3 %) pour chaque unité louée.

Les établissements qui acceptent des cartes de crédit et de débit sont indiqués par l'un des pictogrammes suivants : **VS, MC, AM, ER** et **IT.**

Lors de votre réservation, prenez soin de vérifier auprès de l'établissement la politique de dépôt et d'annulation.

Interdiction de fumer

La nouvelle législation en matière de lutte contre le tabac, ne permet plus de fumer dans des espaces publics. Par contre, un établissement d'hébergement peut offrir des unités pour fumeurs. S'il tel est le cas, le pictogramme « non-fumeurs » ne sera pas affiché.

Révision annuelle du guide

Tous les ans, il y a mise à jour de l'information et édition d'une nouvelle publication. Tous les renseignements contenus dans celle-ci peuvent être sujets à changement sans préavis.

Pictogrammes
et abréviations

Services

- ☀ Classification gîte touristique
- ★ Classification hôtelière et résidence de tourisme
- ✎ Établissement en cours de classification
- Anglais parlé couramment
- Partiellement accessible aux personnes ayant une déficience motrice (Kéroul)
- Adapté aux personnes ayant une déficience motrice (Kéroul)
- Service aux personnes ayant une déficience auditive (Kéroul)
- Service aux personnes ayant une déficience visuelle (Kéroul)

- Présence d'animaux domestiques dans l'établissement
- 🐎 Animaux de compagnie acceptés sous conditions
- ≋ Baignade sur place
- ✕ Restauration sur place
- ♿ Situé à moins de 5 km de la Route verte
- **AV** Établissement qui travaille avec les agences de voyages
- **@** Connexion Internet
- **PAM** Plan américain modifié (repas du soir, coucher et petit déjeuner)

Mentions

Offre une Table aux Saveurs du Terroir ᴹᴰ : établissement offrant une table du soir mettant à l'honneur les produits du terroir des régions du Québec.

Certifié « Bienvenue cyclistes ! ᴹᴰ » : établissement offrant des services adaptés aux cyclotouristes. Information : 1 800 567-8356, www.routeverte.com

Modes de paiement

VS Visa   **AM** American Express

MC MasterCard   **ER** En Route   **IT** Paiement Interac

Classification

La classification «Hébergement Québec» est administrée par la Corporation de l'industrie touristique du Québec. Pour en savoir davantage : 1 866 499-0550.

Soleil ou étoile	Définition des niveaux de classification
☀ ou ★	Confort élémentaire, aménagement et services conformes aux normes de qualité.
☀☀ ou ★★	Bon confort, aménagement de bonne qualité. Quelques services et commodités.
☀☀☀ ou ★★★	Très confortable, aménagement de qualité appréciable. Plusieurs services et commodités.
☀☀☀☀ ou ★★★★	Confort supérieur avec aménagement de qualité remarquable. Éventail de services et de commodités.
☀☀☀☀☀ ou ★★★★★	Confort exceptionnel doté d'aménagement haut de gamme. Multitude de services et de commodités.

Si aucun résultat de classification n'est affiché, voici les raisons :
l'établissement a décidé de ne pas publier son résultat de classification ;
l'établissement est en cours de classification :

AUTANT DE SAVEURS À DÉCOUVRIR
QUE DE FAÇONS DE SERVIR
LES PRODUITS DU TERROIR QUÉBÉCOIS,
SELON UN SAVOIR-FAIRE CULINAIRE
BIEN DE CHEZ NOUS!

Cantons-de-l'Est

L'iris Bleu
Bolton Est
1-877-292-3530
www.irisbleu.com

Spécialités: viandes et volailles du Québec, fromages fins de la région et produits saisonniers locaux réinventent la cuisine méditerranéenne.

Le Bocage
Compton
(819) 835-5653
www.lebocage.qc.ca

Spécialités: la maison offre chaque soir deux menus «découverte» préparés avec soin. À l'honneur, le gibier: lapin, caille, pintade, canard, cerf.

La Ruée vers Gould
Gould, Lingwick
1 888 305-3526
www.rueegouldrush.com

Spécialités: cuisine campagnarde franco-écossaise: haggis, cassoulet, lapin des Highlands, blanquette de veau, Scotch collops, kipper, Cock-a-leekie.

Gaspésie

Auberge La Maison William Wakeham
Gaspé
(418) 368-5537
www.maisonwakeham.ca

Spécialités: cuisine du marché, fruits de mer, grillades de choix, salades santé, pâtes fraîches et desserts maison. Lauréat 2007 et 2008.

Autant de saveurs à découvrir que de façons de servir les produits du terroir québécois, selon un savoir-faire culinaire bien de chez nous !

Gaspésie

Gîte la Conche Saint-Martin
Port-Daniel-Gascons
1-877-396-2491
www.giteetaubergedupassant.com/laconchesaintmartin

Spécialités : nous vous convions à la découverte du terroir Terre et Mer. Poissons, fruits de mer, agneau de la Gaspésie nourri aux algues, gibier.

Laurentides

Auberge la Sauvagine
Sainte-Agathe-des-Monts
(819) 326-7673
www.lasauvagine.com

Spécialités : canard et foie gras du Québec, saumon fumé par nos soins, gibier, poissons et crustacés, pâtisseries et desserts maison.

Le Creux du Vent
Val-David
1-888-522-2280
www.lecreuxduvent.com

Spécialités : le restaurant offre des plats variés, poisson, gibier, viande, volaille de qualité, servis avec des accompagnements frais et originaux.

POUR CONNAÎTRE LES 75 RESTAURANTS CERTIFIÉS
TABLE AUX SAVEURS DU TERROIR[MD],
CONSULTEZ LA SECTION
« TABLES AUX SAVEURS DU TERROIR[MD] ET CHAMPÊTRES[MD] »
DE CHACUNE DES RÉGIONS.

We're opening our world to you!

We are very proud to be able to present to you our '2009 Vintage' – a selection of over 550 establishments certified according to the highest standards for quality.

Did you know that for the past 34 years, the Fédération des Agricotours du Québec has been awarding a distinctive certification to the best bed & breakfasts and small inns in Québec? In fact, the establishments that we certify must not only be classified as three-sun or two-star and higher, but their proprietors must continually meet our standards for quality and ethics with regard to hospitality, knowledge of their tourist region, meals served and amenities. In addition, we provide control measures, such as guest comment sheets and inspection visits, to ensure that these standards and the promise of quality made to the clientele are respected.

Apart from its well known 'Gîtes et Auberges du Passant™', the Fédération also certifies agrotourism farms that will allow you to discover the passion of our agricultural producers and their local products from Québec. Finally, don't miss the delicious offerings at the 'Tables aux Saveurs du Terroir™', where the regional cuisine takes the top honour.

To help you select from among the certified establishments, each region is presented in three sections:

Gîtes et Auberges du Passant™
Maisons de Campagne et de Ville

Bed & Breakfasts and Country Inns
Country and City Homes

Table aux Saveurs du Terroir ™ & Champêtres™

Terroir Cuisine & Country-style Dining

Relais du Terroir ™ & Fermes Découverte

Farm Shops & Farm Explorations

All that remains is for me to wish you a very pleasant stay!

Pierre Pilon, *president*
Fédération des Agricotours du Québec*
www.inns-bb.com
www.terroircuisineandproducts.com

Our Promise of Quality

*'By choosing a certified establishment you are assured
an authentic and caring experience.
True ambassadors for their regions, the owners of our
establishments will open their world to you.
'Experience the beautiful regions of Québec...
as never before' by discovering their attractions,
their history, their flavours and their people.'*

Guest bedroom with breakfast reflecting the flavours of the region. In the country, on a farm, in the suburbs or in the city, this establishment has up to 5 guest rooms available. The *'Gîte du Passant™ à la Ferme'* also offers farm-related activities. Minimum classification: 3 suns.

Guest room in a small inn typical of the region in character (up to 25 rms.). Includes breakfast reflecting the flavours of the region. Several of them offer a 'Table aux Saveurs du Terroir™ ' (Terroir Cuisine) where Québec terroir products take the top honours. Minimum classification: 2 stars.

A house, cottage, apartment or studio fully equipped (bed linens and towels included) for an independent stay in the city, in the country or on a farm. These homes provide all the facilities you need for a comfortable stay. The *'Maison de Campagne à la Ferme'* (Country Home on a Farm) also offers farm-related activities.

Meals served in the farmhouse dining room or in an outbuilding on the farm; most of the food products served come from the farm itself. Some farms offer guided tours and activities.

Sale of products produced on the farm or in the region. A farm visit introduces you to the various production and processing methods used for the products on sale, the flavours of which are typical of Québec.

Tour the farm with the farmer for an experience that's both fun and educational.

'Table aux Saveurs du Terroir ™ (Terroir Cuisine): a new concept in food service highlighting products from Québec and the culinary specialities of our beautiful regions. Discover the flavours of Québec as well as the many different ways to prepare and serve its products using our great culinary skills...

We're opening our world to you!

www.inns-bb.com
www.terroircuisineandproducts.com

CERTIFICAT-CADEAU

Un cadeau tout simple et à la fois personnalisé !

On vous ouvre notre monde !

Offrez à vos proches une escapade dans l'un des meilleurs gîtes ou auberges du Québec !

Ce certificat-cadeau est accepté
dans plus de 380 établissements à travers le Québec !
Valeur : 50 $, 100 $ ou 150 $.

En vente dans les boutiques « La Forfaiterie » situées
dans les grands centres d'achat. Pour connaître la liste des points
de vente, consultez le site Internet **www.laforfaiterie.com**.
Vous pouvez également acheter votre certificat-cadeau
en ligne sur ce même site Internet.

Practical Information

Prizes for Excellence

Discover our Excellence award winners in the different tourist regions. The *'Coup de cœur du public'* (People's Special Favourite) category : a tribute to these hosts and hostesses for the remarkable welcome and service they have consistently offered their guests.

Evaluation form and contest

Thank you for sending us your comments and suggestions by completing the evaluation form available in our establishments. The information gathered is very valuable to us, because it allows us to constantly improve the quality of the services offered. We also use these evaluation forms to determine the Prizes for Excellence in the 'People's Special Favourites' category. **WIN A STAY**: each evaluation form you fill out and send in to us gives you a chance to win a 2-night stay for 2 people.

Explore one of the regions

- **'Forfait-Charme'** (Enchantment Package): Package is for two people and includes two nights lodging, two breakfasts, cocktails on arrival, dinner for two featuring the flavours of the region and a small gift made locally. Book directly with the certified Gîtes et Auberges du Passant™ (Inns and Bed & Breakfasts) that advertise this 'Forfait-Charme' (Enchantment Package).

- **'Table aux Saveurs du Terroir'™** (Terroir Cuisine): menu specializing in products from the various regions of Quebec.

Certification « Bienvenue cyclistes ! »

Watch for the designation **'Certifié « Bienvenue cyclistes ! ᴹᴰ »'** (Certified « Bienvenue cyclistes!™ ») a certification guaranteeing bicycle tourists accommodations offering services adapted to meet their needs: a locked shelter for bicycles, tools, information on repair centres and, at establishments with restaurants, nutritionally appropriate breakfasts. For more information: 1 800 567-8356, www.routeverte.com

Rates and Methods of Payment

This guide publishes the maximum price for the most expensive room and the maximum price for the least expensive room, no matter the season. The rate for Bed & Breakfasts and Inns includes breakfast; some establishments offer the MAP plan which includes supper. Child rate: 12 years of age and under sharing the parents' room.

If the establishment is registered for federal and provincial sales taxes (7% and 7.5%), these will be added to the cost of the stay. Some tourist regions must charge an additional tax per night ($2 or 3%) for each unit or room rented.

Establishments that accept credit and debit cards (Interac) display the following symbols: **VS, MC, AM, ER** and **IT.**

When you book, check with the establishment regarding its deposit and cancellation policies.

No Smoking

The new anti-smoking legislation no longer allows smoking in public areas. However, a lodging establishment may offer rooms for smokers. If this is the case, the "No Smoking" symbol will not appear.

Annual revision of the guide

A new issue of the guide is published every year to include new information, which may change without notice.

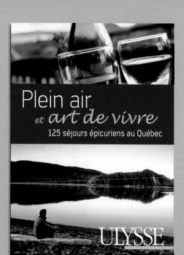

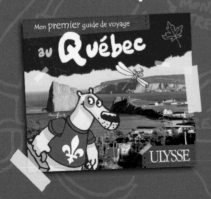

Symbols
and abbreviations

Services

☀ Bed & Breakfast classification

★ Hotel & tourist home classification

✎ Establishment classification in progress

A English spoken fluently

♿ Wheelchair access with the help of another person (Kéroul)

♿ Wheelchair access (Kéroul)

♪ Sign language (Kéroul)

🚶 Access for the visually impaired (Kéroul)

⬡ Pets on premises

🐕 Accept pets under certain condition

≋ Swimming on site

✗ Dining facilities on site

🚲 Located within 5 km of the 'Route verte'

AV Establishment works with travel agencies

@ Internet Connection

PAM Modified American Plan (supper, bed and breakfast)

Special features

'Table aux Saveurs du Terroir™' (Terroir Cuisine): establishment offering a dinner menu showcasing local products from Québec.

'Certifié « Bienvenue cyclistes !ᴹᴰ »' (Certified « Bienvenue cyclistes !™): establishment offering bicycle-friendly tourist services.
Information: 1 800 567-8356, www.routeverte.com.

Methods of Payment
VS Visa
MC MasterCard

AM American Express
ER En Route
IT Interac payment

Classification

"Hébergement Québec" classification is administered by the Corporation de l'industrie touristique du Québec. For more information: 1 866 499-0550.

Sun or star	Definitions for the levels of classification
☀ or ★	Basic facilities and services meeting the quality standards
☀☀ or ★★	Comfortable facilities, offering some services and amenities
☀☀☀ or ★★★	Excellent facilities, offering several services and amenities
☀☀☀☀ or ★★★★	Superior facilities, offering a wide range of services and amenities
☀☀☀☀☀ or ★★★★★	Exceptional facilities, offering a full range of services and amenities

Here are the reasons why a classification may not have been posted:

The establishment decided not to publish the classification result;

The establishment is currently undergoing classification: ✎

Au Manoir de la Rue Merry, Cantons-de-l'Est

Abitibi-Témiscamingue

De grands espaces d'aventures...

Écrin de forêts et de lacs, l'Abitibi-Témiscamingue invite les amateurs de plein air qui souhaitent se ressourcer au contact d'une vaste nature.

Exceptionnelle de par ses lieux naturels, ses forêts, ses lacs et ses nombreuses rivières, l'Abitibi-Témiscamingue offre des possibilités quasi infinies d'aventures douces ou extrêmes. C'est aussi un vaste patrimoine géologique et glaciaire à explorer. Les roches de l'Abitibi sont parmi les plus anciennes de la planète! Oser l'Abitibi-Témiscamingue, c'est entreprendre un véritable voyage dans le temps et la nature. C'est pourquoi ses richesses naturelles sont si convoitées.

Les Amérindiens connaîtront l'arrivée du «visage blanc» et de leur Dieu vers 1670. D'abord, on s'y installe pour y faire la traite de la fourrure de castor. La grande aventure agroforestière et ses légendes, dont celle des bûcherons aux bras aussi gros que des troncs d'arbres, débutera 180 ans plus tard. C'est en 1923 avec la découverte d'un gisement d'or que commence «la Ruée vers l'or», attirant même des immigrants de l'Europe de l'Est.

Saveurs régionales

Avec la nature à leur porte et l'influence des Amérindiens, il n'est pas étonnant de constater que les gens de l'Abitibi-Témiscamingue aient développé un art culinaire axé sur les viandes sauvages et le poisson. Pendant les années de la colonisation, on chassait et on «trappait» par obligation, et les cuisiniers des camps de bûcherons devaient concocter des plats très nourrissants pour des ouvriers qui trimaient dur. Aujourd'hui, les gens sont toujours aussi débrouillards et développent tranquillement leur terroir.

- Ils pratiquent la culture en serres, l'élevage d'autruches et d'émeus, la production de tomates (dont celle de Guyenne, porte-étendard de la région), de cassis et de fromages, et même la plantation de vignes.

- Que dire du riz sauvage de l'Abitibi, des champignons laurentiens (pleurotes, morilles, chevaliers jaunes, etc.) ou du caviar de corégone ou d'esturgeon.

- Les poissons de la région, à partir desquels on prépare de savoureux plats, comprennent entre autres le doré, le brochet et l'ombre de fontaine.

- On retrouve également plusieurs endroits où cueillir des fraises, des framboises, des bleuets, des cassis ou des groseilles, dont la récolte s'échelonne tout l'été. Abitibiens ou Témiscamiens vous indiqueront les meilleures «talles».

On dit de ces petits fruits qu'ils sont les plus sucrés du Québec. L'Abitibi-Témiscamingue, de par sa position géographique, bénéficie de nuits d'été fraîches et de longues heures d'ensoleillement. C'est tout le secteur agricole qui profite de ces conditions climatiques exceptionnelles.

Abitibi-Témiscamingue

Le saviez-vous?

L'eau de Saint-Mathieu est reconnue pour être la meilleure eau au monde! Cristalline, inodore, équilibrée et plus transparente que tout autre, cette eau provient d'un esker. Les longues crêtes de sable et de gravier qui sillonnent le territoire sont des eskers. Résultant de la fonte des glaciers, les eskers ressemblent à un réseau de veines remplies d'eau formant des rivières souterraines. Ceux de l'Abitibi sont reconnus pour leur très grande quantité d'eau d'une qualité exceptionnelle. Considérés à tort comme des carrières de gravier, dépotoirs ou terrains de jeux pour 4x4, les eskers sont de plus en plus fragilisés.

Clin d'oeil sur l'histoire

Afin de contrer l'exode des Québécois vers les États-Unis, dû à la crise économique de 1929, l'État et l'Église forcent le développement des régions éloignées. Une terre était donnée à qui voulait la rendre exploitable et s'y installer. Il faut savoir qu'à cette époque, on perdait annuellement 1 000 habitants sur 10 000. Sans le peuplement de l'Abitibi, cet exode aurait été certes plus désastreux, mais ces colons, espérant y trouver la richesse promise, furent confrontés à une rude réalité. C'est au prix de la sueur de leur front et de leurs durs labeurs que ces pionniers ont défriché ce territoire vierge pour en faire un coin de pays bien à eux.

Quoi voir?   Quoi faire?

Osez faire une descente de 91 m sous terre à La Cité de l'Or et visitez le Village minier de Bourlamaque (Val-d'Or).

Envie d'inusité? Le Refuge Pageau sera pour vous une véritable arche de Noé (Amos).

Envie de fleurs et de parfums? Les jardins de Saint-Maurice (Amos) ou le parc botanique «À Fleur d'eau» (Rouyn-Noranda).

Parcourez le centre d'interprétation du lac Berry, afin d'en savoir plus sur les eskers.

Découvrez des cèdres blancs «bonsaï» millénaires à la forêt d'enseignement et de recherche du lac Duparquet.

Faites un détour à la Maison Dumulon, un sympathique site historique animé (Rouyn-Noranda).

Écoutez les thuyas chanter au site historique national du Canada du Fort-Témiscamingue (Duhamel-Ouest).

Visiter un chef de file mondial dans les technologies de production des pâtes et papiers, ça vous intéresse? Entreprise Tembec (Témicaming).

Un cours d'histoire sur la colonisation? Rendez-vous au Dispensaire de la Garde (La Corne).

À ne pas manquez en été, le spectacle musical et historique à grand déploiement "Le Paradis du Nord". (La Sarre)

Faites le plein de nature

Vous êtes fasciné par les grands échassiers? Faites une halte à l'Île aux Hérons (Macamic).

Faites une randonnée pédestre au Centre éducatif et forestier du lac Joannès, pour en apprendre plus sur les écosystèmes forestiers (McWatters).

Prévoyez une randonnée pédestre (69 km de sentiers) dans le lieu protégé exceptionnel du parc national d'Aiguebelle (Rouyn-Noranda).

Pour de superbes panoramas, faites une excursion aux collines Kékéko (Rouyn-Noranda).Osez traverser la passerelle longue de 64 m et suspendue à 22 m au-dessus du lac La Haie ou dévaler une falaise par un escalier hélicoïdal (parc national d'Aiguebelle).

Avez-vous envie d'une partie de pêche ou de canot-camping? La réserve faunique La Vérendrye est un lieu de prédilection.

Du vélo dans la grande nature? La Ligne du Mocassin (Ville-Marie à Angliers, 43 km).

Pour plus d'information sur l'Abitibi-Témiscamingue: 1-800-808-0706
www.tourisme-abitibi-temiscamingue.org

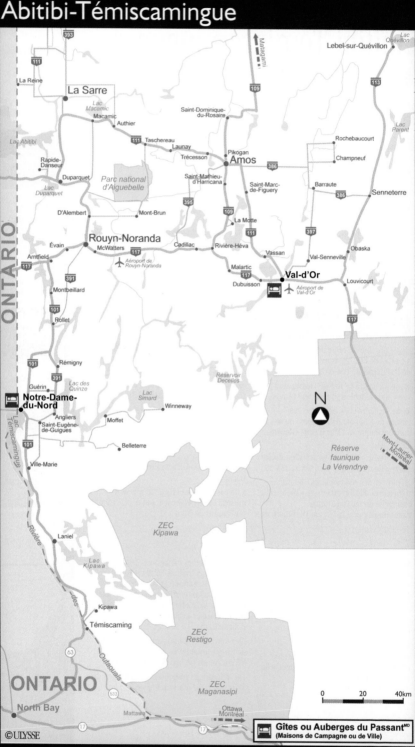

Abitibi-Témiscamingue

©ULYSSE

N

0   20   40km

Gîtes ou Auberges du Passant^MD
(Maisons de Campagne ou de Ville)

ABITIBI-TÉMISCAMINGUE

Notre-Dame-du-Nord
Au Repos du Bouleau ✺ ✺ ✺ ✺

Gîte du Passant
certifié

110, rue du Lac, C.P. 847
Notre-Dame-du-Nord J0Z 3B0
Tél. (819) 723-2607
Fax (819) 723-2605
www.aureposdubouleau.com
info@aureposdubouleau.com
En provenance du Québec, route 101. En provenance de l'Ontario, route 65.

Offre une ambiance chaleureuse et accueillante, propice à la découverte de la région et de l'histoire du Témiscamingue. Sur les berges du lac Témiscamingue, loin de la foule, site idéal pour les amateurs d'aventure douce, d'observation et d'interprétation de la nature. Certifié Bienvenue cyclistes et lauréat régional Grand Prix du tourisme 2008. Certifié "Bienvenue cyclistes !"MD

Aux alentours: marina Notre-Dame-du-Nord, agrotourisme, tourisme autochtone, canot, kayak, randonnée, vélo, raquette, motoneige, ski.
Chambres: certaines climatisées, bureau de travail, TV, DVD, insonorisées, ventilateur. **Lits:** simple, double, queen. **4 ch. S. de bain privée(s).**
Forfaits: gastronomie, plein air, régional, restauration, autres.
2 pers: B&B 70-90$ **1 pers:** B&B 60-80$. Taxes en sus. AM MC VS
Ouvert: à l'année.

A 🕊 @ **Certifié: 2009**

Val-d'Or
Gîte Lamaque ✺ ✺ ✺ ✺

Gîte du Passant
certifié

Nicole Moore et Alayn Tremblay
119, Perry Drive
Val-d'Or J9P 2G1
Tél. (819) 825-4483 1-800-704-4852
Fax (819) 824-8355
www.gitelamaque.com
info@gitelamaque.com
Rte 117 dir. Val-d'Or, rue St-Jacques, 4e rue, rue Perry Drive à gauche.

Le Gîte Lamaque est une maison de style anglais construite en 1936, servant d'auberge pour les visiteurs de la Mine Lamaque. Agréablement meublée elle offre romantisme, intimité et tout le confort tel que salle de bain privée, table de travail et sortie Internet. Une charmante cuisinette où vous pourrez déguster un petit-déjeuner.

Aux alentours: Cité de l'Or, cinéma, restaurants.
Chambres: avec salle d'eau, TV, DVD, accès Internet, insonorisées, spacieuses, entrée privée. **Lits:** queen. **3 ch. S. de bain privée(s).**
Forfaits: détente & santé, romantique.
2 pers: B&B 85-95$ **1 pers:** B&B 75-85$. Taxes en sus. AM MC VS
Réduction: long séjour.
Ouvert: à l'année.

@ 🐾 **Certifié: 2008**

Gîtes et Auberges du Passant MD
Maisons de Campagne et de Ville

Bas-Saint-Laurent
Le jardin d'Eden du Saint-Laurent!

De sa saisissante mosaïque de paysages idylliques à ses incroyables couchers de soleil, vous serez captivé, voire ensorcelé, et voudrez y revenir encore et encore…

Le Bas-Saint-Laurent: les beautés du fleuve à portée de regard et d'excursions, mais aussi des îles, des montagnes, des lacs et surtout de pittoresques villages qui ne s'apprécient qu'en prenant son temps… Sachez-le, car les secrets du Bas-Saint-Laurent ne se révèlent pas autrement, et c'est bien là toute la magie de ce pays.

Que vous preniez la «Route des Navigateurs» longeant le fleuve, la «Route des hauts plateaux» surplombant le littoral, ou, enfin, la «Route des Frontières» pour découvrir l'arrière-pays, vous y trouverez partout un riche patrimoine et de petites merveilles. Admirez ces «monadnocks», des formations de roches dures à l'aspect arrondi qui ponctuent typiquement le paysage.

Écotouristes avertis ou néophytes, vous serez émerveillés par ces petites perles d'îles, dont l'Île Saint-Barnabé, l'Île aux Lièvres, l'Île aux Basques et cette fabuleuse Île Verte à la quiétude verdoyante d'un autre temps.

Le vélo est une autre belle façon de parcourir et d'apprécier le Bas-Saint-Laurent. En hiver, c'est un contraste insoupçonné qui vous attend, et, si le cœur vous en dit, un vaste réseau de 1 800 km de sentiers de motoneige.

Saveurs régionales

Le Bas-Saint-Laurent, c'est un terroir aux arômes raffinés, parfois salins.

- Favorisée par une saison de production écourtée avec moins d'insectes, l'agriculture biologique est très présente (production laitière, acériculture, élevage de bovins et d'agneaux, culture maraîchère et de petits fruits).

- Où le fleuve a déjà le goût salin, on y pêche l'esturgeon, mais l'anguille est sans conteste la vedette pour y avoir même son centre d'interprétation à Kamouraska. Arrêtez-vous dans les fumoirs pour y découvrir la chair tendre de ces poissons fumés.

- Sur la table régionale, on retrouve aussi l'agneau de Kamouraska, l'agneau pré-salé de L'Isle-Verte, le lapin, le canard, la perdrix ainsi que de bons fromages fabriqués selon les méthodes traditionnelles.

- Il faut goûter au cipaille du Bas-Saint-Laurent, ce plat traditionnel composé d'un rang de pâte, d'un rang de viandes de gibier, d'un rang de pâte… et ainsi de suite… Costaud, mais tellement réconfortant!

- La culture des arbres fruitiers, dont la prune occupe une place de choix. Quant à la sève d'érable, on peut dire qu'on rivalise d'originalité pour en faire de délicieux produits dans le Témiscouata, dont un type « porto à l'érable ».

- Cette région est reconnue aussi pour les pommes de terre et les herbes salées.

Produits du terroir à découvrir et déguster

- Le Domaine Acer, Relais du Terroir^{MD} & Ferme Découverte certifiés, Auclair. P. 48
- Hydromellerie Saint-Paul-de-la-Croix, Relais du Terroir^{MD} & Ferme Découverte certifiés, Saint-Paul-de-la-Croix. P. 48

La région compte sept (7) Tables aux Saveurs du Terroir^{MD} et une (1) Table Champêtre^{MD} certifiées. Une façon originale de découvrir toutes ces saveurs. P. 45

Bas-Saint-Laurent

Le saviez-vous?

Ce sont les grands vents d'automne qui poussent les anguilles dans les baies et les filets qui les garderont prisonnières à marée basse. L'anguille adulte (15-20 ans) est obligée de s'arrêter dans cette région en raison de la variance de la salinité des eaux qui lui permet de s'adapter avant d'entreprendre sa spectaculaire migration vers la mer des Sargasses au large des États-Unis. C'est le lieu où toutes les anguilles d'Amérique naissent et, à ce que l'on croit, meurent après avoir frayé entre 2 et 20 millions de larves, selon leur grosseur. Après 2 années en mer, les jeunes anguilles remontent les fleuves et les rivières. L'anguille est pêchée depuis plus de trois siècles dans la région et fait les délices de ceux qui aiment son bon goût.

Clin d'oeil sur l'histoire

Le Bas-Saint-Laurent, paradis de l'écotourisme et de la villégiature, fut jadis la destination à la mode et huppée des grandes dames et hommes richissimes du Québec, de l'Ontario et même des États-Unis. Ils venaient y «prendre les eaux» pour se refaire une santé. Déjà, au XIXᵉ siècle, les vertus thérapeutiques de l'air salin, des embruns iodés et des eaux froides du fleuve Saint-Laurent étaient reconnues. Subsistent de cette époque des résidences cossues et luxueuses faisant la beauté des villages riverains, notamment de Kamouraska et de Cacouna.

Quoi voir?   Quoi faire?

Arrêtez-vous dans les beaux villages de Saint-Pacôme, Kamouraska, Notre-Dame-du-Portage et Cacouna. Sans oublier Saint-Pascal, Saint-Alexandre, Saint-Fabien, Le Bic, Sainte-Luce et leurs environs.

À Rivière-Ouelle, aux abords du quai, vous y verrez la pêche aux anguilles. Au Site d'interprétation de l'anguille de Kamouraska, vous pourrez en déguster.

À Rivière-du-Loup, Trois-Pistoles et Rimouski, faites une croisière sur le littoral ou visitez leurs attraits, musées et environs.

Une halte fort intéressante: Site historique maritime de la Pointe-au-Père.

Tour du lac Témiscouata et de ses petits villages et attraits.

Fort Ingall: emblème de l'empire britannique et symbole de paix (Cabano).

Le Domaine Acer, ÉCONOMUSÉE® de l'érable (Auclair).

Partez en balade le long de la route 289, la route des Frontières, qui vous mènera de Saint-André-de-Kamouraska au village de Saint-Jean-de-la-Lande, près de la frontière du Nouveau-Brunswick et de l'état du Maine aux É.-U.

Faites le plein de nature

Excursions guidées pour découvrir toutes les richesses du fleuve, dont sa faune et ses îles exceptionnelles.

La Réserve nationale de faune de la baie de la municipalité de L'Isle-Verte, trésor naturel à parcourir à pied.

Le parc national du Bic: côtoyez la mer et la forêt le long des berges et voyez les plus beaux couchers de soleil.

La réserve faunique de Rimouski: une aventure au cœur d'une nature toujours surprenante et diversifiée.

Envie de vélo? Le parc linéaire le Petit Témis (130 km).

Domaine du Canyon des Portes de l'Enfer, une descente aux enfers de 300 marches, une passerelle haute de 63 m et des sentiers pédestres (Saint-Narcisse-de-Rimouski).

Ski alpin ou de fond et raquette au parc du Mont-Comi. Aussi, un sentier pédestre de 25 km (Saint-Donat).

Plusieurs autres sites pour l'observation des oiseaux et la randonnée pédestre.

Pour plus d'information sur le Bas-Saint-Laurent : 1-800-563-5268
www.tourismebas-st-laurent.com

Bas-Saint-Laurent

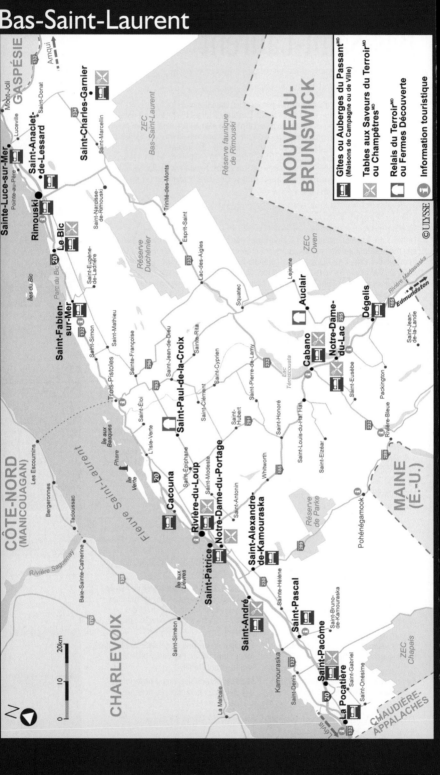

Sainte-Luce-sur-Mer
Maison des Gallant
Nicole Dumont et Jean Gallant
40, route du Fleuve Ouest
Sainte-Luce-sur-Mer
G0K 1P0
(418) 739-3512
1-888-739-3512
www.giteetaubergedupassant.com/gallant
jean.gallant@cgocable.ca

La Fédération des Agricotours du Québec* est fière de rendre hommage aux hôtes Nicole Dumont et Jean Gallant du gîte la MAISON DES GALLANT, qui se sont illustrés de façon remarquable par leur accueil de tous les jours envers leur clientèle. C'est dans le cadre des Prix de l'Excellence 2008 que les propriétaires de cet établissement, certifié Gîte du Passant^{MD} depuis 1998, se sont vu décerner le « Coup de Cœur du Public régional » du Bas-Saint-Laurent dans le volet Gîte du Passant^{MD}. P. 41.

Félicitations !

*La Fédération des Agricotours du Québec est propriétaire des marques de certification : Gîte du Passant^{MD}, Auberge du Passant^{MD}, Maison de Campagne ou de Ville, Table aux Saveurs du Terroir^{MD}, Table Champêtre^{MD}, Relais du Terroir^{MD} et Ferme Découverte.

Merci au nom des lauréats!

Chaque année, les fiches d'appréciation permettent de décerner le Prix de l'Excellence, dans la catégorie « Coup de Cœur du Public », aux établissements qui se sont démarqués de façon remarquable par leur accueil. En remplissant une fiche d'appréciation, vous contribuez non seulement à maintenir la qualité constante des services offerts, mais également à rendre hommage à tous ces hôtes.

COUREZ LA CHANCE DE GAGNER UN SÉJOUR!

Chacune des fiches d'appréciation , vous donne la chance de gagner un séjour de 2 nuits pour 2 personnes dans un « Gîte ou une Auberge du Passant^{MD} » de votre choix. La fiche d'appréciation est disponible dans tous les établissements certifiés et sur Internet :

www.gitesetaubergesdupassant.com
www.tablesetrelaisduterroir.com

L'équilibre des goûts, des saveurs, des couleurs et des textures, la création d'une assiette comme une oeuvre artistique, une carte viticole surprenante et harmonieuse, la magie sonore du piano, la beauté absolue des oeuvres de l'artiste peintre Claude Théberge, voici l'expérience sensorielle dans sa pure définition

AUBERGE DU CHEMIN FAISANT
confort ▪ gastronomie ▪ art de vivre

12, Vieux Chemin
Cabano (Québec) G0L 1E0
418 854-9342 / 1 877 954-9342
www.cheminfaisant.qc.ca
info@cheminfaisant.qc.ca

Bic, Le
Aqua Jardin du Bic ★★★

Maison de Campagne
certifiée

Endroit rêvé pour une détente bien méritée dans un appartement spacieux sur deux étages d'une magnifique maison ancestrale. Venez relaxer dans un décor enchanteur. Notre spa extérieur vous procurera repos et bien-être. Soins de détente en massothérapie à l'intérieur d'un gazébo durant la période estivale disponible.

Aux alentours: Canyon des Portes de l'Enfer, concerts aux îles du Bic, excursions à l'île Saint-Barnabé, Festi Jazz international.
Maisons: jacuzzi, TV, accès Internet, cachet ancestral, tranquillité assurée, vue sur fleuve. **Lits:** queen, divan-lit. **1 maison(s). 2 ch. 1-6 pers.**

Diane Doucet
2261, route 132 est
Le Bic G0L 1B0
Tél. (418) 736-4854 (418) 740-2883
www.aquajardindubic.qc.ca
d-doucet@hotmail.com
Aut. 20 jusqu'à Rivière-du-Loup, route 132 qui mène au village Bic.

Forfaits: divers.
SEM 1000-1350$ **WE** 300-400$ **JR** 150-200$. IT MC VS
Réduction: hors saison, long séjour.
Ouvert: à l'année.

🚗 AV @ ♿ **Certifié: 2008**

Bic, Le
Auberge du Mange Grenouille ★★★

Auberge du Passant
certifiée

Une escale d'exception, une invitation au rêve pour les amants de la campagne. Auberge de charme, riche de son décor romantique et théâtral. Table gourmande et excellente carte des vins. Spa extérieur et jardin surplombant les îles du Bic. Trois fois lauréate nationale aux Grands Prix du tourisme québécois, gastronomie, cuisine et hébergement. **Certifié Table aux Saveurs du Terroir**MD. P. 45 et endos de la page géographique au début du guide.

Aux alentours: parc du Bic, théâtre du Bic, golf (18 trous), kayak de mer, excursions en mer, Musée de la mer.
Chambres: jacuzzi, téléphone, accès Internet, personnalisées, raffinées, romantiques, vue sur fleuve. **Lits:** double, queen, king. **22 ch. S. de bain privée(s) ou partagée(s).**

Jean Rossignol et Carole Faucher
148, rue Ste-Cécile
Le Bic G0L 1B0
Tél. (418) 736-5656
Fax (418) 736-5657
www.aubergedumangegrenouille.qc.ca
admg@globetrotter.net
De Québec, aut. 20 jusqu'à Rivière-du-loup, route 132 qui mène au village Bic. 1 heure de Rivière-du-Loup.

Forfaits: golf, romantique, théâtre.
2 pers: B&B 79-189$ **1 pers:** B&B 79-189$.
Enfant (12 ans et –): B&B 25$. Taxes en sus. AM ER IT MC VS
Ouvert: 1 mai - 24 oct.

A ✕ ♿ **Certifié: 2004**

Bic, Le
Maison de la Baie Hâtée ❋ ❋ ❋

Gîte du Passant
certifié

Demeure datant de 1820, accueil chaleureux, où vous pourrez profiter d'un service de massothérapie. Vous pourrez également visiter l'atelier de poterie et participer à des animations céramiques. Possibilité de repas en prévenant à l'avance.

Aux alentours: parc du Bic, Portes de l'enfer, golf, kayak, théâtre, sentiers de motoneige.
Chambres: certaines avec lavabo, certaines avec salle d'eau, bois franc, chambre familiale. **Lits:** simple, double, d'appoint. **5 ch. S. de bain privée(s) ou partagée(s).**
Forfaits: détente & santé.

Josiane Vedrine et Charles-Xavier Roussel-Bongiovanni
2271, route 132 Est
Le Bic G0L 1B0
Tél. (418) 736-5668
www.gitedelabaiehatee.com
gitedelabaiehatee@globetrotter.net
Rte 132 est, suivre la route touristique.

2 pers: B&B 82-92$ **1 pers:** B&B 67-77$.
Enfant (12 ans et –): B&B 15$. VS
Ouvert: à l'année.

A 🚗 ✕ AV @ ♿ **Certifié: 2007**

Cabano
Auberge du Chemin Faisant ★★★

Auberge du Passant
certifiée

Maison historique, alliant beauté et richesse, devenue un endroit de prédilection des amants de bonheur et de plaisir. Laissez-vous envoûter par le son du piano, la chaleur du foyer et notre fine cuisine artistique régionale influencée des cultures gastronomiques internationales. Grand Prix du tourisme 2007, développement de la gastronomie. Certifié "Bienvenue cyclistes !"^{MD} **Certifié Table aux Saveurs du Terroir^{MD}**. P. 32, 45.

Aux alentours: lac Témiscouata, piste cyclable Le Petit Témis, sentier national, golf et jardins.
Chambres: climatisées, bureau de travail, TV, accès Internet, confort moderne, raffinées, romantiques. **Lits:** double, queen. **6 ch. S. de bain privée(s).**
Forfaits: charme, vélo, gastronomie, golf, motoneige, romantique.
2 pers: B&B 95-135$ **PAM** 175-215$ **1 pers: B&B** 95-135$ **PAM** 135-175$.
Enfant (12 ans et —): B&B 15$ **PAM** 15-55$. Taxes en sus. AM ER IT MC VS
Réduction: hors saison.
Ouvert: à l'année. **Fermé:** 24 déc - 1 fév.

A ✕ @ ⛲ **Certifié: 2000**

Liette Fortin et Hugues Massey
12, rue du Vieux Chemin
Cabano G0L 1E0
Tél. (418) 854-9342 1-877-954-9342
Fax (418) 854-6538
www.cheminfaisant.qc.ca
info@cheminfaisant.qc.ca
Aut. 20, à Rivière-du-Loup, rte 185 sud. À Cabano, 1re sortie,
rue Commerciale, 1 km, rue du Vieux Chemin à droite.

Cacouna
Chez Marguerite 📞

Maison de Campagne
certifiée

Maison de type normande très spacieuse à deux étages avec foyer au salon et salle à manger. Grand terrain avec terrasse extérieure, dans un village pittoresque le long du fleuve Saint-Laurent où Émile Nelligan y passait ses étés.

Aux alentours: sites ornithologie, excursions îles du Bas-St-Laurent, croisière aux baleines, golf, vélo, randonnées.
Maisons: foyer, téléphone, TV, CD, DVD, cachet d'autrefois, cachet ancestral, spacieuses, vue sur champs. **Lits:** double, queen, divan-lit, pour bébé. **1 maison(s).**
1-6 pers.
SEM 750-1050$ **WE** 250-350$ **JR** 150-250$. AM MC VS
Réduction: hors saison, long séjour.
Ouvert: à l'année.

A 🐾 AV ⛲ **Certifié: 2008**

Lorraine Daneau et Carl Lebel
424, rue du Patrimoine
Cacouna G0L 1G0
Tél. / Fax (418) 860-2122
www.giteetaubergedupassant.com/chezmarguerite
carlo13@videotron.ca
Aut. 20, sortie 514 Cacouna à droite, dir. Cacouna, rue
Principale à gauche.

Dégelis
Gîte la Belle Maison Blanche ✳ ✳ ✳

Gîte du Passant
certifié

Coup de Cœur du Public régional 2005. Bienvenue dans notre maison centenaire accueillante où jardin d'eau, cascades et fleurs, bancs de parc, balançoires, gazebo pour pique-nique et accès direct à la piste cyclable vous feront passer un agréable séjour. Repos assuré. Pour vous: balcon, salle de séjour, TV et frigo. Déjeuner copieux sous la verrière. Au plaisir de vous accueillir! Certifié "Bienvenue cyclistes !"^{MD}

Aux alentours: piste cyclable Le Petit Témis, golf, roseraie, observatoire, Domaine Acer, Jardins de la République.
Chambres: TV, accès Internet, ensoleillées, cachet d'autrefois, peignoir, ventilateur, vue sur jardin. **Lits:** simple, double, queen, d'appoint. **5 ch. S. de bain partagée(s).**
2 pers: B&B 57-77$ **1 pers: B&B** 52-67$.
Enfant (12 ans et —): B&B 10$
Réduction: long séjour.
Ouvert: à l'année.

@ ⛲ **Certifié: 1990**

Monique et André Lavoie
513, avenue Principale
Dégelis G5T 1L8
Tél. / Fax (418) 853-3324
www.labellemaisonblanche.com
moniqueandre28@videotron.ca
De Rivière-du-Loup, rte 185 sud. À Dégelis, sortie rue
Principale sud. Du Nouveau-Brunswick, rte 185 nord. À
Dégelis, rue Principale sud. 513 à votre droite.

Kamouraska, Saint-Alexandre
Gîte des Fleurs ❀❀❀

Gîte du Passant
certifié

Pour un accueil chaleureux et une maison spacieuse située au cœur du village... Notre gîte est un havre de tranquillité avec son grand terrain garni d'arbres fruitiers, de potagers et de jolies fleurs. Sans oublier notre grande verrière pour vous détendre. Copieux petit-déjeuner servi avec des confitures maison; un repas santé. Bienvenue!

Aux alentours: base de plein air Pohénégamook, escalade, kayak, croisières, camp musical, théâtre d'été, carillons.
Chambres: bureau de travail, téléphone, TV, balcon, insonorisées, ensoleillées, personnalisées, studio. Lits: simple, double, queen, divan-lit. **3 ch. S. de bain partagée(s).**
2 pers: B&B 65$ **1 pers:** B&B 45$.
Enfant (12 ans et —): B&B 15$
Réduction: hors saison, long séjour.
Ouvert: à l'année.

Alice et Julien Ouellet
526, av. Marguerite D'Youville
Saint-Alexandre-de-Kamouraska G0L 2G0
Tél. / Fax (418) 495-5500
www.giteetaubergedupassant.com/desfleurs
Aut. 20 est, sortie 488 dir. St-Alexandre, route 289. Après l'Église, av. Marguerite D'Youville.

✘ **AV Certifié: 2001**

Kamouraska, Saint-Alexandre
La Maison au Toit Bleu ❀❀❀

Gîte du Passant
certifié

Coup de Cœur du Public provincial 2007 - Gîte. Agréable séjour dans la belle maison ancestrale où vécut Marie-Alice Dumont, première photographe professionnelle de l'Est du Québec. Nourrissants petits-déjeuners dégustés devant la verrière de l'ancien studio. Présentation de photographies anciennes. Accueil plus que chaleureux.

Aux alentours: près des décors champêtres de Notre-Dame-du-Portage, Pohénégamook, Kamouraska...
Chambres: TV, cachet d'antan, meubles antiques, peignoir, oreillers en duvet, chambre familiale. Lits: simple, double, king, pour bébé. **3 ch. S. de bain partagée(s).**
2 pers: B&B 70$ **1 pers:** B&B 55$.
Enfant (12 ans et —): B&B 10$. ER
Ouvert: à l'année.

Daria Dumont
490, avenue Saint-Clovis
Saint-Alexandre-de-Kamouraska G0L 2G0
Tél. (418) 495-2701 (418) 495-2368
www.giteetaubergedupassant.com/maisonautoitbleu
Aut. 20 est, sortie 488 direction Saint-Alexandre, 1ᵉ maison à gauche à la jonction de la rte 230 (5 min de l'aut.).

AV Certifié: 1991

Kamouraska, Saint-André
Auberge La Solaillerie ★★★

Auberge du Passant
certifiée

«Impossible de ne pas tomber sous le charme!» (La Presse), car tout vous séduira: le dépaysement d'une atmosphère romanesque, l'authenticité d'un décor soigné, la beauté et le calme d'un environnement champêtre et fluvial, la chaleur d'un accueil attentionné et le raffinement d'une grande table. Une auberge magnifique où l'on se sent bien. **Certifié Table aux Saveurs du Terroir**ᴹᴰ. P. 45.

Aux alentours: fleuve et campagne, sentiers pédestres, cyclisme, soins de santé, golf, croisières, musées, kayak.
Chambres: accès Internet, cachet champêtre, tranquillité assurée, vue sur fleuve, vue sur campagne. Lits: double, queen, d'appoint. **10 ch. S. de bain privée(s).**
Forfaits: vélo, gastronomie, détente & santé, été, printemps, automne, hiver.
2 pers: B&B 105-145$ PAM 213-268$ **1 pers:** B&B 80-110$ PAM 145-175$.
Taxes en sus. IT MC VS
Réduction: hors saison.
Ouvert: à l'année.

Thérèse Servant et Jean-Marc Baup
112, rue Principale
Saint-André G0L 2H0
Tél. (418) 493-2914
Fax (418) 493-2243
www.aubergelasolaillerie.com
lasolaillerie@bellnet.ca
Aut. 20, sortie 480, dir. St-André (jusqu'au fleuve). À l'entrée du village, à droite. Ou accès direct par la route des Navigateurs (132). Située au centre du village.

🐾 ✘ AV @ ♿ **Certifié: 1994**

Kamouraska, Saint-Pascal
Gîte Maison Chapleau ✤ ✤ ✤ ✤

Gîte du Passant
certifié

Situé au cœur de la belle région du Kamouraska, le Gîte Maison Chapleau vous ouvre ses portes pour l'ambiance, le confort douillet d'une couette, l'odeur d'un bon petit-déjeuner et l'accueil personnalisé de vos hôtes. Laissez-vous charmer par le cachet de cette maison victorienne et vivez l'expérience unique du meilleur des deux mondes.

Aux alentours: sentiers pédestres, kayak, vélo, théâtre, musée, festivals, gastronomie, golf, soins de santé, motoneige, expositions.
Chambres: accès Internet, confort moderne, personnalisées, cachet victorien, peignoir, lumineuses. **Lits:** queen. **4 ch. S. de bain partagée(s).**
Forfaits: vélo, gastronomie, golf, motoneige, plein air, détente & santé, théâtre.
2 pers: B&B 89-109$ **1 pers:** B&B 79-99$.
Enfant (12 ans et –): B&B 20$. Taxes en sus. MC VS
Réduction: hors saison.
Ouvert: à l'année.

595, rue Taché
Saint-Pascal G0L 3Y0
Tél. / Fax (418) 492-1368
www.gitemaisonchapleau.com
mverreault@gitemaisonchapleau.com
Aut. 20 est, sortie 465 dir. Saint-Pascal, au 1er feu rouge à gauche, rue Taché à droite.

A ● **AV** @ **Certifié: 2008**

La Pocatière
La Chevrière ✤ ✤ ✤ ✤

Gîte du Passant
certifié

Il nous fait chaud au cœur de vous accueillir dans ce havre de paix et d'harmonie. Grands espaces, confort, beauté et magnifique panorama sur le St-Laurent et Charlevoix. Petit-déjeuner copieux et raffiné, confitures maison. Souper 5 services. Table recommandée en 2004 par un guide réputé. Piscine, pétanque, pergola, terrain de jeux.

Aux alentours: Seigneurie des Aulnaies, musée F. Pilote, théâtre, équitation, jardin floral, pêche au saumon.
Chambres: certaines climatisées, meubles antiques, décoration thématique, lucarnes, vue sur fleuve. **Lits:** simple, double, queen, king, d'appoint. **4 ch. S. de bain privée(s) ou partagée(s).**
2 pers: B&B 65-85$ PAM 125-145$ **1 pers:** B&B 60-85$ PAM 90-115$.
Enfant (12 ans et –): B&B 10-15$ PAM 25-40$. VS
Réduction: hors saison, long séjour.
Ouvert: à l'année.

Louise et Jean-Philippe Tirman
105, rue Boucher
La Pocatière G0R 1Z0
Tél. / Fax (418) 856-4331
www.gitelachevriere.com
lachevriere@gitelachevriere.com
Aut. 20, sortie 439, après l'église, 1re rue, rue de la Gare à gauche. Longer la voie ferrée. Martineau à droite en haut de la côte, rue Chamberland à gauche. 1re à droite.

A ● ✕ **AV** ⛵ @ ⚙ **Certifié: 2002**

La Pocatière
Le Grand Fortin ✤ ✤ ✤ ✤ ✤

Gîte du Passant
certifié

Un manoir exceptionnel où le beau, le grand, le noble, côtoient la nature brute d'une montagne accidentée et d'un fleuve majestueux. Chacune des saisons dévoile une flore riche, vierge et sauvage, modelant à l'infini de nouveaux paysages apaisants pour le corps et pour l'esprit. Ce gîte 5 soleils abrite un centre d'interprétation de l'icône. P. 36.

Aux alentours: ski, raquette, motoneige, marche en forêt, baignade, golf, patin, bibliothèque, musées, concerts publics, cinéma.
Chambres: avec salle d'eau, foyer, TV, accès Internet, raffinées, romantiques, luxueuses, vue sur fleuve. **Lits:** double, queen. **3 ch. S. de bain privée(s).**
Forfaits: plein air, romantique, ski de fond, automne, hiver.
2 pers: B&B 125-250$ **1 pers:** B&B 100-180$.
Enfant (12 ans et –): B&B 10-20$
Réduction: long séjour.
Ouvert: à l'année.

Michèle Fortin
189, av. Industrielle, rte 132 Ouest
La Pocatière G0R 1Z0
Tél. (418) 856-3179 1-877-856-3179
www.legrandfortin.com
grandfortin@bellnet.ca
Aut. 20 est, sortie 439 dir. La Pocatière, 1er feu de circulation, av. Industrielle à droite.

A 🏂 **AV** @ ⚙ **Certifié: 2007**

Rivière-du-Loup
Au Terroir des Basques ❀ ❀ ❀

Gîte du Passant
certifié

Coup de Cœur du Public régional 1997-98. «Eh qu'on est bien chez nous!». Maison coquette, meubles antiques, air climatisé, terrasse, jardin, vue sur le fleuve. Copieux déjeuners servis dans la verrière, pain et confitures maison. Près du traversier, croisière. Grand Prix du tourisme régional 1999. Abri pour vélos et motos. Vivez la différence. Certifié "Bienvenue cyclistes !"^{MD}

Aux alentours: Noël au Château, piste cyclable Le Petit Témis, golf, parc des Chutes, croisière aux baleines, théâtre d'été.

Chambres: certaines avec lavabo, accès Internet, meubles antiques, peignoir, ventilateur, originales. **Lits:** simple, double. **2 ch. S. de bain partagée(s).**
2 pers: B&B 73$ **1 pers:** B&B 63$
Enfant (12 ans et —): B&B 15$
Ouvert: à l'année.

@ ☾ **Certifié: 2006**

Marguerite Filion
197, rue Fraser
Rivière-du-Loup G5R 1E2
Tél. / Fax (418) 860-2001 Tél. 1-877-647-8078
www.3.sympatico.ca/marpierre
marpierre@sympatico.ca
Aut. 20, sortie 503, à l'arrêt à droite, dir. rue Fraser, 1,4 km.

Rivière-du-Loup, Saint-Patrice
Les Rochers ❀ ❀ ❀

Gîte du Passant
certifié

Résidence d'été du premier ministre du Canada, Sir John A. MacDonald de 1872 à 1891. Pour nos visiteurs, cette demeure historique offre une vue magnifique sur le fleuve Saint-Laurent, une ambiance paisible et de délicieux petits-déj. maison. Les couchers de soleil sont renommés. Nous parlons anglais et français. Maison non-fumeur.

Aux alentours: golf de Rivière-du-Loup (1km), Tennis Jutras (.5km), Le Petit Témis sentier (16km), baleines.
Chambres: baignoire sur pattes, cachet d'autrefois, tranquillité assurée, vue sur fleuve.
Lits: simple, double. **5 ch. S. de bain privée(s) ou partagée(s).**
2 pers: B&B 90-105$ **1 pers:** B&B 70-90$. IT MC VS
Ouvert: 22 juin - 1 sept.

A ☾ **Certifié: 1998**

Audrey Dionne
336, rue Fraser
Saint-Patrice G5R 5S8
Tél. (514) 393-1417 (418) 868-1435
Fax (514) 393-9444
www.giteetaubergedupassant.com/rochers
chq@total.net
Rte 185, sortie 96, suivre les panneaux pour le traversier, au MacDo à gauche, 3 km à l'ouest de Riv.-du-Loup sur rte 132.

Saint-Anaclet-de-Lessard
Ferme Rodrigue et Fils - Maison de la Chute Neigette ★ ★ ★

Maison de Campagne à la Ferme
certifiée

Ferme laitière. Accueillant chalet 4 saisons avec cuisine équipée, laveuse, sécheuse, literie et serviettes. BBQ aussi disponible. À proximité: pêche, chasse, ski, mont Comi, 4 golfs, patinoire, chute 100 pieds de haut avec passerelle, sentier national pédestre, plage Sainte-Luce, Jardins de Métis, parapente sur cap 740 pi. Commodités de la ville à la campagne. P. 43.

Aux alentours: chute Neigette, sentier pédestre.
Maisons: TV, CD, DVD, ensoleillées, confort moderne, cachet d'antan, terrasse, vue panoramique. **Lits:** simple, double, queen, d'appoint. **1 maison(s). 4 ch. 10 pers.**
SEM 500$. Taxes en sus.
Réduction: long séjour.
Ouvert: à l'année.

🐾 ☾ **Certifié: 2009**

Anne Routhier
173, rang 1 Neigette Est
Saint-Anaclet-de-Lessard G0K 1H0
Tél. / Fax (418) 723-9525 Tél. (418) 722-7361
www.maisondelachuteneigette.qc.ca
ar.rodrigue@globetrotter.net
Aut. 20 est, sortie 621, 2ᵉ arrêt à droite, rue Principale à droite. Au Esso à gauche, 5km, 1ᵉʳ rang Neigette à gauche, Fourneau à chaux jusqu'au 6 rang 2 Neigette.

Notre-Dame-du-Lac
Auberge La Dolce Vita ★★★

Auberge du Passant
certifiée

Située au cœur de Notre-Dame-du-Lac, là où tout est bercé par le magnifique lac Témiscouata, notre auberge se fait charmante, afin de vous accueillir «là où la vie est douce». Chez nous, les gens tout comme les paysages sont vrais et chaleureusement accueillants. Galerie d'art régionale. Authenticité témiscouataine au petit accent européen. Certifié "Bienvenue cyclistes !"[MD] **Certifié Table aux Saveurs du Terroir**[MD]. P. 46.

Aux alentours: piste cyclable Le Petit Témis, Jardin de la Petite école, Station scientifique Aster, golf du Témiscouata, Domaine Acer.
Chambres: climatisées, téléphone, accès Internet, raffinées, tranquillité assurée, terrasse. **Lits:** double, queen, divan-lit, d'appoint, pour bébé. **8 ch. S. de bain privée(s).**
Forfaits: charme, vélo, croisière, gastronomie, golf, plein air, régional, automne, autres.
2 pers: B&B 90-115$ PAM 199-219$ **1 pers:** B&B 85-110$ PAM 137-157$.
Enfant (12 ans et −): B&B 10-15$. Taxes en sus. AM IT MC VS
Réduction: hors saison, long séjour.
Ouvert: 5 mai - 15 oct.

A ✗ @ 👣 Certifié: 2005

Annie Lavoie et Marc Lagacé
693, rue Commerciale
Notre-Dame-du-Lac G0L 1X0
Tél. (418) 899-0333 1-877-799-0333
Fax (418) 899-0814
www.aubergeladolcevita.ca
info@aubergeladolcevita.ca

Aut. 20 est, à Rivière-du-Loup, rte 185 sud, à Notre-Dame-du-Lac, sortie 29 dir. centre-ville. De Rimouski, route 232, à Cabano, rte 185 sud, à Notre-Dame-du-Lac, sortie 29.

Rimouski
La Maison Bérubé ✿✿✿✿

Gîte du Passant à la Ferme
certifié

Ferme laitière. Coup de Cœur du Public régional 2003. Une bicentenaire au charme d'antan. Pour jaser, un salon spacieux, une musique omniprésente et un vieux poêle à bois pour vous réchauffer. Si vous désirez le calme, le petit salon et son foyer vous apaiseront. Au petit-déj., produits régionaux à l'honneur. Dans votre assiette, les fleurs de la saison charmeront votre oeil et votre palais. P. 43.

Aux alentours: parc du Bic, Jardins de Métis, restos, théâtre, golfs, musées, croisières et une mer à contempler.
Chambres: climatisées, accès Internet, meubles antiques, oreillers en duvet, vue sur campagne. **Lits:** simple, double, king, d'appoint. **3 ch. S. de bain privée(s).**
2 pers: B&B 95$ **1 pers:** B&B 70$.
Enfant (12 ans et −): B&B 15$. Taxes en sus.
Ouvert: à l'année.

● AV @ 👣 Certifié: 1993

Louise Brunet et Marcel Bérubé
1216, boul. Saint-Germain, route 132
Rimouski G5L 8Y9
Tél. / Fax (418) 723-1578
www.giteetaubergedupassant.com/maisonberube
maisonberube@globetrotter.net

De Québec, aut. 20 est, rte 132 est. À la sortie est de Bic, au feu clignotant, rte 132 à gauche, 6,5 km. Du centre-ville de Rimouski, direction ouest, rte 132, 7km.

Rivière-du-Loup
Auberge St-Patrice ★★★

Auberge du Passant
certifiée

Bienvenue à l'Auberge St-Patrice. Une ambiance douillette et confortable dans un décor chaleureux... Notre auberge compte 16 unités dont une suite affaire et deux suites avec baignoire à remous double. Chacune de nos chambres revêt un cachet unique qui rendra votre séjour des plus agréables.

Aux alentours: croisière aux baleines, golf, manoir Fraser, Noël au Château, Musée Bas-St-Laurent, parc des Chutes et de la Pointe.
Chambres: climatisées, baignoire à remous, foyer, TV, balcon, cachet particulier, couettes en duvet. **Lits:** simple, double, queen, divan-lit, pour bébé. **16 ch. S. de bain privée(s).**
Forfaits: croisière, famille, romantique.
2 pers: B&B 65-155$ **1 pers:** B&B 65-155$. Taxes en sus. AM IT MC VS
Réduction: hors saison, long séjour.
Ouvert: à l'année.

A 🐾 AV @ 👣 Certifié: 2008

Annika Boulianne et Steeve Rioux
165, rue Fraser
Rivière-du-Loup G5R 1E2
Tél. (418) 867-2881
Fax (418) 867-4630
www.aubergest-patrice.com
aubergestpatrice@videotron.net

Aut. 20, sortie 503, à l'arrêt à droite, direction rue Fraser. Aut. 185, sortie 96, à l'arrêt à droite, 1er arrêt rue St-Pierre à gauche, rue Fraser à gauche.

Saint-Anaclet-de-Lessard
Le Gîte Repos et Santé ✻ ✻ ✻

Gîte du Passant à la Ferme
certifié

Ferme d'élevage – Ferme maraîchère. Située sur une ferme, notre maison familiale chaleureuse des années 1900, entièrement rénovée pour votre confort, vous fera découvrir la tranquillité de la campagne. Savoureux déjeuners servis avec confitures maison. Long séjour: massothérapie et soins du corps disponibles. Au plaisir de vous accueillir! P. 43.

Aux alentours: musée de la mer, Jardins de Métis, canyon, golf, parc du Bic, ski, raquette.
Chambres: certaines avec lavabo, TV, CD, accès Internet, peignoir, ventilateur, vue panoramique. **Lits:** simple, double, queen, d'appoint, pour bébé. **3 ch. S. de bain partagée(s).**
Forfaits: charme, détente & santé, romantique, hiver.
2 pers: B&B 65-70$ **1 pers:** B&B 55$.
Enfant (12 ans et –): B&B 15$. AM MC VS
Réduction: long séjour.
Ouvert: à l'année.

Lyne Proulx et Jean-Marie Bouillon
55, 4e Rang Est
Saint-Anaclet-de-Lessard G0K 1H0
Tél. (418) 724-4822 1-866-724-4822
Fax (418) 721-5301
www.giterepossetsante.com
repos.sante@globetrotter.net
Rte 132, Pointe-au-Père direction St-Anaclet-de-Lessard. Aut.
20, sortie 621, av. Père Nouvel, St-Anaclet-de-Lessard.

AV @ ☾ **Certifié: 2006**

Saint-Charles-Garnier
Gîte l'Ancêtre ✻ ✻ ✻

Gîte du Passant
certifié

Au Gîte l'Ancêtre, détente et tranquillité sont à l'honneur. Au cœur de la majestueuse chaîne de montagnes des Appalaches, vous pourrez vous détendre tout en contemplant un paysage enchanteur. Nathalie et Jocelyn seront heureux de vous accueillir avec courtoisie et bonne humeur ainsi que de vous faire visiter leur élevage de wapitis pur sang. P. 47.

Chambres: certaines avec lavabo, TV, meubles antiques, tranquillité assurée, vue sur montagne. **Lits:** simple, double, d'appoint, pour bébé. **3 ch. S. de bain partagée(s).**
Forfaits: charme, gastronomie, ski alpin.
2 pers: B&B 65$ **PAM** 105$ **1 pers:** B&B 45$ **PAM** 65$.
Enfant (12 ans et –): B&B 10$ **PAM** 20$. Taxes en sus. VS
Ouvert: à l'année.

Nathalie Miron et Jocelyn McCann
56, rue Principale
Saint-Charles-Garnier G0K 1K0
Tél. (418) 798-4837
Fax (418) 798-8335
www.gite-ancetre.com
gitelancetre@globetrotter.net
Aut. 20 est, sortie 610, rte 232, à Ste-Blandine, 1er arrêt, rte
234 à gauche, 1er clignotant, rte 298 à droite, 1er arrêt à droite,
1er clignotant à gauche, tout droit.

A ✕ @ **Certifié: 2008**

Saint-Fabien-sur-Mer
L'Accueillante - Gîte & Ressourcement ✻ ✻ ✻

Gîte du Passant
certifié

St-Fabien-sur-Mer est un des plus beaux coins de villégiature du Bas-St-Laurent. Notre site pittoresque vous offre une vue imprenable sur le fleuve et ses magnifiques couchers de soleil. Que ce soit pour vos vacances estivales ou pour vos moments de détente en d'autres temps de l'année, nous sommes dévoués à rendre votre séjour mémorable.

Aux alentours: parc national du Bic, théâtres, galeries d'art, golf, équitation, kayak et excursions en mer.
Chambres: cachet champêtre, tranquillité assurée, vue sur mer, vue sur fleuve, vue panoramique. **Lits:** double, queen. **3 ch. S. de bain partagée(s).**
Forfaits: gastronomie, golf, plein air.
2 pers: B&B 85-90$ **1 pers:** B&B 80-85$.
Enfant (12 ans et –): B&B 20$. Taxes en sus.
Réduction: hors saison, long séjour.
Ouvert: à l'année.

André Pagé
24, chemin à Grand-Papa
Saint-Fabien-sur-Mer G0L 2Z0
Tél. (418) 869-2032
Fax (418) 869-2979
www.laccueillante.com
laccueillante@globetrotter.net
Aut. 20, rte 132. À St-Fabien, au clignotant à gauche, chemin
Grand-Papa à droite. Au bout du chemin.

A ● AV @ ☾ **Certifié: 2006**

Saint-Pacôme
Auberge Comme au Premier Jour ✱✱✱

Doris Parent et Jean Santerre
224, boul. Bégin
Saint-Pacôme G0L 3X0
Tél. (418) 852-1377
www.aubergecommeaupremierjour.com
commeaupremierjour@bellnet.ca
Aut. 20, sortie 450 dir. St-Pacôme. À l'église, boul. Bégin, se
garer à l'arrière de l'église.

Auberge du Passant
certifiée

Ancien presbytère de 1868 entièrement rénové. Classé monument patrimonial à l'architecture exceptionnelle, intérieurs chaleureux offrant un hébergement douillet et des repas de fine cuisine du terroir. Une des meilleures tables de la région! Ambiance apaisante, tout pour le romantisme et le plaisir de vivre. Foyer au salon. **Certifié Table aux Saveurs du Terroir**[MD]. P. 47.

Aux alentours: golf, arbre en arbre, pêche saumon, vélo, sentiers pédestres, belvédère, ski, vin de petits fruits, circuit patrimonial.
Chambres: baignoire à remous, cachet ancestral, tranquillité assurée, chambre familiale. **Lits:** simple, double, queen, d'appoint. **5 ch. S. de bain privée(s) ou partagée(s).**
Forfaits: charme, gastronomie, golf, plein air.
2 pers: B&B 78-125$ **PAM** 159-204$ **1 pers:** B&B 70-115$ **PAM** 110-152$.
Enfant (12 ans et −): B&B 20$. Taxes en sus. IT MC VS
Réduction: long séjour.
Ouvert: à l'année.

A ✗ AV 🐾 Certifié: 2005

Sainte-Luce-sur-Mer
La Maréchante ✱✱✱

Ghislaine Beaulieu
36, route du Fleuve Ouest
Sainte-Luce-sur-Mer G0K 1P0
Tél. (418) 739-5393
Fax (418) 739-5065
www.giteetaubergedupassant.com/marechante
marechante@globetrotter.net
Aut 20, rte 132, à Ste-Luce au bar laitier, rte du Fleuve. Face
au bureau de poste et au marché Ste-Luce.

Gîte du Passant
certifié

Située sur les rives du St-Laurent, notre maison, construite en 1915, est d'inspiration éclectique et en partie néo-renaissance italienne par sa corniche. Une plage privée et même une terrasse sur le toit d'où vous pourrez admirer nos magnifiques couchers de soleil...

Aux alentours: Jardins de Métis, Musée de la mer, Canyon des Portes de l'Enfer, parc du Bic, traversier Côte-Nord.
Chambres: certaines avec lavabo, cachet d'autrefois, peignoir, bois franc, chambre familiale. **Lits:** simple, double, queen, divan-lit, pour bébé. **4 ch. S. de bain partagée(s).**
2 pers: B&B 85-90$ **1 pers:** B&B 75$.
Enfant (12 ans et −): B&B 20-25$. Taxes en sus. AM IT MC VS
Ouvert: à l'année.

🚣 @ 🐾 Certifié: 2004

Sainte-Luce-sur-Mer
Maison des Gallant ✱✱✱✱

Nicole Dumont et Jean Gallant
40, route du Fleuve Ouest
Sainte-Luce-sur-Mer G0K 1P0
Tél. (418) 739-3512 1-888-739-3512
www.giteetaubergedupassant.com/gallant
jean.gallant@cgocable.ca
À mi-chemin entre Rimouski et Mont-Joli par la rte 132.
Entrer dans le pittoresque village de Ste-Luce en longeant le
fleuve. À 0,2 km, à l'ouest de l'église, côté fleuve.

Gîte du Passant
certifié

Coup de Cœur du Public régional 2008. Sur les rives du St-Laurent, notre maison de 1920 aux coloris champêtres charme par son grand jardin fleuri et sa plage privée. Déj. créatif «accroche l'oeil» qui ravive l'appétit du matin. Gazebo pour détente. Spa à l'eau salée sur terrasse (2e étage). Le soir, spectacle inoubliable; admirez le soleil embrasser la mer. Invitation pour l'apéro. P. 31.

Aux alentours: Jardins de Métis, parc du Bic, traversier vers la Côte-Nord. Restos & bistros à saveurs régionales.
Chambres: jacuzzi, accès Internet, raffinées, cachet ancestral, meubles antiques, vue sur fleuve. **Lits:** double, king. **3 ch. S. de bain partagée(s).**
Forfaits: vélo, croisière, gastronomie, golf, plein air, détente & santé, spectacle.
2 pers: B&B 80-90$ **1 pers:** B&B 70-80$
Ouvert: à l'année.

A 🚣 @ 🐾 Certifié: 1998

Sainte-Luce-sur-Mer
Moulin Banal du Ruisseau à la Loutre ❀❀❀❀

certifié

Témoin de l'époque seigneuriale, construit en 1848, il en impose par son architecture en pierre et par sa situation; un ruisseau longe le côté ouest et le fleuve est à ses pieds. Grand terrain, plage privée et terrasse permettent un repos des plus vivifiants. Déjeuners variés à saveur maison et régionale servis à la grande salle communautaire.

Aux alentours: parc du Bic, Jardins de Métis, musées, 4 terrains de golf, traversier vers la Côte-Nord, kayak, vélo.
Chambres: avec salle d'eau, cachet ancestral, couettes en duvet, mur en pierres, vue sur fleuve. Lits: queen. **3 ch. S. de bain privée(s) ou partagée(s).**
2 pers: B&B 95-105$ **1 pers:** B&B 85-95$. Taxes en sus. IT MC VS
Ouvert: 1 juin - 31 oct.

Sylvie Dubé et Gervais Sirois
156, route du Fleuve Ouest
Sainte-Luce-sur-Mer G0K 1P0
Tél. (418) 739-3076 1-866-939-3076
www.cedep.ca
gsirois@cgocable.ca
Entre Rimouski et Ste-Flavie par la route 132. Après Pointe-au-Père, route du Fleuve à gauche, 1,5 km, côté fleuve.

A AV @ ♿ **Certifié: 2006**

Rimouski
La Maison Bérubé

Gîte du Passant à la Ferme
certifié

Ferme laitière. Durant la belle saison, je vous invite à participer aux travaux de la ferme: traite des vaches, soin des animaux, cueillette des œufs, fenaison, moisson, jardinage, etc. Si ces travaux s'avèrent trop durs, je vous propose une balade dans les champs ou au fleuve. P. 39.

Activités: visite libre, observation nature et faune, randonnée pédestre, aire de jeux, observation des activités de transformation, soin des animaux, ramasser des œufs, nourrir les animaux.

Services: aire de pique-nique, remise pour vélo.

1216, boul. Saint-Germain, route 132, Rimouski
Tél. / Fax (418) 723-1578
www.giteetaubergedupassant.com/maisonberube
maisonberube@globetrotter.net

Saint-Anaclet-de-Lessard
Ferme Rodrigue et Fils - Maison de la Chute Neigette

Maison de Campagne à la Ferme
certifiée

Ferme laitière. Ferme laitière de 100 vaches à lait. Retraits automatiques et réservoir à lait de 10,000 litres de lait. Sept générations sont nées à la ferme. Ferme de haute technologie. P. 38.

Activités: rencontre avec le producteur pour se familiariser avec les productions, les produits et/ou les procédés de transformation, observation nature et faune, randonnée pédestre, jardinage, chasse, pêche, raquettes, patinage, ski de fond, participation aux activités à la ferme, observation des activités de la ferme, participation aux récoltes, nourrir les animaux, observation de la traite des vaches, récolte des foins.

173, rang 1 Neigette Est, Saint-Anaclet-de-Lessard
Tél. / Fax (418) 723-9525 Tél. (418) 722-7361
www.maisondelachuteneigette.qc.ca
ar.rodrigue@globetrotter.net

Saint-Anaclet-de-Lessard
Le Gîte Repos et Santé

Gîte du Passant à la Ferme
certifié

Ferme d'élevage – Ferme maraîchère. La ferme maraîchère biologique se compose d'une centaine de variétés de légumes incluant les fines herbes. La culture se fait sur 2,5 hectares. Mini-ferme ayant 1 lapine, 2 veaux, 10 poules pondeuses et 2 chevaux. P. 40.

Activités: visite libre, mini-ferme, observation nature et faune, randonnée pédestre, visite de jardins, jardinage, raquettes, ski de fond, participation aux activités à la ferme, participation aux récoltes, ramasser des œufs, nourrir les animaux, récolte des foins.

Services: aire de pique-nique, vélos disponibles.

55, 4e Rang Est, Saint-Anaclet-de-Lessard
Tél. (418) 724-4822 1-866-724-4822
www.gitereposetsante.com
repos.sante@globetrotter.net

Bic, Le
Auberge du Mange Grenouille

Jean Rossignol et Carole Faucher
148, rue Ste-Cécile
Le Bic, G0L 1B0
Tél. (418) 736-5656
Fax (418) 736-5657
www.aubergedumangegrenouille.qc.ca
admg@globetrotter.net
De Québec, aut. 20 jusqu'à Rivière-du-loup, route 132 qui
mène au village Bic. 1 heure de Rivière-du-Loup.

Table aux Saveurs du Terroir
certifiée

Sitôt le seuil franchi, le voyageur se voit transporté dans une autre époque, un univers artistique où tout est grâce et élégance. Sa réputation est faite de cette chaleur humaine et de l'excellence de sa table confirmant l'amour et la passion qui animent ses artisans-concepteurs. P. 33.

Spécialités : une expérience gustative incontournable, pour gourmets parcourant le monde à la recherche d'expériences culinaires.
Repas offerts : soir.
Menus : table d'hôte, gastronomique.
Nbr personnes: 2-75.
Réservation: recommandée.
Table d'hôte: 31-45$/pers. Taxes en sus. AM ER IT MC VS
Ouvert: 1 mai - 24 oct. Tous les jours.

A ℰℰ **Certifié: 2007**

Cabano
Auberge du Chemin Faisant

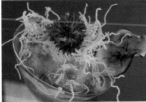

Liette Fortin et Hugues Massey
12, rue du Vieux Chemin
Cabano, G0L 1E0
Tél. (418) 854-9342 1-877-954-9342
Fax (418) 854-6538
www.cheminfaisant.qc.ca
info@cheminfaisant.qc.ca
Aut. 20, à Rivière-du-Loup, rte 185 sud. À Cabano, 1ʳᵉ sortie,
rue Commerciale, 1 km, rue du Vieux Chemin à droite.

Table aux Saveurs du Terroir
certifiée

L'équilibre des goûts, des saveurs, des couleurs et des textures, la création d'une assiette comme une oeuvre artistique, une carte des vins recherchée, le son du piano pour finir la soirée, la mise à contribution de tous vos sens pour une expérience sensorielle extraordinaire, voici la table que nous vous proposons. P. 32, 33

Spécialités : produits du terroir québécois influencés par les tendances internationales. Fruits de mer, poissons, gibiers, foie gras, porc du Québec
Repas offerts : soir.
Menus : table d'hôte, gastronomique.
Nbr personnes: 1-30.
Réservation: recommandée.
Table d'hôte: 40-60$/pers. Taxes en sus. AM ER IT MC VS
Ouvert: à l'année. **Fermé:** 24 déc - 1 fév. Mar au dim.

A ℰℰ **Certifié: 2007**

Kamouraska, Saint-André
Auberge La Solaillerie

Thérèse Servant et Jean-Marc Baup
112, rue Principale
Saint-André, G0L 2H0
Tél. (418) 493-2914
Fax (418) 493-2243
www.aubergelasolaillerie.com
lasolaillerie@bellnet.ca
Aut. 20, sortie 480, dir. St-André (jusqu'au fleuve). À l'entrée
du village, à droite. Ou accès direct par la route des
Navigateurs (132). Située au centre du village.

Table aux Saveurs du Terroir
certifiée

«Impossible de ne pas tomber sous le charme!» (La Presse), car tout vous séduira: le dépaysement d'une atmosphère romanesque, l'authenticité d'un décor soigné, la beauté et le calme d'un environnement champêtre et fluvial, la chaleur d'un accueil attentionné et le raffinement d'une grande table. Une auberge magnifique où l'on se sent bien. P. 33.

Spécialités : agneau, ris d'agneau, canard, poissons, fruits de mer, saumon fumé maison, légumes biologiques anciens, plantes sauvages du bord de mer
Repas offerts : midi, soir.
Menus : à la carte, table d'hôte, gastronomique.
Nbr personnes: 2-32.
Réservation: requise.
Table d'hôte: 44-63$/pers. Taxes en sus. IT MC VS
Ouvert: à l'année. Tous les jours. Horaire variable.

AV ℰℰ **Certifié: 2007**

Notre-Dame-du-Lac
Auberge La Dolce Vita

Table aux Saveurs du Terroir
certifiée

Situé au cœur de Notre-Dame-du-Lac, «Ville Jardin», à quelques pas du majestueux lac Témiscouata, nous vous recevons avec bonheur et joie de vivre. Chambres douillettes, tout en confort, table gourmande aux saveurs uniques de notre région, une terrasse fleurie, exposition d'oeuvres d'artistes locaux et surtout... un moment de douce vie. P. 39.

Spécialités : table remplie de découvertes composées d'un mélange de produits d'ici et de saveurs d'ailleurs. Avec raffinement et sans prétention.
Repas offerts : soir.
Menus : à la carte, table d'hôte.
Nbr personnes: 10-45. Min. de pers. exigé varie selon les saisons.
Réservation: recommandée, requise pour groupe.
Table d'hôte: 25-49$/pers. AM IT MC VS
Ouvert: 1 mai - 15 oct. Tous les jours.

A ⚭ **Certifié: 2009**

Annie Lavoie et Marc Lagacé
693, rue Commerciale
Notre-Dame-du-Lac, G0L 1X0
Tél. (418) 899-0333 1-877-799-0333
Fax (418) 899-0814
www.aubergeladolcevita.ca
info@aubergeladolcevita.ca

Aut. 20 est, à Rivière-du-Loup, rte 185 sud, à Notre-Dame-du-Lac, sortie 29 dir. centre-ville. De Rimouski, route 232, à Cabano, rte 185 sud, à Notre-Dame-du-Lac, sortie 29.

Notre-Dame-du-Portage
Auberge du Portage

Table aux Saveurs du Terroir
certifiée

Découvrez tout le charme d'une auberge ancestrale située entre fleuve et montagne. Notre centre de santé directement sur les berges du fleuve et notre cuisine santé du terroir vous propose un séjour douillet au cœur du réputé centre de villégiature de Notre-Dame-du-Portage. P. 44, 292.

Spécialités : cuisine santé du terroir favorisant les produits biologiques du Bas-St-Laurent ainsi que des produits frais de la mer.
Repas offerts : brunch, midi, soir.
Menus : à la carte, table d'hôte, gastronomique.
Nbr personnes: 1-150.
Réservation: recommandée, requise pour groupe.
Table d'hôte: 19-45$/pers. Taxes en sus. AM IT MC VS
Ouvert: 25 avr - 25 oct. Tous les jours.

AV ⚭ **Certifié: 2009**

671, route du Fleuve
Notre-Dame-du-Portage, G0L 1Y0
Tél. (418) 862-3601
Fax (418) 862-6190
www.aubergeduportage.qc.ca
info@aubergeduportage.qc.ca

Aut. 20 E, sortie 496 à gauche ou aut. 20 O, sortie 496 à droite. À l'arrêt à droite, prochaine rue à gauche, au bas de la côte, route du Fleuve à gauche.

Rivière-du-Loup
Restaurant Chez Antoine

Table aux Saveurs du Terroir
certifiée

Situé dans une maison centenaire au centre-ville de Rivière-du-Loup et reconnu parmi les meilleures tables du Bas Saint-Laurent, le restaurant Chez Antoine saura ravir les plus fins palais. Salle à manger intime et chaleureuse, terrasse sympathique et ensoleillée. Table d'hôte du midi et du soir où les produits du terroir sont à l'honneur.

Spécialités : abats, viandes, gibiers, poissons et fruits de mer.
Repas offerts : midi, soir.
Menus : à la carte, table d'hôte, gastronomique.
Nbr personnes: 1-45.
Réservation: recommandée, requise pour groupe.
Table d'hôte: 35-50$/pers. Taxes en sus. AM ER IT MC VS
Ouvert: à l'année. Lun au sam.

A ♿ **AV** ⚭ **Certifié: 2009**

Yannick et David Beaulieu
433, rue Lafontaine
Rivière-du-Loup, G5R 3B9
Tél. (418) 862-6936
Fax (418) 862-6082
www.chezantoine.ca
yannickbeaulieu@videotron.ca

Aut. 20 est. À Rivière-du-Loup, sortie 503, boul. de l'Hôtel de ville, rue Lafontaine à droite.

Saint-Charles-Garnier
Gîte l'Ancêtre

Table Champêtre
certifiée

Ferme d'élevage. Au cœur de la majestueuse chaîne de montagnes des Appalaches, le Gîte l'Ancêtre vous accueille à sa table Les Plaisirs Du Ventre. Dans le confort de la salle à manger, Nathalie et Jocelyn vous feront découvrir un monde de saveurs mettant en vedette la viande de Wapiti pur sang de leur élevage. En famille, entre amis, une expérience inoubliable. P. 40.

Spécialités : venez déguster le wapiti sous toutes ses formes. Une viande rouge, douce et raffinée qui saura plaire au palais les plus fins.
Repas offerts : brunch, midi, soir. Apportez votre vin.
Menus : gastronomique.
Nbr personnes: 4-16.
Réservation: requise.
Repas: 18-45$/pers. VS
Ouvert: à l'année. Tous les jours.

A Certifié: 2008

Nathalie Miron et Jocelyn McCann
56, rue Principale
Saint-Charles-Garnier, G0K 1K0
Tél. (418) 798-4837
Fax (418) 798-8335
www.gite-ancetre.com
gitelancetre@globetrotter.net
Aut. 20 est, sortie 610, rte 232, à Ste-Blandine, 1er arrêt, rte 234 à gauche, 1er clignotant, rte 298 à droite, 1er arrêt à droite, 1er clignotant à gauche, tout droit.

Saint-Pacôme
Auberge Comme au Premier Jour

Table aux Saveurs du Terroir
certifiée

Deux salles à manger intimes, ambiance feutrée, service et accueil personnalisés propice à la détente. Les produits du terroir sont à l'honneur. Excellente table! Menu bistro en saison. P. 41.

Spécialités : agneau du Kamouraska, gibier, canard, poissons, produits fumés régionaux, légumes bio de la région.
Repas offerts : soir.
Menus : à la carte, table d'hôte, gastronomique.
Nbr personnes: 1-40. Min. de pers. exigé varie selon les saisons.
Réservation: recommandée, requise pour groupe.
Table d'hôte: 42$/pers. Taxes en sus. IT MC VS
Ouvert: à l'année. Horaire variable.

A Certifié: 2007

Doris Parent et Jean Santerre
224, boul. Bégin
Saint-Pacôme, G0L 3X0
Tél. (418) 852-1377
www.aubergecommeaupremierjour.com
commeaupremierjour@bellnet.ca
Aut. 20, sortie 450 dir. St-Pacôme. À l'église, boul. Bégin, se garer à l'arrière de l'église.

Auclair
Le Domaine Acer

Vallier Robert et Nathalie Decaigny
145, route du Vieux-Moulin
Auclair, G0L 1A0
Tél. (418) 899-2825
Fax (418) 899-6620
www.domaineacer.com
robert.vallier@domaineacer.com
Aut. 20 est, rtes 85, 185 et 295. Rtes 232 et 295.

Relais du Terroir & Ferme Découverte
certifiés

Érablière. Érable, du latin Acer... De l'érable aux boissons alcoolisées, les acéritifs, en passant par les caves de vieillissement, les objets d'autrefois, et les recettes de chefs renommés, découvrez comment un savoir-faire traditionnel évolue en produits ambassadeurs de l'esprit du Québec. Nobles bâtisses, chaleureuse atmosphère, moment privilégié!

Produits: 4 acéritifs : Val Ambré, type pineau; Charles-Aimé Robert, type porto tawny; Mousse des Bois; Prémices d'Avril. Produits fins d'érable.

Activités sur place: animation pour groupe scolaire, animation pour groupe, dégustation, visite commentée français et anglais, rencontre avec le producteur pour se familiariser avec les productions, les produits et/ou les procédés de transformation.

Visite: adulte: 4$, enfant gratuit, tarif de groupe. IT MC VS

Nbr personnes: 1-60.

Réservation: requise pour groupe.

Ouvert: à l'année. Tous les jours. 9h à 17h. Horaire variable.

Services: aire de pique-nique, centre d'interprétation / musée, vente de produits, dépliant explicatif ou panneaux français et anglais, stationnement pour autobus, emballages-cadeaux.

A 🧺 ⚥ 🧍 🚲 AV Certifié: 2005

Saint-Paul-de-la-Croix
Hydromellerie Saint-Paul-de-la-Croix

Gilles Gaudreau
62, Principale Ouest
Saint-Paul-de-la-Croix, G0L 3Z0
Tél. / Fax (418) 898-2545 Tél. (418) 860-5558
www.hydromellerie.com
info@hydromellerie.com
Rte 132 est, à l'Isle-Verte tourner à droite. Chemin St-Paul
à droite,14 km.

Relais du Terroir & Ferme Découverte
certifiés

Hydromellerie – Miellerie. L'Hydromellerie St-Paul-de-la-Croix est une entreprise agrotouristique sous la forme d'une petite usine de transformation alimentaire de produits à base de miel. L'Hydromellerie abrite la Boutique de l'abeille, le Café-resto St-Paul, la Galerie-photo. Activités: visite, interprétation de l'abeille, dégustation et vente de miel et d'hydromel.

Produits: miel naturel depuis plus de 30 ans. Hydromel sec, aux pommes et aux fruits des champs. Confitures au miel, bonbons et chandelles.

Activités sur place: animation pour groupe scolaire, dégustation, visite libre, visite commentée français.

Visite: adulte: 4-5$, enfant gratuit, tarif de groupe. IT MC VS

Nbr personnes: 2-40.

Réservation: requise pour groupe.

Ouvert: 1 avr - 31 déc. Tous les jours. 9h à 18h. Horaire variable.

Services: bar-restaurant, centre d'interprétation / musée, vente de produits, dépliant explicatif ou panneaux français, emballages-cadeaux.

✗ AV Certifié: 2009

Cantons-de-l'Est
Le charme au pied des vallons...

Les Cantons-de-l'Est, un écrin de beauté parsemé de petits villages patrimoniaux de style anglo-saxon. Entre de gracieux vallons vous attendent de pittoresques panoramas enjolivés de lacs, de rivières, de forêts et de montagnes.

Lieu de villégiature recherché à moins d'une heure de Montréal et longeant la frontière des États-Unis sur plus de 300 km, les Cantons-de-l'Est offrent une gamme variée d'activités. Située dans les contreforts des Appalaches, la région compte un grand nombre de sentiers pédestres, de ski de fond et de raquettes, des centres de ski alpin et des pistes cyclables.

Et que dire de ses charmants villages historiques parsemés de jolies églises catholiques et de chapelles anglicanes, de prestigieuses résidences du XIXe siècle de style victorien ou vernaculaire américain et de ces énigmatiques granges rondes et jolis ponts couverts qui surgissent du passé? Bref, que vous soyez un amant de plein air ou d'histoire, mais aussi de théâtre d'été, de festivals, de boutiques, d'antiquaires, de terroir ou de gastronomie... vous y reviendrez! À l'automne, les couleurs sont si belles qu'on ne peut s'en lasser.

Saveurs régionales

Deux produits vedettes : le vin et le canard ! Qu'il prenne la forme de saucisse, de foie gras ou de confit, le canard du lac Brome a d'ailleurs acquis une réputation internationale. Deux produits à découvrir en parcourant La Route des vins ou en participant au festival « Canards en Fête » (en automne). Depuis plusieurs générations, les vergers, cidreries, vignobles, érablières, petits fruits, poissons et gibiers font aussi la joie des gastronomes. Se sont ajoutés, entre autres, les produits des chocolatiers, pâtissiers et fromageries, dont l'Abbaye de Saint-Benoît-du-Lac, fondée en 1913 par des moines bénédictins.

Produits du terroir à découvrir et déguster

- Fromagerie La Station de Compton, Relais du Terroir[MD] & Ferme Découverte certifiés, Compton. P. 76
- Verger le Gros Pierre, Relais du Terroir[MD] & Ferme Découverte certifiés, Compton. P. 76
- Domaine Pinnacle, Relais du Terroir[MD] certifié, Frelighsburg. P. 76
- La Girondine, Relais du Terroir[MD] certifié, Frelighsburg. P. 77
- Verger Champêtre, Relais du Terroir[MD] & Ferme Découverte certifiés, Granby. P. 77
- Le Vignoble le Cep d'Argent Inc., Relais du Terroir[MD] certifié, Magog. P. 77
- Wapitis Val-Grand-Bois, Relais du Terroir[MD] certifié, Saint-Armand. P. 78
- Cidrerie Les Vergers de la Colline, Relais du Terroir[MD] & Ferme Découverte certifiés, Sainte-Cécile-de-Milton. P. 78
- Miellerie Lune de Miel, Relais du Terroir[MD] & Ferme Découverte certifiés, Stoke. P. 78
- Ferme le Seigneur des Agneaux & Asinerie du Rohan, Relais du Terroir[MD] & Ferme Découverte certifiés, Stukely-Sud. P. 79

La région compte neuf (9) Tables aux Saveurs du Terroir[MD] et trois (3) Table Champêtre[MD] certifiées. Une façon originale de découvrir toutes ces saveurs. P. 72

Cantons-de-l'Est

Le saviez-vous?

Ici l'expérience québécoise vinicole est tellement surprenante et la concentration de vignobles si unique, qu'on peut en conclure que l'enthousiasme l'a remporté sur la rudesse des saisons. Bien que la région bénéficie d'un microclimat et d'un sol propice à la culture de la vigne, les viticulteurs doivent parfois même louer des hélicoptères pour sauver leurs vignes du gel. Les pales des hélices qui créent une circulation d'air empêchent le gel au sol aux moments critiques (mois de mai).

Clin d'oeil sur l'histoire

Certains descendants de colons britanniques vinrent s'installer dans la région que l'on nommait « Eastern Townships » à la fin du XVIIIe siècle. Alors que la Nouvelle-France est sous domination anglaise, la guerre d'indépendance des États-Unis entraîne la persécution et la confiscation des terres des Loyalistes, nommés ainsi pour leur fidélité à la Couronne britannique et leur refus de participer à la guerre. Des terres, divisées en cantons, leur furent octroyées et ils y fondèrent des villages. S'explique alors la présence d'un riche patrimoine architectural anglo-saxon, même si aujourd'hui la population est à plus de 94% francophone.

Quoi voir? Quoi faire?

Mine Cristal Québec (Bonsecours).

Musée du Chocolat (Bromont) et Musée Beaulne (Coaticook).

Lieu historique national du Canada de Louis-S.-St-Laurent (Compton).

Arbre Aventure (Eastman).

Zoo de Granby et parc aquatique Amazoo.

Centre d'arts Orford : concerts, expositions.

L'Épopée de Capelton, renversant! (North Hatley).

L'ASTROlab, centre d'interprétation en astronomie (Notre-Dame-des-Bois).

Musée Incroyable (Saint-Adrien).

Abbaye de Saint-Benoît-du-Lac.

Musée de la Nature et des Sciences (Sherbrooke).

Musée Missisquoi (Stanbridge East).

Moulin à laine d'Ulverton, Musée J. Armand Bombardier (Valcourt) et La Poudrière de Windsor.

Route des vins (route 202 Ouest, entre Dunham et Stanbridge).

Faites le plein de nature

SkiBromont.com : ski alpin, glissades d'eau, vélo de montagne…

Parc de la Gorge de Coaticook : vélo, sentiers pédestres et une passerelle de 169 m.

Centre d'interprétation de la nature du lac Boivin (Granby).

Parcs nationaux de la Yamaska (Granby), de Frontenac (Lambton) et du Mont-Orford : plage, canot, marche, vélo…

Station touristique Owl's Head : ski, golf, marche (Mansonville).

Parc national du Mont-Mégantic : randonnée pédestre, ski de fond ou raquette, 50 km (Notre-Dame-des-Bois).

Mont Ham-Sud : 18 km de sentiers pédestres, patin...

Randonnée au Pic Chapman, situé dans le massif des monts Stoke.

Parc Régional Mont-Sutton : raquette, ski alpin et de fond, sentiers pédestres

Envie de vélo ? Asbestos et sa région : La Campagnarde (79 km), L'Estriade (22 km), La Montérégiade (48 km), La Montagnarde (50 km), Réseau Les Grandes-Fourches (124 km), La Cantonnière (77 km)…

Randonnée pédestre : Sentiers de L'Estrie (160 km), Sentiers Frontaliers (96 km)…

Plusieurs golfs et plages, dont celles du Lac Memphrémagog.

Pour plus d'information sur la région des Cantons-de-l'Est : 1-800-355-5755
www.cantonsdelest.com

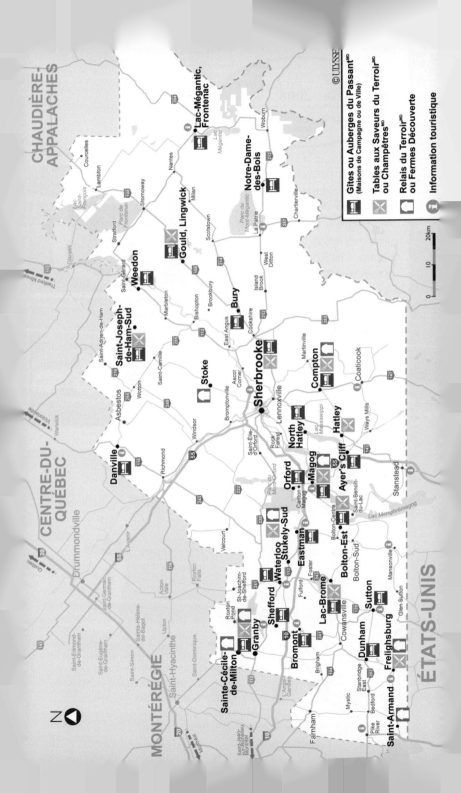

PRIX de L'EXCELLENCE 2008
Fédération des Agricotours du Québec
Coup de Cœur du Public régional

Ayer's Cliff

Gîte Lauzier

Cécile Lauzier
3119, ch. Audet (Kingscroft)
Ayer's Cliff
J0B 1C0
(819) 838-4433
www.giteetaubergedupassant.com/cecilelauzier

La Fédération des Agricotours du Québec* est fière de rendre hommage à l'hôtesse Cécile Lauzier, du GÎTE LAUZIER, qui s'est illustrée de façon remarquable par son accueil de tous les jours envers sa clientèle. C'est dans le cadre des Prix de l'Excellence 2008 que la propriétaire de cet établissement, certifié Gîte du Passant[MD] depuis 1975, s'est vu décerner le « Coup de Cœur du Public régional » des Cantons-de-l'Est dans le volet Gîte du Passant[MD]. P. 56.

Félicitations !

La Fédération des Agricotours du Québec est propriétaire des marques de certification : Gîte du Passant[MD], Auberge du Passant[MD], Maison de Campagne ou de Ville, Table aux Saveurs du Terroir[MD], Table Champêtre[MD], Relais du Terroir[MD] et Ferme Découverte.

Merci au nom des lauréats!

Chaque année, les fiches d'appréciation permettent de décerner le Prix de l'Excellence, dans la catégorie « Coup de Cœur du Public », aux établissements qui se sont démarqués de façon remarquable par leur accueil. En remplissant une fiche d'appréciation, vous contribuez non seulement à maintenir la qualité constante des services offerts, mais également à rendre hommage à tous ces hôtes.

COUREZ LA CHANCE DE GAGNER UN SÉJOUR!

Chacune des fiches d'appréciation , vous donne la chance de gagner un séjour de 2 nuits pour 2 personnes dans un « Gîte ou une Auberge du Passant[MD] » de votre choix. La fiche d'appréciation est disponible dans tous les établissements certifiés et sur Internet :

www.gitesetaubergesdupassant.com
www.tablesetrelaisduterroir.com

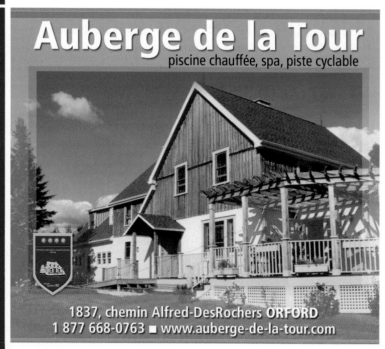

La maison Canty ✤

GÎTE / BED & BREAKFAST / SOUPER
sur réservation

689, Chemin Gendron
Sherbrooke (Québec) J1R 0J6

Tél. : 819 823-1124
1-866-823-1124

www.lamaisoncanty.com

Où manger?

Vivez la région... comme personne!

Pour une table aux saveurs régionales
dans un petite auberge de charme ou
pour une aventure gastronomique à la ferme,
consultez les sections régionales

Tables aux Saveurs du Terroir[MD]
& Champêtres[MD]

www.gitesetaubergesdupassant.com ■ www.tablesetrelaisduterroir.com

Section publicitaire

Ayer's Cliff
Gîte Lauzier ✿ ✿ ✿

Gîte du Passant
certifié

Cécile Lauzier
3119, ch. Audet (Kingscroft)
Ayer's Cliff J0B 1C0
Tél. (819) 838-4433
www.giteetaubergedupassant.com/cecilelauzier
Aut. 10 est, sortie 121. Aut. 55 sud, sortie 21, rte 141 sud.
Environ 2,5 km après l'intersection de la route 143, chemin
Audet à gauche.

Coup de Cœur du Public régional 2008. Maison centenaire située à la campagne avec vue panoramique. Endroit calme. Nourriture maison. Baignade au lac Massawippi à 3 km, théâtre d'été, Gorge de Coaticook, North Hatley, mont Orford et Magog. Ski de fond et ski alpin à 15 min, golf à 8 min, motoneige à 200 pieds et équitation à 15 min. Idéal pour randonnée pédestre et vélo. P. 52.

Aux alentours: monts Orford et Magog, Gorge de Coaticook, lac Massawippi, parc Découverte nature à 15 min, pêche, musée Beaum.
Chambres: ensoleillées, cachet d'autrefois, bois franc, entrée privée, chambre familiale. **Lits:** double, queen, d'appoint. **4 ch. S. de bain partagée(s).**
2 pers: B&B 70-80$ **1 pers: B&B** 65$.
Enfant (12 ans et —): B&B 10$
Ouvert: à l'année.

🚗 **Certifié: 1975**

Ayer's Cliff
Lune et Croissant ✿ ✿ ✿ ✿

Gîte du Passant
certifié

Linda Di Giantomasso et Lucille Renault
1300 Main
Ayer's Cliff J0B 1C0
Tél. / Fax (819) 838-5185 Tél. 1-866-551-5185
www.luneetcroissant.com
luneetcroissant@bellnet.ca
Aut. 10, sortie 121, aut. 55, sortie 21. À Ayer's Cliff, rte 141.

Situé à Ayer's Cliff, un des plus jolis villages des Cantons-de-l'Est. Lune et Croissant a su rallier confort et chaleur au charme de cette petite vieille demeure victorienne. Venez-y découvrir les trésors de la région tout en profitant des plaisirs de chaque saison. Nos copieux petits-déjeuners vous laisseront une saveur inoubliable.

Aux alentours: piste cyclable, golf, sentiers pédestres, lac, ski, raquettes, antiquaires, vignobles, etc.
Chambres: climatisées, TV, cachet victorien, meubles antiques, romantiques, chambre familiale. **Lits:** double, queen, divan-lit. **3 ch. S. de bain privée(s).**
2 pers: B&B 90-105$ **1 pers: B&B** 80-95$.
Enfant (12 ans et —): B&B 15$. MC VS
Réduction: hors saison, long séjour.
Ouvert: à l'année. **Fermé:** 28 fév - 21 mars.

A ●Certifié: 2006

Bolton Est
L'iris Bleu ✿ ✿ ✿ ✿

Gîte du Passant
certifié

Ginette Breton
895, route Missisquoi
Bolton Est J0E 1G0
Tél. (450) 292-3530 1-877-292-3530
www.irisbleu.com
information@irisbleu.com
Aut. 10, sortie 106, rte 245 sud dir. Mansonville pour 12 km.
Dernière maison du village à gauche.

Une maison bourgeoise de style «Nouvelle-Angleterre» (circa 1850) entourée d'un grand parc. Un boisé, une rivière, un jardin fleuri... Vous tomberez sous le charme! Des livres, de la musique, des couleurs chatoyantes, des arômes invitants, des fleurs... Nous vous attendons ! Petits-déjeuners copieux à déguster dans la verrière ou sous le pommier. **Certifié Table aux Saveurs du Terroir^MD. P. 14, 72.**

Aux alentours: spa des chutes de Bolton, Abbaye St-Benoît-du-Lac, sentiers de l'Estrie, ski de fond, canot/kayak sur la Missisquoi.
Chambres: insonorisées, raffinées, cachet particulier, meubles antiques, vue sur campagne. **Lits:** double, queen. **3 ch. S. de bain privée(s).**
Forfaits: charme, vélo, golf, printemps.
2 pers: B&B 105-135$ **PAM** 169-199$ **1 pers: B&B** 85-95$ **PAM** 117-127$.
Enfant (12 ans et —): B&B 15$ **PAM** 30-45$. Taxes en sus. MC VS
Réduction: long séjour.
Ouvert: à l'année.

A ✕ Certifié: 2003

Bromont
Le Pavillon du Mont Gale ★ ★ ★

certifiée

Situé à Bromont, au cœur des Cantons-de-l'Est, nous sommes près des grands centres de ski et terrains de golf. Notre spa offre des soins esthétiques, corporels et des massages avec produits certifiés biologiques. Piscine durant l'été et tourbillon fonctionnel à l'année. La salle à manger vous offre une sélection de menus aux saveurs du terroir.

Aux alentours: ski alpin, randonnée pédestre, théâtre d'été, centre équestre, golf, piste cyclable.
Chambres: climatisées, accès Internet, personnalisées, peignoir, tranquillité assurée. **Lits:** simple, double, queen. **6 ch. S. de bain privée(s).**
Forfaits: golf, détente & santé, ski alpin, autres.
2 pers: B&B 105-130$ **1 pers:** B&B 90-115$. Taxes en sus. IT MC VS
Réduction: hors saison, long séjour.
Ouvert: à l'année.

Kathline Léger et Diane Béland
360, boul. Pierre-Laporte
Bromont J2L 2W1
Tél. (450) 534-5552 1-866-534-5552
Fax (450) 534-0966
www.lepavillondumontgale.com
info@lepavillondumontgale.com
Aut. 10 est, sortie 74, boul. Pierre-Laporte, direction Bromont, 7,2 km, rue du Mont-Gale à gauche.

A ⚑ ✕ AV ⚊ @ Certifié: 2007

Bury
Café des Rêves ✾ ✾ ✾

Gîte du Passant
certifié

Arrêtez le temps pour quelques moments dans notre chaleureuse maison ancestrale sise sur un site enchanteur. Des chambres accueillantes et confortables, des petits-déjeuners champêtres et savoureux, un environnement extérieur paradisiaque où un sentier en forêt vous fera découvrir une rivière d'eau vive.

Aux alentours: golf, randonnées pédestres et pistes cyclables.
Chambres: ensoleillées, cachet champêtre, couettes et oreillers en duvet. **Lits:** simple, double, queen. **4 ch. S. de bain partagée(s).**
2 pers: B&B 75-85$ **PAM** 135-145$ **1 pers:** B&B 60-75$ **PAM** 90-105$.
Enfant (12 ans et –): B&B 30$ **PAM** 40$. Taxes en sus.
Réduction: long séjour.
Ouvert: à l'année.

Julie et Guy Chagnon
494, rue Stokes, C.P. 324
Bury J0B 1J0
Tél. (819) 872-3810
www.cafedesreves.com
info@cafedesreves.com
La rue Stokes ou route 255 est accessible par la route 108 entre Cookshire et Gould. L'entrée du gîte est située face à l'école de Bury.

⚑ ✕ ⚊ @ Certifié: 2009

Compton
Le Bocage ✾ ✾ ✾ ✾

Auberge du Passant
certifiée

Résidence de campagne de 1825 abritant l'une des plus romantiques auberges de la région. Située au cœur du bucolique hameau de Moe's River, l'auberge et sa table réputée vous offrent des soupers gastronomiques servis en salle ou en terrasse. Une piscine chauffée est à disposition. Calme, romantisme, dépaysement... le tout à votre portée. **Certifié Table aux Saveurs du Terroir**MD. P. 14, 72.

Aux alentours: parc de la Gorge de Coaticook, Sentiers poétiques de St-Venant, Mines de Capelton, musée Louis-S-St-Laurent.
Chambres: foyer, cachet particulier, meubles antiques, tranquillité assurée, romantiques, suite. **Lits:** double, queen, king. **4 ch. S. de bain privée(s) ou partagée(s).**
Forfaits: gastronomie, détente & santé.
2 pers: B&B 90-200$ **PAM** 190-300$ **1 pers:** B&B 80-190$ **PAM** 130-240$.
Enfant (12 ans et –): B&B 45$. Taxes en sus. AM MC VS
Réduction: hors saison.
Ouvert: à l'année.

François Dubois
200, chemin de Moe's River
Compton J0B 1L0
Tél. (819) 835-5653
www.lebocage.qc.ca
francois.dubois@bellnet.ca
Aut. 10, sortie 121, aut. 55 sud, sortie 21, à Ayer's Cliff, 208 est, 25 km.

A ◆ ✕ ⚊ @ Certifié: 2005

Danville
Auberge Jeffery ★★★

Danville cache en son écrin une pierre précieuse, une belle d'autrefois: l'Auberge Jeffery. Cette magnifique maison victorienne au cachet unique, qui nous transporte au 19e siècle par son histoire et sa structure et qui nous ramène au 21e siècle par sa modernité, n'a qu'une raison d'être: vous charmer.

Aux alentours: Route verte, Théâtre des Grands Chênes (Kingsey Falls), parc Marie-Victorin, golf.
Chambres: climatisées, baignoire à remous, foyer, téléphone, TV, accès Internet, cachet champêtre, suite. **Lits:** simple, queen, king. **6 ch. S. de bain privée(s).**
Forfaits: gastronomie, golf, théâtre.
2 pers: B&B 75-130$ PAM 152-207$ **1 pers:** B&B 70-125$ PAM 110-164$.
Enfant (12 ans et –): PAM 10$. Taxes en sus. AM IT MC VS
Réduction: long séjour.
Ouvert: à l'année.

A AV @ ♨ Certifié: 2004

Jacinthe et Mario Bélanger
91, rue Water C.P. 569
Danville J0A 1A0
Tél. (819) 839-2711 1-888-302-2711
Fax (819) 839-2186
www.aubergejeffery.com
info@aubergejeffery.com
Aut. 20 E., sortie 147, rte 116 E. À Danville, au feu à droite dir. centre-ville. Aut. 20 O., sortie 253, rte 116 O. À Danville, 2e feu à gauche dir. centre-ville.

Dunham
Auberge des Vignobles (Aux Douces Heures) ★★★

Au départ de la Route des vins, somptueuse et authentique demeure de style victorien qui a su marquer le cœur des gens. Vous tomberez en amour et vous garderez à jamais en souvenir ces «douces heures» vécues avec des hôtes inoubliables, venus de France, qui vous feront partager une cuisine aux parfums et saveurs provençales. Hablamos espanôl. Certifié "Bienvenue cyclistes !"^MD

Aux alentours: vignobles, circuit patrimonial, musée, antiquaires, golfs, vélo, ski, chasse aux chevreuils, Sutton.
Chambres: climatisées, raffinées, cachet victorien, romantiques, spacieuses, entrée privée. **Lits:** simple, queen, king, divan-lit, d'appoint. **8 ch. S. de bain privée(s).**
Forfaits: charme, vélo, famille, gastronomie, golf, romantique, théâtre, automne, autres.
2 pers: B&B 115-125$ PAM 199-209$ **1 pers:** B&B 80-90$ PAM 120-130$.
Enfant (12 ans et –): B&B 40-50$ PAM 80-90$. Taxes en sus. IT MC VS
Réduction: hors saison, long séjour.
Ouvert: à l'année.

A ✕ AV @ Certifié: 1999

Francis Cansier et Françoise Del-Vals
110, rue du Collège
Dunham J0E 1M0
Tél. (450) 295-2476 1-877-295-2476
Fax (450) 295-1307
www.giteetaubergedupassant.com/doucesheures
auxdouceheures@videotron.ca
Aut. 10, sortie 68, rte 139 dir. Cowansville, 18 km. Au 2e feu dir. rte 202 à droite dir. Dunham, 8 km, rte 213, 200 m après le dépanneur, rue du Collège à gauche.

Eastman
Gîte les Peccadilles ✹✹✹✹

Coup de Cœur du Public régional 2004. Des petits riens qui forment un grand tout : site divin, lac où vous baigner, mont Orford en toile de fond... Déjeuners gourmands servis au solarium, au coin du feu ou sur la terrasse. Réunion d'affaires, certificat-cadeau. Réservez tout le gîte, souper en sus! Apportez votre vin. Là où il fait bon commettre des péchés sans souci du repentir.

Aux alentours: parc du Mont-Orford, théâtre d'été, 8 km Magog, sentiers pédestres, pistes cyclables, équitation.
Chambres: ensoleillées, personnalisées, raffinées, peignoir, ventilateur, vue panoramique. **Lits:** simple, double, queen, king, d'appoint. **4 ch. S. de bain privée(s) ou partagée(s).**
Forfaits: gastronomie, détente & santé, théâtre, autres.
2 pers: B&B 82-102$ **1 pers:** B&B 82-102$.
Enfant (12 ans et –): B&B 20$. MC VS
Ouvert: à l'année.

A ✕ AV ⛵ ♨ Certifié: 2001

Christine et Jean-Marie Foucault
1029, route Principale
Eastman J0E 1P0
Tél. (450) 297-3551 (514) 279-8911
www.giteetaubergedupassant.com/lespeccadilles
lespeccadilles01@videotron.ca
Aut. 10, sortie 106, Eastman, rte 112 est, 3 km après le village.

Gould, Lingwick
La Ruée vers Gould ★★

Daniel Audet et Yvon Marois
19, route 108
Gould, Lingwick J0B 2Z0
Tél. (819) 877-3446 1-888-305-3526
www.rueegouldrush.com
info@rueegouldrush.com
Aut.10, sortie 143, rte 112 est. À East Angus, rtes 214 et 108
est. De Québec, aut. 73 dir. Ste-Marie, rte 173 dir. Vallée-Jct,
rte 112 dir.Thetford et Weedon, rte 257 sud.

Auberge du Passant
certifiée

Prix Réalisation 2003 - Hébergement. Au cœur des Highlands des Cantons-de-l'Est, le magasin général (1850) et la maison Mc Auley (1913), vous accueilleront à l'écossaise. Meubles d'époque, cuisine franco-écossaise, scotchs, bières régionales et petits-déjeuners typiques vous transporteront à cent lieux du monde moderne. **Certifié Table aux Saveurs du Terroir**MD. P. 14, 73.

Aux alentours: Festival écossais, Centre Culturel, cours d'art et de cuisine écossaise, théâtre, plage, sentiers.
Chambres: climatisées, baignoire sur pattes, foyer, accès Internet, cachet champêtre, romantiques. **Lits:** double, d'appoint. **3 ch. S. de bain privée(s) ou partagée(s).**
Forfaits: charme, gastronomie, détente & santé, romantique, théâtre, restauration.
2 pers: B&B 95$ **PAM** 135-155$ **1 pers: B&B** 75$ **PAM** 90-105$.
Enfant (12 ans et −): B&B 25$ **PAM** 50$. Taxes en sus. IT VS
Réduction: long séjour.
Ouvert: à l'année. **Fermé:** 1 jan - 24 avr.

A ● 🛏 ✕ AV @ **Certifié: 2006**

Granby
À La Maison DuClas ✹✹✹

Ginette Canuel et Camil Duchesne
213, rue du Nénuphar
Granby J2H 2J9
Tél. (450) 360-0641
Fax (450) 375-9988
www.maisonduclas.com
info@maisonduclas.com
Aut. 10, sortie 74 dir. Granby. Au feu, rte 112 à gauche, de
L'Iris à droite, de la Potentille à gauche et du Nénuphar à
gauche. À vélo au km 1 de l'Estriade.

Gîte du Passant
certifié

Coup de Cœur du Public régional 2007. De la terrasse de notre gîte, directement sur l'Estriade et sur le bord du lac Boivin, vous pourrez admirer des couchers de soleil exceptionnels dans un décor enchanteur. Salle de séjour privée avec foyer, BBQ en saison, vélo, ski, patin, randonnée pédestre... Tout pour le confort et la détente! Certifié "Bienvenue cyclistes !"MD

Aux alentours: vélo, patins à roues alignées et à glace, randonnées pédestres, ski alpin, Zoo et Amazoo, restos et boutiques.
Chambres: TV, DVD, accès Internet, peignoir, ventilateur, entrée privée, studio, vue sur lac. **Lits:** queen. **2 ch. S. de bain privée(s).**
Forfaits: spectacle, autres.
2 pers: B&B 90$ **1 pers: B&B** 70$.
Enfant (12 ans et −): B&B 10$
Réduction: hors saison.
Ouvert: à l'année.

A AV @ 🚲 **Certifié: 1998**

Granby
Auberge du Zoo ✹✹✹

Claude Gladu
347, rue Bourget Ouest
Granby J2G 1E8
Tél. (450) 378-6161 1-888-882-5252
Fax (450) 378-0470
www.aubergeduzoo.com
info@aubergeduzoo.com
Suivre les directions du Zoo de Granby. Gîte situé du côté
sud-ouest du terrain du zoo.

Gîte du Passant
certifié

Vaste résidence située sur le site du Zoo de Granby et de l'Amazoo. Décor feng-shui et aménagement spa. Ouvert à l'année. Pour groupes (12 à 18 personnes) et familles. Un concept familial unique avec 5 chambres thématiques, salles de bain privées et lits queen. Forfaits zoo, vélo, groupes, spa-évasion. Spécial zoo hiver, rabais 20%. Certifié "Bienvenue cyclistes !"MD

Aux alentours: Zoo de Granby et Amazoo. Le zoo en Hiver, une nouvelle destination... Parc Yamaska, centre d'interprétation.
Chambres: cachet particulier, tranquillité assurée, luxueuses, suite familiale. **Lits:** queen, divan-lit. **5 ch. S. de bain privée(s).**
Forfaits: vélo, famille, golf, plein air, détente & santé, romantique, autres.
2 pers: B&B 85-125$ **1 pers: B&B** 65-75$.
Enfant (12 ans et −): B&B 15$. Taxes en sus. IT MC VS
Réduction: hors saison, long séjour.
Ouvert: à l'année.

A AV @ 🚲 **Certifié: 1999**

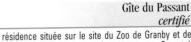

Granby
Une Fleur au Bord de l'Eau ✤✤✤✤

Carole Bélanger et Michel Iannantuono
90, rue Drummond
Granby J2G 2S6
Tél. (450) 776-1141 1-888-375-1747
Fax (450) 375-0141
www.unefleur.ca
fleur@unefleur.ca
Aut. 10 est, sortie 74 dir. Granby, au feu, rte 112 ouest à
gauche. Au 2ᵉ feu, rue de La Gare à droite, rue Drummond
à droite.

Gîte du Passant
certifié

Carole et Michel vous accueillent dans leur résidence de couleur framboise. Laissez-vous choyer en ce lieu de détente au bord du lac Boivin. Relaxez à la piscine. Voisin de la Route verte. Remise pour vélos. Le charme de la campagne en ville. En hiver, notre salon avec foyer saura vous réchauffer. Petits-déj. copieux. Certifié "Bienvenue cyclistes !"ᴹᴰ P. 10, 60.

Aux alentours: restos, théâtre, piste cyclable, zoo, parc, centre-ville, montagne, Rte des vins, CINLB, boutiques.
Chambres: climatisées, certaines avec salle d'eau, balcon, cachet champêtre, peignoir, bois franc. **Lits:** double, queen. **5 ch. S. de bain privée(s) ou partagée(s).**
Forfaits: vélo, spectacle, autres.
2 pers: B&B 70-95$ **1 pers:** B&B 65-90$.
Enfant (12 ans et –): B&B 20$. Taxes en sus. AM ER MC VS
Ouvert: à l'année.

A AV 🚲 @ 🚴 **Certifié: 1997**

Granby
Verger Champêtre 🍴

Thérèse Choinière et Mario Mailloux
2300, rue Cowie
Granby J2G 9H9
Tél. (450) 379-5155
Fax (450) 379-9531
www.vergerchampetre.com
Aut. 10, sortie 68 dir. Granby. Au 4ᵉ feu de circulation, rue
Cowie à gauche.

Maison de Campagne à la Ferme
certifiée

Ferme fruitière – Verger. Construit en bois de pruche, le chalet comporte 2 étages avec vue sur le lac. Le rez-de-chaussée peut héberger 2 pers. et comprend: cuisine, aire ouverte avec 2 lits escamotables, toilette et douche, salle de lavage. Le second étage peut héberger 2 à 4 pers. et comprend : cuisine, 1 ch. à coucher, salle de lavage et salle de bain. Tout confort! P. 71, 77.

Aux alentours: zoo de Granby, golf de Bromont, parc de la Yamaska, piste cyclable l'Estriade.
Maisons: jacuzzi, ensoleillées, confort moderne, cachet d'autrefois, tranquillité assurée.
Lits: simple, queen. **1 maison(s). 1 ch. 6 pers.**
SEM 640-1000$ **WE** 220-360$ **JR** 120-200$. Taxes en sus. IT VS
Ouvert: 1 juil - 31 déc.

🐴 ✕ AV 🚴 **Certifié: 2009**

Lac-Brome
Auberge Knowlton ★★★

Signy Stephenson et Michel Gabereau
286, chemin Knowlton
Lac-Brome J0E 1V0
Tél. (450) 242-6886
Fax (450) 242-1055
www.aubergeknowlton.ca
info@aubergeknowlton.ca
Aut. 10, sortie 90 Lac-Brome, rte 243 sud, 10 km, 2ᵉ arrêt,
l'auberge est à votre droite.

Auberge du Passant
certifiée

Faites de notre auberge votre base pour découvrir le charmant village de Knowlton. Construite en 1849 et opérée sans interruption depuis, le plus ancien hôtel de la région, célèbre plus de 150 ans d'histoire et de service continu envers ses invités dans un décor d'époque et offre le confort moderne d'un hôtel de première classe d'aujourd'hui. Certifié "Bienvenue cyclistes !"ᴹᴰ **Certifié Table aux Saveurs du Terroir**ᴹᴰ. P. 74.

Aux alentours: trois centres de ski, cinq terrains de golf, marina, plage, sentier de marche, piste cyclable, galerie d'art, vignobles.
Chambres: téléphone, TV, cachet champêtre, couettes et oreillers en duvet, terrasse, suite. **Lits:** simple, double, queen, divan-lit. **12 ch. S. de bain privée(s).**
Forfaits: gastronomie, golf, détente & santé, théâtre, été, printemps, automne, hiver.
2 pers: B&B 135-155$.
Enfant (12 ans et –): B&B 20-29$. Taxes en sus. AM IT MC VS
Réduction: long séjour.
Ouvert: à l'année.

A 🐴 ✕ @ 🚴 **Certifié: 2008**

Lac-Mégantic, Frontenac
Au Chant du Huard ✤ ✤ ✤ ✤

Gîte du Passant
certifié

Situé dans un site enchanteur sur le bord du lac Mégantic, notre gîte est synonyme de chaleur, calme, confort et sérénité. Profitez de notre plage privée pour la baignade, les sports nautiques ou simplement pour y admirer les superbes couchers de soleil. Site parfait pour les contemplatifs et les amateurs de plein air. Sur réservation seulement.

Aux alentours: Club de Golf Mégantic, mont Gosford, baignade, canot, pédalo, kayak, randonnée pédestre, équitation, pêche, vélo.

Chambres: balcon, peignoir, couettes et oreillers en duvet, spacieuses, lumineuses, vue sur lac. **Lits:** simple, queen, king. **3 ch. S. de bain privée(s) ou partagée(s).**

Forfaits: golf, détente & santé.

2 pers: B&B 95-125$ **1 pers:** B&B 85-115$. MC VS

Réduction: hors saison, long séjour.

Ouvert: à l'année.

Céline Périnet et Rock Martel
850, route 161
Lac-Mégantic, Frontenac G6B 2S1
Tél. (819) 583-4795
www.chantduhuard.com
cduhuard@globetrotter.net
Aut 10 E, sortie 143, rte 112 E. East Angus: rte 253 S.
Cookshire: rte 212 E. La Patrie: rte 161 N Lac-Mégantic.

A 🚣 **@ Certifié: 2009**

Magog
À Amour et Amitié ✤ ✤ ✤ ✤

Gîte du Passant
certifié

Le temps retrouvé en amoureux, entre amis, en famille, pour s'offrir une escapade dans notre maison de campagne au décor d'antan à deux pas du centre de Magog et du lac. Nous vous offrons un choix de déjeuners préparés avec des produits de qualité. Les chambres sont coquettes, choisissez la vôtre. Laissez vous séduire, vous serez satisfaits.

Aux alentours: piste cyclable, restos, galerie, Vieux Clocher, mont Orford, Abbaye, vignobles. Activités à l'année.

Chambres: certaines climatisées, jacuzzi, accès Internet, meubles antiques, romantiques, suite. **Lits:** simple, double, queen, divan-lit. **5 ch. S. de bain privée(s).**

Forfaits: charme, détente & santé, romantique, ski alpin, spectacle, régional, hiver.

2 pers: B&B 76-133$ **1 pers:** B&B 65-110$.

Enfant (12 ans et –): B&B 15-20$. Taxes en sus. MC VS

Réduction: hors saison, long séjour.

Ouvert: à l'année.

Nathalie et Pascal Coulaudoux
30, rue Hatley
Magog J1X 3G4
Tél. (819) 868-1945 1-888-244-1945
www.bbamouretamitie.com
info@bbamouretamitie.com
Aut. 10, sortie 118, rte 141 sud dir. Magog, passer le pont de la rivière (lac Memphrémagog à droite), ch. Hatley à gauche. Stat. à l'arrière du gîte.

AV @ 🛁 **Certifié: 1999**

Magog
À l'Ancestrale B&B ✤ ✤ ✤ ✤

Gîte du Passant
certifié

Voilà, vous avez trouvé! Magnifique maison ancestrale datant de 1892 au cœur de Magog, spa 4 saisons, salon des invités, foyer, piano, musique d'ambiance, grande salle à manger. Retrouvailles ou amoureux, partagez des moments intimes en toute tranquillité. Bain tourbillon ou antique. Possibilité de louer la maison entière et recevez vos amis. Certifié "Bienvenue cyclistes !"^{MD}

Aux alentours: à distance de marche, boutique, café, restos, croisière Memphrémagog, randonnée pédestre, lac.

Chambres: baignoire à remous, bureau de travail, foyer, téléphone, TV, oreillers en duvet. **Lits:** queen. **5 ch. S. de bain privée(s).**

Forfaits: charme, gastronomie, détente & santé, romantique.

2 pers: B&B 85-145$ **1 pers:** B&B 80-130$.

Enfant (12 ans et –): B&B 0-20$. Taxes en sus. IT MC VS

Réduction: hors saison, long séjour.

Ouvert: à l'année.

Monique Poirier
200, rue Abbott
Magog J1X 2H5
Tél. (819) 847-5555
www.ancestrale.com
infos@ancestrale.com
Aut. 10, sortie 118 dir. Magog, 2 km, devant l'église, rue St-Patrice à gauche, 1re rue Abbott à gauche.

A ✗ **AV @** 🛁 **Certifié: 2000**

Magog
À Tout Venant B&B et Massothérapie ❄ ❄ ❄ ❄

Gîte du Passant
certifié

Maison centenaire au cœur jeune qui respire la détente et vous offre un service de massothérapie à domicile (massage tandem disponible). Relaxez devant le foyer au salon des skieurs l'hiver ou dans un hamac dans notre jardin paisible l'été. Une halte qui vibre de bonne humeur, de sourires et de bons souvenirs. À Magog sur la piste cyclable.

Aux alentours: antiquités, piste cyclable, plage, croisière, boutique, ski, patin, golf, Vieux-Clocher, Abbaye St-Benoît, gastronomie.
Chambres: accès Internet, meubles antiques, ventilateur, bois franc, originales, chambre familiale. **Lits:** double, queen. **5 ch. S. de bain privée(s).**
Forfaits: croisière, gastronomie, détente & santé, romantique, ski alpin, hiver, autres.
2 pers: B&B 75-110$ **1 pers:** B&B 75-110$.
Enfant (12 ans et –): B&B 10$. Taxes en sus. AM MC VS
Réduction: hors saison.
Ouvert: à l'année.

Vicky B. & Luc St-Jacques
20, Bellevue
Magog J1X 3H2
Tél. / Fax (819) 868-0419 Tél. 1-888-611-5577
www.atoutvenant.com
info@atoutvenant.com
Aut. 10, sortie 118, 141 sud, rue Merry dir. Magog. Après 2 feux de circulation, traverser le pont, au clignotant, rue Hatley à gauche. 3ᵉ maison à droite rue Bellevue.

A AV @ ♿ **Certifié: 1994**

Magog
Auberge aux Deux Pères ❄ ❄ ❄

Gîte du Passant
certifié

Nous sommes situés en bordure du lac Memphrémagog. Vous bénéficierez d'un accueil amical, de quatre grandes chambres paisibles et confortables avec salles de bain privées et d'un bon petit-déjeuner. Vous pourrez aussi profiter de notre piscine creusée, chauffée en saison et d'un panorama exceptionnel.

Aux alentours: lac Memphrémagog, parc du mont Orford, Owl's Head, piste cyclable à Magog, Bleu Lavande, vignobles, Abbaye Saint-Benoît.
Chambres: accès Internet, confort moderne, peignoir, tranquillité assurée, spacieuses, vue sur lac. **Lits:** double, queen, king. **4 ch. S. de bain privée(s).**
Forfaits: charme, vélo, golf, plein air, détente & santé, ski de fond, automne, restauration.
2 pers: B&B 85-130$ **1 pers:** B&B 75-95$. Taxes en sus. IT MC VS
Réduction: hors saison, long séjour.
Ouvert: à l'année.

680, chemin des Pères
Magog J1X 5R9
Tél. (819) 769-3115 (514) 616-3114
www.auxdeuxperes.com
info@auxdeuxperes.com
Autoroute 10, sortie115 sud, direction Magog, Saint-Benoît-du-Lac. Chemin des Pères, 4 km.

A ✗ AV ⌖ @ ♿ **Certifié: 2009**

Magog
Auberge Sous la Véranda ❄ ❄ ❄ ❄

Gîte du Passant
certifié

Située au détour d'un chemin de campagne, près de Magog, l'Auberge Sous la Véranda vous accueille chaleureusement avec sa grande galerie! Sur la véranda vous trouverez sûrement un fauteuil pour vous reposer et admirer la nature omniprésente! Après une bonne nuit de sommeil, un petit-déjeuner copieux, préparé avec soin vous sera servi!

Aux alentours: centre d'art Orford: festival d'été. Parc du mont Orford: pour ses activités de plein air à l'année. Circuit des Arts.
Chambres: climatisées, meubles antiques, couettes en duvet, tranquillité assurée, lumineuses. **Lits:** queen. **3 ch. S. de bain privée(s).**
Forfaits: gastronomie, spectacle, été, printemps, automne, hiver.
2 pers: B&B 115-125$ **1 pers:** B&B 85-90$.
Enfant (12 ans et —): B&B 30$. Taxes en sus. IT MC VS
Ouvert: à l'année.

Céline Goulet et Josée Clermont
689, chemin Courtemanche
Magog J1X 3W3
Tél. (819) 868-9311 1-877-868-9311
www.souslaveranda.ca
info@souslaveranda.ca
Aut. 10, sortie 118, rte 141 dir. Mont Orford, chemin de La Montagne à gauche, chemin Courtemanche à gauche, notre gîte est à droite.

A @ ♿ **Certifié: 2008**

Table aux saveurs du terroir

Pour couple

Aux Jardins Champêtres

Auberge du passant

Apportez votre vin

Pour groupe

Menu dégustation produits terroir

Un repas à notre table vous fera découvrir les saveurs de l'Estrie en une seule visite.

Chez nous, tout est fait maison

Magog
Au Coq du Bonheur ✤✤✤✤

Venez découvrir le petit trésor de Magog! Une charmante maison au décor chaleureux où meubles et objets artisanaux, fabriqués par les propriétaires, agrémentent chaque pièce. Situé à quelques minutes du lac Memphrémagog et du centre-ville. Une journée passée à la maison ne sera pas suffisante. Nous servons un petit-déjeuner copieux.

Aux alentours: mont Orford : sentiers de randonnée, station de ski.

Chambres: avec salle d'eau, accès Internet, ensoleillées, entrée privée, chambre familiale. **Lits:** double, queen. **4 ch. S. de bain privée(s).**

2 pers: B&B 95-110$ **1 pers:** B&B 85-100$.

Enfant (12 ans et –): B&B 30$. Taxes en sus. IT MC VS

Réduction: long séjour.

Ouvert: à l'année.

Roger Mancini et Thérèse Marchand
79, Bellevue
Magog J1X 3H3
Tél. / Fax (819) 843-7203 Tél. 1-866-643-6745
www.giteetaubergedupassant.com/aucoqdubonheur
aucoqdubonheur@bellnet.ca
Aut.10, sortie 118 direction centre-ville de Magog, rue Merry à droite, rue Hatley à gauche, rue Bellevue à droite.

🚲 AV 🛥 @ 🎿 **Certifié: 2009**

Magog
Au Manoir de la Rue Merry ✤✤✤✤

Prix Réalisation 2005 - Hébergement. Lauréat régional des Grands Prix du tourisme québécois. Au cœur de Magog, paisible maison centenaire au cachet ancien qui accroche bien des coeurs. Au gré des saisons, offrez-vous un répit dans une atmosphère chaleureuse. Profitez de la piscine chauffée, du jardin, du foyer et de nos coins lecture. Certificats-cadeaux. Forfaits. Remise vélos. Certifié "Bienvenue cyclistes !"MD

Aux alentours: lac, pistes cyclables, golf, restos, théâtre, montagne, sentiers pédestres, ski alpin et de fond.

Chambres: climatisées, accès Internet, personnalisées, meubles antiques, bois franc. **Lits:** double, queen, king. **5 ch. S. de bain privée(s).**

Forfaits: charme, vélo, croisière, golf, détente & santé, ski alpin, spectacle, théâtre.

2 pers: B&B 95-120$ **1 pers:** B&B 85-110$.

Enfant (12 ans et –): B&B 0-25$. Taxes en sus. IT MC VS

Réduction: hors saison.

Ouvert: à l'année.

Diane Morissette et Bryan McMahon
92, rue Merry Sud
Magog J1X 3L3
Tél. (819) 868-1860 1-800-450-1860
www.manoirmerry.com
info@manoirmerry.com
Aut. 10, sortie 118, direction Magog, 4 km. Gîte à gauche après le pont.

A 🛥 @ 🎿 **Certifié: 1998**

Magog
Aux Jardins Champêtres ✤✤✤✤

Auberge de charme située à la campagne dans un décor des plus champêtres. Une balade dans les jardins, au potager, à la ferme ou dans notre nouveau spa, vous assure un plein d'énergie. Nos inoubliables déjeuners 5 services et nos soupers 6 services, servis dans notre verrière, combleront tous les appétits. Forfait détente. Apportez votre vin. **Certifié Table aux Saveurs du Terroir**MD. **P. 64, 74.**

Aux alentours: lac, parc, activités plein air, spa, théâtre, golf, galerie d'art, savonnerie artisanal.

Chambres: climatisées, jacuzzi, cachet d'antan, cachet champêtre, peignoir, terrasse, vue panoramique. **Lits:** double, queen. **5 ch. S. de bain privée(s).**

Forfaits: charme, gastronomie, golf, détente & santé, spectacle.

2 pers: B&B 100-150$ **PAM** 198-238$. Taxes en sus. IT MC VS

Réduction: long séjour.

Ouvert: à l'année.

Monique Dubuc
1575, chemin des Pères, R.R. 4
Magog J1X 5R9
Tél. (819) 868-0665 1-877-868-0665
Fax (819) 868-6744
www.auxjardinschampetres.com
auxjardinschampetres@qc.aira.com
Aut. 10 est, sortie 115 sud Magog/St-Benoît-du-Lac, 1,8 km, chemin des Pères à droite, 6,1 km. Aut. 20 ouest, 55 sud et 10 ouest, sortie 115.

A ● ✗ AV 🛥 🎿 **Certifié: 1994**

Magog
Bijou dans la Forêt ❀ ❀ ❀

Gîte du Passant
certifié

Le décor qui vous attend est la forêt tout autour de la maison. En hiver les arbres sont recouverts de neige et tranquillité y est. En été vous entendrez les grenouilles, autres petits oiseaux et le chant de l'eau qui coule dans le ruisseau des bassins d'eau. Les fleurs parfument l'endroit et l'ombre des arbres vient apporter une climatisation.

Aux alentours: vous avez plusieurs activités: parc du Mont-Orford, bleu lavande, lac Memphrémagog et ses croisières.

Chambres: certaines avec salle d'eau, jacuzzi, bureau de travail, accès Internet, cachet champêtre, vue sur forêt. **Lits:** double, queen. **3 ch. S. de bain partagée(s).**

Forfaits: charme, gastronomie, détente & santé, été, printemps, automne, hiver.

2 pers: B&B 105$ **1 pers: B&B** 105$

Réduction: long séjour.

Ouvert: à l'année.

A ◆ ✕ @ **Certifié: 2008**

Johanne Bouchard et Guy Poisson
34, rue de la Sterne
Magog J1X 3W4
Tél. (819) 847-4844 (514) 232-1847
Fax (450) 676-2261
www.giteetaubergedupassant.com/bijoudanslaforet
auchalet@hotmail.com
Aut. 10, sortie 118 dir. Magog. À Magog, ch. Laurendeau à gauche, ch. Miller à droite, boul. Grande-Allée à gauche, rte 113, rue de la Sterne à droite.

Magog
Ici-Maintenant ❀ ❀ ❀

Gîte du Passant
certifié

Ici-Maintenant la belle vie! Aline et Bruno vous accueillent chaleureusement au cœur de Magog dans leur B&B centenaire. Déjeuner copieux santé servi sur la véranda fleurie durant la belle saison. Ici-Maintenant vous passerez un bon moment dans nos chambres douillettes et confortables décorées avec goût.

Aux alentours: randonnée pédestre, vélo, golf, croisière, pédalo, baignade, ski de fond, ski alpin, traîneau à chiens, patin, musée.

Chambres: climatisées, TV, accès Internet, personnalisées, peignoir, tranquillité assurée, bois franc. **Lits:** double, queen, king, divan-lit. **3 ch. S. de bain privée(s).**

2 pers: B&B 85-110$ **1 pers: B&B** 80-105$.

Enfant (12 ans et —): B&B 0-30$. Taxes en sus. VS

Réduction: hors saison, long séjour.

Ouvert: à l'année.

A ◆ AV @ ♿ **Certifié: 2008**

Aline Jolette et Bruno Genesse
121, rue Abbott
Magog J1X 2H4
Tél. (819) 847-2744
www.ici-maintenant.net
info@ici-maintenant.net
Aut. 10, sortie 118 direction Magog, au feu de circulation, rue St-Patrice à gauche, 1re rue à gauche Abbott.

Magog
La belle Victorienne ★ ★ ★ ★

Maison de Ville
certifiée

Deux résidences de luxe avec chacun son spa fonctionnel à l'année. Nos chalets sont situés sur des sites indépendants à plus ou moins 15 minutes de notre auberge. Ils sont en terrain montagneux, isolés et sur le bord d'un lac. Un sur le lac Orford et un sur le lac Memphrémagog. P. 67.

Aux alentours: parc national du Mont-Orford (ski alpin, ski de fond...), lac Memphrémagog. Spa Nordic Station, Abbaye St-Benoit.

Maisons: baignoire sur pattes, jacuzzi, foyer, cachet particulier, luxueuses, poutres, vue sur lac. **Lits:** double, queen, king. **2 maison(s). 3 ch. 7 pers.**

Forfaits: croisière, gastronomie, golf, détente & santé, ski alpin, spectacle, théâtre.

SEM 2100$ **WE** 650$. Taxes en sus. AM IT MC VS

Réduction: hors saison.

Ouvert: à l'année.

A AV 🚣 ♿ **Certifié: 2008**

Chantal Leclerc et Mario Marois
142, rue Merry Nord
Magog J1X 2E8
Tél. (819) 847-0476 1-888-440-0476
www.bellevic.com
info@bellevic.com
Aut. 10, sortie 118, rte 141 sud, 3 km. En face de l'église.

Magog
La belle Victorienne ✸ ✸ ✸ ✸

Laissez-vous charmer par le romantisme et la chaleur de cette demeure, au cœur de Magog. Réputée pour ses jardins magnifiques, elle se distingue par ses 14 pièces à saveur d'autrefois. Votre bien-être, étant au centre de nos préoccupations, vous y trouverez tout pour vous reposer et relaxer, sans oublier la chaleur de notre spa ouvert à l'année. Certifié "Bienvenue cyclistes !"MD P. 66.

Aux alentours: parc du Mont-Orford, lac Memphrémagog, Bleu Lavande, croisière, ski, golf, théâtre, équitation, traîneau à chiens.

Chambres: climatisées, baignoire sur pattes, jacuzzi, couettes en duvet, romantiques, luxueuses. **Lits:** queen. **5 ch. S. de bain privée(s).**

Forfaits: croisière, gastronomie, golf, détente & santé, ski alpin, spectacle, théâtre.

2 pers: B&B 100-140$ **1 pers: B&B** 95-135$. Taxes en sus. IT MC VS

Réduction: hors saison, long séjour.

Ouvert: à l'année.

Chantal Leclerc et Mario Marois
142, rue Merry Nord
Magog J1X 2E8
Tél. (819) 847-0476 1-888-440-0476
www.bellevic.com
info@bellevic.com
Aut. 10, sortie 118, rte 141 sud, 3 km. En face de l'église.

A AV ⛵ @ 🚲 **Certifié:** 2006

Magog
La Maison Hatley ✸ ✸ ✸

Gîte climatisé, situé dans le pittoresque village de Magog, à distance de marche de la rue principale et du lac Memphrémagog. Maison centenaire avec son spa extérieur ouvert à l'année, jardin d'eau et large terrasse en bois. Endroit idéal où l'on refait le plein avec un grand déj. avant de partir à la découverte des paysages des Cantons-de-l'Est.

Aux alentours: lac Memphrémagog, parc du Mont-Orford, Vieux-Clocher, croisière, Abbaye St-Benoît-du-Lac, ski, golf, vélo.

Chambres: climatisées, baignoire sur pattes, avec salle d'eau, TV, terrasse, suite, chambre familiale. **Lits:** simple, queen, king, divan-lit. **4 ch. S. de bain privée(s).**

Forfaits: charme, croisière, ski alpin, spectacle, été, hiver, autres.

2 pers: B&B 85-120$ **1 pers: B&B** 85-105$.

Enfant (12 ans et –): B&B 30$. Taxes en sus. IT MC VS

Réduction: hors saison, long séjour.

Ouvert: à l'année.

Christiane et Vincent Arena
558, rue Hatley Ouest
Magog J1X 3G4
Tél. (819) 868-6606 1-888-995-6606
www.lamaisonhatley.com
lamaisonhatley@cgocable.ca
Aut. 10, sortie 118, rte 141 sud, dir. Magog. Après le pont, au feu clignotant à gauche et garder la gauche.

A ● AV @ 🚲 **Certifié:** 2006

North Hatley
À la Cornemuse ✸ ✸ ✸ ✸

Petite auberge historique d'inspiration écossaise devenue un gîte au confort de qualité supérieure. Déj. gourmands servis sur de belles terrasses. Chambres de charme sises dans un écrin de boiseries et de meubles d'époque. Plusieurs forfaits disponibles à quelques pas du village et du lac. Lauréat des Grands Prix du tourisme des Cantons-de-l'Est. Certifié "Bienvenue cyclistes !"MD P. 53.

Aux alentours: piste cyclable, golf, kayak, croisières, tennis, plage, équitation, concerts, marché public, ski, raquette, traineau.

Chambres: baignoire sur pattes, foyer, balcon, cachet d'antan, terrasse, vue sur lac, vue panoramique. **Lits:** simple, double, queen, d'appoint. **5 ch. S. de bain privée(s).**

Forfaits: charme, vélo, gastronomie, golf, détente & santé, romantique.

2 pers: B&B 109-129$ **1 pers: B&B** 99-109$.

Enfant (12 ans et –): B&B 0-25$. Taxes en sus. AM MC VS

Réduction: hors saison, long séjour.

Ouvert: à l'année.

Diane Brisson
1044, rue Massawippi
North Hatley J0B 2C0
Tél. (819) 842-1573
Fax (819) 842-3553
www.cornemuse.qc.ca
info@cornemuse.qc.ca
Aut. 10, sortie 121, aut. 55 sud, sortie 29, rte 108 est dir. North Hatley, après le pont, rue Principale à droite, rue Massawippi à gauche.

A AV ⛵ @ 🚲 **Certifié:** 2007

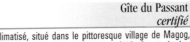

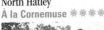

North Hatley
Le Cachet ❋ ❋ ❋ ❋

Gîte du Passant
certifié

Marcel Brassard
3105, chemin Capelton, route 108
North Hatley J0B 2C0
Tél. (819) 842-4994 1-866-842-4994
Fax (819) 842-1092
www.lecachetnorthhatley.com
gitelecachet@bellnet.ca
Aut. 10, sortie 121, aut. 55 sud, sortie 29, rte 108 est, chemin Capelton à gauche. Voisin de l'église Sainte-Elizabeth.

Maison centenaire au cœur de North Hatley. Vue magnifique sur le village. Suites et chambres avec salles de bain privées, balcon, terrasse, téléphone, mini-frigo, TV, lit queen et air climatisé. Bain tourbillon double. Déjeuner continental raffiné. Bienvenue chez nous! Spa extérieur et sauna, accès à tous.

Aux alentours: restaurants, randonnée à pied, à cheval ou à vélo, lac Massawippi, parc du Mont-Orford, Mont-Joye.
Chambres: climatisées, baignoire sur pattes, jacuzzi, TV, balcon, cachet ancestral, peignoir, entrée privée, suite. Lits: queen. **4 ch. S. de bain privée(s).**
2 pers: B&B 90-145$.
Enfant (12 ans et −): B&B 25$. Taxes en sus. IT MC VS
Réduction: long séjour.
Ouvert: à l'année.

A ⚓ @ ᪣ **Certifié: 2003**

Notre-Dame-des-Bois
Haut Bois Dormant ❋ ❋ ❋

Gîte du Passant
certifié

Julie Demers et Pascal Chagnon
33, rue Principale Ouest
Notre-Dame-des-Bois J0B 2E0
Tél. (819) 888-2854
Fax (819) 888-2600
www.hautboisdormant.com
info@hautboisdormant.com
Aut.10 est, sortie 143, 610 est, rte 112 est. À East Angus, jct 214 est puis 253 sud vers Cookshire, au feu à gauche vers jct de la rte 212 est jusqu'à Notre-Dame-des-Bois.

Au gré des saisons, cette maison victorienne, du début du siècle, saura vous charmer tant par sa luminosité exceptionnelle que par la vue inoubliable qu'elle offre sur le mont Mégantic. En collaboration avec la ferme Le Trécarré, le Chef Julie vous invite à sa table. Découvrez les saveurs du terroir: agneau, lapin, cerf rouge et confit de canard.

Aux alentours: Savourez l'air pur au Mont-Mégantic. De jour comme de nuit, la nature vous convie à un spectacle sublime et inoubliable.
Chambres: ensoleillées, cachet champêtre, couettes et oreillers en duvet, vue sur montagne. Lits: simple, double, queen, king, d'appoint. **5 ch. S. de bain partagée(s).**
Forfaits: gastronomie, plein air, ski de fond, été, hiver, autres.
2 pers: B&B 85-90$ PAM 135-145$ **1 pers:** B&B 70-75$ PAM 95-100$.
Enfant (12 ans et −): B&B 15-20$ PAM 25-40$. Taxes en sus. AM IT MC VS
Réduction: long séjour.
Ouvert: à l'année. Fermé: 15 avr - 5 mai.

A ✕ **Certifié: 2008**

Orford
À l'Auberge de la Tour et Spa ❋ ❋ ❋ ❋

Gîte du Passant
certifié

Nadine et Fabrice Maire
1837, chemin Alfred-Desrochers
Orford J1X 6J4
Tél. (819) 868-0763 1-877-668-0763
Fax (819) 868-7235
www.auberge-de-la-tour.com
info@auberge-de-la-tour.com
Aut. 10, sortie 118 dir. Orford. Rte 141, 2,5 km, ch. Alfred-DesRochers à droite, 500 m.

Superbe maison de campagne avec cachet, grand terrain avec grange et silo de bois. Profitez de la piscine chauffée, du spa extérieur en toutes saisons, et du sauna infrarouge. Intérieur douillet et chaleureux avec foyer. Petit-déjeuner gourmet. Forfaits variés disponibles. Certifié "Bienvenue cyclistes !"™ P. 54.

Aux alentours: parc national du Mont-Orford, la Route verte, golf et lac Memphrémagog.
Chambres: TV, raffinées, ventilateur, couettes en duvet, tranquillité assurée, spacieuses, suite. Lits: double, queen. **5 ch. S. de bain privée(s).**
Forfaits: famille, gastronomie, golf, détente & santé, ski alpin, ski de fond.
2 pers: B&B 95-135$ **1 pers:** B&B 75-110$.
Enfant (12 ans et −): B&B 15$. Taxes en sus. IT MC VS
Réduction: hors saison, long séjour.
Ouvert: à l'année.

A ✕ @ ᪣ **Certifié: 2008**

Orford
Au Chant du Coq ✴ ✴ ✴ ✴

Situé au cœur des activités touristiques et des différents festivals qui animent la région Magog-Orford durant toute l'année. Cuisine maison où les produits du terroir sont mis à l'honneur. Accès direct à la piste cyclable La Montagnarde. À 2 km du Parc du Mt-Orford. Voisin des hôtels: Manoir des Sables, le Chéribourg et l'Estrimont. Forfaits. Certifié "Bienvenue cyclistes !"MD P. 54.

Aux alentours: Parc Mt-Orford, Centre d'arts Orford, golf, ski, piste cyclable, lacs, Table Champêtre, spa, randonnée pédestre, canots.

Chambres: ventilateur, chambre familiale. **Lits:** simple, double, queen. **4 ch. S. de bain privée(s).**

Forfaits: charme, gastronomie, détente & santé, ski alpin, ski de fond, spectacle.

2 pers: B&B 90-115$ **1 pers:** B&B 75-85$. Taxes en sus. VS

Réduction: hors saison, long séjour.

Ouvert: à l'année.

Francine Bergeron
2387, chemin du Parc
Orford J1X 7A2
Tél. / Fax (819) 843-2247
www.chantducoq.com
info@chantducoq.com
Aut.10, sortie 118, dir. nord sur la rte 141, 2 km. Le gîte est à votre droite.

@ ॐ **Certifié: 2006**

Saint-Joseph-de-Ham-Sud
Auberge - Restaurant La Mara ✴ ✴ ✴ ✴

Près du Mont Ham. Auberge constituée d'anciens bâtiments de bois du 18e et 19e siècle, entourée de jardins, étangs, ruisseaux, sentiers sur un domaine de 10 acres. Le potager regorge de fines herbes, laitues, petits fruits, légumes et plus de 30 variétés de fleurs comestibles qui agrémentent en couleurs et en goûts la cuisine de l'auberge. **Certifié Table aux Saveurs du TerroirMD. P. 75.**

Aux alentours: Mont-Ham, ski de fond, raquette, baignade, le Musée Incroyable, pêche à la truite, salle de spectacle, canoë.

Chambres: baignoire sur pattes, raffinées, cachet d'antan, meubles antiques, chambre familiale. **Lits:** queen, d'appoint. **5 ch. S. de bain privée(s) ou partagée(s).**

Forfaits: charme, gastronomie, détente & santé, romantique, hiver, autres.

2 pers: B&B 75-85$ PAM 130-150$ **1 pers:** B&B 55$ PAM 85$.

Enfant (12 ans et –): B&B 12-28$ PAM 32$. Taxes en sus. IT MC VS

Réduction: long séjour.

Ouvert: à l'année.

Daniel Lamoureux
127, chemin Gosford Sud
Saint-Joseph-de-Ham-Sud J0B 3J0
Tél. / Fax (819) 877-5189
www.aubergelamara.com
aubergelamara@yahoo.ca
Aut. 10, à Sherbrooke, sortie 143, sortie 7, rte 216 à gauche, à St-Camile, ch. de Ham, ch. Gosford à droite, 1,2 km.

A ● ॐ ✕ AV @ **Certifié: 2008**

Sherbrooke
À Aurore Boréale ✴ ✴ ✴ ✴

Grande maison centenaire située sur la Route verte, à 2 minutes du centre-ville. SPA et terrasse extérieurs pour votre relaxation. Tranquillité assurée dans nos chambres spacieuses et climatisées. Nos déjeuners savoureux sont préparés par un chef diplômé et mettent en valeur les produits de la région.

Aux alentours: parc Lac-des-Nations, Marché de la Gare, Orford-Express, Gorge riv. Magog (sentiers pédestres), théâtre, cinéma, restos.

Chambres: climatisées, baignoire sur pattes, bureau de travail, TV, tranquillité assurée, spacieuses. **Lits:** queen, king. **3 ch. S. de bain privée(s).**

2 pers: B&B 97$ **1 pers:** B&B 82$. Taxes en sus.

Réduction: hors saison, long séjour.

Ouvert: à l'année.

Maud Pelletier de Simini
74, boul. Queen Victoria
Sherbrooke J1H 3P5
Tél. / Fax (819) 573-0720
www.giteauroreboreale.com
giteaboreale@hotmail.com
Aut. 10 ou aut. 55, sortie 140, aut. 410, sortie 2, boul. de Portland, 5 km, boul. Queen-Victoria à droite.

A AV ≈ @ ॐ **Certifié: 2006**

Sherbrooke
La Maison Canty ✴ ✴ ✴

689, chemin Gendron
Sherbrooke J1R 0J6
Tél. (819) 823-1124 1-866-823-1124
Fax (819) 823-0595
www.lamaisoncanty.com
info@lamaisoncanty.com
Aut. 10 ou 55, sortie 137, direction rte 220 ouest. Après IGA,
2ᵉ route, chemin Gendron à droite.

Gîte du Passant
certifié

Fort d'une grande tradition d'accueil, nous vous ouvrons les portes de notre gîte. Situé à Sherbrooke, arrondissement St-Elie d'Orford, c'est sous le thème de l'Irlande que nos trois chambres sont mises à votre disposition pour un séjour mémorable; La Marguerite, La Jacqueline et La Marie-Claire (suite). P. 55.

Aux alentours: mont Orford, North Hatley, lac Des Nations Sherbrooke, golf Longchamps, golf Sherbrooke, piste cyclable, restaurants.
Chambres: climatisées, avec salle d'eau, TV, accès Internet, cachet champêtre, bois franc, suite. Lits: double, queen, d'appoint. **3 ch. S. de bain privée(s).**
Forfaits: vélo, famille, gastronomie, golf, détente & santé, ski alpin, ski de fond.
2 pers: B&B 99-119$ **1 pers:** B&B 89-109$.
Enfant (12 ans et −): B&B 25$. Taxes en sus. AM MC VS
Réduction: hors saison.
Ouvert: à l'année.

A AV @ Certifié: 2008

Sutton
Les Caprices de Victoria (2007) ✴ ✴ ✴ ✴

Maryse Desrosiers
63, rue Principale Nord
Sutton J0E 2K0
Tél. / Fax (450) 538-1551 Tél. (450) 405-2070
www.capricesdevictoria.qc.ca
b.b@capricesdevictoria.qc.ca
De Québec, aut. 20, aut. 55, sortie 139. De Montréal, aut. 10,
sortie 68. D'Ottawa, aut. 417, aut. 10, sortie 68.

Gîte du Passant
certifié

Maison victorienne centenaire. Pour un moment d'évasion… un amalgame où parfums, coloris et décor se côtoient harmonieusement. Baignoires sur pieds, foyers, grand terrain bordé d'un ruisseau, bain tourbillon extérieur, sauna et bain vapeur. Déjeuner gastronomique. Massage sur place.

Aux alentours: à l'entrée du village, au cœur des montagnes : vignobles, antiquaires, sentiers en forêt, galeries d'art, canards.
Chambres: climatisées, baignoire sur pattes, foyer, accès Internet, balcon, cachet victorien, peignoir. Lits: queen. **5 ch. S. de bain privée(s).**
Forfaits: gastronomie, détente & santé, romantique, ski alpin.
2 pers: B&B 135-170$ **1 pers:** B&B 125-155$. Taxes en sus. MC VS
Réduction: long séjour.
Ouvert: à l'année. **Fermé:** 10 nov - 13 déc.

A @ ♿ Certifié: 2005

Waterloo
O'Berge du Pignon ✴ ✴ ✴

Colette Bélanger
4805, rue Foster
Waterloo J0E 2N0
Tél. (450) 539-4343 1-866-494-4343
www.obergedupignon.com
obergedupignon@hotmail.com
Aut. 10, sortie 88 dir. centre-ville, 1ᵉʳ feu de circulation à droite.

Gîte du Passant
certifié

Bienvenue chez nous! À la jonction des pistes cyclables et de la Route verte. Maison victorienne de 1901, avec le confort d'aujourd'hui, qui vous offre 4 chambres douillettes au décor raffiné. Déjeuner concocté avec amour. Remise pour vélo. Les amoureux de la nature seront servis. Certifié "Bienvenue cyclistes !"[MD]

Aux alentours: pistes cyclables Estriade, Campagnarde et Montagnarde. Parc de la Yamaska, golf, ski, équitation.
Chambres: climatisées, avec lavabo, accès Internet, personnalisées, cachet victorien, meubles antiques, peignoir, romantiques. Lits: simple, double, queen, d'appoint. **4 ch. S. de bain privée(s) ou partagée(s).**
Forfaits: charme, vélo, gastronomie, golf, détente & santé, romantique.
2 pers: B&B 85-98$ **1 pers:** B&B 75-85$.
Enfant (12 ans et −): B&B 20$. Taxes en sus. IT
Réduction: hors saison, long séjour.
Ouvert: à l'année.

AV @ ♿ Certifié: 2007

Waterloo, Shefford
L'Oasis du Canton ✤ ✤ ✤ ✤

Gîte du Passant
certifié

Un accueil chaleureux vous attend dans un endroit paisible invitant à la détente; la combinaison parfaite pour faire le plein d'énergie. L'été, prélassez-vous au soleil au bord de la piscine. Un BBQ est aussi à votre disposition. L'hiver, détendez-vous au salon près du foyer. L'endroit parfait pour trouver la tranquillité tout au long de l'année. Certifié "Bienvenue cyclistes !"[MD]

Aux alentours: Zoo de Granby, Knowlton, ski, glissade d'eau, parc Yamaska, vignobles, théâtres, vélo, équitation.

Chambres: bureau de travail, ensoleillées, peignoir, ventilateur, romantiques, bois franc, terrasse, entrée privée, vue sur forêt, vue sur campagne. Lits: simple, double, king. **3 ch. S. de bain privée(s).**

Forfaits: gastronomie, romantique.

2 pers: B&B 95$ **PAM** 145-165$ **1 pers: B&B** 70$ **PAM** 95-105$.
Enfant (12 ans et –): B&B 20$ **PAM** 35$
Réduction: hors saison, long séjour.
Ouvert: à l'année.

Madeleine Fortin
200, chemin Lequin
Shefford J2M 1K4
Tél. (450) 539-2212 1-877-827-2212
Fax (514) 634-0034
www.giteetaubergedupassant.com/oasisducanton
berdavid@qc.aira.com
Aut. 10, sortie 88, boul. Horizon à gauche. À l'arrêt, Western Furlford à gauche, chemin Lequin à droite.

A ◆ ✕ AV ⛵ @ ざ Certifié: 2006

Weedon, Saint-Gérard
Le Presbytère St-Gérard ✤ ✤ ✤ ✤

Auberge du Passant
certifiée

À 2h de Montréal et 1h30 de Québec, à 50 km de Sherbrooke, Weedon est nichée au bord de la rivière St-François, entourée des lacs Louise, Aylmer et Elgin. Près du parc Frontenac et du mont Ham. Nous vous offrons 4 ch. douillettes et originales et une cuisine aux accents du sud de la France. Visitez notre site pour nos forfaits.

Aux alentours: le Pavillon de la Faune: collection d'animaux naturalisés nord-américain, lac Aylmer, mont Ham.

Chambres: baignoire à remous, ensoleillées, raffinées, meubles antiques, peignoir, bois franc. Lits: simple, double, queen. **4 ch. S. de bain privée(s) ou partagée(s).**

Forfaits: gastronomie, détente & santé, autres.

2 pers: B&B 65-95$ **PAM** 105-155$ **1 pers: B&B** 65-95$ **PAM** 95-125$. Taxes en sus.
Réduction: long séjour.
Ouvert: à l'année.

Régine Tourreau
191, rue Principale
Weedon J0B 3J0
Tél. (819) 877-2164 (819) 437-8183
Fax (819) 877-2427
www.lepresbytere.org
info@lepresbytere.org
De Montréal, aut.10 est dir. Sherbrooke (Thetford Mines), rte 112 est. De Québec, aut. 73, sortie 82, rte 112 ouest. De Trois-Rivières, aut. 55, rte 112 ouest.

◆ 🐾 ✕ Certifié: 2008

■ Information supplémentaire sur l'hébergement à la ferme

Granby
Verger Champêtre

Maison de Campagne à la Ferme
certifiée

Ferme fruitière – Verger. Situé aux portes des Cantons-de-l'Est, venez nous visiter et découvrir notre boutique-cadeaux. Promenade en sentier et dans les vergers. Aire de pique-nique entourée d'un étang et jardins. Observation des animaux et de leur habitat. Site champêtre pour réceptions. P. 61, 77.

Activités: autocueillette, visite libre, rencontre avec le producteur pour se familiariser avec les productions, les produits et/ou les procédés de transformation, mini-ferme, observation nature et faune, randonnée pédestre, visite de jardins, jardinage, aire de jeux, soin des animaux, nourrir les animaux.

Services: aire de pique-nique, terrasse, centre d'interprétation / musée, vente de produits, salle de réception, réunion, stationnement pour autobus, emballages-cadeaux, remise pour vélo, location de vélo à proximité, location de voiture à proximité, vélos disponibles.

2300, rue Cowie, Granby
Tél. (450) 379-5155
www.vergerchampetre.com

Bolton Est
L'iris Bleu

Table aux Saveurs du Terroir
certifiée

Notre priorité: choisir des produits frais saisonniers, offerts par des producteurs locaux ou régionaux. Créativité et amour du travail bien fait transforment ces produits du terroir en plaisirs gourmands... Un air de jazz, un feu de foyer, un décor raffiné, et voilà, madame est servie! P. 56.

Spécialités : viandes et volailles du Québec, fromages fins de la région et produits saisonniers locaux réinventent la cuisine méditerranéenne.
Repas offerts : soir.
Menus : table d'hôte.
Nbr personnes: 2-20. Min. de pers. exigé varie selon les saisons.
Réservation: requise.
Table d'hôte: 32-38$/pers. Taxes en sus. MC VS
Ouvert : à l'année. Horaire variable.

Ginette Breton
895, route Missisquoi
Bolton Est, J0E 1G0
Tél. (450) 292-3530 1-877-292-3530
www.irisbleu.com
information@irisbleu.com
Aut. 10, sortie 106, rte 245 sud dir. Mansonville pour 12 km.
Dernière maison du village à gauche.

A Certifié: 2007

Compton
Le Bocage

Table aux Saveurs du Terroir
certifiée

L'auberge vous reçoit dans l'atmosphère feutrée de l'une de ses salles à dîner, l'éclairage aux candélabres et à la lampe à l'huile d'époque est discret, mais omniprésent, et ce, même en terrasse. Vous y dégusterez une fine cuisine régionale soignée hors du commun. Un échange de plats entre amis se fait avec délectation, sans réserve ou retenue. P. 57.

Spécialités : la maison offre chaque soir deux menus «découverte» préparés avec soin. À l'honneur, le gibier: lapin, caille, pintade, canard, cerf.
Repas offerts : soir. Apportez votre vin.
Menus : table d'hôte, gastronomique.
Nbr personnes: 1-50.
Réservation: requise.
Table d'hôte: 38-58$/pers. Taxes en sus. AM MC VS
Ouvert : à l'année. Mar au dim.

François Dubois
200, chemin de Moe's River
Compton, J0B 1L0
Tél. (819) 835-5653
www.lebocage.qc.ca
francois.dubois@bellnet.ca
Aut. 10, sortie 121, aut. 55 sud, sortie 21, à Ayer's Cliff, rte
208 est, 25 km.

A ◆Certifié: 2007

Frelighsburg
La Girondine

Table Champêtre
certifiée

Ferme d'élevage. Laissez-vous charmer par une expérience culinaire dans une belle ferme familiale. Sylvie et François, les propriétaires, vous feront découvrir les merveilles de notre terroir. Salle champêtre climatisée avec une vue imprenable sur le mont Pinacle. Repas de 3 à 7 services allant des charcuteries maison au lapin à La Girondine. Confit sur place. P. 77.

Spécialités : nous élevons agneaux, canards, lapins et pintades servis en charcuteries maison, foie gras, confit, magret, gigot, cassoulet, etc.
Repas offerts : brunch, midi, soir. Apportez votre vin.
Menus : table d'hôte.
Nbr personnes: 10-45. Min. de pers. exigé varie selon les saisons.
Réservation: requise.
Repas: 28-58$/pers. Taxes en sus. IT MC VS
Ouvert : à l'année.

Sylvie Campbell et François Desautels
104 A, route 237 Sud
Frelighsburg, J0J 1C0
Tél. (450) 298-5206
Fax (450) 298-5216
www.lagirondine.ca
info@lagirondine.ca
Aut. 10, sortie 22, aut. 35 sud à la fin, rte 202 à gauche dir. St-
Alexandre, 7 km, indication Frelighsburg, à droite.

A AV Certifié: 2001

Gould, Lingwick
La Ruée vers Gould

Table aux Saveurs du Terroir
certifiée

Découvrez notre menu de la Auld Alliance: cuisine campagnarde de traditions écossaise et française utilisant les meilleurs produits de notre terroir local (sanglier, fromage de chèvre, canard fumé, sirop de lavande, miel et bières régionales...) dans le décor chaleureux de notre vieux magasin général du XIX siècle. Dépaysement garanti... P. 59.

Spécialités : cuisine campagnarde franco-écossaise:haggis, cassoulet, lapin des Highlands, blanquette de veau, Scotch collops, kipper, Cock-a-leekie.
Repas offerts : brunch, midi, soir.
Menus : table d'hôte.
Nbr personnes : 10-80. Min. de pers. exigé varie selon les saisons.
Réservation: requise.
Table d'hôte : 30-40$/pers. Taxes en sus. IT
Ouvert: 24 avr - 31 déc. Mer au dim. Horaire variable.

A ● AV Certifié: 2007

Daniel Audet et Yvon Marois
19, route 108
Gould, Lingwick, J0B 2Z0
Tél. (819) 877-3446 1-888-305-3526
www.rueegouldrush.com
info@rueegouldrush.com
Aut.10, sortie 143, rte 112 est. À East Angus, rtes 214 et 108 est. De Québec, aut. 73 dir. Ste-Marie, rte 173 dir. Vallée-Jct, rte 112 dir.Thetford et Weedon, rte 257 sud.

Granby
Restaurant La Maison Chez-Nous

Table aux Saveurs du Terroir
certifiée

Maison de style canadienne située sur un site enchanteur. Sophie vous accueille en salle à manger alors que Daniel, chef-propriétaire diplômé avec plus de 20 ans d'expérience, met au profit de sa clientèle sa passion pour la cuisine. Laissez-vous charmer par notre décor, le raffinement de notre cuisine et notre service courtois et professionnel.

Spécialités : fine cuisine régionale. Menu table d'hôte qui varie aux saisons. Mignons de boeuf AAA, arrivage de la mer, gibiers et délices maison.
Repas offerts : soir. Apportez votre vin.
Menus : table d'hôte.
Nbr personnes : 1-70.
Réservation: recommandée, requise pour groupe.
Table d'hôte : 35-46$/pers. Taxes en sus. IT MC VS
Ouvert: à l'année. **Fermé:** 1 jan - 21 jan. Mer au dim.

A ℃ Certifié: 2009

Sophie Desrochers et Daniel Lacroix
847, rue Mountain
Granby, J2G 8C6
Tél. (450) 372-2991
Fax (450) 375-4392
www.lamaisoncheznous.com
info@lamaisoncheznous.com
Aut. 10, sortie 78. Boul. Pierre-Laporte direction Granby. 1re rue à gauche, rue Mountain.

Hatley, Massawippi
Plaisir Gourmand Hatley

Table aux Saveurs du Terroir
certifiée

Vous découvrirez la passion et l'amour du métier qui animent ses propriétaires ainsi qu'une cuisine créative mettant en valeur les produits du terroir québécois du Chef Éric Garand, proclamé chef de l'année 2007 Estrie SCCPQ. Classé parmi les 500 meilleures tables du Québec selon le Debeur et classé 4 étoiles selon Guide Resto Voir.

Spécialités : le jarret d'agneau à l'ail grillé et notre crème brûlée à la lavande sont des plaisirs incontournables! Chef de l'année 2007 SCCPQ.
Repas offerts : soir.
Menus : à la carte, table d'hôte, gastronomique.
Nbr personnes : 2-30.
Réservation: requise.
Table d'hôte : 30-45$/pers. Taxes en sus. IT VS
Ouvert: à l'année. Horaire variable.

A AV Certifié: 2008

Jinny Dufour et Eric Garand
2225, route 143
Hatley, J0B 4B0
Tél. (819) 838-1061
Fax (819) 838-5757
www.plaisirgourmand.com
info@plaisirgourmand.com
Aut. 10 est, sortie 121 dir. aut. 55 sud, sortie 21 dir. Ayer's Cliff, rte 208 à gauche, 4 km, rte 143 nord à gauche.

Lac-Brome
Auberge Knowlton

Table aux Saveurs du Terroir
certifiée

Dégustez saveurs contemporaines et mets régionaux dans un décor champêtre-chic et observez la vie du village par les fenêtres du Relais surplombant les artères principales de Knowlton, un des plus beaux villages du Québec, ce qui confère au restaurant le nom de «cœur du village». Le Relais... une expérience visuelle et culinaire. P. 61.

Spécialités : nos plats régionaux mettent en valeur le porc et le canard du lac Brome, les vins de Dunham, les fromages et légumes locaux.
Repas offerts : midi, soir.
Menus : à la carte, table d'hôte, gastronomique.
Nbr personnes: 2-100.
Réservation: recommandée, requise pour groupe.
Table d'hôte: 20-30$/pers. Taxes en sus. IT MC VS
Ouvert: à l'année. Tous les jours. Horaire variable.

Signy Stephenson et Michel Gabereau
286, chemin Knowlton
Lac-Brome, J0E 1V0
Tél. (450) 242-6886
Fax (450) 242-1055
www.aubergeknowlton.ca
info@aubergeknowlton.ca
Aut. 10, sortie 90 Lac-Brome, rte 243 sud, 10 km, 2ᵉ arrêt, l'auberge est à votre droite.

A ⏱ **Certifié: 2008**

Magog
Au Gré du Vent

Table Champêtre
certifiée

Ferme d'élevage. Laissez vos sens vous guider à travers les panoramas de la région. Vous serez séduits par les odeurs et les saveurs de la cuisine préparée par le chef propriétaire. Découvrez ses recettes de veau, de truite, de volaille et autres produits de la ferme. Les menus varient chaque jour selon l'inspiration du chef et les arrivages. Apportez votre vin.

Spécialités : découvrez une cuisine raffinée du terroir, à partir de nos produits de la ferme, de notre potager et de produits régionaux.
Repas offerts : soir. Apportez votre vin.
Menus : à la carte, table d'hôte, gastronomique.
Nbr personnes: 2-30.
Réservation: requise.
Repas: 32-52$/pers. Taxes en sus. IT MC VS
Ouvert: à l'année. Tous les jours.

Patrick Bélanger
225, chemin Roy
Magog, J1X 3W3
Tél. (819) 843-9207 1-866-414-9207
www.augreduvent.ca
bpatrick@bellnet.ca
Aut. 10 est, sortie 115 sud, rte 112, chemin Roy à gauche. Aut. 20 ouest, aut. 55 sud et aut. 10 ouest, sortie 115.

A ⏱ **Certifié: 2003**

Magog
Aux Jardins Champêtres

Table aux Saveurs du Terroir
certifiée

Un repas à notre table vous fera découvrir les saveurs des Cantons-de-l'Est en une seule visite. Chez nous tout est fait maison! Menu dégustation gargantuesque de 6 services ou vous découvrirez plus d'une dizaine de producteurs de la région. Site exceptionnel situé sur une route panoramique. Ambiance champêtre. Apportez votre vin. P. 64, 65.

Spécialités : découvrez les saveurs des Cantons-de-l'Est en une seule visite. Menu dégustation 6 services. Chez nous tout est fait maison.
Repas offerts : brunch, midi, soir. Apportez votre vin.
Menus : à la carte, table d'hôte, gastronomique.
Nbr personnes: 1-80.
Réservation: requise.
Table d'hôte: 50-55$/pers. Taxes en sus. IT MC VS
Ouvert: à l'année.

Monique Dubuc
1575, chemin des Pères, R.R. 4
Magog, J1X 5R9
Tél. (819) 868-0665 1-877-868-0665
Fax (819) 868-6744
www.auxjardinschampetres.com
auxjardinschampetres@qc.aira.com
Aut. 10 est, sortie 115 sud Magog/St-Benoît-du-Lac, 1,8 km, chemin des Pères à droite, 6,1 km. Aut. 20 ouest, 55 sud et 10 ouest, sortie 115.

⏱ **Certifié: 2007**

Saint-Joseph-de-Ham-Sud
Auberge - Restaurant La Mara

Daniel Lamoureux
127, chemin Gosford Sud
Saint-Joseph-de-Ham-Sud, J0B 3J0
Tél. / Fax (819) 877-5189
www.aubergelamara.com
aubergelamara@yahoo.ca
Aut. 10, à Sherbrooke, sortie 143, sortie 7, rte 216 à gauche, à St-Camile, ch. de Ham, ch. Gosford à droite, 1,2 km.

Table aux Saveurs du Terroir
certifiée

Près du Mont Ham. Auberge constituée d'anciens bâtiments de bois du 18e et 19e siècle, entourée de jardins, étangs, ruisseaux, sentiers sur un domaine de 10 acres. Le potager regorge de fines herbes, laitues, petits fruits, légumes et plus de 30 variétés de fleurs comestibles qui agrémentent en couleurs et en goûts la cuisine de l'auberge. P. 69.

Spécialités : fine cuisine concoctée à partir de produits locaux: agneau, canard, wapiti, bison. Fleurs, légumes, fines herbes de notre jardin.
Repas offerts : midi, soir. Apportez votre vin.
Menus : à la carte, table d'hôte, gastronomique.
Nbr personnes: 2-80.
Réservation: requise.
Table d'hôte: 29$/pers. Taxes en sus. IT MC VS
Ouvert: à l'année. Tous les jours.

A ● AV Certifié: 2008

Sherbrooke
Antiquarius Café

Julie Beaudoin
182, Wellington Nord
Sherbrooke, J1H 5C5
Tél. (819) 562-1800 (819) 829-8038
www.antiquariuscafe.ca
info@antiquariuscafe.com
Aut. 10, sortie Sherbrooke centre-ville, boul. St-François à gauche, rue King Ouest à droite, rue Wellington à droite.

Table aux Saveurs du Terroir
certifiée

Café bistro au décor chaleureux dans un immeuble de plus de 100 ans. Plancher de bois, plafond de tôle d'origine, murs de briques, meublé principalement d'antiquités. Les murs sont garnis de toiles ou de photos selon l'artiste qui expose au moment de votre visite. Vous serez charmé! Nous offrons une cuisine créative aux saveurs régionales.

Spécialités : tartares, paninis, salades, poissons, canards, boeuf et bien d'autres mets où les produits des artisans de la région sont à l'honneur.
Repas offerts : brunch, midi, soir.
Menus : à la carte, table d'hôte.
Nbr personnes: 1-75.
Réservation: recommandée.
Table d'hôte: 26-32$/pers. Taxes en sus. AM IT MC VS
Ouvert: à l'année. Tous les jours. Horaire variable.

A AV ♨ Certifié: 2009

Stukely-Sud
Ferme le Seigneur des Agneaux & Asinerie du Rohan

Annick et Christophe Balayer
262, chemin de la Diligence
Stukely-Sud, J0E 2J0
Tél. (450) 297-2662 1-866-330-2662
www.leseigneurdesagneaux.com
info@leseigneurdesagneaux.com
Aut. 10, sortie 100 dir. Stukely-Sud, rte 112, 4 km, ch. de la Diligence à gauche. À 20 km de Granby, Bromont et Magog.

Table Champêtre
certifiée

Ferme d'élevage. Située sur un chemin patrimonial, la ferme a été transformée en exploitation ovine et asine en 2003. Les bâtiments, âgés de plus de 180 ans, offrent un merveilleux regard sur le passé. Dans un cadre champêtre et chaleureux, nous vous proposons une table d'hôte sur réservation et des méchouis de mai à oct. Aussi, vente d'agneau et produits maison. P. 79.

Spécialités : nouveau et unique en 2009: notre nouveau menu VIP vous invite à découvrir les saveurs de la viande d'agneau et du lait d'ânesse !
Repas offerts : brunch, midi, soir. Apportez votre vin.
Menus : table d'hôte, méchoui.
Nbr personnes: 2-120. Min. de pers. exigé varie selon les saisons.
Réservation: requise.
Repas: 15-45$/pers. Taxes en sus. IT MC VS
Ouvert: à l'année. Tous les jours. Ven au dim. Horaire variable.

A ♿ AV ♨ Certifié: 2006

Tables aux Saveurs du Terroir^MD & Champêtres^MD

Compton
Fromagerie La Station de Compton

Pierre et Simon-Pierre Bolduc
440, chemin de Hatley
Compton, J0B 1L0
Tél. / Fax (819) 835-5301
www.fromagerielastation.com
info@fromagerielastation.com
Aut 10 est, sortie 12, aut. 55 sud direction Coaticook, sortie 21, rte 141 sud. À Ayer's Cliff, rte 208 est.

Relais du Terroir & Ferme Découverte
certifiés

Ferme laitière – Fromagerie fermière. C'est en plein cœur de la campagne généreuse du petit village de Compton, qu'est née la Fromagerie La Station, le fruit du travail de 4 générations d'agriculteurs passionnés. Située dans le centre des Cantons-de-l'Est sur une ferme, elle fabrique des fromages fermiers au lait cru de vache issu d'une agriculture biologique.

Produits: Alfred le Fermier-finaliste du concours des fromages fins du Québec 2008, La Raclette de Compton, Le Comtomme, Le Comtomme Signature.
Activités sur place: dégustation, rencontre avec le producteur pour se familiariser avec les productions, les produits et/ou les procédés de transformation.
Visite: enfant gratuit, tarif de groupe. IT
Nbr personnes: 5-15.
Réservation: requise.
Ouvert: à l'année. 10h30 à 17h. Horaire variable.
Services: terrasse, centre d'interprétation / musée, vente de produits, dépliant explicatif ou panneaux français.

Certifié: 2009

Compton
Verger le Gros Pierre

Diane Goyette
6335, route Louis-Sud-Saint-Laurent
Compton, J0B 1L0
Tél. (819) 835-5549
Fax (819) 835-5305
www.grospierre.com
grospierre@sympatico.ca
De Montréal, aut. 10 sortie 121, aut. 55 sortie 21, route 141 jusqu'à Ayer's Cliff, rte 208. À Hatley, chemin Hatley jusqu'à Compton, rte 147.

Relais du Terroir & Ferme Découverte
certifiés

Verger. Entouré de ses 8000 pommiers nains, le Gros Pierre transforme, conditionne et explique la pomme. Cueillette, balade en tracteur, visite de la fabrique, de la presse à jus, du sentier d'interprétation. Dégustations. Vente de produits du terroir. Visites guidées pour les groupes. Crêperie sur notre terrasse chauffée. Aire de jeu et de pique-nique.

Produits: tarte aux pommes et fruits, galettes, baluchons, confitures, gelée, jus de pomme, crêpes aux saveurs du terroir, etc.
Activités sur place: animation pour groupe scolaire, animation pour groupe, autocueillette, dégustation, visite libre, visite autoguidée, sentier d'interprétation.
Visite: enfant gratuit, tarif de groupe. IT VS
Nbr personnes: 15-30.
Réservation: requise pour groupe.
Ouvert: 1 août - 8 nov. Tous les jours. 9h à 18h.
Services: aire de pique-nique, terrasse, centre d'interprétation / musée, vente de produits, remise pour vélo.

A 🐄 ✕ **AV Certifié: 2009**

Frelighsburg
Domaine Pinnacle

Charles Crawford & Susan Reid
150, chemin Richford
Frelighsburg, J0J 1C0
Tél. (450) 298-1226 (450) 263-5835
Fax (450) 263-6540
www.domainepinnacle.com
questions@domainepinnacle.com
Aut. 10, sortie 68, rte 139 sud, rte 202 ouest, rte 213 sud, rte 237 sud, chemin Richford à gauche.

Relais du Terroir
certifié

Cidrerie – Verger. Fondé en 2000, le Domaine Pinnacle est une entreprise familiale composée d'un verger et d'une cidrerie situés sur une propriété de 430 acres sur le flanc du mont Pinacle, près du village historique de Frelighsburg dans les Cantons-de-l'Est. Notre spécialité: la production du meilleur cidre de glace au monde. P. 53.

Produits: riches, dorés et complets en bouche, les cidres de glace sont préparés à partir d'un mélange exceptionnel de six variétés de pommes.
Activités sur place: animation pour groupe, dégustation, visite libre.
Visite: gratuite, autres tarifs. AM IT MC VS
Ouvert: 16 mai - 31 déc. Fermé: 25 déc - . Tous les jours. 10h à 17h. Horaire variable.
Services: centre d'interprétation / musée, vente de produits, dépliant explicatif ou panneaux français et anglais, stationnement pour autobus.

A 🐄 **Certifié: 2007**

Frelighsburg
La Girondine

Relais du Terroir
certifié

Ferme d'élevage. Venez découvrir un endroit calme, chaleureux et familial. Boutique de vente de produits de canard, d'agneaux élevés sur la ferme et une magnifique salle à manger conviviale. Plats artisanaux à partir de canards mulard, agneaux, pintades, lapins, etc. Sylvie, François, Mathieu, Keven et Kim vous accueillent chaleureusement. P. 72.

Sylvie Campbell et François Desautels
104 A, route 237 Sud
Frelighsburg, J0J 1C0
Tél. (450) 298-5206
Fax (450) 298-5216
www.lagirondine.ca
info@lagirondine.ca
Aut. 10, sortie 22, aut. 35 sud à la fin, rte 202 à gauche jus. St-Alexandre, 7 km, indication Frelighsburg, à droite.

Produits: pâté, rillettes, confit, saucisses, foie gras, lapin et canard, plats cuisinés, découpes d'agneau : gigot, carré, jarret, côtelettes...
Activités sur place: animation pour groupe scolaire, dégustation, visite libre, mini-ferme.
Visite: gratuite, enfant gratuit. IT MC VS
Réservation: requise.
Ouvert: à l'année. Tous les jours. 10h à 17h. Horaire variable.
Services: aire de pique-nique, vente de produits, salle de réception, réunion, stationnement pour autobus.

A ✕ AV Certifié: 2001

Granby
Verger Champêtre

Relais du Terroir & Ferme Découverte
certifiés

Ferme fruitière – Verger. Situé aux portes des Cantons-de-l'Est, venez visiter notre mini-ferme, faire l'autocueillette de diverses variétés de fruits. Boutique-cadeaux. Promenade en sentier et dans les vergers. Aire de pique-nique entourée d'un étang et jardins. Observation d'animaux et de leur habitat. Site champêtre pour réceptions. Visite admissible à notre clientèle. P. 61, 71.

Thérèse Choinière et Mario Mailloux
2300, rue Cowie
Granby, J2G 9H9
Tél. (450) 379-5155
Fax (450) 379-9531
www.vergerchampetre.com
Aut. 10, sortie 68 dir. Granby. Au 4e feu de circulation, rue Cowie à gauche.

Produits: jus, tarte, sirop, miel, gelée, confitures, saucisses d'agneau, de chèvre et de lapin, marinades, relish, pâtés à la viande, poulet...
Activités sur place: autocueillette, visite libre, mini-ferme, observation nature et faune, jardinage, pêche, aire de jeux, participation aux récoltes, soin des animaux.
Visite: gratuite. IT VS
Réservation: recommandée.
Ouvert: 1 juil - 31 déc. Tous les jours. 8h à 18h.
Services: aire de pique-nique, vente de produits, salle de réception, réunion, stationnement pour autobus, emballages-cadeaux, autres.

A AV ♿ Certifié: 2007

Magog
Le Vignoble le Cep d'Argent Inc.

Relais du Terroir
certifié

Vignoble. Un des plus vieux et importants vignobles du Québec, vous invite à visiter ses installations et goûter ses vins maintes fois médaillés au niveau international. Jusqu'à la fête du Travail, vous pouvez prendre un repas sur la terrasse. Deux salles de réception sont disponibles pour toutes vos activités. Faites personnaliser vos vins préférés.

Denis Drouin, Jean-Paul et François Scieur
1257, chemin de la Rivière
Magog, J1X 3W5
Tél. (819) 864-4441 1-877-864-4441
Fax (819) 864-7534
www.cepdargent.com
info@cepdargent.com
Aut. 10, sortie 128. Aut. 20, aut. 55 sud, sortie 128. Suivre les panneaux bleus.

Produits: nos vins se sont mérités plus de 85 médailles lors de concours internationaux.
Activités sur place: dégustation, visite commentée français et anglais, souper-spectacle, participation aux vendanges.
Visite: adulte: 7-15$, enfant gratuit, tarif de groupe. AM IT MC VS
Nbr personnes: 1-100.
Réservation: recommandée, requise pour groupe.
Ouvert: à l'année. Tous les jours. 10h à 19h. Horaire variable.
Services: vente de produits, salle de réception, réunion, stationnement pour autobus, emballages-cadeaux, remise pour vélo.

A ♿ ✕ AV ♿ Certifié: 2003

Saint-Armand
Wapitis Val-Grand-Bois

Relais du Terroir
certifié

Francine et Raymond Germain
501, route 235
Saint-Armand, J0J 1T0
Tél. (450) 248-3273
Fax (450) 248-1167
www.valgrandbois.com
raymond@valgrandbois.com
Aut. 10 est, sortie 22, aut. 35 sud, rte 133 sud dir. Philipsburg à gauche au feu clignotant, rte 235 sud à droite, 2 km.

Ferme d'élevage. La pittoresque campagne de Saint-Armand saura vous envoûter par ses paysages bucoliques, son calme serein et son air pur. Appréciez, lors de votre visite, le wapiti d'élevage; cet animal majestueux qui fait partie de notre patrimoine, alors qu'il y vivait à l'état indigène à l'époque des premiers colons de la Nouvelle-France.

Produits: la viande de wapiti offre une saveur douce et distincte qui saura plaire aux palais les plus fins: saucisses, terrines, rillettes...
Activités sur place: dégustation, visite commentée français, observation nature et faune.
Visite: gratuite.
Réservation: recommandée, requise pour groupe.
Ouvert: 15 juin - 1 nov. Jeu au mar, 10h à 17h.
Services: aire de pique-nique, vente de produits, dépliant explicatif ou panneaux français, emballages-cadeaux.

AV Certifié: 2007

Sainte-Cécile-de-Milton
Cidrerie Les Vergers de la Colline

Relais du Terroir & Ferme Découverte
certifiés

Josée et Michel Lasnier
5, route 137
Sainte-Cécile-de-Milton, J0E 2C0
Tél. (450) 777-2442 (450) 378-3484
Fax (450) 375-9026
www.lesvergersdelacolline.com
info@lesvergersdelacolline.com
Entre Granby et St-Hyacinthe. Aut. 20, sortie 130 sud, route 137 sud. Aut.10, sortie 68, rte 139 nord, rte 112 ouest, rte 137 nord.

Cidrerie – Verger. La famille Lasnier est propriétaire de vergers à Ste-Cécile-de-Milton depuis 1927. Josée, Michel et Marc-Antoine Lasnier vous reçoivent maintenant, dans leur magnifique cidrerie et confiturerie, au cœur des collines montérégiennes, où vous en aurez plein les yeux et plein la bouche.

Produits: cidre de glace, mistelle, cidres tranquilles, tous récipiendaires de prestigieux prix; succulentes tartes & confitures maison.
Activités sur place: animation pour groupe scolaire, autocueillette, dégustation, mini-ferme, balade en charrette, aire de jeux, nourrir les animaux, autres, autres.
Visite: gratuite. IT MC VS
Nbr personnes: 5-30.
Réservation: requise pour groupe.
Ouvert: 10 mars - 24 déc. **Fermé:** 25 déc - 9 mars. Mar au dim, 9h à 18h.
Services: aire de pique-nique, terrasse, vente de produits, dépliant explicatif ou panneaux français et anglais, emballages-cadeaux, autres.

A Certifié: 2005

Stoke
Miellerie Lune de Miel

Relais du Terroir & Ferme Découverte
certifiés

Richard Coté et Carole Huppé
252, rang 3 Est
Stoke, J0B 3G0
Tél. (819) 346-2558
Fax (819) 346-9360
www.miellerielunedemiel.com
info@miellerielunedemiel.com
Aut. 10 ou 55, sortie 143, aut. 610 sortie 7, dir. Stoke à gauche, 4 km, à droite.

Miellerie. Fascinante visite guidée sur la vie des abeilles et du miel. Observation des abeilles en action. Ouverture d'une ruche par l'apiculteur. Visite à l'intérieur du musée, une ruche géante grandeur humaine. Film d'animation captivant pour tous. Dégustation, boutique, aire de jeux et petits animaux. Seule votre curiosité sera piquée!

Produits: miels purs, miels avec fruits, pollen, gelée royale, propolis, bonbons, arachides, produits de beauté, chandelles, emballages-cadeaux.
Activités sur place: animation pour groupe, dégustation, audio-visuel français et anglais, visite commentée français et anglais, mini-ferme, aire de jeux.
Visite: adulte: 8$, enfant: 6$ tarif de groupe. IT MC VS
Nbr personnes: 2-80.
Ouvert: à l'année. Tous les jours. 10h à 17h.
Services: aire de pique-nique, terrasse, centre d'interprétation / musée, vente de produits, stationnement pour autobus, emballages-cadeaux.

A 🅱 🚶 ♿ AV Certifié: 2009

Stukely-Sud
Ferme le Seigneur des Agneaux & Asinerie du Rohan

Relais du Terroir & Ferme Découverte
certifiés

Annick et Christophe Balayer
262, chemin de la Diligence
Stukely-Sud, J0E 2J0
Tél. (450) 297-2662 1-866-330-2662
www.leseigneurdesagneaux.com
info@leseigneurdesagneaux.com
Aut. 10, sortie 100 dir. Stukely-Sud, rte 112, 4 km, ch. de la
Diligence à gauche. À 20 km de Granby, Bromont et Magog.

Ferme d'élevage. Le temps d'une visite partagez la passion d'artisans paysans en découvrant la vie de berger, d'ânier, les produits transformés (savons au lait d'ânesse, charcuterie), les fabrications artisanales (bâts de randonnée). Participez à la sauvegarde des ânes car ils ne sont pas si bêtes que ça... P. 75.

Produits: gamme de soins et produits gourmands au lait d'ânesse, charcuterie d'agneau, viande d'agneau, saucisses, artisanat, fromages de brebis.

Activités sur place: animation pour groupe, dégustation, balade en charrette, camp de vacances, méchoui, participation aux activités à la ferme, soin des animaux, randonnée avec ânes.

Visite: adulte: 5-15$, enfant: 5-10$ tarif de groupe, autres tarifs. Taxes en sus. IT VS
Nbr personnes: 2-80.

Réservation: requise pour groupe.

Ouvert: à l'année. Mar au dim, 10h à 16h. Horaire variable.

Services: bar-restaurant, centre d'interprétation / musée, vente de produits, salle de réception, réunion, stationnement pour autobus, emballages-cadeaux.

A ⚑ ✕ AV ⚑ **Certifié: 2006**

Tourisme Centre-du-Québec/mgphotographe.com

Centre-du-Québec

Des petits trésors à découvrir...

Jeune, dynamique et ouverte sur le monde, la région du Centre-du-Québec déborde de vitalité avec ses succulents produits du terroir et ses festivals des plus variés. Laissez-la vous étonner!

Bien nommée, cette région située à mi-chemin entre Montréal et Québec allie avec simplicité et originalité agrotourisme, plein air, golf, vélo, moto-neige, quad, culture et patrimoine.

De nombreux antiquaires jalonneront votre route et de nombreux festivals vous attireront tout au long de l'année. Son réputé Mondial des Cultures de Drummondville (juillet) et son formidable Festival Rétro Pop de Victoriaville (juin) ne sont qu'une minime facette de la diversité de ses festivités.

Une région où les plaines et les vallons se côtoient pour vous offrir de doux et jolis paysages, vous y trouverez aussi une grande variété de produits du terroir. Son territoire étant occupé à 85% par le secteur agricole, le Centre-du-Québec a de quoi avoir fière allure en agrotourisme!

Chèvrerie et Boutique L'Angélaine

Saveurs régionales

Cette région est riche en événements agroalimentaires. Le Festival des fromages de Warwick, le Festival du Cochon (Sainte-Perpétue), le Festival du Boeuf (Inverness), le Festival de la Canneberge (Villeroy), le Festival de l'Érable (Plessisville)... bref, voilà bien moult occasions de chatouiller vos palais.

- La région et ses nombreuses fromageries vous proposent un circuit gourmand des plus intéressants pour découvrir les fromages au lait de vache, de chèvre et de brebis.

- Là où l'oie des neiges fait escale, des producteurs ont développé un élevage d'appellation contrôlée. Découvrez-la sous forme de rillettes, de terrines, de pâtés ou de confits.

- La culture de la canneberge a pris un essor tellement considérable que l'on a créé à Saint-Louis-de-Blandford un centre d'interprétation.

- À ne pas oublier, l'esturgeon fumé d'Odanak et de Notre-Dame-de-Pierreville, un pur délice traditionnel hérité des Abénaquis.

- Plus au sud, place à un paysage dominé par les érablières. À vrai dire, c'est un royaume d'érablières et de cabanes où se sucrer le bec.

- Saveur cocasse... Même si l'on ne s'entend pas sur son lieu de naissance (Warwick, Drummondville ou Victoriaville), la « poutine » est bien originaire du Centre-du-Québec. Composé de frites, de sauce et de fromage en grains, ce mélange particulier est maintenant servi à certains endroits aux États-Unis et même en Europe!

Tourisme Centre-du-Québec/mgphotographe.com

Produits du terroir à découvrir et déguster

La région compte deux (2) Tables aux Saveurs du Terroir[MD] et une (1) Table Champêtre[MD] certifiées. Une façon originale de découvrir toutes ces saveurs. P. 88

Centre-du-Québec

Le saviez-vous?

On récolte la canneberge en inondant ses plants que l'on bat mécaniquement pour en détacher le fruit. On élève ensuite le niveau de l'eau pour la faire flotter et l'empêcher d'être retenue dans les herbes. On appelle aussi ce petit fruit: pomme des prés, atoca et airelle, entre autres. Si les marins ignoraient sa haute teneur en vitamine C, ils savaient à tout le moins qu'elle les protégeait du scorbut. Les Amérindiens la consommaient pour prévenir les infections urinaires et soigner les troubles de digestion. On a donc tout intérêt à découvrir ce merveilleux petit fruit, et autrement qu'en traditionnelle gelée accompagnant la dinde. Séchée, elle est un délice!

Clin d'oeil sur l'histoire

Au temps des premiers colons, la fabrication du sirop d'érable était bien établie chez les différentes cultures indigènes. Les Amérindiens n'avaient cependant pas les matériaux nécessaires pour chauffer un récipient à très haute température. Ils utilisaient donc des pierres chauffées qu'ils lançaient dans l'eau d'érable pour la faire bouillir. Une autre méthode consistait à laisser l'eau d'érable geler la nuit pour ensuite enlever la couche de glace le lendemain, répétant l'opération jusqu'à ce qu'il ne reste qu'un épais sirop. Le sirop d'érable constituait un élément important de l'alimentation, de la culture et de la religion des Amérindiens.

Quoi voir? Quoi faire?

Le Village Québécois d'Antan, un retour au XIXe siècle (Drummondville).

AO la Fantastique Légende, spectacle à grand déploiement en plein air (Drummondville).

Arrêtez-vous chez le plus important producteur de roses de l'est du Canada, Rose Drummond (Drummondville).

Parc Marie-Victorin: 5 magnifiques jardins thématiques de 3 km (Kingsey Falls).

Musée du Bronze d'Inverness (ÉCONOMUSÉE ®): production d'objets d'art et découverte du joli village d'Inverness.

Le moulin Michel de Gentilly, moulin à farine où l'on moud toujours le grain de façon ancestrale (Bécancour).

Le Centre de la biodiversité du Québec, un laboratoire naturel en plein air (Bécancour).

Le Musée des religions du monde, axé sur les grandes traditions religieuses (Nicolet).

Le Musée des Abénakis, idéal pour s'initier aux cultures autochtones (Odonak).

Lieu historique national de la Maison Wilfrid-Laurier (Arthabaska).

La récolte (de la fin sept. à la fin oct.) des canneberges au Centre d'interprétation de la canneberge (Saint-Louis-de-Blandford).

Faites le plein de nature

Ski de randonnée, balade ou glissade sur tubes au mont Arthabaska (Victoriaville).

Randonnée pédestre au Parc régional de la rivière Gentilly (Sainte-Marie-de-Blandford).

Glissade, raquette, ski de fond à la Courvalloise de Drummondville.

Pour un parcours aérien en forêt, D'Arbre en Arbre (Drummondville).

Observation de l'oie des neiges au Centre d'interprétation de Baie-du-Febvre.

En longeant la rivière Saint-François (de Saint-François-du-Lac à Bécancour) 80 km de campagne et de superbes panoramas.

Envie de vélo? Le parc linéaire des Bois-Francs (77km) et le Circuit des Traditions (57km) traversent des campagnes pittoresques, des forêts et d'accueillants milieux urbains.

La piste cyclable qui traverse la forêt de Drummond est l'un des secrets les mieux gardés du Circuit des Traditions.

Le lac Saint-Pierre (réserve de la biosphère de l'UNESCO) où l'on retrouve 40% des milieux humides du Saint-Laurent et la plus importante héronnière d'Amérique du Nord.

Pour plus d'information sur le Centre-du-Québec: 1-888-816-4007

www.tourismecentreduquebec.com

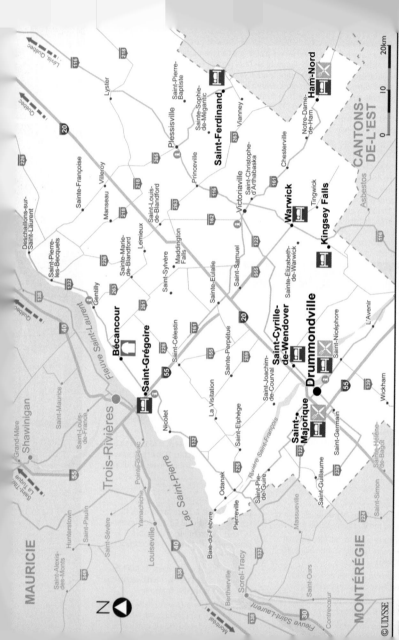

MAURICIE

Shawinigan
Grand-Mère
Saint-Tite
La Tuque
Québec
Saint-Maurice
Saint-Louis-de-France
Trois-Rivières
Saint-Alexis-des-Monts
Huntingdon
Saint-Paulin
Saint-Sévère
Yamachiche
Pointe-du-Lac
Nicolet
Louiseville
Sorel-Tracy
Berthierville
Baie-du-Febvre
Pierreville
Odanak
Saint-Elphège
Saint-Pie-de-Guire
Saint-François
La Visitation
Saint-Joachim-de-Courval
Saint-Germain
Wickham
L'Avenir
Saint-Guillaume
Saint-Simon
Saint-Ours
Contrecoeur
Massueville
Sainte-Hélène-de-Bagot
Drummondville
Saint-Nicéphore
Saint-Majorique
Saint-Cyrille-de-Wendover
Sainte-Elizabeth-de-Warwick
Saint-Samuel
Sainte-Eulalie
Saint-Sylvère
Maddington Falls
Sainte-Marie-de-Blandford
Gentilly
Saint-Célestin
Saint-Grégoire
Bécancour
Deschaillons-sur-Saint-Laurent
Saint-Pierre-les-Becquets
Sainte-Françoise
Manseau
Villeroy
Lemieux
Saint-Louis-de-Blandford
Princeville
Plessisville
Lyster
Sainte-Sophie-de-Mégantic
Saint-Pierre-Baptiste
Saint-Ferdinand
Vianney
Notre-Dame-de-Ham
Ham-Nord
Chesterville
Sainte-Perpétue
Saint-Christophe-d'Arthabaska
Victoriaville
Warwick
Tingwick
Kingsey Falls
Asbestos

CANTONS-DE-L'EST

MONTÉRÉGIE

Fleuve Saint-Laurent
Lac Saint-Pierre
Rivière Saint-François
Montréal

N

0   10   20km

© UlysSE

Gîtes ou Auberges du Passant[MD]
(Maisons de Campagne ou de Ville)

Tables aux Saveurs du Terroir[MD]
ou Champêtres[MD]

Relais du Terroir[MD]
ou Fermes Découverte

Information touristique

PRIX de L'EXCELLENCE 2008
Fédération des Agricotours du Québec
Coup de Cœur du Public régional

La Fédération des Agricotours du Québec*
est fière de rendre hommage aux hôtes
Rita et André Caya, du gîte REGARD SUR
LE FLEUVE, qui se sont illustrés de façon
remarquable par leur accueil de tous les
jours envers leur clientèle. C'est dans le
cadre des Prix de l'Excellence 2008 que
les propriétaires de cet établissement,
certifié Gîte du Passant^MD depuis 2002,
se sont vu décerner un « Coup de Cœur
du Public régional » dans le volet Gîte du
Passant^MD. P. 84.

Félicitations !

La Fédération des Agricotours du Québec est propriétaire des marques de certification : Gîte du Passant^MD, Auberge du Passant^MD, Maison de Campagne ou de Ville, Table aux Saveurs du Terroir^MD, Table Champêtre^MD, Relais du Terroir^MD et Ferme Découverte.

Bécancour, St-Grégoire

Regard sur le Fleuve

Rita et André Caya
18440, boul. Bécancour (rue Gaillardetz)
Saint-Grégoire
G9H 2G5
(819) 233-2360
Fax : (819) 233-2963
www.giteetaubergedupassant.com/
regardsurlefleuve
ritagc@tlb.sympatico.ca

Bécancour, St-Grégoire
Regard sur le Fleuve ✹ ✹ ✹ ✹

Rita et André Caya
18440, boul. Bécancour (rue Gaillardetz)
Saint-Grégoire G9H 2G5
Tél. (819) 233-2360
Fax (819) 233-2963
www.giteetaubergedupassant.com/regardsurlefleuve
ritagc@tlb.sympatico.ca
À Trois-Rivières, traverser le pont Laviolette, sortie 176
Sainte-Angèle. Face au fleuve, boul. Bécancour ouest à
gauche, 1,6 km.

Gîte du Passant
certifié

Coup de Cœur du Public régional 2006 et 2008. Sur les rives du Saint-Laurent, à dix minutes du centre-ville de Trois-Rivières, venez découvrir le calme de la campagne et admirer nos couchers de soleil. Accueil, confort, piscine et jardins vous attendent. Le déjeuner gourmand vous sera servi avec une magnifique vue sur le fleuve. En saison, vous pourrez admirer les hérons, canards et oies. P. 83.

Aux alentours: Centre de biodiversité, musée, golf, piste cyclable, patin, ski de fond, équitation, théâtre, resto.
Chambres: insonorisées, ensoleillées, confort moderne, ventilateur, tranquillité assurée, bois franc. Lits: simple, queen. **3 ch. S. de bain privée(s).**
Forfaits: vélo, régional, printemps.
2 pers: B&B 70-75$ **1 pers:** B&B 60-62$.
Enfant (12 ans et −): B&B 20$
Ouvert: à l'année.

🛏 ☞ @ 🌿 **Certifié: 2002**

Drummondville
Auberge à la Bonne Vôtre ✹ ✹ ✹

Pascal Allard et Diane Bouchard
207, rue Lindsay
Drummondville J2C 1N8
Tél. (819) 474-0008
Fax (819) 474-0162
www.alabonnevotre.ca
info@alabonnevotre.ca
Aut. 20, sortie 177 centre-ville de Drummondville, boul.
St-Joseph à droite, 5 min, rue St-Georges à gauche, rue
Lindsay à droite.

Auberge du Passant
certifiée

L'Auberge à la Bonne Vôtre, un havre de paix champêtre au cœur de la ville de Drummondville. Des chambres douillettes au décor soigné. Une table où les saveurs locales et québécoises sont préparées avec raffinement. Que ce soit pour un séjour en amoureux ou une réunion d'affaires, nous vous accueillons avec simplicité et efficacité. **Certifié Table aux Saveurs du Terroir^{MD}. P. 88.**

Aux alentours: musée populaire de la photographie, piste cyclable la Route verte, Village Québécois d'Antan.
Chambres: climatisées, jacuzzi, accès Internet, balcon, cachet d'autrefois, romantiques, entrée privée. Lits: simple, queen. **5 ch. S. de bain privée(s) ou partagée(s).**
2 pers: B&B 89-99$ **1 pers:** B&B 70-99$. Taxes en sus. AM IT MC VS
Ouvert: à l'année.

A ✕ AV @ 🌿 **Certifié: 2007**

Drummondville, Saint-Cyrille-de-Wendover
L'Oasis ✹ ✹ ✹

Johanna Beier Putzke
3500, route 122
Saint-Cyrille-de-Wendover J1Z 1C3
Tél. (819) 397-2917
www.giteetaubergedupassant.com/oasis
Aut. 20, sortie 185, 2 km. À l'église, rte 122 à droite, 1 km.

Gîte du Passant
certifié

L'Oasis, à mi-chemin entre Montréal et Québec est situé sur un grand terrain entouré d'arbres et de fleurs, d'un jardin d'eau et du murmure de la cascade. À l'intérieur, une touche européenne. Non-fumeur. Déjeuners variés et produits maison servis au solarium. À 7 km du centre-ville et en face à la piste cyclable...

Aux alentours: Village d'Antan, Légendes Fantastiques, le Mondial des cultures, théâtre, festival du cochon, piste cyclable.
Chambres: climatisées, foyer, ensoleillées, couettes et oreillers en duvet, spacieuses, terrasse. Lits: simple, queen. **4 ch. S. de bain privée(s) ou partagée(s).**
2 pers: B&B 60-75$ **1 pers:** B&B 45$.
Enfant (12 ans et −): B&B 10$
Réduction: long séjour.
Ouvert: à l'année.

A ☞ 🐴 AV 🌿 **Certifié: 1996**

Drummondville, Saint-Majorique
Fleur en Bouchée ✤✤✤✤

Edith Fleurent Boucher et Robert Boucher
1915, boul. Lemire Ouest
Saint-Majorique J2B 8A9
Tél. / Fax (819) 477-7760
www.fleur-en-bouchee.ca
robertboucher_4@sympatico.ca
Aut. 20 est, sortie 175, 4,5 km dir. St-Bonaventure.

Gîte du Passant à la Ferme
certifié

Ferme d'élevage. Coup de Cœur du Public régional 2007. Facile d'accès et près des centres d'activités. Il nous fait plaisir de vous accueillir avec la chaleur et la simplicité des gens de chez nous. Nous aimons vous recevoir et il est agréable de vous préparer de bons petits plats maison. Qualité, propreté et raffinement sont des nôtres et notre souhait le plus cher est votre satisfaction. P. 87, 88.

Aux alentours: Village Québécois d'Antan, Mondial des cultures et autres festivals, circuit motoneige, quad, théâtre, spectacle, vélo.
Chambres: climatisées, TV, balcon, ensoleillées, cachet champêtre, peignoir, ventilateur, bois franc. **Lits:** simple, queen. **2 ch. S. de bain privée(s) ou partagée(s).**
Forfaits: charme, gastronomie, golf, romantique, spectacle, théâtre, autres.
2 pers: B&B 95-105$ **PAM** 149-159$ **1 pers:** B&B 79-89$ **PAM** 106-116$.
Enfant (12 ans et –): B&B 15-35$ **PAM** 30-60$. Taxes en sus.
Réduction: long séjour.
Ouvert: à l'année.

✕ AV ♿ **Certifié: 2006**

Ham-Nord
La Table dans les Nuages ✤✤✤✤

Élise Hamel et Stéphane Martin
1001, 10ᵉ Rang
Ham-Nord G0P 1A0
Tél. (819) 344-2145
Fax (819) 344-2165
www.latabledanslesnuages.com
info@latabledanslesnuages.com
Rte 161 sud, à Ham-Nord, 1ᵉʳ arrêt, rue Principale à gauche, 1ʳᵉ rue, 4ᵉ avenue à droite, 2,5 km, 10ᵉ Rang à gauche, 1ʳᵉ maison à gauche.

Gîte du Passant
certifié

La Table dans les Nuages est inspirée par un horizon de montagnes, de forêts, de pâturages souvent frôlés par les nuages. C'est dans ce magnifique décor que nous vous accueillons dans notre maison familiale. Vous serez enveloppé par une ambiance lumineuse et chaleureuse. Alors venez vous détendre dans les nuages. **Certifié Table aux Saveurs du Terroir^MD.** P. 88.

Aux alentours: sentier des Cascades, Armoires aux Herbes, tour d'observation de St-Fortunat, raquette, voie cyclable.
Chambres: avec salle d'eau, cachet champêtre, lucarnes, poutres, vue sur montagne.
Lits: double. **1 ch. S. de bain privée(s).**
2 pers: B&B 85$ **PAM** 145$ **1 pers:** B&B 65$ **PAM** 95$. Taxes en sus.
Réduction: long séjour.
Ouvert: à l'année. **Fermé:** 27 juil - 8 août.

◆ ✕ **Certifié: 2008**

Kingsey Falls
La Maison d'Hélène ✤✤✤✤

Hélène Charland
394, Marie-Victorin
Kingsey Falls J0A 1B0
Tél. / Fax (819) 363-2555 Tél. (819) 350-7757
www.lamaisondhelene.com
lamaisondhelene@hotmail.com
Route 116. À Kingsey Falls, boul. Marie-Victorin.

Gîte du Passant
certifié

Au milieu des fleurs, je vous attends pour une visite. Ma petite maison centenaire au charme d'antan vous ouvrira ses portes et je serai heureuse de vous y accueillir. Atelier-galerie: je suis aquarelliste. Spa extérieur, jardins pour relaxer, foyer ext. et int. Nous désirons vous offrir des produits santé et régionaux pour le petit-déjeuner.

Aux alentours: Parc Marie Victorin, jardin botanique, route verte, Théâtre des Grands Chênes, golf, industries Cascades.
Chambres: climatisées, certaines avec lavabo, accès Internet, personnalisées, cachet champêtre. **Lits:** simple, double, queen, d'appoint, pour bébé. **3 ch. S. de bain partagée(s).**
2 pers: B&B 65-85$ **1 pers:** B&B 55-75$.
Enfant (12 ans et –): B&B 0-10$
Réduction: hors saison, long séjour.
Ouvert: à l'année. **Fermé:** 3 jan - 5 fév.

🛏 @ **Certifié: 2009**

Saint-Ferdinand
Havre à la Rose Étoilée ✤ ✤ ✤

Gîte du Passant
certifié

Notre gîte situé à la campagne vous accueille dans la belle région de la MRC de l'Érable. Vue sur les montagnes et un magnifique décor automnal. Comprend 4 chambres dont une suite avec accès à la cuisine si occupation d'une semaine et plus. Agréable séjour et calme assuré dans une ambiance conviviale. Déjeuner végétarien aux saveurs régionales.

Aux alentours: ski de fond, sentier pédestre, golf, équitation, randonnée traîneau à chiens, différents festivals de mai à octobre.

Chambres: avec lavabo, ensoleillées, cachet particulier, lumineuses, entrée privée, suite. **4 ch. S. de bain privée(s) ou partagée(s).**

2 pers: B&B 60-70$ **1 pers:** B&B 55-65$. Taxes en sus.

Réduction: long séjour.

Ouvert: à l'année.

Pierrette Lavoie
828, rang 10 Nord
Saint-Ferdinand G0N 1N0
Tél. / Fax (418) 428-3177 Tél. (418) 428-3090
www.giteetaubergedupassant.com/havrealaroseetoilee
pierrettelavoie@hotmail.com
De Plessisville, rte 165 sud. À St-Ferdinand suivre indications Camping des Bois Francs, chemin Gosgord à gauche, 3.5 km, rang 10 nord à gauche.

Certifié: 2009

Warwick
Gîte Aux Plaisirs Partagés ✤ ✤ ✤ ✤

Gîte du Passant
certifié

Dans la ville de Warwick surnommée la Fleur des Bois-Francs venez découvrir l'accueil chaleureux de notre gîte. Une maison ancestrale de la fin des années 1800, dans un décor champêtre qui n'attend que vous pour partager son histoire et vous y accueillir. Votre passage chez nous marquera votre voyage et vous repartirez remplis de beaux souvenirs. Certifié "Bienvenue cyclistes !"^{MD}

Aux alentours: parc Marie-Victorin, ski Mont Gleason, 6 magnifiques parcours de golf, Théâtre des Grands-Chênes, festival des fromages.

Chambres: climatisées, avec lavabo, jacuzzi, TV, accès Internet, cachet d'antan, peignoir, ventilateur. **Lits:** simple, queen, king, divan-lit. **5 ch. S. de bain privée(s) ou partagée(s).**

Forfaits: vélo, famille, golf, motoneige, détente & santé, ski alpin, théâtre, hiver, autres.

2 pers: B&B 89-99$ **1 pers:** B&B 69-79$.

Enfant (12 ans et —): B&B 0-10$. Taxes en sus. AM MC VS

Ouvert: à l'année.

Denis Théorêt et Ginette Robillard
164, rue St-Louis
Warwick J0A 1M0
Tél. / Fax (819) 358-9560
www.auxplaisirspartages.qc.ca
gite@auxplaisirspartages.qc.ca
Aut. 20, sortie 210. Rte 955 dir. St-Albert. À St-Albert, dir. Warwick, 10 km.

A ✕ @ 🚲 Certifié: 2008

Warwick
Gîte du Champayeur ✤ ✤ ✤ ✤

Gîte du Passant
certifié

Lauréat régional 2005, 2006 et 2007 et Lauréat national bronze 2006 des Grands Prix du tourisme québécois. Le Champayeur: une symphonie pour vos sens. Charme du décor et tic-tac de l'horloge grand-père, cuisine régionale, fraicheur du spa extérieur et lit moelleux. Vivez la générosité d'hôtes passionnés pour leur coin de pays, les Bois-Francs. Certifié "Bienvenue cyclistes !"^{MD}

Aux alentours: Maison des fromages, antiquaires et musées, ski Mont-Gleason. Forfait-détente, 6 magnifiques golfs. Piste cyclable.

Chambres: confort moderne, cachet champêtre, meubles antiques, peignoir, luxueuses, bois franc. **Lits:** simple, queen. **4 ch. S. de bain privée(s).**

Forfaits: vélo, gastronomie, golf, détente & santé, romantique, ski alpin, théâtre.

2 pers: B&B 95-98$ **1 pers:** B&B 85-88$.

Enfant (12 ans et —): B&B 25$. Taxes en sus. MC VS

Réduction: hors saison, long séjour.

Ouvert: à l'année.

Jacques Charlebois
5, rue de l'Hôtel-de-Ville
Warwick J0A 1M0
Tél. (819) 358-9101 (819) 358-9155
Fax (819) 358-9151
www.champayeur.qc.ca
info@champayeur.qc.ca
Aut. 20, sortie 210. Rte 955 dir. St-Albert. À St-Albert, dir. Warwick, 10 km.

A ✕ @ 🚲 Certifié: 2007

Drummondville, Saint-Majorique
Fleur en Bouchée

Gîte du Passant à la Ferme
certifié

Ferme d'élevage. Producteur de 300 veaux de grains à l'intérieur d'une bâtisse moderne. À l'extérieur, veaux nature et chevaux. Il nous fait plaisir de partager notre plein air et répondre à vos questions. P. 85, 88.

Activités: visite commentée français.

Services: aire de pique-nique, dépliant explicatif ou panneaux français et anglais, salle de réception, réunion, remise pour vélo.

1915, boul. Lemire Ouest, Saint-Majorique
Tél. / Fax **(819) 477-7760**
www.fleur-en-bouchee.ca
robertboucher_4@sympatico.ca

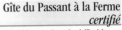

Gîtes et Auberges du Passant^MD
Maisons de Campagne et de Ville

Drummondville
Auberge à la Bonne Vôtre

Table aux Saveurs du Terroir
certifiée

La cuisine chez nous est intuitive et intègre les produits locaux. L'atmosphère est feutrée et conviviale à la fois. On aime se rencontrer chez nous entre amis ou en amoureux. L'été, nous vous invitons à notre terrasse fleurie et champêtre. Nous apprêtons pintade, cerf et foie gras d'une manière qui surprendra agréablement votre palais. P. 84.

Spécialités : la cuisine chez nous est intuitive et intègre les produits locaux. Nous apprêtons pintade, foie gras et cerf de façon surprenante.
Repas offerts : midi, soir.
Menus : à la carte, table d'hôte.
Nbr personnes: 1-75.
Réservation: recommandée, requise pour groupe.
Table d'hôte: 19-33$/pers. Taxes en sus. AM IT MC VS
Ouvert : à l'année.

Pascal Allard et Diane Bouchard
207, rue Lindsay
Drummondville, J2C 1N8
Tél. (819) 474-0008
Fax (819) 474-0162
www.alabonnevotre.ca
info@alabonnevotre.ca
Aut. 20, sortie 177 centre-ville de Drummondville, boul.
St-Joseph à droite, 5 min, rue St-Georges à gauche, rue
Lindsay à droite.

A AV ♨ **Certifié: 2007**

Drummondville, Saint-Majorique
Fleur en Bouchée

Table Champêtre
certifiée

Ferme d'élevage. Soucieux de la constante qualité de nos produits et de la propreté, on ne néglige pas pour autant l'accueil chaleureux de nos invités. Cuisinière et pâtissière diplômée, il m'est possible de personnaliser le menu selon vos besoins sans négliger le raffinement des saveurs et de la présentation. Venez profiter des douceurs de la vie... P. 85, 87.

Spécialités : pour une cuisine authentique notre spécialité est le veau nature. Nous servons aussi le poulet et le porc, autres viandes sur demande.
Repas offerts : brunch, midi, soir. Apportez votre vin.
Menus : table d'hôte, gastronomique.
Nbr personnes: 4-30. Min. de pers. exigé varie selon les saisons.
Réservation: requise.
Repas: 20-52$/pers. Taxes en sus.
Ouvert : à l'année. Tous les jours.

Edith Fleurent Boucher et Robert Boucher
1915, boul. Lemire Ouest
Saint-Majorique, J2B 8A9
Tél. / Fax (819) 477-7760
www.fleur-en-bouchee.ca
robertboucher_4@sympatico.ca
Aut. 20 est, sortie 175, 4,5 km dir. St-Bonaventure.

AV ♨ **Certifié: 2002**

Ham-Nord
La Table dans les Nuages

Table aux Saveurs du Terroir
certifiée

C'est avec plaisir, que nous vous convions à partager un moment magique. Stéphane, chef-propriétaire d'expérience, vous concoctera des repas savoureux alliant les produits régionaux à la fine cuisine. Vous vivrez cette expérience gourmande dans un décor fabuleux, une ambiance chaleureuse et un service convivial. P. 85.

Spécialités : porc de St-Rémi, fromage de Ste-Élizabeth, bière artisanale de Tingwick, yogourt de brebis de Ste-Hélène, fleurs de Kingseys Falls...
Repas offerts : brunch, midi, soir. Apportez votre vin.
Menus : table d'hôte.
Nbr personnes: 10-39.
Réservation: requise.
Table d'hôte: 32-43$/pers. Taxes en sus.
Ouvert : à l'année. Fermé: 27 juil - 8 août. Tous les jours.

Élise Hamel et Stéphane Martin
1001, 10e Rang
Ham-Nord, G0P 1A0
Tél. (819) 344-2145
Fax (819) 344-2165
www.latabledanslesnuages.com
info@latabledanslesnuages.com
Rte 161 sud, à Ham-Nord, 1er arrêt, rue Principale à gauche,
1re rue, 4e avenue à droite, 2,5 km, 10e Rang à gauche,
1re maison à gauche.

● **Certifié: 2008**

Bécancour
Chèvrerie et Boutique L'Angélaine

Relais du Terroir & Ferme Découverte
certifiés

Michèle et Donald Lanteigne
12285, boul. Bécancour
Bécancour, G9H 2K4
Tél. (819) 222-5702 1-877-444-5702
Fax (819) 222-5690
www.langelaine.com
info@langelaine.com
Aut. 40, sortie 55 sud, aut. 20, sortie 55 nord, sur la rive sud du pont Laviolette, sortie Ste-Angèle dir. rte 132 est.

Ferme d'élevage. Prix Réalisation 2007 - Agrotourisme. L'Angélaine, c'est un site agrotouristique comprenant une authentique chèvrerie, un pavillon d'interprétation du mohair et une chaleureuse boutique (unique au Québec) que vous prendrez plaisir à découvrir de mai à octobre. L'agrotourisme à L'Angélaine, c'est l'occasion, pour nous de faire vivre à nos visiteurs une aventure inoubliable! P. 90.

Produits: tricots et tissages en mohair: chaussettes Kidmohair Originales, tuques, mitaines, chandails ainsi que les collections prêt-à-porter.

Activités sur place: animation pour groupe, audio-visuel français et anglais, visite commentée français et anglais, observation des activités de la ferme.

Visite: adulte: 6$, enfant: 0-4$ tarif de groupe. Taxes en sus. IT MC VS

Nbr personnes: 1-60.

Réservation: recommandée, requise pour groupe.

Ouvert: à l'année. Tous les jours. 10h à 17h. Horaire variable.

Services: centre d'interprétation / musée, vente de produits, dépliant explicatif ou panneaux français et anglais, stationnement pour autobus.

A ⛺ AV 🐾 **Certifié: 2005**

CENTRE-DU-QUÉBEC

Relais du Terroir & Fermes Découverte

Charlevoix

Montagnes et escarpements magistraux!

Lorsque les caps et les falaises tombent abruptement vers les eaux salées du fleuve et que les vallées et les montagnes se succèdent en une enfilade de panoramas incroyables, vous saurez que vous êtes dans Charlevoix...

La nature fit tellement bien les choses en Charlevoix que l'UNESCO reconnut en 1989 le caractère exceptionnel de son patrimoine naturel en lui accordant le statut international de Réserve mondiale de la biosphère.

En longeant le fleuve Saint-Laurent, vous y verrez des villages installés au creux des baies, au sommet des caps ou bien agrippés à flanc de montagne. Et, s'ajoutant à tout ce charme, un riche patrimoine architectural. En quittant les berges, vous pénétrerez dans un territoire sauvage et montagneux. Vous y verrez les plus hautes parois rocheuses de l'est du Canada et traverserez de longs plateaux entrecoupés de tapis de lichens. Absolument vivifiant!

La région s'étirant jusqu'à la rivière Saguenay où se mêlent eaux douces et salées, vous pourrez même y observer des baleines. En prenant le traversier de Saint-Joseph-de-la-Rive vous pourrez explorer, en voiture ou vélo, la charmante Isle-aux-Coudres. Depuis toujours, peintres, poètes et écrivains ont succombé à la beauté charlevoisienne. Il en sera ainsi pour vous! Au temps des couleurs automnales, c'est un pur ravissement que d'y faire un séjour.

Saveurs régionales

Sur la Route des Saveurs, où les producteurs et les restaurateurs se sont unis pour vous faire connaître leurs produits et leurs bonnes tables, laissez-vous tenter par:

- la soupe aux gourganes, le pâté de sauvagine, le pâté croche de l'Isle-aux-Coudres et les plats de canard ou d'oie;
- le porc, le poulet biologique, le dindon, le veau et l'agneau de Charlevoix, des appellations bien connues qui font le délice des gourmets, sans oublier l'émeu;
- les fromages, dont le Migneron, le Ciel de Charlevoix et le cheddar de Saint-Fidèle, la truite, le confit et le foie gras de canard, les terrines et pâtés de canard, les herbes salées, la bière et les pains artisanaux et plusieurs autres délices.

Produits du terroir à découvrir et déguster

- Maison d'Affinage Maurice Dufour Inc., Relais du Terroir^{MD} & Ferme Découverte certifiés, Baie-Saint-Paul. P. 110
- Les Saveurs Oubliées, Relais du Terroir^{MD} certifié, Les Éboulements. P. 110
- Verger Pedneault, Relais du Terroir^{MD} & Ferme Découverte certifiés, Isle-aux-Coudres. P. 110
- Centre de l'Émeu de Charlevoix et Chez Gertrude, Relais du Terroir^{MD} & Ferme Découverte certifiés, Saint-Urbain. P. 111
- La Ferme Basque de Charlevoix, Relais du Terroir^{MD} certifié, Saint-Urbain. P. 111

La région compte deux (2) Tables aux Saveurs du Terroir^{MD} et une (1) Table Champêtre^{MD} certifiées. Une façon originale de découvrir toutes ces saveurs. P. 109

Charlevoix

Le saviez-vous?

Charlevoix est essentiellement un immense cratère (de Baie-Saint-Paul à La Malbaie) causé par la chute d'un colossal météorite il y a 350 millions d'années. Un bolide de 2 km de diamètre pesant 15 milliards de tonnes qui creusa une demie-lune de 56 km de diamètre dans le bouclier canadien, tout en s'enfonçant à 5 km sous la surface! Le ressac de 768 m qu'il provoqua créa le mont des Éboulements. Lorsque vous amorcerez votre descente vers Baie-Saint-Paul, vous « entrerez » alors dans le cratère. Si vous montez le mont du Lac des Cygnes (Parc national des Grands-Jardins), vous dominerez alors la couronne d'effondrement au pourtour du cratère. Ironiquement, n'eut été de la chute de ce colossal météorite, Charlevoix aurait présenté un paysage austère.

Clin d'oeil sur l'histoire

Vous êtes ici dans l'une des premières régions où s'est développé le tourisme en Amérique du Nord! Dès la fin du XVIIIe siècle, la beauté des paysages y attirait déjà de nombreux visiteurs. Au début du XXe siècle, la région devint si populaire qu'on y construisit le luxueux Manoir Richelieu de 250 chambres à « Murray Bay », aujourd'hui La Malbaie (Pointe-au-Pic). La haute société québécoise, canadienne et américaine s'y rendait en croisière sur de luxeux bateaux à vapeur.

Quoi voir?   Quoi faire?

À Baie-Saint-Paul : galeries d'art, boutiques, Centre d'art, ÉCONOMUSÉE® du fromage et centre d'exposition, entre autres.

Les Éboulements, Port-au-Persil, Saint-Joseph-de-la-Rive et Saint-Irénée sont parmi les plus beaux villages du Québec.

L'ÉCONOMUSÉE® du papier de la Papeterie Saint-Gilles (Saint-Joseph-de-la-Rive).

Le Musée maritime de Charlevoix et ses goélettes (Saint-Joseph-de-la-Rive).

Tour de l'Isle-aux-Coudres (en voiture ou en vélo).

Golf : 3 terrains.

Le Domaine Forget, ses concerts et son Festival international de juin à août (Saint-Irénée).

La Malbaie et ses environs : Le Fairmont Le Manoir Richelieu, le Casino de Charlevoix, le Musée de Charlevoix, la Forge-menuiserie Cauchon, le Centre écologique de Port-au-Saumon, les Jardins du cap à l'Aigle.

À Baie-Sainte-Catherine : Centre d'interprétation et d'observation de Pointe-Noire du Parc marin du Saguenay-Saint-Laurent, diverses croisières aux baleines.

Des croisières et des excursions un peu partout. Des évènements de toute sorte.

Route des Saveurs.

Faites le plein de nature

Au Domaine Charlevoix, une panoplie d'activités de plein air (Baie-Saint-Paul).

Ski alpin au Massif de Petite-Rivière-Saint-François avec son sublime panorama sur le fleuve.

Mont Grand-Fonds : ski alpin, raquette, ski de fond (La Malbaie).

Le Sentier des caps de Charlevoix : marche, raquette, vues magnifiques sur le fleuve.

Un superbe spectacle d'oies blanches sur le parcours de la Cîme (octobre).

Le parc national des Grands-Jardins : une faune et une flore exceptionnelles (Saint-Urbain).

Le parc national des Hautes-Gorges-de-la-Rivière-Malbaie, à voir absolument. Une foule d'activités.

Sentier l'Acropole des Draveurs, pour une superbe randonnée (Saint-Aimé-des-Lacs).

Envie de vélo? De Saint-Siméon à Baie-Sainte-Catherine : un itinéraire splendide de 37 km.

Le Parc d'Aventure en montagne, Les Palissades – L'Ascensation (Saint-Siméon).

Kayak de mer.

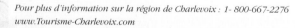

Pour plus d'information sur la région de Charlevoix : 1- 800-667-2276
www.Tourisme-Charlevoix.com

Charlevoix

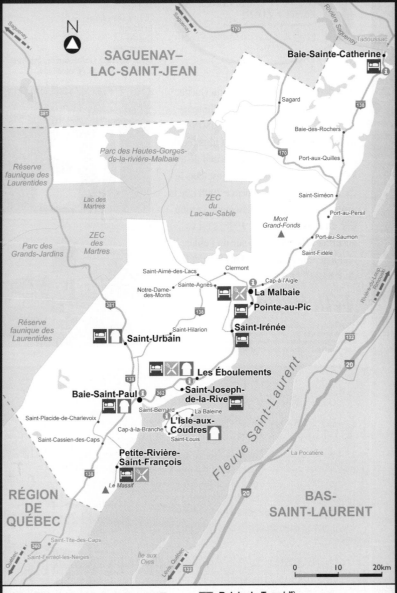

N

SAGUENAY–
LAC-SAINT-JEAN

Baie-Sainte-Catherine

Tadoussac

Sagard

Baie-des-Rochers

Port-aux-Quilles

Parc des Hautes-Gorges-
de-la-rivière-Malbaie

Réserve
faunique des
Laurentides

Lac des
Martres

ZEC
du
Lac-au-Sable

Saint-Siméon

Port-au-Persil

Mont
Grand-Fonds

Port-au-Saumon

ZEC
des
Martres

Saint-Fidèle

Parc des
Grands-Jardins

Saint-Aimé-des-Lacs

Clermont

Cap-à-l'Aigle

Sainte-Agnès

La Malbaie

Notre-Dame-
des-Monts

Pointe-au-Pic

Réserve
faunique des
Laurentides

Saint-Hilarion

Saint-Irénée

Saint-Urbain

Les Éboulements

Baie-Saint-Paul

Saint-Joseph-
de-la-Rive

Saint-Bernard

La Baleine

Saint-Placide-de-Charlevoix

L'Isle-aux-
Coudres

Cap-à-la-Branche

Saint-Louis

Saint-Cassien-des-Caps

Petite-Rivière-
Saint-François

La Pocatière

Fleuve Saint-Laurent

RÉGION
DE
QUÉBEC

Le Massif

BAS-
SAINT-LAURENT

Saint-Tite-des-Caps

Québec

Saint-Ferréol-les-Neiges

Île aux
Oies

Lévis, Québec

0   10   20km

  Gîtes ou Auberges du Passant^{MD}
(Maisons de Campagne ou de Ville)

Relais du Terroir^{MD}
ou Fermes Découverte

Tables aux Saveurs du Terroir^{MD}
ou Champêtres^{MD}

Information touristique

©ULYSSE

La Malbaie
La Maison Dufour-Bouchard
Micheline Dufour
18-1, rue Laure-Conan
La Malbaie
G5A 1H8
(418) 665-4982
www.charlevoix.qc.ca/maisondufourbouchard
maisondufourbouchard@hotmail.com

La Fédération des Agricotours du Québec* est fière de rendre hommage à l'hôtesse Micheline Dufour, du gîte LA MAISON DUFOUR-BOUCHARD, qui s'est illustrée de façon remarquable par son accueil de tous les jours envers sa clientèle. C'est dans le cadre des Prix de l'Excellence 2008 que la propriétaire de cet établissement, certifié Gîte du Passant[MD] depuis 1998, s'est vu décerner le « Coup de Cœur du Public régional » de Charlevoix dans le volet Gîte du Passant[MD]. P. 104.

Félicitations !

La Fédération des Agricotours du Québec est propriétaire des marques de certification : Gîte du Passant[MD], Auberge du Passant[MD], Maison de Campagne ou de Ville, Table aux Saveurs du Terroir[MD], Table Champêtre[MD], Relais du Terroir[MD] et Ferme Découverte.

Prix de l'Excellence

Merci au nom des lauréats!

Chaque année, les fiches d'appréciation permettent de décerner le Prix de l'Excellence, dans la catégorie « Coup de Cœur du Public », aux établissements qui se sont démarqués de façon remarquable par leur accueil. En remplissant une fiche d'appréciation, vous contribuez non seulement à maintenir la qualité constante des services offerts, mais également à rendre hommage à tous ces hôtes.

COUREZ LA CHANCE DE GAGNER UN SÉJOUR!
Chacune des fiches d'appréciation , vous donne la chance de gagner un séjour de 2 nuits pour 2 personnes dans un « Gîte ou une Auberge du Passant[MD] » de votre choix. La fiche d'appréciation est disponible dans tous les établissements certifiés et sur Internet :
www.gitesetaubergesdupassant.com
www.tablesetrelaisduterroir.com

À la Chouette

Nuit douce
déjeuner festif,
région fabuleuse!

1 888 435-3217

Baie-Saint-Paul, Charlevoix • www.alachouette.com

Gîte Les Colibris

Le gîte où il fait bon butiner
les petits plaisirs de la vie.

PRIX de
L'EXCELLENCE
2005
Gîtes et Auberges du Passant™ certifiés
Coup de cœur du public
regional

80, rue Sainte-Anne
Baie-Saint-Paul QC G3Z 1P3
Tél.: (418) 240-2222
Sans frais : 1 888 508-4483
www.charlevoix.net/lescolibris

Produits corporels

Centre de L'émeu
de Charlevoix

Relais du Terroir & Ferme Découverte certifiés

PRIX de L'EXCELLENCE 2004
Fédération des Agricotours du Québec
Réalisation mention spéciale

Chez Gertrude
Maison de Campagne en location

Rôti d'émeu

www.gertrude.qc.ca - (418) 639-2205 - www.emeucharlevoix.com

CERTIFICAT-CADEAU

UN CADEAU TOUT SIMPLE ET À LA FOIS PERSONNALISÉ !

GÎTES et
AUBERGES du Passant
CERTIFIÉS

On vous ouvre notre monde !

OFFREZ À VOS PROCHES
UNE ESCAPADE DANS
L'UN DES MEILLEURS GÎTES
OU AUBERGES DU QUÉBEC !

Ce certificat-cadeau est accepté dans plus de 380 établissements à travers le Québec ! Valeur : 50 $, 100 $ ou 150 $.

En vente dans les boutiques « La Forfaiterie » situées dans les grands centres d'achat. Pour connaître la liste des points de vente, consultez le site Internet **www.laforfaiterie.com**. Vous pouvez également acheter votre certificat-cadeau en ligne sur ce même site Internet.

Baie-Saint-Paul
À la Chouette ✦ ✦ ✦ ✦

Gîte du Passant
certifié

6 fois en nomination pour la qualité de l'accueil. Maison spacieuse, colorée, lumineuse. Au cœur de la ville, havre de paix jouissant côté cour de la vaste campagne: paysage magnifique, chants d'oiseaux, brise de fleuve. Restos: 5 min à pied. Petits-déj. raffinés. Généreuse bibliothèque sur Charlevoix et le Québec. Piano, terrasses, jardins. P. 95.

Aux alentours: à 5 min de marche: restos, galeries d'art, centre de santé. À proximité: parcs nationaux, randonnées, kayak, vélo, golf.
Chambres: balcon, cachet champêtre, tranquillité assurée, romantiques, lumineuses, vue panoramique. **Lits:** simple, queen, king. **5 ch. S. de bain privée(s).**
Forfaits: croisière, golf, plein air, spectacle.
2 pers: B&B 100-150$ **1 pers:** B&B 85-140$.
Enfant (12 ans et −): B&B 15$. Taxes en sus. MC VS
Réduction: hors saison, long séjour.
Ouvert: 17 avr - 11 déc.

A **@ Certifié:** 1992

Ginette Guérette et François Rivard
2, rue Leblanc
Baie-Saint-Paul G3Z 1W9
Tél. (418) 435-3217 1-888-435-3217
www.alachouette.com
chouettephoto@sympatico.ca
À Baie-St-Paul, rte 362 est. À l'église, rue Ste-Anne à droite, rue Leblanc, 2e à droite. Rte 362 ouest, à l'église, rue Ste-Anne à gauche.

Baie-Saint-Paul
Auberge Cap-aux-Corbeaux ★ ★ ★

Auberge du Passant
certifiée

Coup de Cœur du Public régional 2004. En haut du Cap-aux-Corbeaux, à quelques min de Baie-St-Paul, une auberge et un panorama uniques. Toutes les chambres ont une vue exceptionnelle sur le fleuve, le Massif et l'Isle-aux-Coudres. Petits-déjeuners servis sur la terrasse, en admirant le passage des bateaux. Salle de réunion, galerie d'art et table d'hôte l'hiver.

Aux alentours: le fleuve, les montagnes, Baie-St-Paul, galeries d'art, ski, golf, casino, parcs.
Chambres: baignoire à remous, TV, confort moderne, romantiques, terrasse, vue sur fleuve. **Lits:** queen. **10 ch. S. de bain privée(s).**
Forfaits: croisière, golf, ski alpin.
2 pers: B&B 100-155$ **PAM** 180-235$ **1 pers:** B&B 95-145$ **PAM** 135-185$.
Enfant (12 ans et −): B&B 0-10$ **PAM** 0-17$. Taxes en sus. IT MC VS
Réduction: hors saison.
Ouvert: à l'année.

A ✗ **Certifié:** 2002

Murielle Otis et Pierre Prud'homme
62, rue du Nordet
Baie-Saint-Paul G3Z 3C1
Tél. (418) 435-5676 1-800-595-5676
Fax (418) 435-4125
www.cap-aux-corbeaux.com
info@cap-aux-corbeaux.com
À Baie-St-Paul, à l'église, rte 362 est. dir. Les Éboulements, 5 km. Rue Du Nordet à droite, 1 km. Rte 362 ouest, rue Cap-aux-Corbeaux à gauche.

Baie-Saint-Paul
Au Clocheton ✦ ✦ ✦ ✦

Gîte du Passant
certifié

Coup de Cœur du Public régional 2007. Notre maison centenaire, dont le jardin s'étend jusqu'à la rivière, est située sur l'une des rues les plus pittoresques de Baie-St-Paul et à quelques pas des bons restaurants et des galeries d'art. Des déjeuners copieux, aux saveurs régionales et produits maison, vous attendent.

Aux alentours: ski Le Massif, parcs des Grands-Jardins et des Hautes-Gorges, Isle-aux-Coudres, Sentier des caps.
Chambres: avec lavabo, ensoleillées, raffinées, cachet ancestral, meubles antiques, ventilateur. **Lits:** double, queen, divan-lit. **4 ch. S. de bain privée(s) ou partagée(s).**
Forfaits: croisière, ski alpin, spectacle, traîneaux à chiens.
2 pers: B&B 65-130$ **1 pers:** B&B 80-115$. Taxes en sus. MC VS
Réduction: hors saison, long séjour.
Ouvert: à l'année. **Fermé:** 1 nov - 15 déc.

AV Certifié: 1992

Johanne et Laurette Robin
50, rue Saint-Joseph
Baie-Saint-Paul G3Z 1H7
Tél. (418) 435-3393 1-877-435-3393
Fax (418) 435-6432
www.auclocheton.com
info@auclocheton.com
De Québec, dir. Ste-Anne-de-Beaupré, rte 138 est, 100 km. À Baie-St-Paul, rte 362 est, à l'église, après le pont, 1re rue à droite.

Baie-Saint-Paul
Au Perchoir ❀❀❀❀

Jacinthe Tremblay et Réjean Thériault
443, ch. Cap-aux-Rets
Baie-Saint-Paul G3Z 1C1

Tél. / Fax (418) 435-6955 Tél. 1-800-435-6955
www.auperchoir.com
info@auperchoir.com

Rte 138 E. À Baie-St-Paul, rte 362 est, 3 km. À l'enseigne «Au Perchoir», ch. Cap-aux-Rets à droite, 2e maison à gauche après la croix.

Gîte du Passant
certifié

À 4 km du centre-ville, gîte de confort supérieur perché à flanc de montagne. Salle de séjour et salle à manger pourvues de grandes fenêtres, vue panoramique sur le fleuve et l'Isle-aux-Coudres. À 15 min de marche du bord du fleuve. Site paisible et enchanteur. Idéal pour le repos et le ressourcement. Déj. copieux et varié à saveur régionale.

Aux alentours: Isle-aux-Coudres, golf, kayak, randonnée pédestre, baignade, ski de randonnée, patinage, galeries d'art, boutiques.
Chambres: balcon, raffinées, cachet champêtre, bois franc, terrasse, entrée privée, vue sur fleuve. **Lits:** queen, divan-lit. **3 ch. S. de bain privée(s).**
Forfaits: ski alpin, spectacle, autres.
2 pers: B&B 115-145$ **1 pers:** B&B 110-140$.
Enfant (12 ans et –): B&B 15$. Taxes en sus. MC VS
Réduction: hors saison.
Ouvert: à l'année. **Fermé:** 1 nov - 30 nov.

A ● @ **Certifié: 1996**

Baie-Saint-Paul
Dentelle et Flanelle Couette et Café ❀❀❀❀

Brigitte Tremblay
14, Côte de la Chapelle
Baie-Saint-Paul G3Z 2Z8

Tél. (418) 435-2778 (418) 240-0790
Fax (418) 435-5098
www.charlevoix.net/dentelleetflanelle
dentelle_flanelle@hotmail.com

À 3 km de Baie-St-Paul dir. La Malbaie. Rte 138, au Camping le Genévrier à gauche, 2e rue à droite.

Gîte du Passant
certifié

Coup de Cœur du Public régional 2006. Construite dans les années 20, la vieille maison rénovée et agrandie en 2003 vous accueille en toutes saisons dans une ambiance chaleureuse et personnalisée. Venez déguster nos copieux déjeuners: confitures maison, café chaud, fruits frais et quelques surprises à l'humeur de votre hôte, vous attendent chaque matin dans notre verrière ensoleillée.

Aux alentours: galeries d'art, musées, ateliers d'artistes, activités de plein air de toutes sortes, casino...
Chambres: foyer, TV, ensoleillées, cachet champêtre, tranquillité assurée, spacieuses, entrée privée. **Lits:** queen, divan-lit. **4 ch. S. de bain privée(s).**
Forfaits: ski alpin.
2 pers: B&B 86-129$ **1 pers:** B&B 64-107$. Taxes en sus. AM IT MC VS
Ouvert: à l'année.

@ **Certifié: 2004**

Baie-Saint-Paul
Gîte à l'Ancrage ❀❀❀❀

Sylvie Ouellet
29, rue Ste-Anne
Baie-Saint-Paul G3Z 1N9

Tél. / Fax (418) 240-3264 Tél. 1-866-344-3264
www.giteancrage.com
giteancrage@sympatico.ca

Rte 138 est, à Baie St-Paul, rte 362 est, rue Ste-Anne à droite.

Gîte du Passant
certifié

Bienvenue dans notre maison des années 20, au décor maritime. Profitez du charme des planchers de bois, des tissus, des meubles antiques, d'oeuvres d'art et pièces du patrimoine maritime. Complètement rénovée en 2001. À la salle à manger ou sur la terrasse, au petit-déj. comme sur les paquebots, la table revêt une allure de banquet.

Aux alentours: bordé par une rivière, à pied des galeries, restos, musées et activités. À 15 min Le Massif.
Chambres: accès Internet, balcon, raffinées, cachet d'autrefois, vue sur jardin, vue sur rivière. **Lits:** double, queen. **4 ch. S. de bain privée(s).**
Forfaits: charme, croisière, golf, ski alpin, ski de fond, spectacle.
2 pers: B&B 115-149$ **1 pers:** B&B 115-140$. Taxes en sus. IT MC VS
Réduction: hors saison, long séjour.
Ouvert: à l'année.

A ♿ AV @ **Certifié: 2008**

Baie-Saint-Paul
Gîte le 121 Côté Est ✹✹✹

Gîte du Passant
certifié

Lise Mineau et Pierre Sévigny
121, route 362
Baie-Saint-Paul G3Z 1R4
Tél. (418) 240-2333
www.giteetaubergedupassant.com/121
gite121@sympatico.ca
À Baie-St-Paul, rte 362 est. À l'église, après le pont, tout droit
(courbe à droite) et, plus loin, à gauche au pied de la côte
après l'entrée du Balcon Vert.

C'est dans une maison canadienne décorée d'oeuvres d'art et où le bois domine, que vos hôtes vous accueilleront avec plaisir. Pour les pupilles et les papilles, la vue sur le fleuve, les petits-déjeuners gourmands, la flambée en hiver ou la terrasse en été, c'est au 121 Côté Est que vous pourrez «chouenner» à votre guise et vous faire dorloter.

Aux alentours: canot, kayak, plage, galeries d'art, Grands-Jardins, ÉCONOMUSÉES®, vélo, planeurs, ski.
Chambres: certaines avec lavabo, TV, cachet d'autrefois, peignoir, ventilateur, spacieuses. **Lits:** double, queen. **2 ch. S. de bain partagée(s).**
2 pers: B&B 60-70$ **1 pers:** B&B 60-70$
Réduction: long séjour.
Ouvert: à l'année.

⬤ **Certifié: 2004**

Baie-Saint-Paul
Gîte le Noble Quêteux ✹✹✹✹

Gîte du Passant
certifié

Marie Lou Jacques et Claude Marin
8, ch. Côte-du-Quêteux
Baie-Saint-Paul G3Z 2C7
Tél. (418) 240-2352 1-866-744-2352
Fax (418) 240-2377
www.noblequeteux.com
info@noblequeteux.com
Rte 138 est, 4 km avant Baie-St-Paul, au bureau d'info
touristique à droite. À la sortie, 300 m, 1ʳᵉ rue à droite.

À flanc de montagne, maison bicentenaire, tout en bois, offre depuis 2 siècles l'hospitalité aux «nobles quêteux»! Décor paisible et douillet. Foyer. Déj. copieux aux saveurs maison et régionales. Ch. avec vue sur le fleuve. Lit queen. Forfaits: ski Massif, traîneau à chiens, resto, concerts... Venez, un sourire vous attend! Internet sans fil.

Aux alentours: parc nationaux, nature, baleines, kayak, galeries d'art, boutiques, ski et... la Route des saveurs!
Chambres: jacuzzi, foyer, accès Internet, cachet d'antan, murs en bois rond, vue sur fleuve. **Lits:** queen. **5 ch. S. de bain privée(s) ou partagée(s).**
Forfaits: charme, croisière, gastronomie, détente & santé, romantique, ski alpin.
2 pers: B&B 85-100$ **1 pers:** B&B 80-95$.
Enfant (12 ans et −): B&B 25$. Taxes en sus. MC VS
Réduction: hors saison, long séjour.
Ouvert: à l'année.

A ⬤ 🐾 AV @ **Certifié: 2000**

Baie-Saint-Paul
Gîte les Colibris ✹✹✹✹

Gîte du Passant
certifié

Danielle Comeau et Robert Dufour
80, rue Ste-Anne
Baie-Saint-Paul G3Z 1P3
Tél. 1-888-508-4483 (418) 240-2222
Fax (418) 240-2803
www.charlevoix.net/lescolibris
colibris@charlevoix.net
À Baie-St-Paul, à l'église, rue Ste-Anne à droite.

Coup de Cœur du Public régional 2005. Au cœur de Baie-St-Paul, à mi-chemin entre le centre-ville et les battures du fleuve, découvrez un gîte prestigieux où le confort feutré et l'élégance du début du siècle se mêlent avec beaucoup d'atmosphère et de chaleur. Avec ses allures de grande demeure bourgeoise, elle vous charmera. Déj. copieux, produits maison et régionaux. P. 95.

Aux alentours: à 5 min à pied vous trouverez: galeries, centre d'art et d'exposition, boutiques, cafés-terrasses.
Chambres: baignoire sur pattes, TV, confort moderne, raffinées, meubles antiques, couettes en duvet. **Lits:** queen, king. **5 ch. S. de bain privée(s) ou partagée(s).**
Forfaits: croisière, golf, détente & santé, ski alpin.
2 pers: B&B 105-135$ **1 pers:** B&B 95-125$. Taxes en sus. AM MC VS
Réduction: long séjour.
Ouvert: 27 déc - 15 oct. **Fermé:** 16 oct - 26 déc.

⬤ AV @ **Certifié: 2001**

Baie-Saint-Paul
Gîte Saint-Antoine ❀ ❀ ❀ ❀

Gîte du Passant
certifié

Situé entre le centre-ville de Baie-St-Paul et le centre de ski Le Massif, nous vous offrons un séjour à la campagne dans notre maison ancestrale toute en bois de cèdre. Un panorama exceptionnel vous y attend, ainsi que les magnifiques levers de soleil entre fleuve et montagnes. Déjeuner 4 services accompagné de notre réputé saumon fumé maison.

Aux alentours: à proximité de toutes les activités de Charlevoix.
Chambres: TV, CD, DVD, accès Internet, cachet d'antan, ventilateur, bois franc, vue sur fleuve, vue panoramique. **Lits:** simple, double, queen. **3 ch. S. de bain privée(s).**
2 pers: B&B 95-119$ **1 pers:** B&B 90-110$.
Enfant (12 ans et —): B&B 20$. MC VS
Ouvert: à l'année.

Johane Roy et Serge Garneau
219, rang St-Antoine Nord
Baie-Saint-Paul G3Z 2C2
Tél. (418) 240-2491 1-866-740-2491
www.gitestantoine.com
gitest-antoine@derytele.com
Rte 138 est, à Baie-St-Paul, 5 km avant la ville, rang Saint-Antoine Nord à gauche, 1,5 km.

A @ Certifié: 2006

Baie-Saint-Paul
La Chambre des Maîtres ❀ ❀ ❀ ❀

Gîte du Passant
certifié

Maison de style anglais, située à 5 minutes de marche des galeries, boutiques, restaurants et du quai. Notre piscine creusée et chauffée agrémentera vos journées d'été. Peignoirs et serviettes de plage sont aussi à votre disposition. Forfaits hébergement et ski disponibles.

Aux alentours: galeries, boutiques, restaurants, quai, golf, le tout à quelques minutes.
Chambres: TV, accès Internet, peignoir, tranquillité assurée, spacieuses, bois franc, originales. **Lits:** queen, king. **5 ch. S. de bain privée(s).**
Forfaits: croisière, ski alpin, spectacle.
2 pers: B&B 94-124$ **1 pers:** B&B 84-104$.
Enfant (12 ans et —): B&B 25$. Taxes en sus. IT MC VS
Réduction: hors saison.
Ouvert: à l'année.

Jacinthe et Réjean Pitre
109, rue Sainte-Anne
Baie-Saint-Paul G3Z 1N9
Tél. (418) 435-3059
www.lachambredesmaitres.com
info@lachambredesmaitres.com
Rte 138, à Baie-St-Paul, rte 362, à l'église, rue Sainte-Anne à droite.

A ● 🚕 AV 🚣 @ Certifié: 2006

Baie-Saint-Paul
Nature et Pinceaux ❀ ❀ ❀ ❀ ❀

Gîte du Passant
certifié

À deux pas du village, au cœur de la montagne, Nature et Pinceaux vous offre le fleuve à perte de vue, l'accueil chaleureux de ses hôtes, le confort douillet de ses chambres et les délices du matin. Allie le confort et les commodités d'un hôtel au charme et à la chaleur qui caractérisent les gîtes.

Aux alentours: ski Le Massif, parcs des Grands-Jardins et des Hautes-Gorges, baleines, Isle-aux-Coudres, galeries d'art, musées.
Chambres: TV, accès Internet, insonorisées, couettes et oreillers en duvet, vue sur fleuve. **Lits:** queen. **4 ch. S. de bain privée(s).**
Forfaits: croisière, détente & santé, ski alpin, spectacle.
2 pers: B&B 125-149$ **1 pers:** B&B 105-125$.
Enfant (12 ans et —): B&B 20$. Taxes en sus. AM IT MC VS
Réduction: hors saison.
Ouvert: à l'année.

Michel Goudreau et Francine Peltier
33, rue du Nordet
Baie-Saint-Paul G3Z 3B8
Tél. (418) 435-2366
Fax (418) 435-3229
www.natureetpinceaux.qc.ca
peltier-goudreau@natureetpinceaux.qc.ca
Rte 138 est, à Baie-St-Paul, rte 362 est, 5 km, rue du Nordet à droite, 1 km.

A @ Certifié: 2005

Gîtes et Auberges du Passant^{MD}
Maisons de Campagne et de Ville

Baie-Sainte-Catherine
Gîte Entre Mer et Monts ❋ ❋ ❋

Gîte du Passant
certifié

Tantôt emporté par la fureur des flots, tantôt enchanté par la tranquillité des bois, Notre-Dame de l'Espace veille sur notre village. Table d'hôte. Ne manquez surtout pas les crêpes aux bleuets de Réal, 3 chambres avec lavabo. Billets croisières, traîneau à chiens. Prix régional 1994-95. Qualité prix est notre devise. Internet sans fil Wi-Fi.

Aux alentours: sentiers pédestres, croisière sur le fjord du Saguenay et aux baleines, golf, observation de l'ours noir.

Chambres: certaines avec lavabo, peignoir, vue sur fleuve, vue sur montagne, vue sur jardin. **Lits:** simple, double, queen. **5 ch. S. de bain privée(s) ou partagée(s).**

Forfaits: croisière, ski de fond.

2 pers: B&B 55-63$ **1 pers:** B&B 45-50$.

Enfant (12 ans et −): B&B 20$. MC VS

Ouvert: à l'année.

Anne-Marie et Réal Savard
476, route 138
Baie-Sainte-Catherine G0T 1A0
Tél. (418) 237-4391 1-877-337-4391
Fax (418) 237-4252
www.entre-mer-et-monts.com
anne.berube23@sympatico.ca

Rte 138 est dir. La Malbaie. Au pont, dir. Tadoussac. À Baie-Ste-Catherine, suivre les panneaux bleus, 1 km. De Tadoussac, le traversier, 5,3 km.

◆ ✕ @ ⁀ Certifié: 1990

La Malbaie
Auberge Petite Plaisance ★ ★

Auberge du Passant
certifiée

Quoi de mieux qu'un décor ancestral pour savourer une cuisine exceptionnelle! À l'étage, ses six chambres conservent tous les charmes de leur passé ancestral. Chacune d'elles se distingue par son nom et son décor. **Certifié Table aux Saveurs du Terroir^{MD}. P. 109.**

Aux alentours: le mont Grand-Fonds, le golf Murray Bay, Le Casino de Charlevoix, Les Jardins Quatre-Vents

Chambres: accès Internet, cachet champêtre, meubles antiques, ventilateur, vue sur fleuve. **Lits:** simple, double, queen. **6 ch. S. de bain privée(s) ou partagée(s).**

Forfaits: croisière, gastronomie, golf, ski alpin, ski de fond.

2 pers: B&B 100-120$ **PAM** 160-180$ **1 pers:** B&B 85-105$ **PAM** 115-135$. Taxes en sus. IT MC VS

Réduction: hors saison, long séjour.

Ouvert: à l'année.

Chantale Hardy et Anne Beaumont
310, rue St-Raphael
La Malbaie G5A 2N7
Tél. (418) 665-2653 1-877-565-2653
www.aubergepetiteplaisance.com
info@aubergepetiteplaisance.com

Rte 138 est. À La Malbaie, direction Tadoussac, 3 km. Cap-à-l'Aigle à droite.

A ✕ AV ⚓ @ Certifié: 2008

La Malbaie
Gîte Aigle Pêcheur ❋ ❋ ❋ ❋

Gîte du Passant
certifié

Maison centenaire construite dans les années 1850. Située sur la rte 138 en bordure du fleuve St-Laurent, derrière, montagnes et sentiers pédestres avec vue panoramique. On vous prépare de délicieux déj. et à l'occasion, un souper tout en couleur avec des produits charlevoisiens. Vous pourrez après une journée bien remplie profiter de notre spa.

Aux alentours: mont Grand-Fonds, casino, golf, croisière aux baleines, excursion, sentiers pédestres.

Chambres: cachet ancestral, meubles antiques, ventilateur, terrasse, vue sur fleuve. **Lits:** queen. **5 ch. S. de bain privée(s).**

Forfaits: à la ferme, croisière, ski de fond, été.

2 pers: B&B 90-115$ **1 pers:** B&B 80-95$. Taxes en sus. MC VS

Réduction: hors saison.

Ouvert: à l'année.

Serge Gagnon
1265, rue Malcom-Fraser
La Malbaie G5A 2N1
Tél. / Fax (418) 665-9856
www.aiglepecheur.com
giteaiglepecheur@hotmail.com

Route 138, 7 km du pont de La Malbaie, à gauche.

🐕 ⛄ ✕ Certifié: 2008

La Malbaie
Gîte E.T. Harvey ❋ ❋ ❋

Gîte du Passant
certifié

Etudienne Tremblay et Jacques Harvey
19, rue Laure-Conan
La Malbaie G5A 1H8
Tél. (418) 665-2779
Fax (418) 665-4650
www.giteetaubergedupassant.com/et_harvey
Routes 138 et 362, sur le bord du fleuve, rue Laure-Conan
avant ou après le feu de circulation du centre d'achat,
3e maison à droite.

Le gîte est situé près du fleuve et des montagnes, ainsi vous pourrez profiter des activités touristiques et culturelles. La demeure se veut accueillante en tout temps. Endroit calme et enchanteur. Vous pourrez ainsi savourer les déjeuners copieux et variés. Jardin fleuri avec piscine pour vous rafraîchir. Bienvenue chez nous! Certifié "Bienvenue cyclistes !"MD

Aux alentours: Hautes-Gorges, casino, ski, concert, vélo, golf, patin, croisière, galerie d'art, équitation.
Chambres: climatisées, avec lavabo, tranquillité assurée, spacieuses, lumineuses, bois franc. Lits: double. **3 ch. S. de bain partagée(s).**
Forfaits: croisière, gastronomie, golf, motoneige, ski alpin, ski de fond.
2 pers: B&B 62$ **1 pers: B&B** 45$.
Enfant (12 ans et −): B&B 20$
Ouvert: à l'année.

A AV ⛵ **Certifié: 1998**

La Malbaie
Gîte la Tourelle du Cap ❋ ❋ ❋ ❋

Gîte du Passant
certifié

Annick Boudreault et André Groleau
1515, boul. Malcolm-Fraser
La Malbaie G5A 2N1
Tél. (418) 665-3495
Fax (418) 665-8288
www.tourelleducap.com
info@tourelleducap.com
De Québec, rte 138 est jusqu'à La Malbaie, 1er feu à gauche,
traverser le pont, boul. Malcolm-Fraser à droite. Tout droit
7,5 km.

Maison champêtre située à flanc de montagne avec vue splendide sur le fleuve. Piano, poêle à bois, bois franc ajoutent à son charme. Suites spacieuses avec bain sur pied, foyer et balcon. La Tourelle et ses 2 étages vous invitent à une escapade romantique. Un copieux déjeuner de 4 services aux saveurs maison vous attend. Séjour inoubliable! P. 96.

Aux alentours: parc national des Hautes-Gorges, casino, croisière aux baleines, ski alpin, ski de fond, golf, kayak, randonnées, musée.
Chambres: baignoire sur pattes, foyer, TV, balcon, spacieuses, suite luxueuse, vue sur fleuve. Lits: double, queen. **4 ch. S. de bain privée(s).**
Forfaits: charme, croisière, ski alpin, ski de fond.
2 pers: B&B 95-165$ **1 pers: B&B** 80-150$. Taxes en sus. MC VS
Réduction: hors saison, long séjour.
Ouvert: à l'année.

A AV @ **Certifié: 2008**

La Malbaie
La Châtelaine de Pointe-au-Pic ★ ★

Auberge du Passant
certifiée

830, ch. des Falaises
La Malbaie G5A 2V7
Tél. (418) 665-4064
Fax (418) 665-4623
www.aubergelachatelaine.com
info@aubergelachatelaine.com
De Québec, rte 138 est. À Baie St-Paul, rte 138 ou 362 est, dir.
La Malbaie, suivre indications pour le Casino de Charlevoix.

Très bien situé entre Baie-St-Paul et Tadoussac et à 120 kilomètres au nord-est de la ville de Québec, l'auberge La Châtelaine se retrouve au centre de toutes les activités tant culturelles, de plein air ou gastronomiques. Une magnifique salle de séjour agrémentée de deux foyers en pierre des champs saura vous accueillir à merveille.

Aux alentours: observation des baleines, piste cyclable, VTT, golf, canoë. Motoneige, ski alpin, ski de fond.
Chambres: baignoire sur pattes, cachet ancestral, romantiques, vue sur fleuve, vue sur baie. Lits: simple, double, queen. **8 ch. S. de bain privée(s) ou partagée(s).**
2 pers: B&B 89-139$ **1 pers: B&B** 79-119$.
Enfant (12 ans et −): B&B 15$. Taxes en sus. IT MC VS
Réduction: hors saison, long séjour.
Ouvert: 1 mai - 31 oct.

A 🐎 AV @ **Certifié: 2007**

La Malbaie
La Maison Dufour-Bouchard ✷ ✷ ✷ ✷

Gîte du Passant
certifié

Micheline Dufour
18-1, rue Laure-Conan
La Malbaie G5A 1H8
Tél. (418) 665-4982
www.charlevoix.qc.ca/maisondufourbouchard
maisondufourbouchard@hotmail.com

Rte 138 est dir. La Malbaie. De la Maison du tourisme, 1ʳᵉ rue
à droite, rue Laure-Conan. Rte 362 jusqu'à La Malbaie, 2ᵉ rue
après le centre d'achat. Maison à gauche.

Coup de Cœur du Public régional 2003 et 2008. Votre bien-
être étant le centre de nos préoccupations, une kyrielle
d'attentions spéciales vous attend. SPA ext., foyer int. et
ext., douches massages à multi-jets et bain thérapeutique.
Nos déjeuners, une aventure gastronomique orchestrée
autour de la complicité de recettes familiales et de produits
régionaux. Informez-vous de nos forfaits. P. 94.

Aux alentours: casino Charlevoix, Domaine Forget, excursions aux baleines, parc des
Hautes-Gorges.
Chambres: certaines climatisées, baignoire à remous, TV, accès Internet, bois franc,
vue sur jardin. **Lits:** queen, divan-lit. **3 ch. S. de bain privée(s) ou partagée(s).**
2 pers: B&B 65-80$ **1 pers:** B&B 50-60$.
Enfant (12 ans et –): B&B 20$. VS
Réduction: hors saison.
Ouvert: à l'année.

A AV 🚲 @ **Certifié: 1998**

La Malbaie
La Maison Frizzi ✷ ✷ ✷ ✷

Gîte du Passant
certifié

Raymonde Vermette
55, rue Côteau-sur-Mer
La Malbaie G5A 3B6
Tél. (418) 665-4668
Fax (418) 665-1143
www.giteetaubergedupassant.com/maisonfrizzi
lamaisonfrizzi@hotmail.com

À Baie St-Paul, rte 362 est dir. La Malbaie. Du golf Fairmont
Manoir Richelieu, 2 km, à droite. Du pont Leclerc, rte 362
ouest, 4.4 km, Côteau-sur-Mer à gauche.

Coup de Cœur du Public régional 2000 et 1995-96. Surplombant
les nuances du fleuve, une chaleureuse maison autrichienne,
éloignée de l'artère principale pour votre calme et confort.
Entrée privée, foyer, balcon, terrasse et jardins fleuris. La
convivialité de notre table n'a d'égal que la couleur et la
variété de nos succulents petits-déjeuners. P. 96.

Aux alentours: parc des Hautes-Gorges, fjord, baleines, golf, spa, Domaine Forget,
galeries d'art, musée, casino.
Chambres: avec lavabo, balcon, insonorisées, ventilateur, spacieuses, entrée
privée, vue sur fleuve. **Lits:** simple, double, queen, king, d'appoint. **4 ch. S. de bain
partagée(s).**
Forfaits: spectacle.
2 pers: B&B 85-90$ **1 pers:** B&B 80-85$.
Enfant (12 ans et –): B&B 15$. MC VS
Ouvert: 1 juin - 20 oct.

A AV @ **Certifié: 1993**

La Malbaie
La Maison sous les Lilas ✷ ✷ ✷ ✷

Gîte du Passant
certifié

Suzanne Rémillard
649, rue Saint-Raphaël
La Malbaie G5A 2P1
Tél. (418) 665-8076
www.giteetaubergedupassant.com/sousleslilas
lamaisonsousleslilas@hotmail.com

Rte 138, dir. La Malbaie. À Cap-à-l'Aigle, rue St-Raphaël. À la
limite est des Jardins du cap à l'Aigle.

Une demeure ancestrale entourée de jardins odorants. Les
lilas et les roses rivalisent pour vous offrir leurs splendeurs
parfumées. Son intérieur saura vous charmer par son
mobilier d'époque, ses 3 cheminées de pierres, ses oeuvres
de maîtres. Au petit-déj.: gelée de lilas au vin blanc, terrines,
pain maison, quelques délices pour votre plaisir.

Aux alentours: parc des Hautes-Gorges, musées, casino, ski fond, ski, kayak, canot,
randonnées, voile, golf, vélo, pêche, baleine.
Chambres: ensoleillées, raffinées, cachet ancestral, romantiques, luxueuses, poutres,
vue fleuve. **Lits:** double, queen. **4 ch. S. de bain privée(s) ou partagée(s).**
2 pers: B&B 80-105$ **1 pers:** B&B 75-100$
Ouvert: à l'année.

A AV @ **Certifié: 2003**

Les Éboulements
Auberge la Bouclée ★★

Ginette et Mario Ouellet
6, route du Port C.P. 82
Les Éboulements G0A 2M0
Tél. (418) 635-2531 1-888-635-2531
www.quebecweb.com/labouclee
ginette_ouellet@hotmail.com
À Baie St-Paul, rte 362 est dir. Isle-aux-Coudres, 16 km. Au feu clignotant à droite. À 500 m à gauche.

Auberge du Passant
certifiée

Surplombant le fleuve St-Laurent et l'Isle-aux-Coudres, centrée entre toutes les merveilles de Charlevoix, «l'Auberge la Bouclée» est un havre de paix au cachet d'ancienneté qui accroche les coeurs. Tombez en amour... Pour chacun d'entre vous, du plus petit au plus grand, notre famille vous ouvre ses portes.

Aux alentours: parcs des Hautes-Gorges et des Grands-Jardins, Isle-aux-Coudres, casino de Charlevoix. Baie St-Paul, traîneau à chiens. **Chambres:** avec lavabo, cachet d'antan, chambre familiale, vue sur fleuve, vue panoramique. **Lits:** simple, double, d'appoint. **9 ch. S. de bain partagée(s).**
2 pers: B&B 70-99$ **1 pers:** B&B 52-57$.
Enfant (12 ans et −): **B&B** 0-20$. Taxes en sus. IT MC VS
Réduction: hors saison.
Ouvert: à l'année.

A ● @ Certifié: 1997

Les Éboulements
Gîte Villa des Roses ✿✿✿

Pierrette Simard et Léonce Tremblay
290, rue du Village
Les Éboulements G0A 2M0
Tél. (418) 635-2733
www.giteetaubergedupassant.com/villadesroses
À Baie-St-Paul, rte. 362 est dir. Les Éboulements.

Gîte du Passant
certifié

Maison ancestrale en face de l'Isle-aux-Coudres. Aménagement au goût d'antan. Grande galerie permettant d'admirer les montagnes et le fleuve, entre les maisons, tout en vous berçant. Un paradis à découvrir au cœur des attraits touristiques de la région. Déjeuner varié à volonté, agrémenté de petites gâteries préparées avec amour par vos hôtes.

Aux alentours: Domaine Forget (concerts), croisière, golf, vélo, randonnée pédestre, ski de fond, motoneige, traîneau à chiens. **Chambres:** avec lavabo, ensoleillées, cachet d'autrefois, cachet ancestral, meubles antiques. **Lits:** double. **5 ch. S. de bain privée(s) ou partagée(s).**
2 pers: B&B 65-85$ **1 pers:** B&B 55-60$.
Enfant (12 ans et −): **B&B** 0-20$
Réduction: hors saison.
Ouvert: à l'année.

Certifié: 1999

Les Éboulements
Le Nichouette ✿✿✿

Gilberte Tremblay
216, rue du Village
Les Éboulements G0A 2M0
Tél. (418) 635-2458
www.chouette.freeservers.com/nichouette.html
ni_chouette@sympatico.ca
De Québec, dir. Ste-Anne-de-Beaupré, rte 138 E. jusqu'à Baie-St-Paul, env. 100 km. À Baie-St-Paul, rte 362 E. jusqu'aux Éboulements, 20 km. De La Malbaie, rte 362 O., 25 km.

Gîte du Passant
certifié

Nichée entre les montagnes et le fleuve, cette maison bicentenaire vous offre calme, rêve et bien-être. Ses chambres familiales et confortables avec salle de bain privée, ses meubles d'antan, son accueil souriant et le délice de ses pâtisseries et confitures maison en font un véritable «Nid-Chouette».

Aux alentours: boutiques, galeries, moulin banal, papeterie, casino, parcs, table gourmande, Relais du Terroir. **Chambres:** meubles antiques, peignoir, chambre familiale, vue sur fleuve, vue sur montagne. **Lits:** simple, double. **3 ch. S. de bain privée(s).**
2 pers: B&B 63$ **1 pers:** B&B 53$.
Enfant (12 ans et −): **B&B** 0-12$. MC VS
Réduction: hors saison.
Ouvert: 1 mai - 31 oct. **Fermé:** 1 nov - 30 avr.

A 🚍 AV Certifié: 1995

Les Éboulements, Saint-Joseph-de-la-Rive
Auberge la Maison sous les Pins ★★★

Auberge du Passant
certifiée

La Maison sous les Pins, construite en 1943, a d'abord été la maison familiale du capitaine Maurice Desgagnés. Depuis 1982, elle est devenue une auberge, accueillant des visiteurs à la recherche de moments de douceur. À deux pas, un riche patrimoine culturel à découvrir: La Papeterie St-Gilles et le Musée maritime de Charlevoix. Certifié "Bienvenue cyclistes !"^{MD}

Huguette Thibault et André Latreille
352, rue F.A. Savard
Les Éboulements, Saint-Joseph-de-la-Rive G0A 3Y0
Tél. (418) 635-2583 1-877-635-2585
www.maisonsouslespins.com
maisonsouslespins@derytele.com
De Québec, rte 138 est, à Baie-St-Paul, route du fleuve (362) et suivre les indications de l'Isle-aux-Coudres.

Aux alentours: Papeterie St-Gilles, Musée maritime de Charlevoix, Santons de Charlevoix, randonnée pédestre, vélo à l'Isle-aux-Coudres.
Chambres: certaines climatisées, raffinées, décoration thématique, peignoir, vue sur jardin. Lits: simple, double, queen. **8 ch. S. de bain privée(s).**
Forfaits: croisière, golf, ski de fond, spectacle, hiver.
2 pers: B&B 95-135$ PAM 159-199$ 1 pers: B&B 85-125$ PAM 117-157$.
Enfant (12 ans et −): B&B 10$ PAM 30$. Taxes en sus. IT MC VS
Réduction: hors saison.
Ouvert: à l'année.

Certifié: 2008

Petite-Rivière-Saint-François
Auberge La Côte d'Or ★★★★

Auberge du Passant
certifiée

Découvrez l'unique auberge 4 étoiles de moins de 10 ch. dans Charlevoix à 10 min de Baie-St-Paul et 5 min du Massif, avec une vue spectaculaire sur le fleuve et les montagnes dans un décor champêtre et chaleureux propice au calme et à la détente. Salle de massages. Boutique-Atelier de souvenirs d'artisanat de Bois sur place (stages disponibles). Certifié "Bienvenue cyclistes !"^{MD} **Certifié Table aux Saveurs du Terroir**^{MD}. P. 109.

Jean-Michel Dirand et Sylvie Bardou
348, rue Principale
Petite-Rivière-Saint-François G0A 2L0
Tél. (418) 632-5520 1-877-632-5520
Fax (418) 632-5589
www.quebecweb.com/lacotedor
aubergelacotedor@charlevoix.net
Rte 138 est, à l'indication Petite-Rivière-St-François à droite, 4 km.

Aux alentours: randonnées pédestres, croisière aux baleines, golf, kayak, casino, hélico, ski, raquette (Le Massif, Sentier des caps).
Chambres: baignoire à remous, foyer, cachet champêtre, romantiques, vue sur fleuve, vue panoramique. Lits: simple, queen, king. **9 ch. S. de bain privée(s).**
Forfaits: charme, croisière, gastronomie, détente & santé, romantique, ski alpin, autres.
2 pers: B&B 110-168$ PAM 172-230$ 1 pers: B&B 85-124$ PAM 116-155$. Taxes en sus. AM IT MC VS
Réduction: hors saison, long séjour.
Ouvert: à l'année.

A ✕ AV Certifié: 2003

Petite-Rivière-Saint-François
Auberge la Courtepointe ★★★

Auberge du Passant
certifiée

Nichée entre le fleuve St-Laurent et le Massif de Petite-Rivière-St-François, se dresse une charmante auberge de village; l'Auberge La Courtepointe. Un endroit chaleureux et accueillant où vous vous sentirez tout de suite à votre aise. Durant la belle saison, la terrasse vous accueille pour le repas ou l'apéro. Goûtez à notre cuisine du terroir. Certifié "Bienvenue cyclistes !"^{MD}

Isabelle Lussier
8, rue Racine
Petite-Rivière-Saint-François G0A 2L0
Tél. (418) 632-5858 (514) 886-6540
Fax (418) 632-5786
www.aubergecourtepointe.com
courtepointe@bellnet.ca
Rte 138 est, à l'indication Petite-Rivière-St-François à droite, rue Racine à gauche.

Aux alentours: Centre de ski Le Massif, Baie-St-Paul, casino de La Malbaie.
Chambres: certaines climatisées, foyer, TV, terrasse, vue sur fleuve, vue sur montagne. Lits: double, queen. **15 ch. S. de bain privée(s) ou partagée(s).**
Forfaits: croisière, golf, détente & santé, ski alpin.
2 pers: B&B 96-146$ PAM 166-216$ 1 pers: B&B 78-128$ PAM 113-163$. Taxes en sus. AM IT MC VS
Réduction: long séjour.
Ouvert: 1 déc - 31 oct. Fermé: 15 avr - 15 mai.

✕ @ Certifié: 2008

Petite-Rivière-Saint-François
Gîte l'Écureuil ✦ ✦ ✦ ✦

Gîte du Passant
certifié

Entre mer et montagnes, c'est dans un site enchanteur qu'est nichée notre maison. Confort douillet, goûtez nos déj. santé à saveur belgo québécoise. Tout comme Gabrielle Roy, romancière qui a passé de nombreux étés dans ce paysage de carte postale, venez donc vous ressourcer au cœur de la nature calme et reposante. Spa, salon avec foyer.

Aux alentours: Le Massif, Sentier des caps, randonnées pédestres, kayak de mer et de rivière, croisières baleines.
Chambres: jacuzzi, balcon, insonorisées, tranquillité assurée, bois franc, vue sur fleuve.
Lits: simple, double, queen. **3 ch. S. de bain privée(s).**
Forfaits: croisière, ski alpin.
2 pers: B&B 95$ **1 pers:** B&B 85$.
Enfant (12 ans et −): B&B 20$. Taxes en sus. VS
Réduction: hors saison, long séjour.
Ouvert: à l'année.

AV @ **Certifié: 2002**

Viviane De Bock et Éric Velghe
264, rue Principale
Petite-Rivière-Saint-François G0A 2L0
Tél. (418) 632-1058 1-877-632-1058
Fax (418) 632-1059
www.gitelecureuil.com
viviane@gitelecureuil.com
Rte 138 est, 90 km de Québec. À l'indication Petite-Rivière-St-François, à droite, 2,5 km.

Pointe-au-Pic
Auberge la Marmite ★ ★

Auberge du Passant
certifiée

Au cœur de Pointe-au-Pic, dans la merveilleuse région de Charlevoix, cohabitent cette belle maison centenaire de style victorien et le majestueux fleuve Saint-Laurent. L'auberge offre huit chambres abordables et fort charmantes et des forfaits pour de doux et paisibles moments. Située à deux pas du Manoir Richelieu et de son prestigieux casino.

Aux alentours: observation des baleines, casino de Charlevoix, randonnée pédestre, canot, kayak, vélo, pêche et plus encore...
Chambres: baignoire à remous, TV, ensoleillées, cachet d'antan, tranquillité assurée, vue sur fleuve. **Lits:** simple, double, queen. **8 ch. S. de bain privée(s).**
Forfaits: vélo, croisière, détente & santé, romantique, ski alpin, automne, restauration.
2 pers: B&B 79-118$ **1 pers:** B&B 49-79$. Taxes en sus. IT MC VS
Réduction: hors saison, long séjour.
Ouvert: à l'année.

A ✕ AV @ **Certifié: 2009**

Marc Rousseau
1090, rue Richelieu
Pointe-au-Pic G5A 2X3
Tél. (418) 665-6600 1-877-665-6645
Fax (418) 665-4366
www.aubergelamarmite.ca
aubergelamarmite@bellnet.ca
Aut. 20 ou 40 est. À Baie-Saint-Paul, route 138 est dir. La Malbaie. Suivre les indications routières pour le casino de Charlevoix.

Saint-Irénée
La Luciole ✦ ✦ ✦

Gîte du Passant
certifié

Cette grande maison typique, des années 20, est située directement au bord du fleuve à hauteur de mer. À quelques pas de la plage, cette ancienne auberge offre une ambiance chaleureuse avec ses 5 chambres, ses galeries (vue imprenable du fleuve) et ses boiseries intérieures. Ambiance de calme et de détente, se veut un endroit idéal pour le repos.

Aux alentours: Domaine Forget, galeries d'art, casino, parcs des Grands-Jardins et Hautes-Gorges, golf...
Chambres: cachet d'antan, cachet d'autrefois, tranquillité assurée, bois franc, vue sur fleuve. **Lits:** double, queen, king. **5 ch. S. de bain privée(s) ou partagée(s).**
Forfaits: spectacle, autres.
2 pers: B&B 79-99$ **1 pers:** B&B 65-85$. Taxes en sus. IT MC VS
Réduction: hors saison.
Ouvert: 15 juin - 15 oct.

A ⛵ **Certifié: 2006**

Jean-Pierre, Claude, Debbie et France
35, chemin des Bains
Saint-Irénée G0T 1V0
Tél. (418) 452-8283 (514) 717-5834
Fax (514) 280-5317
www.quebecweb.com/luciole
laluciole@bellnet.ca
Rte 138 est. À Baie-St-Paul, rte 362 est dir. St-Irénée, 25 km.

Saint-Urbain
Centre de l'Émeu de Charlevoix et Chez Gertrude ★ ★ ★

Maison de Campagne à la Ferme
certifiée

Ferme d'élevage. Prix Réalisation 2004 - Mention spéciale. Coup de Cœur du public régional 1999. Accueillant depuis 29 ans. Maison ancestrale et paisible située au cœur de Charlevoix, à 10 min du mont du Lac des Cygnes. Spacieuse et commodités variées. À découvrir sur place: ferme d'émeus et produits dérivés bénéfiques. Consultez le site : www.gertrude.qc.ca. P. 97, 111.

Raymonde, Damien et Gertrude Tremblay
706, rue Saint-Edouard
Saint-Urbain G0A 4K0
Tél. (418) 639-2205 (418) 667-5443
Fax (418) 639-1130
www.emeucharlevoix.com
info@emeucharlevoix.com
Rte 138 est. À 10 km après Baie-St-Paul, rte 381 nord, 4 km.

Aux alentours: parc des Grands-Jardins, Baie-St-Paul, sentier Les Florents, rivière saumonée, pêche, vélo, ski.

Maisons: TV, ensoleillées, cachet d'antan, meubles antiques, ventilateur, spacieuses, terrasse. **Lits:** simple, double, queen. **1 maison(s). 4 ch. 2-10 pers.**

Forfaits: à la ferme, gastronomie.

SEM 800-1100$ **WE** 300-530$ **JR** 200-415$. Taxes en sus. MC VS

Réduction: long séjour.

Ouvert: à l'année.

A AV Certifié: 1993

■ Information supplémentaire sur l'hébergement à la ferme

Saint-Urbain
Centre de l'Émeu de Charlevoix et Chez Gertrude

Maison de Campagne à la Ferme
certifiée

706, rue Saint-Édouard, Saint-Urbain
Tél. (418) 639-2205 (418) 667-5443
www.emeucharlevoix.com
info@emeucharlevoix.com

Ferme d'élevage. Le Centre de l'Émeu de Charlevoix est la plus grande ferme écologique d'émeus au Canada (plus de 400). Spécialisé dans la production et la mise en marché. Produits à l'huile d'émeu naturels et anti-inflammatoires. Viande délicieuse (2% gras) et recettes savoureuses. P. 108.

Activités: animation pour groupe, dégustation, visite libre, visite autoguidée, visite commentée français et anglais, rencontre avec le producteur pour se familiariser avec les productions, les produits et/ou les procédés de transformation, randonnée pédestre, pêche, aire de jeux, observation des activités de la ferme, autres.

Services: aire de pique-nique, terrasse, vente de produits, dépliant explicatif ou panneaux français et anglais, stationnement pour autobus, emballages-cadeaux, remise pour vélo, autres.

La Malbaie
Auberge Petite Plaisance

Table aux Saveurs du Terroir
certifiée

Plaisir des sens et du palais, sa table offre toutes les couleurs et la fraîcheur d'une cuisine simple mais personnalisée. Au menu, des plats gourmands et variés que l'ambiance invite à savourer lentement. Et, quoi de mieux qu'un décor ancestral pour savourer une cuisine exceptionnelle. Toutes les petites plaisances sont exquises! P. 102.

Spécialités : cuisine régionale aux multiples couleurs et saveurs.
Repas offerts : midi, soir.
Menus : à la carte, table d'hôte, gastronomique.
Nbr personnes: 1-44. Min. de pers. exigé varie selon les saisons.
Réservation: recommandée, requise pour groupe.
Table d'hôte: 25-41$/pers. Taxes en sus. IT MC VS
Ouvert: à l'année. Tous les jours. Horaire variable.

A AV Certifié: 2008

Chantale Hardy et Anne Beaumont
310, rue St-Raphael
La Malbaie, G5A 2N7
Tél. (418) 665-2653 1-877-565-2653
www.aubergepetiteplaisance.com
info@aubergepetiteplaisance.com
Rte 138 est. À La Malbaie, direction Tadoussac, 3 km. Cap-à-l'Aigle à droite.

Les Éboulements
Les Saveurs Oubliées

Table Champêtre
certifiée

Ferme d'élevage – Ferme maraîchère. Grand Prix du tourisme québécois. Régis Hervé et Guy Thibodeau vous invitent, dans une ambiance très conviviale, pour un repas composé de produits régionaux, dont l'agneau de Charlevoix en spécialité. Une cuisine du terroir pleine de saveurs à découvrir. Service de traiteur personnalisé. Chef à domicile. Cours de cuisine. P. 110.

Spécialités : nos spécialités sont l'agneau et le canard de Charlevoix, légumes bio, charcuteries, gâteau au fromage Le Migneron, tarte tatin.
Repas offerts : midi, soir. Apportez votre vin.
Menus : table d'hôte.
Nbr personnes: 1-52. Min. de pers. exigé varie selon les saisons.
Réservation: requise.
Repas: 25-50$/pers. Taxes en sus. IT MC VS
Ouvert: 1 mai - 1 nov. Tous les jours.

A Certifié: 2001

Régis Hervé et Guy Thibodeau
350, rang Saint-Godefroy (rte 362)
Les Éboulements, G0A 2M0
Tél. (418) 635-9888 (418) 439-4100
Fax (418) 439-0616
www.saveursoubliees.com
saveursoubliees@coopndddm.com
À Baie-St-Paul, rte panoramique 362, à la sortie des Éboulements, 1re ferme à gauche avec 2 silos.

Petite-Rivière-Saint-François
Auberge La Côte d'Or

Table aux Saveurs du Terroir
certifiée

Salle à manger panoramique avec une vue spectaculaire sur le fleuve St-Laurent, vous offrant une table d'hôte 5 services mettant à l'honneur une cuisine d'inspiration française, aux saveurs du terroir de la région, dans l'unique auberge 4 étoiles de moins de 10 chambres dans Charlevoix à 10 min de Baie-St-Paul et 5 min du Massif. P. 106.

Spécialités : dégustez nos saveurs du terroir: terrine d'émeu, poêlée de foie de canard, bavette de boeuf au Ciel de Charlevoix, autres spécialités.
Repas offerts : midi, soir.
Menus : à la carte, table d'hôte, gastronomique.
Nbr personnes: 1-30.
Réservation: requise.
Table d'hôte: 35-50$/pers. Taxes en sus. AM IT MC VS
Ouvert: à l'année. Tous les jours.

A AV Certifié: 2007

Jean-Michel Dirand et Sylvie Bardou
348, rue Principale
Petite-Rivière-Saint-François, G0A 2L0
Tél. (418) 632-5520 1-877-632-5520
Fax (418) 632-5589
www.quebecweb.com/lacotedor
aubergelacotedor@charlevoix.net
Rte 138 est, à l'indication Petite-Rivière-St-François à droite, 4 km.

Tables aux Saveurs du Terroir^MD & Champêtres^MD

Baie-Saint-Paul
Maison d'Affinage Maurice Dufour Inc.

Relais du Terroir & Ferme Découverte
certifiés

Francine Bouchard et Maurice Dufour
1339, boul. Mgr de Laval (rte 138)
Baie-Saint-Paul, G3Z 2X6
Tél. (418) 435-5692 (418) 435-3420
Fax (418) 435-6334
www.fromagefin.com
affinage@fromagefin.com
Sommes situés sur la route 138, Boul. Mgr de Laval, à 6 km du centre-ville de Baie St-Paul, en direction est vers La Malbaie.

Ferme d'élevage – Fromagerie fermière. Bergerie laitière depuis 2005. Elle est située à 300 mètres de la fromagerie qui elle est en opération depuis 1994. Nous y vendons nos fromages vedettes: Le Migneron et le Ciel de Charlevoix. Depuis 2005, nous développons de nouveaux fromages mais cette fois-ci à partir de lait de brebis, venez découvrir cette dernière passion!

Produits: Nous fabriquons Le Migneron et le Ciel de Charlevoix (lait de vache), La Tomme d'Elles, Deo Gratias et le Secret de Maurice (brebis).
Activités sur place: animation pour groupe scolaire, dégustation, visite autoguidée, visite commentée français et anglais, visite commentée français.
Visite: gratuite. IT MC VS
Nbr personnes: 2-45.
Réservation: requise pour groupe.
Ouvert: 10 juin - 1 oct. Tous les jours. Horaire variable.
Services: vente de produits, stationnement pour autobus.

A AV Certifié: 2008

Isle-aux-Coudres
Verger Pedneault

Relais du Terroir & Ferme Découverte
certifiés

Michel, Marie-Claire Pedneault et Eric Desgagnés
3384, ch. des Coudriers
Isle-aux-Coudres, G0A 3J0
Tél. (418) 438-2365 1-888-438-2365
Fax (418) 438-2801
www.vergerspedneault.com
verpedno@charlevoix.net
À Baie-St-Paul, rte 362 jusqu'à Les Éboulements, secteur St-Joseph-de-la-Rive. Prendre le traversier gratuit vers l'Isle-aux-Coudres. Sur l'île, à gauche à la 1re intersection

Cidrerie – Ferme fruitière – Verger. À l'Isle-aux-Coudres, cet ÉCONOMUSÉE® de la pomiculture fabrique des produits fins de pommes, poires, prunes et bleuets: cidres, mistelles, apéritifs, digestifs, crèmes, jus. Ce magnifique site et ses vergers vous accueillent pour des promenades inoubliables. Médaillé d'or et d'argent à 6 reprises et Lauréat des Grands Prix du tourisme en 2008.

Produits: produits alcoolisés, moûts de pomme et pomme de glace, beurre, gelée, sirop, miel de pommes, confitures, jus de pomme brut, vinaigre...
Activités sur place: autocueillette, dégustation, visite libre, randonnée pédestre, participation aux récoltes.
Visite: gratuite, tarif de groupe. IT MC VS
Réservation: requise pour groupe.
Ouvert: à l'année. Tous les jours. 8h à 20h. Horaire variable.
Services: aire de pique-nique, centre d'interprétation / musée, vente de produits, dépliant explicatif ou panneaux français et anglais, stationnement pour autobus, emballages-cadeaux, remise pour vélo, autres.

A ⛟ AV Certifié: 2005

Les Éboulements
Les Saveurs Oubliées

Relais du Terroir
certifié

Régis Hervé et Guy Thibodeau
350, rang Saint-Godefroy (rte 362)
Les Éboulements, G0A 2M0
Tél. (418) 635-9888 (418) 439-4100
Fax (418) 439-0616
www.saveursoubliees.com
saveursoubliees@coopnddm.com
À Baie-St-Paul, rte panoramique 362, à la sortie des Éboulements, 1re ferme à gauche avec 2 silos.

Ferme d'élevage – Ferme maraîchère. Ferme d'élevage d'agneau et légumes bio avec Table Champêtre «Les Saveurs Oubliées». P. 109.

Produits: agneau, légumes, produits transformés, chutney, ketchup, huile de homard, vinaigres.
Activités sur place: méchoui.
Visite: gratuite.
Nbr personnes: 1-50.
Réservation: recommandée.
Ouvert: 17 mai - 31 oct. Tous les jours. Horaire variable.
Services: vente de produits, salle de réception, réunion, stationnement pour autobus, emballages-cadeaux, autres.

A ⛟ ✕ AV Certifié: 2008

Saint-Urbain
Centre de l'Émeu de Charlevoix et Chez Gertrude

Relais du Terroir & Ferme Découverte
certifiés

Raymonde, Damien et Gertrude Tremblay
706, rue Saint-Édouard
Saint-Urbain, G0A 4K0
Tél. (418) 639-2205 (418) 667-5443
Fax (418) 639-1130
www.emeucharlevoix.com
info@emeucharlevoix.com
Rte 138 est. À 10 km après Baie-St-Paul, rte 381 nord, 4 km.

Ferme d'élevage. Prix Réalisation 2004 - Mention spéciale. À découvrir la plus grande ferme écologique d'émeus (plus de 400) au Canada active depuis 1997. Nos guides vous présenteront notre ferme, le monde des ratites, nos produits corporels à l'huile d'émeu et la viande. D'intérêt pour les enfants et adultes, individus ou groupe. Visites guidées ou autoguidées. Boutique, cadeaux, dégustation & recettes. P. 97, 108.

Produits: Ferme écologique. L'huile d'émeu, l'anti-inflammatoire naturel incontournable. Une viande savoureuse très maigre: 2% gras. À découvrir!
Activités sur place: animation pour groupe, dégustation, visite autoguidée, visite commentée français et anglais, observation des activités de la ferme, autres.
Visite: adulte: 3-5$, enfant: 1-2$ tarif de groupe. Taxes en sus. IT MC VS
Nbr personnes: 1-55.
Réservation: requise pour groupe.
Ouvert: 5 juin - 12 oct. Tous les jours. 9h à 18h. Horaire variable.
Services: aire de pique-nique, centre d'interprétation / musée, vente de produits, dépliant explicatif ou panneaux français, stationnement pour autobus.

A AV Certifié: 1993

Saint-Urbain
La Ferme Basque de Charlevoix

Relais du Terroir
certifié

Isabelle Mihura et Jean-Jacques Etcheberrigaray
813, rue St-Édouard
Saint-Urbain, G0A 4K0
Tél. (418) 639-2246
Fax (418) 639-2144
www.lafermebasque.ca
contact@lafermebasque.ca
Rte 138 est, après Baie-St-Paul, à 10 min, rte 381 nord à gauche dir. Saint-Urbain. La ferme est située à 4 km, en plein cœur du village.

Ferme d'élevage. Située à la porte du parc des Grands Jardins, La Ferme Basque est spécialisée dans la production artisanale de canards à foie gras. En vous y rendant, vous découvrirez des méthodes traditionnelles d'élevage et de gavage qui, tout en respectant le bien-être de l'animal, garantissent d'authentiques produits artisanaux.

Produits: foie gras de canard, confits, magrets, rillettes, terrines, cretons, graisse.
Activités sur place: dégustation, visite libre, visite commentée français et anglais.
Visite: adulte: 4$, enfant gratuit, tarif de groupe. Taxes en sus. IT MC VS
Nbr personnes: 1-60.
Réservation: requise pour groupe.
Ouvert: 1 mai - 31 oct. Tous les jours. 10h à 17h.
Services: aire de pique-nique, vente de produits, emballages-cadeaux.

A Certifié: 2005

Chaudière-Appalaches

Un secret champêtre fort bien gardé...

On y vient pour voir se côtoyer, en une belle harmonie, une nature généreuse et un patrimoine où subsistent de superbes manoirs, seigneuries et moulins. Certains villages sont même reconnus parmi les plus beaux du Québec.

Partout en longeant le fleuve Saint-Laurent (route des Navigateurs) vous vous régalerez de voir une succession de charmants villages côtiers. Entre les escarpements passablement élevés, vous jouirez d'une vue imprenable sur le fleuve et la rive opposée où se succèdent la ville de Québec (à une traversée du pont de Lévis), l'Île d'Orléans, l'archipel de l'Isle-aux-Grues, les rondeurs de Charlevoix et de saisissants couchers de soleil et aurores boréales en hiver.

Grimpant lentement vers les contreforts des Appalaches, s'opposent à la côte de pittoresques paysages agricoles, urbains, forestiers et miniers. Sans oublier la belle rivière Chaudière, qui prend sa source dans le lac Mégantic, et ponctue magnifiquement la région, de sa traversée jusqu'au fleuve.

Offrant une agréable variété d'attraits et d'activités de par ses sept secteurs touristiques (Lotbinière, L'Amiante, Lévis, La Beauce, Les Etchemins, Bellechasse et la Côte-du-Sud), vous verrez que la région Chaudière-Appalaches est chaleureusement animée en toutes saisons. C'est aussi un lieu de prédilection pour le plein air, le cyclotourisme et l'observation d'oiseaux, dont le fascinant spectacle des oies blanches. Bref, une région bucolique à souhait!

Saveurs régionales

La région de Chaudière-Appalaches est un château fort de la production acéricole avec ses nombreuses érablières où se sucrer le bec, mais bien d'autres délices gourmands y sont à l'honneur :

- des fromages, dont le Riopel et le cheddar de l'Isle-aux-Grues. Une tarte aux pommes garnie du cheddar de l'Isle-aux-Grues, un vrai régal!
- des cidres, des vins, des chocolats, des pâtisseries et pains artisanaux;
- des cultures maraîchères, dont de délicieuses tomates non hybrides donnant les plus belles formes et couleurs de rouge, de jaune et de mauve;
- aux traditionnelles productions s'ajoutent des élevages de cailles, de faisans, de perdrix, de lapin, de veau, de cerf, de sanglier et de bison;
- des fruits sauvages (fraises, framboises, amélanchiers, petites merises);
- pour les amoureux de foie gras, confit et pâtés d'oies et canards gavés;
- le pavé d'esturgeon, voilà un grand classique tout à fait délicieux!

Produits du terroir à découvrir et déguster

- Cidrerie La Pomme du Saint-Laurent Inc., Relais du Terroir^MD & Ferme Découverte certifiés, Cap-Saint-Ignace. P. 130
- Le Canard Goulu Inc., Relais du Terroir^MD & Ferme Découverte certifiés, Saint-Apollinaire. P. 130
- Le Ricaneux, Relais du Terroir^MD certifié, Saint-Charles-de-Bellechasse. P. 130
- La Cache à Maxime, Relais du Terroir^MD certifié, Scott. P. 131

La région compte sept (7) Tables aux Saveurs du Terroir^MD certifiées. Une façon originale de découvrir toutes ces saveurs. P. 127

Chaudière-Appalaches

Le saviez-vous?

Des centaines de milliers d'oies blanches font halte chaque année sur les battures du Saint-Laurent, dont celles de Montmagny, pour se gaver et refaire leurs réserves de graisses énergétiques. Présentes au printemps après avoir parcouru sans escale 900 km depuis la côte est américaine, les oies blanches migrent vers l'Arctique canadien pour aller nidifier. Lorsque le gel entrave leur alimentation, elles reviennent à l'automne plus nombreuses qu'au printemps. Et, lorsqu'à nouveau le gel arrive annonçant cette fois-ci notre hiver, elles partent vers le Sud. Tentez de deviner les oies qui font le guet, le cou bien droit et prêtes à donner l'alerte. Et c'est l'envol...

Clin d'oeil sur l'histoire

En 1831, afin de protéger la Nouvelle-France de l'épidémie de choléra qui sévissait en Europe, on fit de Grosse-Île une station de quarantaine pour les immigrants qui arrivaient en grand nombre. Cette première vague d'immigration fut marquante, mais pas autant que celle de 1847. C'est la Grande Famine en Europe, et cette petite île, accueillant tout au plus 1000 personnes à la fois, est vite débordée avec plus 100 000 immigrants, la plupart des Irlandais. Plus de 10 000 personnes moururent. Aujourd'hui un important site patrimonial, cette île a joué un rôle considérable dans l'histoire du peuplement du Québec, du Canada et même des États-Unis, pour avoir freiné pendant 105 ans le développement de diverses maladies et épidémies.

Quoi voir? Quoi faire?

Moulin du Portage (Lotbinière) et Domaine Joly-De Lotbinière (Sainte-Croix).

Héritage Kinnear's Mills où un guide vous racontera la vie des ancêtres du village.

Musée minéralogique et minier et sa visite souterraine de 350 m (Thetford Mines).

À Lévis : lieu historique national du Canada des Forts-de-Lévis, Maison Alphonse-Desjardins, Terrasse de Lévis...

La Maison J.-A.-Vachon, une pâtisserie devenue une véritable institution (Sainte-Marie).

Musée Marius Barbeau et circuit patrimonial (Saint-Joseph-de-Beauce).

Village des défricheurs (Saint-Prosper).

Le plus long pont couvert du Québec, d'une longueur de 154 m (Notre-Dame-des-Pins).

Excursion à l'Isle-aux-Grues et au lieu historique national du Canada de la Grosse-Île-et-le-Mémorial-des-Irlandais. Festival de la Mi-Carême (mars).

Centre des Migrations, Festival de l'Oie Blanche, Carrefour mondial de l'accordéon (Montmagny).

Musée maritime du Québec (L'Islet).

Saint-Jean-Port-Joli : galeries d'art, musées, sculptures, théâtre…

Seigneurie des Aulnaies, les splendeurs de l'époque du régime seigneurial (Saint-Roch-des-Aulnaies).

Faites le plein de nature

Les sentiers pédestres des 3 Monts de Coleraine.

Parc national de Frontenac : activités nautiques, randonnées pédestres, vélo...

Parc des Chutes-de-la-Chaudière : chutes de 35 m, belvédères, passerelle (près de Charny).

Éco-Parc des Etchemins : plage, glissades, pique-nique, canot, kayak...

Archipel de l'Isle-aux-Grues : kayak, vélo...

Parc régional Massif du Sud : sentiers pédestres écotouristiques.

Parc régional des Appalaches : marche, kayak, canot, chutes, ponts suspendus, belvédères... (Sainte-Lucie-de-Beauregard).

Envie de vélo? Parcours des Anses (15 km, Lévis), Parc linéaire de la MRC de Lotbinière (25 km), la Véloroute de la Chaudière (45 km), Piste Saint-Daniel-Lambton (8 km), etc.

Pour plus d'information sur la région de Chaudière-Appalaches : 1-888-831-4411
www.chaudiereappalaches.com

Chaudière-Appalaches

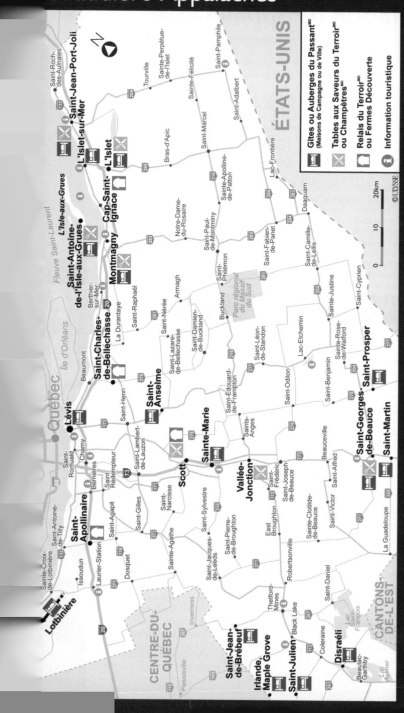

La Fédération des Agricotours du Québec* est fière de rendre hommage aux hôtes Carole Hamelin et André Mailhot, du gîte AU MANOIR DE LÉVIS, qui se sont illustrés de façon remarquable par leur accueil de tous les jours envers leur clientèle. C'est dans le cadre des Prix de l'Excellence 2008 que les propriétaires de cet établissement, certifié Gîte du Passant^MD depuis 2006, se sont vu décerner le « Coup de Cœur du Public régional » de Chaudière-Appalaches dans le volet Gîte du Passant^MD. P. 119.

Félicitations !

*La Fédération des Agricotours du Québec est propriétaire des marques de certification : Gîte du Passant^MD, Auberge du Passant^MD, Maison de Campagne ou de Ville, Table aux Saveurs du Terroir^MD, Table Champêtre^MD, Relais du Terroir^MD et Ferme Découverte.

Lévis
Au Manoir de Lévis - Gîte le Rosier

Carole Hamelin et André Mailhot
473, rue Saint-Joseph
Lévis
G6V 1G9
(418) 833-6233
1-866-626-6473
Fax : (418) 833-1089
www.bblerosier.com
aumanoirdelevis@bellnet.ca

Merci au nom des lauréats!

Chaque année, les fiches d'appréciation permettent de décerner le Prix de l'Excellence, dans la catégorie « Coup de Cœur du Public », aux établissements qui se sont démarqués de façon remarquable par leur accueil. En remplissant une fiche d'appréciation, vous contribuez non seulement à maintenir la qualité constante des services offerts, mais également à rendre hommage à tous ces hôtes.

Prix de l'Excellence

COUREZ LA CHANCE DE GAGNER UN SÉJOUR!

Chacune des fiches d'appréciation , vous donne la chance de gagner un séjour de 2 nuits pour 2 personnes dans un « Gîte ou une Auberge du Passant^MD » de votre choix. La fiche d'appréciation est disponible dans tous les établissements certifiés et sur Internet :

www.gitesetaubergesdupassant.com
www.tablesetrelaisduterroir.com

Section publicitaire

Disraeli
Gîte Dolorès ✎

Gîte du Passant
certifié

Dans l'ambiance d'une maison centenaire, Nicole et Jean-Denis vous accueillent chaleureusement et offrent 2 suites confortables, un déjeuner copieux, des espaces extérieurs propices à l'intimité ou à la rencontre. Jardin, piscine, 2 stationnements et accès aux handicapés. Une visite vous convaincra que c'était cette hospitalité que vous cherchiez.

Aux alentours: Pavillon de la faune et croisière, parc Frontenac, mont Adstock, golf, ski, visites minières, motoneige, VTT.
Chambres: climatisées, téléphone, TV, accès Internet, cachet champêtre, suite. **Lits:** queen. **2 ch. S. de bain privée(s).**
2 pers: B&B 85$ **1 pers: B&B** 80$
Réduction: long séjour.
Ouvert: à l'année.

Nicole Daigle
536, av. Champlain
Disraeli G0N 1E0
Tél. (418) 449-2795
www.giteetaubergedupassant.com/gitedolores
dolores@tlb.sympatico.ca
Aut. 20, sortie 253, rte 165, direction rte 112. À Disraeli, 536 sur la rte 112. De Québec par la rte 73 ou de Sherbrooke: direction rte 112.

A 🏠 ⚓ @ **Certifié: 2009**

Irlande, Maple Grove
La Tortue des Bois ✸ ✸ ✸ ✸

Gîte du Passant
certifié

Notre gîte vous offre, outre le coucher douillet et le copieux déjeuner, une ambiance intérieure et un environnement fort apaisant. La maison ancestrale, toute de bois fraîchement rénovée, assure confort et chaleur. Salles de bain privées, foyer, spa et une immense galerie surplombant un paysage inspirant. Lieu de contemplation, lieu d'action.

Aux alentours: canot, kayak, marche, vélo, baignade, golf, pêche, ornithologie, ski de fond, raquette, motoneige, quad, théâtre, musée.
Chambres: baignoire sur pattes, insonorisées, cachet d'autrefois, poutres, vue sur lac. **Lits:** queen. **4 ch. S. de bain privée(s).**
Forfaits: golf, théâtre, restauration.
2 pers: B&B 105-145$ **1 pers:** B&B 105-145$. Taxes en sus. AM IT VS
Réduction: long séjour.
Ouvert: à l'année.

Hélène Bazin
115, chemin Dinning
Irlande, Maple Grove G6H 2N7
Tél. (418) 428-4000 (418) 333-2150
Fax (418) 428-4262
www.tortuedesbois.com
gite@tortuedesbois.com
Aut. 20 O, sortie 253, rte 265 S, rte 216, ch. Craig à droite, rue Dinning à gauche. Aut. 20 E, sortie 228, rte 263 N, rte 216, ch. Craig à droite, rue Dinning à gauche.

AV ⚓ @ **Certifié: 2009**

Irlande, Maple Grove
Manoir d'Irlande ✸ ✸ ✸ ✸

Gîte du Passant
certifié

Coup de Cœur du Public régional 2005 et 2007. Presbytère patrimonial anglican en pierre, 1840, style anglais d'esprit néogothique, boiseries, moulures et rosaces d'époque, poêle à bois Royal Bélanger 1915, grand salon avec foyer, majestueuse salle à manger. Baigné en pleine nature, retiré de la route, un boisé d'érables et de conifères lui confère un attrait enchanteur en toutes saisons. P. 116.

Aux alentours: jardins, musées, lacs, golfs, parc Frontenac, observation d'oiseaux, circuit historique des chemins Craig et Gosford.
Chambres: certaines climatisées, baignoire sur pattes, cachet d'antan, peignoir, ventilateur, suite. **Lits:** double, queen, king, d'appoint, pour bébé. **5 ch. S. de bain privée(s) ou partagée(s).**
Forfaits: charme, golf, romantique, théâtre.
2 pers: B&B 69-119$ **PAM** 139-189$ **1 pers:** B&B 60-110$ **PAM** 95-145$.
Enfant (12 ans et –): B&B 15$ **PAM** 40$. Taxes en sus. MC VS
Réduction: long séjour.
Ouvert: 15 avr - 15 jan.

Rose-Hélène Robidas et Florian Fortin
175, ch. Gosford
Irlande, Maple Grove G6H 2N7
Tél. (418) 428-2874 1-877-447-2027
www.giteetaubergedupassant.com/manoirdirlande
manoirdirlande@qc.aira.com
De Montréal, aut. 20, sortie 228. De Québec, aut. 20, sortie 253. Rtes 165 sud, 216 ouest, 2,4 km. De Sherbrooke ou Beauce, rtes 112, 165 nord, 216 ouest, 2,4 km.

🍴 **AV Certifié: 2004**

Lévis
À la Petite Marguerite ✦ ✦ ✦ ✦

Gîte du Passant
certifié

Au cœur du Vieux-Lévis, une jolie ancestrale avec galerie ornée de dentelles. Entrée privée et stationnement arrière avec abris pour vélos et motos. Patio fleuri ainsi qu'une terrasse. Petit-déjeuner servi dans une ambiance chaleureuse.

Aux alentours: Vieux-Québec et Vieux-Lévis, golf, piste cyclable, théâtre, chocolaterie.
Chambres: climatisées, baignoire sur pattes, cachet champêtre, peignoir, bois franc, vue panoramique. **Lits:** double, queen. **4 ch. S. de bain privée(s) ou partagée(s).**
2 pers: B&B 80-95$ **1 pers: B&B** 70-85$.
Enfant (12 ans et −): **B&B** 10$. Taxes en sus. ER
Réduction: long séjour.

A ♿ **Certifié: 2005**

Renald Binet
122, Côte du Passage
Lévis G6V 5S9
Tél. (418) 835-4606
Fax (418) 835-2292
www.gitealapetitemarguerite.qc.ca
renaldbinet@sympatico.ca
Aut. 20 est, sortie 325 nord, dir. boul. A.-Desjardins à droite, au feu à gauche sur boul. A.-Desjardins, qui change de nom pour Côte du Passage.

Lévis
Auberge Artistique la Visitation ✦ ✦ ✦ ✦

Gîte du Passant
certifié

«Charme Confort Créativité». Au cœur du Vieux-Lévis, cette atmosphère de calme, ce confort douillet que l'on ne croit possible que chez soi, notre demeure au charme d'autrefois vous les propose à travers quatre chambres spacieuses au décor chaleureux où règne l'art contemporain. Vivez un moment d'exception dans un lieu d'inspiration.

Aux alentours: admirez la ville de Québec sous un autre jour et prenez le côté fleuve pour y accéder en quelques minutes.
Chambres: climatisées, avec lavabo, raffinées, cachet particulier, spacieuses, lumineuses. **Lits:** double, queen. **4 ch. S. de bain partagé(s).**
Forfaits: croisière, détente & santé, romantique, spectacle, autres.
2 pers: B&B 85-95$ **1 pers: B&B** 75-85$.
Enfant (12 ans et −): **B&B** 15-20$. Taxes en sus. MC VS
Ouvert: à l'année.

A AV @ ♿ **Certifié: 2000**

Louise Roy et Germain Desbiens
6104, rue St-Georges
Lévis G6V 4J8
Tél. / Fax (418) 837-9619
www.aubergeartistique.com
info@aubergeartistique.com
Aut 20, sortie 325 nord, boul. Alphonse-Desjardins à gauche, 2,5 km, rue St-Georges à droite, 0,3 km. Du traversier, monter Côte du Passage, rue St-Georges à gauche, 0,3 km.

Lévis
Auberge du Manoir Héritage ✦ ✦ ✦

Gîte du Passant
certifié

Surplombant le Saint-Laurent et faisant face à la chute Montmorency, le Manoir Héritage vous offre le confort sur un site majestueux. De l'aurore au crépuscule, aux quatre saisons, un spectacle naturel vous est présenté. Piano, foyers et petits-déjeuners de qualité vous attendent. Planifiez vos réunions d'affaires dans un endroit inspirant. Certifié "Bienvenue cyclistes !"^{MD} Quebec Lodge, p. 122.

Aux alentours: saut en parachute, kayak, location voiliers, planches à voile, croisières sur le St-Laurent, ski alpin et ski de fond.
Chambres: foyer, téléphone, accès Internet, confort moderne, suite, vue sur fleuve, vue splendide. **Lits:** simple, double, queen, pour bébé. **5 ch. S. de bain privée(s).**
2 pers: B&B 95-195$ **1 pers: B&B** 85-155$.
Enfant (12 ans et −): **B&B** 20$. Taxes en sus. IT MC VS
Réduction: hors saison, long séjour.
Ouvert: à l'année.

A 🐴 **AV @** ♿ **Certifié: 2009**

Christiane Blais et André Roberge
82, rue des Érables
Lévis G6V 2G4
Tél. (418) 523-9202 1-866-447-3947
Fax (418) 304-1287
www.aubergeheritage.com
info@giteheritage.com
Autoroute 20 est, sortie 330. À l'arrêt à droite. Suivre les panneaux de signalisation bleus.

Lévis
Au Gré du Vent B&B ✳ ✳ ✳ ✳ ✳

Gîte du Passant
certifié

Michèle Fournier et Jean L'Heureux
2, rue Fraser
Lévis G6V 3R5
Tél. (418) 838-9020 1-866-838-9070
Fax (418) 838-9074
www.au-gre-du-vent.com
augreduvent@msn.com

Aut. 20 ou rte 132 ou traversier: suivre indications (panneaux bleus) pour la Maison Alphonse-Desjardins. De là, descendre Guénette jusqu'à Fraser.

Grands Prix du tourisme 2004 et 2007. À pied du traversier menant au cœur du Vieux-Québec, authentique gîte de charme, classique et raffiné, situé devant l'un des plus beaux points de vue sur le Vieux-Québec, le Château Frontenac et le St-Laurent. Imposante victorienne de style anglais construite en 1890 par une importante banque canadienne. P. 16, 120.

Aux alentours: à pied des meilleurs restos et boutiques du Vieux-Québec et du Vieux-Lévis, musées, festivals.
Chambres: climatisées, bureau de travail, TV, accès Internet, raffinées, luxueuses, vue sur fleuve. Lits: queen, divan-lit, d'appoint. **5 ch. S. de bain privée(s).**
Forfaits: charme, romantique.
2 pers: B&B 125-145$ **1 pers:** B&B 105-125$.
Enfant (12 ans et —): B&B 15$. Taxes en sus. AM IT MC VS
Réduction: hors saison, long séjour.
Ouvert: à l'année.

A ● 🚗 AV 🚲 @ 🚶 **Certifié:** 1997

Lévis
Au Manoir de Lévis - Gîte le Rosier ✳ ✳ ✳ ✳

Gîte du Passant
certifié

Carole Hamelin et André Mailhot
473, rue Saint-Joseph
Lévis G6V 1G9
Tél. (418) 833-6233 1-866-626-6473
Fax (418) 833-1089
www.bblerosier.com
aumanoirdelevis@bellnet.ca

Aut. 20, sortie 327, Mgr Bourger nord, rue St-Joseph à droite.

Coup de Cœur du Public régional 2008. Venez séjourner dans une magnifique maison victorienne de l'an 1890. Accueil chaleureux et familial. Située au bord du fleuve St-Laurent, elle offre une superbe vue sur la chute Montmorency et l'île d'Orléans. P. 115

Aux alentours: à 3,5 km du traversier, Vieux-Québec, vue sur les Grands Feux de Loto-Québec de notre terrasse.
Chambres: climatisées, balcon, cachet d'autrefois, cachet ancestral, originales, vue sur fleuve. Lits: simple, double, queen, divan-lit, d'appoint. **5 ch. S. de bain privée(s).**
Forfaits: croisière, théâtre, autres.
2 pers: B&B 100-120$ **1 pers:** B&B 75$.
Enfant (12 ans et —): B&B 15-20$. Taxes en sus. MC VS
Ouvert: à l'année.

● AV @ 🚶 **Certifié:** 2006

Lévis
Au Petit Château ✳ ✳ ✳ ✳

Gîte du Passant
certifié

Richard et Hélène
664, rue St-Joseph
Lévis G6V 1J4
Tél. (418) 833-2798 (418) 655-1938
Fax (418) 833-5439
www.aupetitchateau.com
aucha55070@aol.com

Aut. 20 est, sortie 330 à droite, 1 km vers le fleuve. Au feu de circulation, tout droit. Lallemand devient St-Joseph, 1 km à gauche.

Situé à quelques minutes du Vieux-Québec, Au Petit Château vous offre des chambres avec vue sur le fleuve et ameublement authentique et de bon goût. Pour votre confort, le Château offre lit double ou queen. Air climatisé dans chaque chambre, réfrigérateur, foyer, peignoirs et autres commodités de luxe. Déjeuner complet inclus.

Aux alentours: Vieux-Québec, sites historiques, piste cyclable, kayak, voile, ski, festivals.
Chambres: climatisées, cachet victorien, romantiques, suite familiale, vue sur fleuve. Lits: simple, double, queen, divan-lit, d'appoint, pour bébé. **4 ch. S. de bain privée(s) ou partagée(s).**
Forfaits: vélo, croisière, romantique, ski de fond, traîneaux à chiens.
2 pers: B&B 105-185$ **1 pers:** B&B 95-165$.
Enfant (12 ans et —): B&B 0-25$. Taxes en sus. IT MC VS
Réduction: hors saison.
Ouvert: à l'année.

A AV @ 🚶 **Certifié:** 2007

Gîtes et Auberges du Passant™
Maisons de Campagne et de Ville

Lévis
Au Plumard ✤ ✤ ✤ ✤

Gîte du Passant
certifié

Bienvenue dans notre demeure bien conservée, qui saura sans aucun doute vous charmer. Nous sommes au cœur des activités du Vieux-Lévis et à quelques enjambées du Vieux-Québec, où il sera possible de s'y rendre par le traversier et ce en tout temps. Notre accueil et notre hébergement sont notre fierté. On vous attend bientôt!

Aux alentours: le Vieux-Québec, fort no. 1, maison Alphonse Desjardins, terrasse de Lévis, golf, théâtre d'été Beaumont St-Michel.
Chambres: climatisées, accès Internet, peignoir, vue panoramique. **Lits:** simple, queen, divan-lit. **5 ch. S. de bain privée(s).**
2 pers: B&B 110-130$ **1 pers:** B&B 95-115$.
Enfant (12 ans et –): B&B 20$. Taxes en sus. MC VS
Ouvert: à l'année.

Anne Fleury et André Carrier
5865, rue St-Georges
Lévis G6V 4K9
Tél. (418) 835-4574 (418) 580-1046
www.auplumardcouetteetcafe.com
auplumard@hotmail.com
Aut. 20, sortie 325 nord, rue Kennedy jusqu'au bout, rue St-Georges à droite,1ᵉʳ arrêt à gauche.

@ ♿ **Certifié: 2008**

Lévis
Au Vieux Bahut ✤ ✤ ✤ ✤

Gîte du Passant
certifié

Laissez-vous charmer par cette superbe maison inondée de soleil; meubles antiques, vitraux, boiseries et photos d'époque. Chambres climatisées. Des hôtes attentionnés raviront votre palais avec leurs petits plats: pains et pâtisseries maison, fruits frais, produits du terroir. Détente assurée, jardin et patios semi-ombragés. Certifié "Bienvenue cyclistes !"ᴹᴰ

Aux alentours: vue panoramique du Château Frontenac, visite du Vieux-Québec, croisières sur le fleuve.
Chambres: climatisées, bureau de travail, accès Internet, cachet particulier, peignoir, bois franc. **Lits:** simple, double, queen, d'appoint. **4 ch. S. de bain privée(s) ou partagée(s).**
Forfaits: charme, croisière, spectacle, restauration.
2 pers: B&B 95-105$ **1 pers:** B&B 85-95$.
Enfant (12 ans et –): B&B 20$. Taxes en sus. MC VS
Réduction: long séjour.
Ouvert: à l'année.

France Gingras et Yvon Lamontagne
116, Côte du Passage
Lévis G6V 5S9
Tél. (418) 835-9388
www.giteetaubergedupassant.com/vieuxbahut
auvieuxbahut@globetrotter.net
Aut. 20 est, sortie 325 nord à droite, vers boul. A.-Desjardins au 2ᵉ feu à gauche, tout droit, 2,7 km. (Boul. A.-Desjardins devient Côte-du-Passage).

A @ ♿ **Certifié: 2001**

Lévis
La Maison sous l'Orme ✤ ✤ ✤ ✤

Gîte du Passant
certifié

La campagne à la ville. Tranquillité assurée, à 5 min de marche du traversier pour le Vieux-Québec. Quartier très pittoresque, près de la piste cyclable. Belle ancestrale (1870), meubles d'époque, collections. Petit-déjeuner copieux, recettes spéciales, tables individuelles avec service. Au rez-de-chaussée, suite familiale avec cuisinette. Certifié "Bienvenue cyclistes !"ᴹᴰ

Aux alentours: traversier Vieux-Québec, croisières St-Laurent.
Chambres: climatisées, accès Internet, cachet d'autrefois, meubles antiques, suite, vue sur fleuve. **Lits:** simple, queen, d'appoint. **5 ch. S. de bain privée(s) ou partagée(s).**
Forfaits: charme, croisière, gastronomie, romantique, autres.
2 pers: B&B 105-125$ **1 pers:** B&B 95-105$.
Enfant (12 ans et –): B&B 15-20$. Taxes en sus. IT MC VS
Réduction: hors saison, long séjour.
Ouvert: à l'année.

Maud et Bruno Chouinard
1, rue Saint-Félix
Lévis G6V 5J1
Tél. (418) 833-0247 1-888-747-0247
Fax (418) 833-6675
www.geocities.com/sousorme
sous.orme@qc.aira.com
Aut. 20, sortie 325 nord, rte 132 ou traversier dir. Maison Alphonse-Desjardins, descendre Guénette, rue Wolfe à droite et après le 3ᵉ arrêt, 1ʳᵉ rue, St-Félix à gauche.

A AV @ ♿ **Certifié: 2000**

Lévis
Quebec Lodge ★ ★ ★ ★

Maison de Ville
certifiée

Surplombant le St-Laurent et faisant face à la chute Montmorency, le Quebec Lodge vous offre le confort sur un site majestueux. De l'aurore au crépuscule, aux quatre saisons un spectacle naturel vous est présenté. Piano, foyers, terrasse et vue imprenable vous inspireront. Planifiez vos réunions d'affaires dans un endroit selon vos attentes. Certifié "Bienvenue cyclistes !"^{MD} Auberge du Manoir Héritage, p. 118.

Aux alentours: saut en parachute, kayak, location voiliers, planche à voile, croisière sur le St-Laurent, ski alpin et ski de fond.
Maisons: foyer, téléphone, DVD, accès Internet, luxueuses, terrasse, vue sur fleuve.
Lits: simple, double, queen. **1 maison(s). 9 ch. 20 pers.**
SEM 7000-9000$ **WE** 2500-3000$ **JR** 1500-1999$. Taxes en sus. IT MC VS
Réduction: hors saison, long séjour.
Ouvert: 1 nov - 31 mai.

A ⟶ AV @ ⚲ **Certifié: 2009**

Christiane Blais et André Roberge
82, rue des Érables
Lévis G6V 2G4
Tél. (418) 523-9202 1-866-447-3947
Fax (418) 304-1287
www.aubergeheritage.com
info@giteheritage.com
Autoroute 20 est, sortie 330. À l'arrêt à droite. Suivre les panneaux de signalisation bleus.

L'Isle-aux-Grues, Saint-Antoine
Auberge des Dunes ★ ★

Auberge du Passant
certifiée

Laissez-vous séduire par notre auberge située dans un décor romantique, sur le bord du fleuve St-Laurent, ayant comme complice le Bateau Ivre et sa salle à manger avec vue panoramique sur l'archipel de l'Isle-aux-Grues. Venez savourer une cuisine riche en produits du terroir de notre région et du Québec. Vivre une escapade à l'Isle, c'est unique! **Certifié Table aux Saveurs du Terroir^{MD}. P. 127.**

Aux alentours: à proximité de tous les services et attraits (2 km max.).
Chambres: cachet ancestral, meubles antiques, bois franc, originales, entrée privée, vue sur fleuve. Lits: simple, double, queen. **9 ch. S. de bain privée(s).**
Forfaits: charme, croisière, gastronomie.
2 pers: B&B 88-103$ **PAM** 148-163$ **1 pers:** B&B 80-95$ **PAM** 110-125$.
Enfant (12 ans et –): B&B 16$ **PAM** 30$. Taxes en sus. IT MC VS
Ouvert: 1 mai - 31 oct.

A ✕ @ ⚲ **Certifié: 2008**

Johanne Vézina
118, Basse-ville
Saint-Antoine-de-l'Isle-aux-Grues G0R 1P0
Tél. / Fax (418) 248-3096 Tél. (418) 248-0129
www.auberge-des-dunes.com
aubergedesdunes@hotmail.com
Aut. 20 est, sortie 376 dir. centre-ville, rte 132 (boul. Taché), au feu de circulation à droite, 1 km, av. du Quai à gauche. Prendre le traversier.

L'Isle-aux-Grues, Saint-Antoine
Gîte le Nichoir ❋ ❋ ❋

Gîte du Passant
certifié

Situé sur l'une des plus belles îles du St-Laurent, on vous convie à la détente avec vue sur le fleuve. En été, vous pourrez bénéficier des différentes attractions de l'Isle-aux-Grues. En mars, des balades de motoneige vous sont offertes. Au printemps, le retour des oies blanches...

Aux alentours: grenier, exposition Mi-Carême, fromagerie, église, sentier pédestre à pointe aux Pins, observation d'oiseaux, piscine.
Chambres: TV, ensoleillées, ventilateur, lumineuses, vue sur fleuve, vue sur montagne, vue splendide. Lits: simple, double. **2 ch. S. de bain privée(s).**
Forfaits: croisière, famille.
2 pers: B&B 70-85$ **1 pers:** B&B 65-80$.
Enfant (12 ans et –): B&B 5-10$. Taxes en sus. MC VS
Ouvert: à l'année.

 Certifié: 2004

Chantal Vézina
120, chemin Basse-Ville
Saint-Antoine-de-l'Isle-aux-Grues G0R 1P0
Tél. / Fax (418) 248-4518
www.gitelenichoir.com
cvcv@globetrotter.net
Aut 20, sortie Montmagny centre-ville, rte 132, boul. Taché à droite, av. du Quai à gauche. Suivre les indications de la traverse.

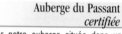

L'Islet, Saint-Eugène
Auberge des Glacis ★ ★ ★

Auberge du Passant
certifiée

Nancy Lemieux et André Anglehart
46, Route de la Tortue
L'Islet G0R 1X0
Tél. (418) 247-7486 1-877-245-2247
Fax (418) 247-7182
www.aubergedesglacis.com
info@aubergedesglacis.com
Aut. 20 est, sortie 400 dir. St-Eugène-de-l'Islet à gauche, rang
Lamartine à gauche, rte de la Tortue à gauche.

L'Auberge des Glacis est un trésor niché au creux d'un vaste domaine, entre le fleuve et la montagne. Une page d'histoire de la Côte-du-Sud est gravée sur les murs de pierres de cet ancien moulin seigneurial, datant de 1840. Dans une salle à manger chaleureuse, découvrez les saveurs uniques de la table gourmande concoctée avec les produits d'ici. **Certifié Table aux Saveurs du Terroir^MD. P. 116, 127.**

Aux alentours: croisières à Grosse-Île et Isle-aux-Grues, parc Appalaches, village de Saint-Jean-Port-Joli, golf.

Chambres: accès Internet, insonorisées, cachet d'autrefois, mur en pierres, vue sur rivière. **Lits:** simple, double, queen, divan-lit, d'appoint, pour bébé. **10 ch. S. de bain privée(s).**

Forfaits: charme, vélo, croisière, gastronomie, golf, détente & santé, romantique.

2 pers: B&B 139-219$ **PAM** 229-309$ **1 pers:** B&B 119-159$ **PAM** 165-205$.
Enfant (12 ans et −): B&B 30-60$ **PAM** 30-60$. Taxes en sus. AM ER IT MC VS
Réduction: long séjour.
Ouvert: à l'année.

A ✕ ⚓ @ 🚲 **Certifié: 2007**

L'Islet-sur-Mer
Les Pieds dans l'Eau ✿ ✿ ✿

Gîte du Passant
certifié

Solange Tremblay
549, ch. des Pionniers Est
L'Islet-sur-Mer G0R 2B0
Tél. (418) 247-5575
http://pages.globetrotter.net/seul
piello@msn.com
À 1h de Québec. Aut. 20, sortie 400, rte 285 nord, route 132
est, 4 km de l'église à votre gauche.

Endroit privilégié pour la détente au chant des vagues. Coquette maison centenaire décorée à votre intention. La salle à manger donne sur le fleuve, boudoir par deux chambres. Déj. fantaisie, santé/gastronomie. Un attrait particulier: une multitude d'oies blanches à l'automne et printemps. Détente, plein air, musique, cordialité et bon goût.

Aux alentours: le fleuve et sa vie vous enchanteront, le jardin et la terrasse vous invitent à la détente.

Chambres: climatisées, accès Internet, cachet particulier, cachet d'autrefois, peignoir. **Lits:** simple, double, queen, king, d'appoint, pour bébé. **5 ch. S. de bain privée(s) ou partagée(s).**

Forfaits: charme, vélo, détente & santé, romantique, ski de fond, spectacle.

2 pers: B&B 90$ **1 pers:** B&B 70-80$.
Enfant (12 ans et −): B&B 30$
Réduction: long séjour.
Ouvert: à l'année.

A AV @ 🚲 **Certifié: 1995**

Lotbinière
Auberge La Romaine ✿ ✿ ✿

Gîte du Passant
certifié

Pierre Couture et Lise Provost
7406, rue Marie-Victorin
Lotbinière G0S 1S0
Tél. (418) 796-3317
www.giteetaubergedupassant.com/aubergelaromaine
auberge.la.romaine@globetrotter.net
De Québec, rte 132 ouest, 65 km. De Montréal, aut. 20 est,
sortie 253, rte 265 nord jusqu'à Deschaillons, rte 132 est.

Venez vous détendre dans notre magnifique maison victorienne datant de 1911 offrant 4 ch. avec salle de bain, vaste terrain paysagé avec vue sur le fleuve et piscine creusée. Goûtez nos petits-déjeuners accompagnés de jus frais, de confitures et terrines fait maison. Laissez-vous dorloter dans notre salle de soins au son du chant des oiseaux.

Aux alentours: Domaine Joly de Lotbinière, Moulin du Portage et sa salle de spectacles.

Chambres: climatisées, baignoire sur pattes, raffinées, meubles antiques, bois franc, vue sur fleuve. **Lits:** simple, queen. **4 ch. S. de bain privée(s).**

Forfaits: détente & santé.

2 pers: B&B 90$ **1 pers:** B&B 70$.
Enfant (12 ans et −): B&B 20$. MC VS
Réduction: hors saison, long séjour.
Ouvert: à l'année.

A ⬤ ⚓ 🚲 **Certifié: 2008**

Montmagny
Auberge Restaurant la Belle Époque ★ ★ ★

Auberge du Passant
certifiée

Carole Gagné et Lucien Dubé
100, rue Saint-Jean-Baptiste Est
Montmagny G5V 1K3
Tél. (418) 248-3373
Fax (418) 248-7957
www.epoque.qc.ca
info@epoque.qc.ca
Aut. 20 est, sortie 376 ou 378 dir. centre-ville ou rte panoramique 132. Sentiers de motoneige 75 et 55.

Récipiendaire du Grand Prix du Tourisme Régional 2007. Laissez-vous séduire par la table gourmande, raffinée et créative concocté par le Chef Lucien Dubé. Salle à manger avec foyer, magnifique terrasse, hébergement de charme. Plusieurs forfaits disponibles. Certifié "Bienvenue cyclistes !"^{MD} **Certifié Table aux Saveurs du Terroir**^{MD}. P. 127

Aux alentours: Grosse-Île, Isle-aux-Grues, golf, vélo, théâtre, musée, archipel de Montmagny.
Chambres: ensoleillées, cachet ancestral, meubles antiques, peignoir, romantiques, spacieuses, poutres. Lits: double, queen, king, divan-lit. **5 ch. S. de bain privée(s).**
Forfaits: charme, vélo, croisière, famille, gastronomie, golf, ski alpin, spectacle.
2 pers: B&B 127-157$ **PAM** 187-217$ **1 pers:** B&B 118-148$ **PAM** 157-187$.
Enfant (12 ans et —): B&B 10$. Taxes en sus. IT MC VS
Réduction: hors saison.
Ouvert: à l'année.

A ✕ **AV** 👶 **Certifié: 2000**

Saint-Anselme
Douces Évasions ✤ ✤ ✤ ✤

Gîte du Passant
certifié

Gabrielle Corriveau et Gérard Bilodeau
540, route Bégin (rte 277)
Saint-Anselme G0R 2N0
Tél. (418) 885-4533 (418) 882-6809
Fax (418) 885-9033
www.giteetaubergedupassant.com/doucesevasions
gabycor@videotron.ca
20 min de Québec. Aut. 20, sortie 325 sud dir. Lac Etchemin, à l'entrée Saint-Anselme à droite, maison toiture de tuiles rouges.

Aux portes de la Beauce, un endroit de rêve décoré en vue d'assurer bonheur, confort, évasion et détente. Boudoirs, salon, foyer, bain tourbillon, etc. Amoureux du plein air : foyer extérieur, piscine chauffée, patio, terrasse, arbres, jardin d'eau et de fleurs, verrière. Séjourner à Douces Évasions est énergisant et enrichissant.

Aux alentours: golf, piste cyclable de 74 km, natation, descente de rivière en canoë, marche, théâtre d'été, ski, raquette, etc.
Chambres: climatisées, baignoire à remous, baignoire sur pattes, accès Internet, raffinées, peignoir. Lits: double. **4 ch. S. de bain partagée(s).**
Forfaits: vélo, golf, motoneige, ski alpin, ski de fond, autres.
2 pers: B&B 75-80$ **1 pers:** B&B 55-60$.
Enfant (12 ans et —): B&B 15$
Ouvert: à l'année.

@ **Certifié: 1997**

Saint-Georges-de-Beauce
Maison Vinot Gîte et Restaurant ✤ ✤ ✤

Gîte du Passant
certifié

Résidence bourgeoise construite en 1927, la Maison Vinot allie le confort de la modernité au charme des grandes maisons du siècle dernier. Elle est située au cœur de la métropole régionale, à proximité de tous les services, à deux pas de la piste cyclable et des sentiers pédestres qui traversent la rivière Chaudière. Séjour de rêve! Certifié "Bienvenue cyclistes !"^{MD} **Certifié Table aux Saveurs du Terroir**^{MD}. P. 128.

Philippe Vinot
11525, 2e Avenue
Saint-Georges-de-Beauce G5Y 1W8
Tél. (418) 227-5909 1-888-227-5909
Fax (418) 227-5935
www.maisonvinot.com
restogite@maisonvinot.com
De Québec, aut. 73 sud puis rte 173 sud dir. St-Georges. Coin 2e Avenue et 115e Rue.

Aux alentours: golf, théâtre d'été, salle de spectacles, parc des Sept-Chutes, piste cyclable, sentiers pédestres, patinoire, tennis.
Chambres: climatisées, bureau de travail, CD, accès Internet, meubles antiques, romantiques. Lits: double, queen. **4 ch. S. de bain partagée(s).**
Forfaits: charme, vélo, gastronomie, golf, romantique, spectacle, théâtre.
2 pers: B&B 75-85$ **1 pers:** B&B 60-70$. Taxes en sus. IT MC VS
Réduction: long séjour.
Ouvert: à l'année.

A ✕ @ 👶 **Certifié: 2008**

Saint-Jean-de-Brébeuf
À l'Aurore Boréale ✳ ✳ ✳

Auberge du Passant
certifiée

Denise Lavoie et Alain Tousignant
612, chemin Craig
Saint-Jean-de-Brébeuf G6G 0A1
Tél. (418) 453-3588
www.giteetaubergedupassant.com/alauroreboreale
alauroreboreale@sympatico.ca
Aut. 20, sortie 228, rte 165 sud dir. Thetford Mines, rte 216 est
à gauche, chemin Craig.

Notre gîte est situé sur le bord de la rivière Bullard. Venez relaxer au son de la rivière en été comme en hiver. Chambres douillettes avec leur salle de bain privée. Profitez également d'une bonne table sur réservation. Circuit historique des chemins Craig et Gosford, 1re diligence reliant Québec et Boston. Massage.

Aux alentours: venez découvrir le chemin des artisans sur deux fins de semaine, pendant la fête des couleurs.
Chambres: cachet champêtre, meubles antiques, peignoir, ventilateur, vue sur rivière.
Lits: double, queen. **4 ch. S. de bain privée(s).**
Forfaits: charme, vélo, croisière, golf.
2 pers: B&B 85$ **PAM** 150$ **1 pers:** B&B 70$ **PAM** 100$.
Enfant (12 ans et −): B&B 20$ **PAM** 45$. Taxes en sus. VS
Réduction: long séjour.
Ouvert: à l'année.

A ✕ **Certifié: 2007**

Saint-Jean-Port-Joli
Au Boisé Joli ✳ ✳

Gîte du Passant
certifié

Thierry Bessière
41, rue de Gaspé Est
Saint-Jean-Port-Joli G0R 3G0
Tél. / Fax (418) 598-6774
www.auboisejoli.com
auboise@globetrotter.qc.ca
Autoroute 20 est, sortie 414, route 204 nord, route 132 est.
Gîte 300 m après l'église du même côté de la route. Maison
blanche au toit rouge avec grand orme devant.

Authentique maison canadienne (1785) située en bordure du fleuve Saint-Laurent, Au Boisé Joli vous accueille chaleureusement au cœur de la capitale de la sculpture sur bois. Venez vous faire gâter dans un cadre antique et décontracté, reposez-vous dans une chambre spacieuse et douillette, dégustez un savoureux et copieux petit-déjeuner. Certifié "Bienvenue cyclistes !"[MD]

Aux alentours: restaurants, boutiques, galeries d'art, marina, parc des sculptures, musées, piste cyclable, théâtre, érablières, nage.
Chambres: accès Internet, ensoleillées, cachet ancestral, tranquillité assurée, spacieuses. **Lits:** simple, double, queen, d'appoint, pour bébé. **5 ch. S. de bain partagée(s).**
Forfaits: vélo, croisière, golf, détente & santé, régional, automne, autres.
2 pers: B&B 70-85$ **1 pers:** B&B 65-80$.
Enfant (12 ans et −): B&B 15$. Taxes en sus. IT MC VS
Ouvert: 1 mai - 31 oct.

A AV @ 🚲 **Certifié: 1994**

Saint-Julien
O'P'tits Oignons ✳ ✳ ✳

Gîte du Passant
certifié

Brigitte et Gérard Marti
917, chemin Gosford, route 216
Saint-Julien G0N 1B0
Tél. / Fax (418) 423-2512
www.optitsoignons.com
optitsoignons@globetrotter.net
Aut. 20, sortie 228 ou 253 dir. Thetford-Mines. Passé St-
Ferdinand, rte 216 O., 13 km. De Sherbrooke, rtes 112 E, à
Disraëli 263 N, 216 E, à 400 m à gauche, après le village.

Coup de Cœur du Public régional 2000 et 2006. Amis de la nature, notre gîte en bardeaux de cèdre de style cottage ancien vous attend au cœur des Appalaches. Calme, repos, vue, «ornithologie de fauteuil», promenade. Après un bon repas (sur demande), refaites le monde sur la terrasse ou devant le foyer. Faites-vous plaisir! Découvrez un gîte autrement!

Aux alentours: musées, théâtre d'été, randonnées: pédestres, cheval, traîneau à chiens, skis, raquettes, pêche.
Chambres: ensoleillées, tranquillité assurée, lumineuses, vue sur montagne, vue sur forêt. **Lits:** simple, double, queen. **3 ch. S. de bain privée(s) ou partagée(s).**
Forfaits: théâtre, été.
2 pers: B&B 68-78$ **PAM** 104-114$ **1 pers:** B&B 63-73$ **PAM** 81-91$
Réduction: long séjour.
Ouvert: à l'année.

✕ **Certifié: 1996**

Saint-Martin
La Maison Martin ❋ ❋ ❋ ❋

Gîte du Passant
certifié

Coup de Cœur du Public régional 2003. Maison de 1916 avec vue sur la rivière. Charme d'époque conservé, salon à l'étage, 2 salles à manger, l'une pouvant servir de salle de réunion. Aménagement personnalisé mariant la présence du passé et le confort moderne de la climatisation centrale. Le petit-déj. 4 «soleils» est un secret de l'hôtesse.

Aux alentours: circuits vélo et pédestre, moto-tourisme, musées, antiquaires, pistes VTT/motoneige, beaux jardins.

Chambres: climatisées, confort moderne, cachet ancestral, meubles antiques, peignoir, bois franc. Lits: double. **3 ch. S. de bain partagée(s).**

2 pers: B&B 65$ **1 pers:** B&B 50$. VS

Réduction: long séjour.

Ouvert: à l'année.

Violette Bolduc et Serge Thibault
116, 1re Avenue Est
Saint-Martin G0M 1B0
Tél. (418) 382-3482
Fax (418) 382-3484
www.giteetaubergedupassant.com/maisonmartin
st12@globetrotter.net
Rte 204 sud St-Martin Beauce, dir. Lac-Mégantic. Aut. 10, rtes 108 et 269. Aut. 73 sud.

A ● 🐾 Certifié: 2001

Saint-Prosper
Gîte la Potentille ❋ ❋ ❋

Gîte du Passant
certifié

Au centre de La Route des 2 Vallées, tout est à proximité. Au cœur de St-Prosper, l'imposante résidence 1912 offre un séjour inoubliable. Pains, confitures maison et produits d'érable confirment la réputation des déjeuners copieux au gîte. Trois chambres aménagées pour votre confort. On pense à tout. Salon, mini frigo, garage sécuritaire...

Aux alentours: Village des Défricheurs, Forêt légendaire, motoneige, quad & ski de fond, Nashville en Beauce, plage et glissades.

Chambres: climatisées, TV, balcon, personnalisées, cachet particulier, meubles antiques, bois franc. Lits: simple, double, queen, divan-lit, d'appoint, pour bébé. **3 ch. S. de bain partagée(s).**

Forfaits: vélo, golf, motoneige, détente & santé, ski de fond, théâtre, été, autres.

2 pers: B&B 65-75$ **1 pers:** B&B 45-50$.

Enfant (12 ans et −): B&B 10-15$. Taxes en sus. AM IT MC VS

Réduction: hors saison, long séjour.

Ouvert: à l'année.

Monique Roy
2715, 20e Avenue
Saint-Prosper G0M 1Y0
Tél. (418) 594-5377 1-888-909-5377
Fax (418) 594-6387
www.gitelapotentille.com
gitelapotentille@globetrotter.net
Aut 73 sud, sortie St-Joseph. Rte 276 est, à gauche. À St-Odilon, rte 275 sud à droite. Au croisement des rtes 275 et 204, à l'arrêt tout droit. Au «Y», 20e Ave à droite.

● 🐾 Certifié: 2008

Sainte-Marie
Niapisca ❋ ❋ ❋ ❋

Gîte du Passant
certifié

Gîte haut de gamme à 20 min de Québec. Vous profiterez d'une ambiance chaleureuse, toute de détente et de confort, de l'intimité d'une salle de séjour où vous sera servi un petit-déj. copieux et varié. Juste pour vous, une cuisine tout équipée pour un séjour autonome. L'air climatisé prédispose à reprendre la route pour Québec ou le Maine.

Aux alentours: aréna, golf, cabane à sucre, piste cyclable, motoneige, location de quad.

Chambres: climatisées, TV, couettes en duvet, tranquillité assurée, bois franc, entrée privée. Lits: simple, queen, king, d'appoint. **3 ch. S. de bain privée(s).**

Forfaits: vélo, théâtre.

2 pers: B&B 75-85$ **1 pers:** B&B 70-80$.

Enfant (12 ans et −): B&B 20$. MC VS

Réduction: hors saison, long séjour.

Ouvert: à l'année.

Lise Dufour et Réjean Lavoie
487, boul. Taschereau Sud
Sainte-Marie G6E 3H6
Tél. (418) 387-4656
Fax (418) 387-2454
www.niapisca.com
info@niapisca.com
De Québec, aut. 73 sud, sortie 91, route Carter, 4e rue à droite, 2 arrêts, 5e maison à gauche.

A AV @ 🐾 Certifié: 2001

L'Isle-aux-Grues, Saint-Antoine
Auberge des Dunes

Table aux Saveurs du Terroir
certifiée

Une salle à manger unique en son genre, située au 2e étage d'un bateau, avec vue panoramique sur les îles de l'archipel. Un panorama indescriptible sur le fleuve St-Laurent. Sa renommée lui vient des produits du terroir qu'on y déguste. Laissez-vous tenter par un séjour à notre auberge où 9 chambres confortables vous attendent. P. 122.

Spécialités : cuisse de canard, ragoût à l'oie, esturgeon fumé, assiette de fromages de l'île, fondue à l'érable et autres.
Menus : table d'hôte.
Nbr personnes : 2-100. Min. de pers. exigé varie selon les saisons.
Réservation : recommandée, requise pour groupe.
Table d'hôte : 30-39$/pers. Taxes en sus. IT MC VS
Ouvert : 15 juin - 15 sept. Horaire variable.

A ℰ **Certifié: 2008**

Johanne Vézina
118, Basse-ville
Saint-Antoine-de-l'Isle-aux-Grues, G0R 1P0
Tél. / Fax (418) 248-3096 Tél. (418) 248-0129
www.auberge-des-dunes.com
aubergedesdunes@hotmail.com
Aut. 20 est, sortie 376 dir. centre-ville, rte 132 (boul. Taché),
au feu de circulation à droite, 1 km, av. du Quai à gauche.
Prendre le traversier.

L'Islet, Saint-Eugène
Auberge des Glacis

Table aux Saveurs du Terroir
certifiée

L'Auberge des Glacis est un trésor niché au creux d'un vaste domaine, entre le fleuve et la montagne. Une page d'histoire de la Côte-du-Sud est gravée sur les murs de pierres de cet ancien moulin seigneurial, datant de 1840. P. 116, 123.

Spécialités : dans une salle à manger chaleureuse, découvrez les saveurs uniques de la table gourmande concoctée avec les produits d'ici.
Repas offerts : brunch, soir.
Menus : table d'hôte, gastronomique.
Nbr personnes : 2-45.
Réservation : recommandée, requise pour groupe.
Table d'hôte : 45-49$/pers. Taxes en sus. AM ER IT MC VS
Ouvert : à l'année.

A ℰ **Certifié: 2007**

Nancy Lemieux et André Anglehart
46, Route de la Tortue
L'Islet, G0R 1X0
Tél. (418) 247-7486 1-877-245-2247
Fax (418) 247-7182
www.aubergedesglacis.com
info@aubergedesglacis.com
Aut. 20 est, sortie 400 dir. St-Eugène-de-l'Islet à gauche, rang
Lamartine à gauche, rte de la Tortue à gauche.

Montmagny
Auberge Restaurant la Belle Époque

Table aux Saveurs du Terroir
certifiée

Récipiendaire du Grand Prix du Tourisme Régional 2007. Laissez-vous séduire par la table gourmande, raffinée et créative du Chef Lucien Dubé. Les produits du terroir sont en vedette tel que: assortiment de fromages, déclinaison de poisson boucané du Kamouraska, Omble chevalier de Rivière-au-Renard, magret de canard du lac Brome.... P. 124.

Spécialités : récipiendaire du Grand Prix du Tourisme Régional 2007. Laissez-vous séduire par la table gourmande du Chef Lucien Dubé.
Repas offerts : midi, soir.
Menus : à la carte, table d'hôte, gastronomique.
Réservation: recommandée, requise pour groupe.
Table d'hôte: 20-48$/pers. Taxes en sus. IT MC VS
Ouvert: à l'année. Horaire variable.

A AV ℰ **Certifié: 2007**

Carole Gagné et Lucien Dubé
100, rue Saint-Jean-Baptiste Est
Montmagny, G5V 1K3
Tél. (418) 248-3373
Fax (418) 248-7957
www.epoque.qc.ca
info@epoque.qc.ca
Aut. 20 est, sortie 376 ou 378 dir. centre-ville ou rte
panoramique 132. Sentiers de motoneige 75 et 55.

Saint-Georges-de-Beauce
Maison Vinot Gîte et Restaurant

Table aux Saveurs du Terroir
certifiée

Le restaurant peut recevoir une trentaine de convives dans la chaleur de notre maison offrant une cuisine d'inspiration préparée avec tout le respect des meilleurs produits locaux, de saison, ainsi qu'une large sélection de vins majoritairement d'importation privée et à prix raisonnable. Tombez, vous aussi, sous le charme de la Maison Vinot ! P. 124.

Spécialités : volailles de Saint-Honoré, Tomme des Joyeux Fromagers et chevreau de Saint-Ludger, bison de l'Île-d'Orléans, trio de plaisirs d'érable.
Repas offerts : midi, soir.
Menus : table d'hôte, gastronomique.
Nbr personnes : 1-30.
Réservation : requise.
Table d'hôte : 25$/pers. Taxes en sus. IT MC VS
Ouvert : à l'année. Mar au sam.

Philippe Vinot
11525, 2e Avenue
Saint-Georges-de-Beauce, G5Y 1W8
Tél. (418) 227-5909 1-888-227-5909
Fax (418) 227-5935
www.maisonvinot.com
restogite@maisonvinot.com
De Québec, aut. 73 sud puis rte 173 sud dir. St-Georges. Coin 2e Avenue et 115e Rue.

A ♿ **Certifié: 2008**

Saint-Jean-Port-Joli
Café la Coureuse des Grèves

Table aux Saveurs du Terroir
certifiée

Maison ancestrale rénovée et décorée par des artistes de la région. Le chef français Patrick Gonfond vous offre une cuisine régionale et familiale. Deux terrasses extérieures. Bar animé à l'étage. Ouverture 7 jours/semaine de 8h à 23h. Salle d'exposition. Pour y déguster un café ou se laisser séduire par un bon repas. Ouverture en 1978.

Spécialités : les menus varient au rythme des saisons. Des mets savoureux et colorés appréciés des adeptes de la cuisine réinventée.
Repas offerts : brunch, midi, soir.
Menus : à la carte, table d'hôte, gastronomique.
Nbr personnes : 1-75.
Réservation : recommandée, requise pour groupe.
Table d'hôte : 15-50$/pers. Taxes en sus. AM IT MC VS
Ouvert : à l'année. Tous les jours.

Johanne Pelletier
300, route de l'Église
Saint-Jean-Port-Joli, G0R 3G0
Tél. / Fax (418) 598-9111 Tél. (418) 598-9111
www.tablesetrelaisduterroir.com/lacoureusedesgreves
coureuse@globetrotter.net
Aut. 20 est, sortie 414 direction St-Jean-Port-Joli.

A ♿ **Certifié: 2008**

Scott
La Cache à Maxime

Table aux Saveurs du Terroir
certifiée

La Cache à Maxime est un vignoble mais aussi un complexe champêtre haut de gamme. Nous retrouvons une boutique d'artisanat des produits de Chaudière-Appalaches ainsi qu'un restaurant gastronomique où les produits de la région sont mis en valeur. P. 131.

Spécialités : Cuisine gastronomique faisant la mise en valeur des produits du terroir. Repas Table d'hôte servis le midi et le soir.
Repas offerts : brunch, midi, soir.
Menus : table d'hôte, gastronomique.
Nbr personnes : 1-150.
Réservation : recommandée, requise pour groupe.
Table d'hôte : 13-40$/pers. Taxes en sus. AM IT MC VS
Ouvert : à l'année. Tous les jours. Horaire variable.

Jean Grégoire et Renaud Racine
265, rue Drouin, C.P. 929
Scott, G0S 3G0
Tél. (418) 387-5060
Fax (418) 386-5868
www.lacacheamaxime.com
service@lacacheamaxime.com
Aut. 73 sud, sortie 101. Rte 173 nord, aut. 73 nord, sortie 101. Rte Kennedy, à droite, rue Drouin, à droite. 10km de Sainte-Marie, 43km de Québec, 56km de Lévis.

♿ **AV** ♿ **Certifié: 2008**

Vallée-Jonction
Le Saint-Vincent Café Bistro Restaurant

Table aux Saveurs du Terroir
certifiée

Maison ancestrale de 121 ans, cachet d'origine, vue panoramique sur la rivière Chaudière et les champs. Ambiance calme et détendue, meublées à l'ancienne, meubles antiques, poêle à bois fonctionnel et nourriture cuite sur le poêle, senteur du bois. Piano sur place, idéal pour familles et anniversaires ou souper romantique.

Spécialités : boeuf «angus», canard élevage, fruits de mer, pizza fine, volaille, saumon, steak, pâtes et desserts assortis.
Repas offerts : brunch, midi, soir.
Menus : à la carte, table d'hôte.
Nbr personnes : 1-75.
Réservation: recommandée.
Table d'hôte: 13-26$/pers. Taxes en sus. IT MC VS
Ouvert: à l'année. Mar au dim.

Julie Gilbert et Gilles Poulin
403, boul. M.J. Rousseau
Vallée-Jonction, G0S 3J0
Tél. / Fax (418) 253-6088
www.tablesetrelaisduterroir.com/saintvincent
juligilb@hotmail.com

Aut. 73 sud, sortie 81 dir. Vallée-Jonction à droite, au feu à gauche, 1er feu de circulation à droite, la 2e rue à gauche.

AV ♿ **Certifié:** 2008

Cap-Saint-Ignace
Cidrerie La Pomme du Saint-Laurent Inc.

Relais du Terroir & Ferme Découverte
certifiés

Cidrerie – Verger. Nous vous accueillons sur un site enchanteur avec vue sur le fleuve. Venez déguster nos différents cidres élaborés qu'a... des pommes de première qualité, tout comme pour notre jus de pomme naturel. Un kiosque champêtre permettra de vous approvisionner en pommes et en sous-produits. Visites guidées ou libres. À l'automne : autocueillette.

Produits: cidres tranquilles et de glace, jus de pomme, gelée, confiture, pommettes dans le sirop, sirop de pomme, vinaigre, moutarde, terrine.
Activités sur place: animation pour groupe scolaire, animation pour groupe, autocueillette, dégustation, visite libre.
Visite: gratuite, tarif de groupe. Taxes en sus. IT VS
Nbr personnes: 20-50.
Réservation: requise pour groupe.
Ouvert: à l'année. Tous les jours. 8h à 17h. Horaire variable.
Services: aire de pique-nique, vente de produits, dépliant explicatif ou panneaux français, stationnement pour autobus, emballages-cadeaux.

Suzanne Gagné
503, chemin Bellevue Ouest
Cap-Saint-Ignace, G0R 1H0
Tél. (418) 246-5957
www.tablesetrelaisduterroir.com/lapommedustlaurent
lapommedustlaurent@globetrotter.net
Aut. 20, sortie 388, sur le chemin du Petit Cap suivre direction sud. Sur le chemin Bellevue ouest, prendre à droite, 2 km.

AV Certifié: 2009

Saint-Apollinaire
Le Canard Goulu Inc.

Relais du Terroir & Ferme Découverte
certifiés

Ferme d'élevage. Entreprise artisanale, Le Canard Goulu se spécialise dans l'élevage, le gavage et la transformation du canard de Barbarie. Elle réalise et contrôle, avec éthique, toutes les étapes de production, du caneton âgé d'un jour à la vente et la distribution de produits de foie gras et de canard.

Produits: magret, confit de canard, rillettes, cassoulet, foie gras, plats mijotés, ainsi que certaines exclusivités.
Activités sur place: dégustation, visite libre, mini-ferme.
Visite: gratuite. IT
Ouvert: à l'année. Tous les jours.
Services: aire de pique-nique, vente de produits, dépliant explicatif ou panneaux français.

Marie-Josée Garneau et Sébastien Lesage
524, rang Bois Joly Ouest
Saint-Apollinaire, G0S 2E0
Tél. (418) 881-2729
Fax (418) 881-4186
www.canardgoulu.com
lecanardgoulu@globetrotter.net
Aut. 20, sortie 291. Suivre les panneaux bleus de signalisation touristique.

A Certifié: 2006

Saint-Charles-de-Bellechasse
Le Ricaneux

Relais du Terroir
certifié

Vignoble. Le Ricaneux est une ferme familiale spécialisée dans la production de petits fruits. Établie en 1988, c'est la plus ancienne et plus importante entreprise de fabrication artisanale de boissons alcoolisées de petits fruits au Québec. On y transforme fraise, framboise, casseille, sureau blanc, aronia noir, amélanchier...

Produits: Le Ricaneux produit des apéritifs et rosé mousseux de fraise et framboise, le Portageur, vin fortifié de type porto.
Activités sur place: animation pour groupe, dégustation, visite autoguidée, visite commentée français et anglais, sentier d'interprétation, observation des activités de transformation.
Visite: gratuite, tarif de groupe. IT MC VS
Réservation: requise pour groupe.
Ouvert: à l'année. Tous les jours. 10h à 18h. Horaire variable.
Services: aire de pique-nique, centre d'interprétation / musée, vente de produits, dépliant explicatif ou panneaux français et anglais, stationnement pour autobus, emballages-cadeaux.

Jacques McIsaac
5540, rang Sud-Est
Saint-Charles-de-Bellechasse, G0R 2T0
Tél. (418) 887-3789
www.ricaneux.com
info@ricaneux.com
Aut. 20 E., sortie 337 dir. St-Charles ou aut. 20 O., sortie 348 dir. La Durantaye ou rte 132 dir. St-Charles, suivre les panneaux bleus pour «Vin artisanal Le Ricaneux».

A AV Certifié: 2005

Scott
La Cache à Maxime

Relais du Terroir
certifié

Jean Grégoire et Renaud Racine
265, rue Drouin, C.P. 929
Scott, G0S 3G0
Tél. (418) 387-5060
Fax (418) 386-5868
www.lacacheamaxime.com
service@lacacheamaxime.com
Aut. 73 sud, sortie 101. Rte 173 nord, aut. 73 nord, sortie 101.
Rte Kennedy, à droite, rue Drouin, à droite. 10km de Sainte-
Marie, 43km de Québec, 56km de Lévis.

Vignoble. La Cache à Maxime est un magnifique centre agrotouristique où vous pourrez contempler, savourer et emporter à volonté. Tout d'abord un vignoble, la Cache est un complexe champêtre unique où l'histoire et la culture régionales sont omniprésentes. Choisissez La Cache pour un séjour exceptionnel où se côtoieront plaisir, détente et bien-être. P. 128.

Produits: Le rosé de Maxime, Le jarret noir rouge et blanc. Vendanges tardives rouge et blanc. Mousseux blanc et rosé.

Activités sur place: animation pour groupe, dégustation, visite libre, visite commentée français, visite de jardins, souper-spectacle.

Visite: adulte: 5$, enfant gratuit. AM IT MC VS

Nbr personnes: 2-50.

Réservation: recommandée, requise pour groupe.

Ouvert: à l'année. Tous les jours. 11h à 20h. Horaire variable.

Services: terrasse, bar-restaurant, vente de produits, salle de réception, réunion, stationnement pour autobus, emballages-cadeaux.

♿ ✗ AV ♿ Certifié: 2008

Patrick Escudero

Côte-Nord

Une grande séductrice qui fait rêver...

Si la Côte-Nord n'existait pas, il aurait fallu inventer cet extraordinaire paysage plus grand que nature! Plus qu'une région de barrages et de mines, ouvrez grands vos yeux, c'est une véritable panoplie de beautés naturelles.

Trésor de faune, de flore, d'îles, de plages et de forêts, la Côte-Nord se découvre en randonnée pédestre, en kayak de mer et en croisières. Il faut aussi s'arrêter dans les villes et villages côtiers qui parsèment la Route des Baleines le long du fleuve Saint-Laurent,. Pour saisir toute la démesure de la Côte-Nord, rendez-vous jusqu'à Natashquan, là où prend fin le réseau routier du Québec, comme si on était au bout du monde. Les magnifiques paysages ne s'arrêtent toutefois pas là... Par voie maritime ou en motoneige, parcourez la pittoresque Basse-Côte-Nord. De quoi rêver éveillé!

S'ajoutent à ces richesses l'Archipel-de-Mingan, l'île Anticosti et, partout dans la région, des gens colorés qui prennent plaisir à vous raconter leur pays. Si vous prenez la direction de la Côte-Nord, c'est aussi pour la fascination qu'exercent les plus beaux mammifères marins de la planète. La Côte-Nord est l'un des cinq meilleurs endroits au monde pour observer les baleines, présentes en grand nombre de juin à août.

Greg Henry / Istockphoto.com

Saveurs régionales

Évidemment, les produits de la mer sont à l'honneur et on peut les trouver frais de façon générale. L'une des choses qui frappent le plus les visiteurs est la rareté des fruits et des légumes frais. Ceci s'explique par l'éloignement de la région et son climat trop rude pour l'agriculture.

Toutefois, cela est largement compensé par l'abondance des bons produits frais des eaux froides du Saint–Laurent.

- Crevettes nordiques, pétoncles princesse, concombre de mer, mye crabe, Marctre de Stimpson abondent donc dans cette région de mer.
- Les couteaux de mer ou les buccins, moins traditionnels, sont aussi des bons mollusques à déguster.
- Outre la mer, il y aussi les forêts et leur généreux gibier à chasser. Souvent cuites avec du lard salé, les viandes sauvages font aussi partie du menu typique dans les foyers de la Côte-Nord.
- Plus méconnus, des petits fruits de saison agrémentent les saveurs de la région. De la catherinette, aux lingonnes et à L'Airelle du Nord, le plus populaire de ces petits fruits est la Chicoutai, aussi connue sous le nom de «plaque-bière». Ce n'est que dans la région de Duplessis que l'on déguste la Chicoutai, l'airelle du Nord. On en fait d'excellentes confitures, des pâtisseries et des boissons alcoolisées.

Imagine

Côte-Nord

Le saviez-vous?

La baleine à bosse est sans doute la plus acrobatique des baleines avec ses impressionnants bonds. Ses nageoires pectorales, qui peuvent atteindre 5 m de long, lui servent non pas à nager mais à changer de direction. Les baleines retiennent leur souffle longtemps, voire 120 minutes pour le cachalot. Fait étonnant, leurs poumons ne sont pas gros, ce qui les avantage, car la plongée en eaux profondes exerce une forte pression sur ceux-ci et sur leur cage thoracique. Elles emmagasinent donc l'air dans leurs muscles et leur sang, en plus d'économiser leur énergie en ralentissant leur rythme cardiaque et en abaissant leur température.

Clin d'oeil sur l'histoire

Point de convergence des Inuits et des nations amérindiennes depuis les temps immémoriaux, la Côte-Nord était également connue des Européens avant même la découverte du Canada par Jacques Cartier en 1534. Au XVIᵉ siècle, elle était fréquentée par les pêcheurs basques et bretons qui y faisaient, eux aussi, la chasse aux cétacés. La précieuse graisse de baleine, fondue sur place dans de grands fours, servait à la fabrication de chandelles et de pommades. À l'exploitation de la pêche et des fourrures, succède au XXᵉ siècle celle des forêts, de l'eau (projets hydroélectriques) et des mines (fer, titane).

Quoi voir? Quoi faire?

Tadoussac, l'une des plus belles baies au monde!

Au parc national du Saguenay, la Maison des Dunes et le centre d'interprétation « Le Béluga ».

Le centre d'interprétation Archéo-Topo, pour mieux connaître l'emblème du Canada, le castor (Bergeronnes).

Pour une plongée sous-marine interactive, le Centre de découverte du milieu marin (Les Escoumins).

À Baie-Comeau, Manic-2 et surtout Manic-5, le plus grand barrage à voûtes et contreforts au monde. Incroyable!

Goûtez au pain banique au Musée Amérindien et Inuit (Godbout).

Région témoin de plusieurs naufrages, le Musée Louis-Langlois vous en racontera l'un d'eux (Pointe-aux-Anglais).

Le Parc régional de l'archipel des Sept Îles, pour observer les petits pingouins, les guillemots à miroir et les marmettes.

À Longue-Pointe-de-Mingan et Havre-Saint-Pierre, faites une halte aux centres d'interprétation.

La Maison Johan-Beetz, un détour des plus sympathiques (Baie-Johan-Beetz).

Faites le plein de nature

Randonnée pédestre ou kayak de mer au Parc marin du Saguenay, remarquable atout du patrimoine naturel.

Au Banc de sable de Sainte-Anne-de-Portneuf et au Parc Nature de Pointe-aux-Outardes, observation d'oiseaux et de superbes plages.

Expédition aux baleines avec la Station de recherche des îles Mingan, expérience unique pour ceux qui n'ont pas peur du large (Longue-Pointe-de-Mingan).

La réserve faunique de Port-Cartier-Sept-Îles, d'une tranquillité inoubliable.

Pause revigorante à la Chute Manitou.

La réserve de parc national du Canada de l'Archipel-de-Mingan et ses spectaculaires monolithes et macareux!

Excursion dans l'arrière-pays et le site spectaculaire du Trait de scie.

Le Centre Boréal du Saint-Laurent est un parc d'aventure à découvrir en kayak de mer, bateau de croisière, randonnée ou vélo de montagne (Baie-Comeau)

L'île Anticosti et ses paysages somptueux de rivières, de canyons, de grottes et de forêts. Un petit bijou de nature!

Pour plus d'information sur la Côte-Nord : 1-888-463-5319 (Manicouagan).
1-888-463-0808 (Duplessis), www.tourismecote-nord.com

Côte-Nord

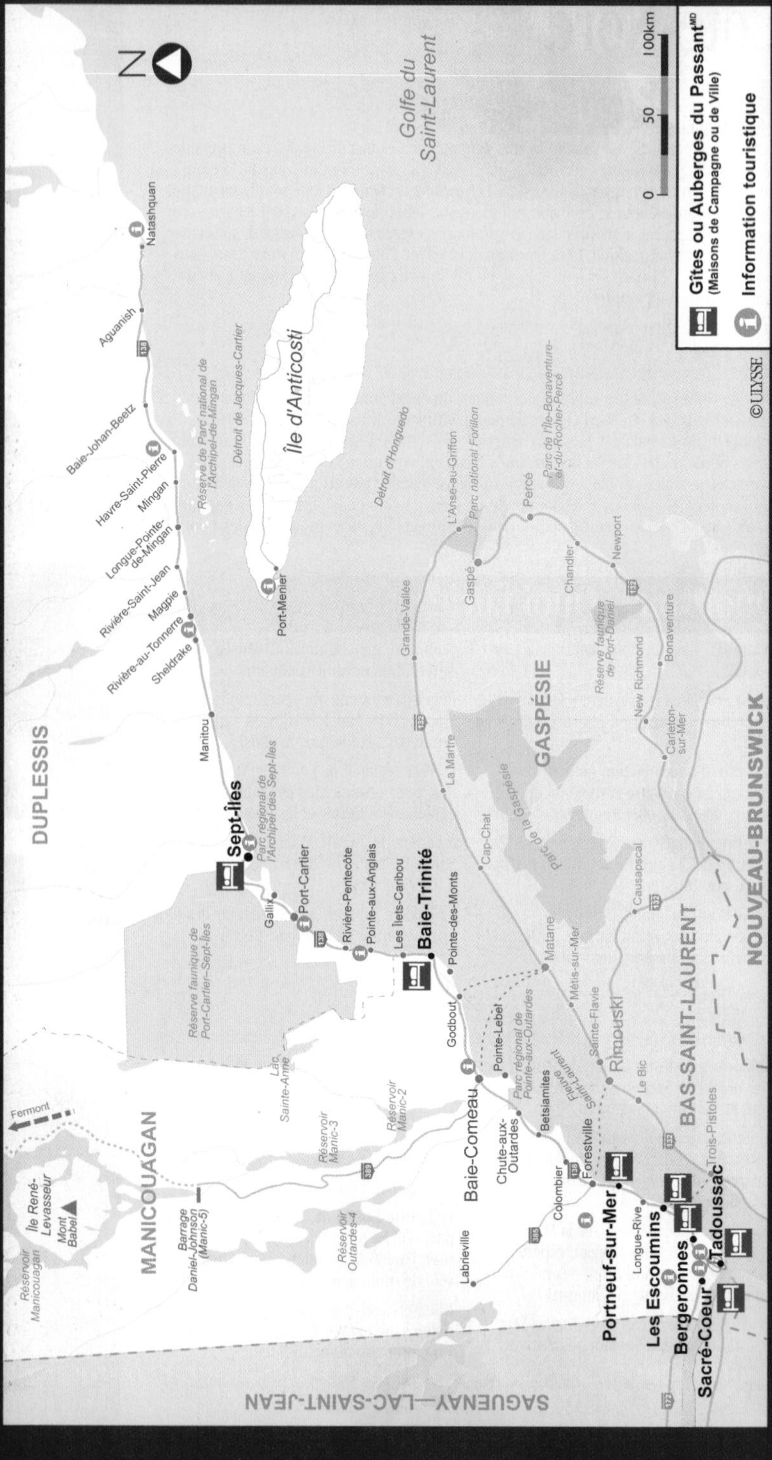

N

Gîtes ou Auberges du PassantMD
(Maisons de Campagne ou de Ville)

Information touristique

0   50   100km

© ULYSSE

Golfe du
Saint-Laurent

Natashquan

Aguanish

Baie-Johan-Beetz

Havre-Saint-Pierre

Mingan

Longue-Pointe-
de-Mingan

Rivière-Saint-Jean

Magpie

Rivière-au-Tonnerre

Sheldrake

Manitou

Sept-Îles

Galix

Port-Cartier

Rivière-Pentecôte

Pointe-aux-Anglais

Les Îlets-Caribou

Baie-Trinité

Pointe-des-Monts

Godbout

Pointe-Lebel

Baie-Comeau

Chute-aux-
Outardes

Betsiamites

Colombier

Forestville

Labrieville

Longue-Rive

Portneuf-sur-Mer

Les Escoumins

Bergeronnes

Sacré-Coeur **Tadoussac**

Réserve de Parc national de
l'Archipel-de-Mingan

Détroit de Jacques-Cartier

Île d'Anticosti

Détroit d'Honguedo

Port-Menier

L'Anse-au-Griffon

Parc national Forillon

Percé

Parc de l'Île-Bonaventure-
du-Rocher-Percé

Chandler

Newport

Gaspé

Grande-Vallée

Réserve faunique
de Port-Daniel

Bonaventure

New Richmond

Carleton-
sur-Mer

La Marre

GASPÉSIE

Cap-Chat

Matane

Métis-sur-Mer

Sainte-Flavie

Causapscal

Parc de la Gaspésie

NOUVEAU-BRUNSWICK

Le Bic

Rimouski

Trois-Pistoles

BAS-SAINT-LAURENT

DUPLESSIS

Parc régional de
l'Archipel des Sept-Îles

Réserve faunique de
Port-Cartier—Sept-Îles

Lac
Sainte-Anne

Réservoir
Manic-3

Réservoir
Manic-2

Parc régional de
Pointe-aux-Outardes

Fermont

Île René-
Levasseur

Mont
Babel

MANICOUAGAN

Réservoir
Manicouagan

Barrage
Daniel-Johnson
(Manic-5)

Réservoir
Outardes-4

SAGUENAY—LAC-SAINT-JEAN

Section publicitaire

Baie-Trinité
Le Gîte du Phare de Pointe-des-Monts

Auberge du Passant
certifiée

Jean-Louis Frenette et Eileen Yacyno
1937, chemin du Vieux Phare
Baie-Trinité G0H 1A0
Tél. (418) 939-2332 1-866-369-4083
www.pointe-des-monts.com
pointe-des-monts@globetrotter.net
De Québec ou du traversier Matane-Godbout, rte 138 est,
4 km avant Baie-Trinité, à l'entrée de la route de Pointe-des-
Monts à droite, 11 km sur l'asphalte jusqu'à la chapelle.

Sur une pointe forestière qui s'avance de 11 km dans le golfe du St-Laurent, une salle à manger, une boutique d'artisanat local et des chalets qui s'échelonnent sur 1,2 km de littoral privé. On aperçoit les baleines de la galerie! Restauration de fine cuisine surtout dédiée à la mer de la mi-juin à la fin août. Classifié Pourvoirie 4 étoiles. P. 136.

Aux alentours: musée du Vieux Phare 1830, chapelle historique, vélo, sentier patrimonial autochtone, ornithologie, petits fruits, etc.
Chambres: avec salle d'eau, TV, balcon, vue sur mer, vue sur fleuve, vue splendide, vue panoramique. **Lits:** simple, double. **12 ch. S. de bain privée(s).**
Forfaits: gastronomie, autres.
2 pers: B&B 85$ **1 pers:** B&B 73$.
Enfant (12 ans et −): B&B 12$. Taxes en sus. AM IT MC VS
Réduction: hors saison, long séjour.
Ouvert: 15 juin - 15 sept.

A ⚡ ✗ AV **Certifié: 1988**

Baie-Trinité
Le Gîte du Phare de Pointe-des-Monts ★ ★

Maison de Campagne
certifiée

Jean-Louis Frenette et Eileen Yacyno
1937, chemin du Vieux Phare
Baie-Trinité G0H 1A0
Tél. (418) 939-2332 1-866-369-4083
www.pointe-des-monts.com
pointe-des-monts@globetrotter.net
De Québec ou du traversier Matane-Godbout, rte 138 est,
4 km avant Baie-Trinité, à l'entrée de la route de Pointe-des-
Monts à droite, 11 km sur l'asphalte jusqu'à la chapelle.

Chalet situé directement au bord de la mer. On peut y apercevoir le souffle des baleines ou les sauts des dauphins et des phoques. Il offre la magie du bois rond avec 2 chambres à coucher et un divan-lit. Il est entièrement équipé au niveau literie, cuisinette, salle d'eau, TV, et plus. Site magnifique, tranquille et très sécuritaire. P. 136.

Aux alentours: Vieux Phare de Pointe-des-Monts à 1,5 km, chapelle historique, campement autochtone Ashini, restaurant, fruits de mer.
Maisons: TV, unité pour fumeur, tranquillité assurée, vue sur mer, vue sur fleuve, vue panoramique. **Lits:** double, divan-lit. **1 maison(s). 4 pers.**
SEM 685$ WE 275$ JR 142$. Taxes en sus. AM IT MC VS
Ouvert: 15 mai - 15 oct.

A ⚡ ✗ AV ⛵ **Certifié: 2008**

Baie-Trinité
Maison du Gardien ★ ★

Auberge du Passant
certifiée

Corp. du Phare Historique de Pointe-des-Monts
28, route 138
Baie-Trinité G0H 1A0
Tél. (418) 939-2231 #3 (418) 939-2400
Fax (418) 939-2616
www.giteetaubergedupassant.com/maisondugardien
baie-trinite.phare@globetrotter.net
Route 138 est. Surveiller les affiches avant Baie-Trinité.
Suivre la petite route sur 11 km pour accéder au vieux phare
et la Maison du Gardien.

Vieille maison du gardien bâtie en 1911 demeurée intacte pour les chambres. Construction de bois. Murs extérieurs et toiture en bardeaux de cèdre blanc et rouge. Salle à manger avec spécialités régionales (fruits de mer), ouverte 7 jours à compter de 18h. Visite du Phare Historique de Pointe-des-Monts.

Aux alentours: centre national des naufrages du Saint-Laurent à Baie-Trinité.
Chambres: cachet d'antan, cachet d'autrefois, tranquillité assurée, vue sur fleuve, vue splendide. **Lits:** simple, double. **4 ch. S. de bain partagée(s).**
Forfaits: vélo, gastronomie, plein air, autres.
2 pers: B&B 95$ **1 pers:** B&B 85$.
Enfant (12 ans et −): B&B 10$. Taxes en sus. IT VS
Ouvert: 15 juin - 15 sept.

A ✗ AV **Certifié: 2005**

Bergeronnes
Gîte du Centre du Mieux-Être ❄ ❄ ❄

Gîte du Passant
certifié

Eugène Gaudreault et Cécile Bélanger
81, route 138
Bergeronnes G0T 1G0
Tél. (418) 232-6359 1-866-288-1414
www.tourismemanicouagan.com/sites/centredumieuxetre
centredumieuxetre@msn.com
Rte 138 est dir. Tadoussac. Après le traversier, rte 138 est, 20 km. Suivre les indications.

Entre rivières et montagnes, le Gîte du Centre du Mieux-Être, reflète la tranquillité et le repos. Le spa vous est offert gratuitement pour vous permettre de relaxer. Nous vous offrons une gamme complète de soins de santé. Plusieurs forfaits disponibles. Offrez-vous une part de paradis! Certifié "Bienvenue cyclistes !"ᴹᴰ

Aux alentours: croisière, équitation, kayak, sentier pédestre, safari à l'ours noir.
Chambres: cachet champêtre, lumineuses, vue sur montagne, vue sur jardin. **Lits:** simple, double, queen. **4 ch. S. de bain partagée(s).**
Forfaits: croisière, détente & santé, romantique.
2 pers: B&B 70-80$ **1 pers:** B&B 70-80$.
Enfant (12 ans et –): B&B 10-30$. Taxes en sus. AM ER IT MC VS
Réduction: long séjour.
Ouvert: à l'année.

🅰 ● 🚲 AV @ Certifié: 2007

Bergeronnes
La Bergeronnette inc. ★★

Auberge du Passant
certifiée

Anne Roberge et Daniel Brochu
65, rue Principale
Bergeronnes G0T 1G0
Tél. (418) 232-6642 1-877-232-6605
Fax (418) 232-1285
www.bergeronnette.com
info@bergeronnette.com
Rte 138 est, à 22 km de Tadoussac.

Charmante et colorée petite auberge aux airs classiques et jazzés, située au cœur des Bergeronnes. Observation des mammifères marins du rivage, excursion aux baleines en zodiac, kayak, cyclisme. Buffet et table d'hôte de gibiers et fruits de mer. Forfaits disponibles. Au plaisir de vous rencontrer.

Aux alentours: excursion aux baleines, cyclisme, marche, théâtre, expédition en kayak de mer, golf.
Chambres: certaines climatisées, avec lavabo, ventilateur, couettes et oreillers en duvet. **Lits:** double. **4 ch. S. de bain partagée(s).**
Forfaits: croisière.
2 pers: B&B 70$ PAM 110$ **1 pers:** B&B 60$ PAM 80$. Taxes en sus. IT MC VS
Ouvert: 15 juin - 15 oct.

🅰 ● ✗ AV @ Certifié: 2007

Bergeronnes
La P'tite Baleine ❄ ❄ ❄

Gîte du Passant
certifié

Geneviève Ross
50, rue Principale
Bergeronnes G0T 1G0
Tél. (418) 232-6756 (418) 232-2000
Fax (418) 232-2001
www.giteetaubergedupassant.com/baleine
nross@notarius.net
Place de l'église, au centre du village.

De sa véranda centenaire, Petite Baleine berce et cause. Un sourire s'ouvre et invite. De pièce en pièce, l'âme respire les parfums d'hier. Nostalgique, un piano noir. Au lit, une catalogne pour rêve! La nappe effleure le cristal et joue la coquette au bal des confitures où trône la chicouté. Ô «Cendrillon du Nord», tu charmes nos matins d'ici. P. 138.

Aux alentours: Cap-de-Bon-Désir, école de la mer, musée, sentier Morillon, croisières baleines, observation ours et oiseaux, théâtre.
Chambres: certaines avec lavabo, ensoleillées, cachet ancestral, meubles antiques, suite. **5 ch. S. de bain partagée(s).**
2 pers: B&B 80$ **1 pers:** B&B 70$.
Enfant (12 ans et –): B&B 25$
Ouvert: à l'année.

AV Certifié: 1997

En Haute-Côte-Nord...

La P'tite Baleine
Bergeronnes

AGRICOTOURS
2001
PRIX EXCELLENCE
RÉGIONAL
COUP DE CŒUR DU PUBLIC

Un accueil aux couleurs des saisons boréales

Photos Le Cyclope

(418) 232-6756
www.giteetaubergedupassant.com/baleine

Les Escoumins
Auberge de la Baie ★★★

«Une étape dans la découverte de la Côte-Nord...» Relais accueillant, confortable et personnalisé. Bons lits, bonne table. Service sur mesure pour découvrir: fleuve et baleines, rivière et saumon, lacs et truites. C'est un rendez-vous pour de belles plongées sous-marines! Excursion aux baleines et plus! Pour motoneigistes, proximité de la T.Q. 3! P. 135.

Aux alentours: baleines, kayak de mer, plongée sous-marine, motoneige, promenade, vélo, etc.

Chambres: certaines climatisées, accès Internet, personnalisées, cachet particulier, ventilateur. **Lits:** simple, double, queen. **12 ch. S. de bain privée(s).**

Forfaits: vélo, croisière, famille, motoneige, plein air, été, hiver, autres.

2 pers: B&B 95-110$ **1 pers:** B&B 75-95$.

Enfant (12 ans et –): B&B 0-15$. Taxes en sus. IT MC VS

Ouvert: à l'année. **Fermé:** 15 oct - 15 nov.

A ✕ AV @ **Certifié: 1996**

Esther Gagné
267, route 138, C.P. 3035
Les Escoumins G0T 1K0
Tél. (418) 233-2010
Fax (418) 233-3378
www.aubergedelabaie.com
aubergedelabaie@bellnet.ca

Rte 138 est, aux Escoumins, l'auberge est face à la baie des Escoumins. Distance de 1,5 km entre l'auberge et le quai du traversier Trois-Pistoles (du 15/05 au 15/10).

Portneuf-sur-Mer
La Maison Fleurie ☀ ☀

Coup de Cœur du Public régional 2002. Aller chez Thérèse, c'est comme visiter une bonne amie de la Côte-Nord qui écrit, fait du théâtre et de la photo. Crêpes, confitures et fous rires vous attendent dans cette maison centenaire au passé coloré du temps du cinéma et de l'épicerie. Bienvenue dans ce pays grand comme le vent, la mer et la forêt.

Aux alentours: observations d'oiseaux et des kilomètres de plage.

Chambres: personnalisées, originales, vue sur fleuve. **Lits:** simple, double. **3 ch. S. de bain partagée(s).**

2 pers: B&B 55$ **1 pers:** B&B 45$.

Enfant (12 ans et –): B&B 15$

Ouvert: à l'année.

@ **Certifié: 1989**

Thérèse Fournier
193, route 138, C.P. 40
Portneuf-sur-Mer G0T 1P0
Tél. (418) 238-2153
www.giteetaubergedupassant.com/maisonfleurie
lamaisonfleurie@hotmail.com

Rte 138 E, 288 km de Québec. Prendre la 2e sortie, 4e maison après l'église côté est. 84 km de Tadoussac. Traversiers: 17 km de Forestville, 135 km de Baie-Comeau et 189 km.

Sacré-Cœur
Centre de Vacances Ferme 5 Étoiles ☀ ☀

Érablière – Ferme d'élevage. Notre site avec son milieu naturel, ses vastes espaces avec accès au fjord du Saguenay et ses nombreux animaux offre à nos visiteurs un contact unique avec la nature. Vous tomberez sous le charme de nos chambres de style champêtre et vous succomberez à notre cuisine maison à saveur régionale. Activités 4 saisons offertes sur place. P. 142.

Aux alentours: Safari à l'ours, observation des bélugas, pêche au saumon, croisières aux baleines, musées, golf, sentiers pédestres...

Chambres: certaines avec lavabo, cachet champêtre, lumineuses, chambre familiale. **Lits:** simple, double. **4 ch. S. de bain partagée(s).**

Forfaits: à la ferme, croisière, famille, motoneige, plein air, été, hiver, autres.

2 pers: B&B 70-90$ **PAM** 129-149$ **1 pers:** B&B 65-75$ **PAM** 82-89$. Taxes en sus. AM IT MC VS

Ouvert: à l'année.

A ✕ AV ⛵ @ ❄ **Certifié: 1991**

Stéphanie Deschênes et Yanick Morin
465, route 172 Nord
Sacré-Cœur G0T 1Y0
Tél. (418) 236-4833 1-877-236-4551
Fax (418) 236-1404
www.ferme5etoiles.com
info@ferme5etoiles.com

De Tadoussac, dir. Chicoutimi. 17 km de l'intersection des rtes 138-172 et 6 km de l'église. De Chicoutimi-Nord, rte 172 sud à droite, 60 m avant la halte routière.

Sept-Îles
Gîte et Chalets de l'Étale ✲ ✲ ✲

Gîte du Passant
certifié

Construit en 2005, le Gîte de l'Étale est situé à 7 km de Sept-Îles, près de la mer. Des chambres insonorisées, une vue sur la mer et un décor accueillant et chaleureux attendent les fervents du calme et du grand air. Le déjeuner, offert à la salle de séjour réservée à la clientèle, met à l'honneur les produits régionaux, dont la chicoutai. P. 140.

Aux alentours: aéroport, parc récréatif, piste cyclable, plage sablonneuse, rivière à saumon, dépanneur.
Chambres: avec lavabo, bureau de travail, téléphone, TV, accès Internet, balcon, insonorisées. **Lits:** double. **3 ch. S. de bain partagée(s).**
Forfaits: croisière, spectacle, théâtre.
2 pers: B&B 69-79$ **1 pers:** B&B 69-79$. Taxes en sus. MC VS
Réduction: hors saison, long séjour.
Ouvert: à l'année.

A AV @ Certifié: 2007

Barbara Morneau et Mario Sévigny
745, rue de la Rive
Sept-Îles G4R 0C9
Tél. (418) 962-1777 (418) 961-8010
Fax (418) 961-2019
www.giteletale.com
giteletale@cgocable.ca
Rte 138 est, à 7 km de Sept-Îles, 2 km de l'aéroport, plage Ferguson à droite, 0,5 km.

Sept-Îles
Gîte et Chalets de l'Étale ★ ★

Maison de Campagne
certifiée

Situés à 7 km de Sept-Îles, les Chalets de l'Étale offrent un accès direct à la mer et à ses longues plages sablonneuses. Ces petites résidences, pourvues d'une décoration thématique, inspirent à la détente. Autonomes et confortables avec tout l'équipement nécessaire pour la cuisine, balcon privé face à la mer, poêle BBQ. P. 140.

Aux alentours: aéroport, parc récréatif, piste cyclable, plage sablonneuse, rivière à saumon, dépanneur.
Maisons: téléphone, TV, accès Internet, couettes en duvet, tranquillité assurée, terrasse. **Lits:** double, divan-lit. **3 maison(s). 3 ch. 3-12 pers.**
Forfaits: croisière, spectacle, théâtre.
SEM 545-595$ **JR** 99-109$. Taxes en sus. MC VS
Réduction: hors saison, long séjour.
Ouvert: à l'année.

A 🐾 AV @ Certifié: 2007

Barbara Morneau et Mario Sévigny
745, rue de la Rive
Sept-Îles G4R 0C9
Tél. (418) 962-1777 (418) 961-8010
Fax (418) 961-2019
www.giteletale.com
giteletale@cgocable.ca
Rte 138 est, à 7 km de Sept-Îles, 2 km de l'aéroport, plage Ferguson à droite, 0,5 km.

Tadoussac
À la Maison Hovington ✲ ✲ ✲ ✲

Gîte du Passant
certifié

Située dans une des plus belles baies au monde, vous serez charmés par cette chaleureuse maison tout en bois construite en 1865. Confort douillet, commodités répondant aux besoins actuels, vue imprenable, fjord et fleuve. Petits-déj. copieux aux saveurs du terroir. Forfaits baleines et fjord. Rapport qualité/prix excellent. À proximité de tout. Certifié "Bienvenue cyclistes !"^{MD} Auberge Maison Gauthier et les Suites de l'Anse, p. 135, 141.

Aux alentours: croisières, golf, tennis, randonnée, kayak, natation, safari à l'ours et vélo.
Chambres: foyer, personnalisées, cachet ancestral, bois franc, vue sur fleuve, vue sur lac. **Lits:** simple, double, queen, king. **5 ch. S. de bain privée(s).**
Forfaits: vélo, croisière, golf, été.
2 pers: B&B 95-120$ **1 pers:** B&B 85-100$.
Enfant (12 ans et –): B&B 25$. Taxes en sus. IT MC VS
Ouvert: 1 mai - 31 oct.

A ● AV ♿ Certifié: 1990

Lise et Paulin Hovington
285, rue des Pionniers
Tadoussac G0T 2A0
Tél. (418) 235-4466 (514) 913-4525
Fax (418) 235-4897
www.maisonhovington.com
paulinhovington@hotmail.com
Rte 138 Est dir. Tadoussac, à la sortie du traversier, 1re rue à droite, rue des Pionniers, 285.

Tadoussac
Auberge Maison Gauthier et les Suites de l'Anse ★ ★

Lise et Paulin Hovington
159, rue du Bateau-Passeur
Tadoussac G0T 2A0
Tél. (418) 235-4525 (514) 913-4525
Fax (418) 235-4897
www.maisongauthier.com
paulinhovington@hotmail.com
Rte 138 est dir. Tadoussac, à la sortie du traversier, 250 m
à gauche.

Au cœur du village de Tadoussac, la Maison Gauthier et son annexe Les Suites de l'Anse marient l'ancien et le nouveau. Située à proximité de la rivière Saguenay et sur les rives du lac, cette auberge vous offre charme, confort et commodités. Copieux petits-déj. buffet aux saveurs de la région. Idéal pour famille. Prix exceptionnel hors saison. Certifié "Bienvenue cyclistes !"ᴹᴰ À la Maison Hovington, p. 135, 140.

Aux alentours: croisières, golf, tennis, randonnée pédestre, lac, natation.
Chambres: TV, accès Internet, décoration thématique, ventilateur, vue sur montagne, vue sur lac. **Lits:** double, queen, divan-lit, d'appoint. **21 ch. S. de bain privée(s).**
Forfaits: vélo, croisière, golf, été, autres.
2 pers: B&B 95-140$ **1 pers:** B&B 85-120$.
Enfant (12 ans et –): B&B 20$. Taxes en sus. IT MC VS
Réduction: hors saison.
Ouvert: 15 mai - 20 oct.

A 🚴 **AV** 🚣 **@** ♿ **Certifié: 1990**

Tadoussac
Gîte au Vieux Pommier ❀ ❀ ❀

Linda Harvey
247, rue des Forgerons
Tadoussac G0T 2A0
Tél. (418) 235-4528
Fax (418) 235-1143
www.auvieuxpommier.com
vieuxpommiers@hotmail.com
Rte 138 est, 2h30 de Québec. À Baie-Sainte-Catherine,
traversier gratuit 10 min. À la sortie, 1ʳᵉ rue, des Pionniers à
droite et rue des Forgerons à gauche.

Venez relaxer dans une maison ancestrale au décor chaleureux qui a su conserver son authenticité. Située au cœur du village, la grande galerie au 2e étage offre une vue panoramique du fleuve Saint-Laurent et de l'embouchure du fjord. Accueil chaleureux. Délicieux petit-déjeuner.

Aux alentours: croisières aux baleines et fjord, kayak, safari ours, golf, tennis, baignade, randonnée pédestre.
Chambres: accès Internet, cachet ancestral, meubles antiques, vue panoramique. **Lits:** simple, double. **5 ch. S. de bain partagée(s).**
Forfaits: croisière, golf.
2 pers: B&B 87-107$ **1 pers:** B&B 72-97$.
Enfant (12 ans et –): B&B 25$. Taxes en sus. AM MC VS
Réduction: hors saison, long séjour.
Ouvert: 1 mai - 15 oct.

A AV **@** ♿ **Certifié: 2007**

Tadoussac
La Maison Harvey-Lessard ❀ ❀ ❀ ❀

Sabine Lessard et Luc Harvey
16, rue Bellevue
Tadoussac G0T 2A0
Tél. (418) 235-4802 (418) 580-4502
Fax (418) 235-8495
www.harveylessard.com
info@harveylessard.com
Du traversier, rte 138, 1 km. Au milieu de la côte, sous
panneaux signalisation, rue des Forgerons à gauche, rues de
la Montagne et Bellevue. Surveillez enseigne de la maison.

«Sûrement la plus belle vue sur Tadoussac» (selon un guide reconnu). Au sommet du village, vue panoramique sur fleuve, fjord, lac, montagnes, jardin de fleurs. Accueil chaleureux. Intimité assurée. Suite luxueuse, lit King, bain thérapeutique. Séance d'infos. Forfaits (baleines et fjord). Petit-déj. remarquable. Rapport qualité/prix exceptionnel.

Aux alentours: conseils sur les forfaits croisières aux baleines et fjord et forfait fidélité. Menus des restos disponibles sur place.
Chambres: certaines climatisées, accès Internet, balcon, insonorisées, suite, vue panoramique. **Lits:** queen, king, divan-lit. **4 ch. S. de bain privée(s).**
Forfaits: croisière, autres.
2 pers: B&B 89-179$ **1 pers:** B&B 85-169$.
Enfant (12 ans et –): B&B 25$. Taxes en sus.
Réduction: hors saison.
Ouvert: 1 mai - 30 oct.

A **@** ♿ **Certifié: 1996**

Sacré-Cœur
Centre de Vacances Ferme 5 Étoiles

Gîte du Passant à la Ferme
certifié

465, route 172 Nord, Sacré-Cœur
Tél. (418) 236-4833 1-877-236-4551
www.ferme5etoiles.com
info@ferme5etoiles.com

Érablière – Ferme d'élevage. Observez plus de 32 espèces d'animaux se baladant librement dans leur parc (orignal, loups arctiques, bisons, chevreuils, chevaux...). Nous lançons une invitation spéciale à tous les gens désireux de nourrir les animaux et participez à la cueillette des oeufs le matin. P. 139.

Activités: animation pour groupe, animation pour enfant, dégustation, visite autoguidée, visite commentée français et anglais, mini-ferme, randonnée pédestre, randonnée en traîneau ou voiture à cheval, randonnée en traîneau à chiens, pêche, raquettes, ski de fond, kayak, canot, aire de jeux, méchoui, participation aux activités à la ferme, participation aux récoltes, soin des animaux, autres.

Services: aire de pique-nique, vente de produits, dépliant explicatif ou panneaux français, salle de réception, réunion, stationnement pour autobus, remise pour vélo, location de vélo à proximité, location de voiture à proximité, vélos disponibles, autres.

Gîtes et Auberges du Passant^{MD}
Maisons de Campagne et de Ville

Gaspésie

Mythique, grandiose et spectaculaire!

Cliché tout cela? Pourtant c'est insuffisant, car la Gaspésie est vraiment d'une inlassable beauté. La mer, les falaises, les forêts, les montagnes et les hauts sommets bousculent le paysage de façon saisissante.

Que l'on parle des sublimes et sauvages parcs nationaux (Gaspésie, Forillon, Miguasha), des plus hautes montagnes québécoises à couper le souffle (les monts Jacques-Cartier et Albert), de l'une des plus belles baies au monde (la baie des Chaleurs), de l'envoûtant rocher Percé, de la mystérieuse île Bonaventure, de la séduisante vallée de la Matapédia, des pittoresques paysages et villages de l'arrière-pays et de la côte ou des multiples splendeurs qui ceinturent la péninsule... voyez par vous-même, la Gaspésie mérite plus que d'en faire seulement le «tour». Découvrez-la en profondeur!

Dès votre première excursion, vous serez attaché à ce «bout du monde» où l'air est salin et la mer est ensorcellante. Elle vous ira droit au cœur et vous voudrez y retourner. Alors, sortez des sentiers battus et osez son hiver! Le Québec est un pays nordique et la Gaspésie en est son joyau. C'est donc sous la neige que les contrastes scintillants de la côte, du ciel et de la mer sont les plus impressionnants. Imaginez, le bonheur à ski, en raquettes, en motoneige...

Surtout, ne faites pas que visiter la Gaspésie... Partagez l'intimité de cet «entre mer et terre» avec les Gaspésiens et «piquez une jasette» avec ces gens attachants. Vous y découvrirez la vraie Gaspésie.

Patrick Escudero

Saveurs régionales

La Gaspésie tire ses saveurs de la mer, mais elle a aussi son terroir agricole.

- On n'a qu'à penser aux petits pois de Cap-d'Espoir ou aux pommes, poires et cerises de la péninsule, qu'un mûrissement tardif rend délicieux.

- L'élevage de cervidés et la culture maraîchère se développent également: à Saint-Simon, on trouve un brocoli des plus croquants.

- Dans la vallée de la Matapédia, la cueillette des «têtes de violon» (jeunes pousses de fougères) est fort populaire au printemps. Servies en accompagnement du saumon ou de la truite, elles font le délice des Matapédiens.

- Fromages, herbes salées, framboises, miel: d'autres produits à savourer.

- Bien entendu, le homard, la morue et le hareng sont à l'honneur. Vous trouverez aussi de nombreux fumoirs.

- Et la crevette de Matane, direz-vous? Cette crevette nordique qui ne remonte pourtant pas le fleuve jusqu'à Matane est pêchée au large de la péninsule. Le nom de la ville lui a été accolé parce que c'est à Matane que s'est installée la première usine de transformation des crevettes. Vous aurez tout de même le plaisir de la déguster partout dans la région.

Produits du terroir à découvrir et déguster

- Auberge de la Pente Abrupte, Relais du Terroir[MD] & Ferme Découverte certifiés, Sainte-Paule. P. 169

Patrick Escudero

La région compte huit (8) Tables aux Saveurs du Terroir[MD] certifiées. Une façon originale de découvrir toutes ces saveurs. P. 166

La Maison William Wakeham

Gaspésie

Patrick Escudero

Le saviez-vous?

La plus importante colonie de fous de Bassan en Amérique du Nord niche sur l'île Bonaventure. Il faut voir ces 120 000 volatiles former un immense tapis blanc sur les crêtes de l'île. Les couples restent unis pendant des années et, à chacun de leurs retours sur l'île, reprennent leur nid pour couver conjointement leur progéniture. En plongeant vertigineusement sur sa proie aquatique, le fou de Bassan peut faire gicler une gerbe d'écume de 3 m de hauteur. Heureusement, un réseau de petites poches d'air sous sa peau amortit le choc. Grâce aux courants d'air formés à la crête des vagues, cet acrobate de l'air peut voler pendant de longues heures en ne donnant que quelques coups d'ailes.

Clin d'oeil sur l'histoire

Patrick Escudero

C'est en Gaspésie que Jacques Cartier planta la croix de prise de possession du Canada au nom du roi de la France en 1534. Si la Gaspésie est le berceau de l'histoire de la Nouvelle-France, elle marque aussi le début de sa fin lors de la conquête de la Grande-Bretagne. Brillant le général Wolfe! À qui le dites-vous. En 1758, suivant un plan de combat bien établi, il débarque à Gaspé. Un peu plus de 15 jours lui suffisent pour ravager la côte gaspésienne et la vider de ses occupants. Ses arrières ainsi protégées, il pourra poursuivre son avancée. Une année plus tard, il prendra la ville de Québec.

Quoi voir? Quoi faire?

Les Jardins de Métis (Grand Métis), 8e merveille du monde! Une splendeur le long du littoral.

Le Centre d'interprétation de la Baie-des-Capucins, seul marais salé du côté nord de la péninsule (Cap-Chat).

Le Centre d'interprétation de l'Énergie éolienne Éole et son éolienne de 110 m, la plus haute au monde (Cap-Chat).

Exploramer, Sainte-Anne-des-Monts, lieu de découvertes du milieu marin.

La mine d'agates à ciel ouvert du Mont-Lyall (Réserve faunique des Chic-Chocs).

Mont-Saint-Pierre, la capitale du vol libre de tout l'est du Canada.

Le village en chanson de Petite-Vallée et son populaire festival (fin juin à début juillet).

À marée basse, le rocher Percé se dresse à 86 m. Sans oublier l'île Bonaventure!

Le Magasin Général Historique Authentique 1928 de l'Anse-à-Beaufils.

L'ÉCONOMUSÉE® du salage et séchage de la morue (Sainte-Thérèse-de-Gaspé).

Le site historique du Banc-de-pêche-de-Paspébiac.

Le Bioparc de la Gaspésie et la Grotte de Saint-Elzéar (Bonaventure).

Le village gaspésien d'héritage britannique de New Richmond et les plages de Carleton.

Philippe Renault

Faites le plein de nature

Parc national de la Gaspésie avec 25 des 40 plus hauts sommets du Québec.

Le mont Jacques-Cartier (1268 m) et mont Albert (1154 m), ravissants autant pour le randonneur expert que pour le novice.

Le sentier du mont Olivine (mont Albert) et sa vue spectaculaire sur les Chic-Chocs.

Observation des caribous aux monts Jacques-Cartier, McGerrigle et Albert.

Le Parc national du Canada Forillon et la fin de la longue chaîne des Appalaches (Gaspé).

Le Parc national de Miguasha, sanctuaire paléontologique sur la liste du patrimoine mondial de l'UNESCO.

La Réserve faunique des Chic-Chocs et ses paysages saisissants (Cap-Chat-Est).

La réserve faunique de Matane et ses nombreux orignaux remarquables.

La Réserve faunique de Port-Daniel, petit coin de paradis méconnu.

Le belvédère de Matapédia: une incroyable vue sur les rivières à saumon Ristigouche et Matapédia, reconnues mondialement.

Patrick Escudero

Pour plus d'information sur la Gaspésie : 1-800-463-0323
www.tourisme-gaspesie.com

Gaspésie

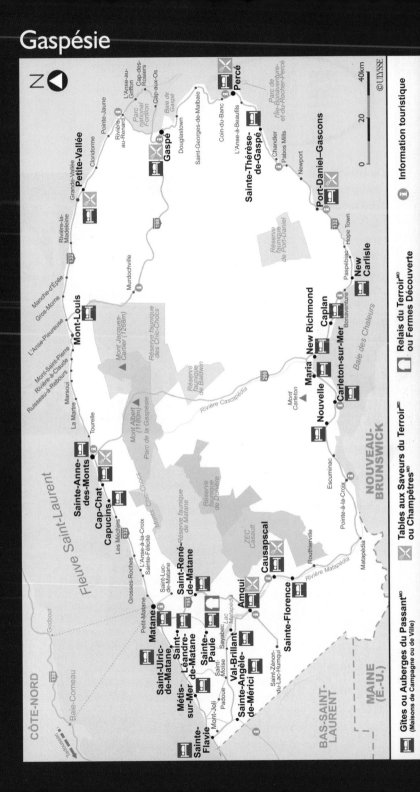

Percé
Au Presbytère
Michel Boudreau
47, rue de l'Église, C.P. 178
Percé
G0C 2L0
(418) 782-5557
1-866-782-5557
Fax : (418) 782-5587
www.perce-gite.com
info@perce-gite.com

La Fédération des Agricotours du Québec* est fière de rendre hommage à l'hôte Michel Boudreau, du gîte AU PRESBYTÈRE, qui s'est illustré de façon remarquable par son accueil de tous les jours envers sa clientèle. C'est dans le cadre des Prix de l'Excellence 2008 que le propriétaire de cet établissement, certifié Gîte du Passant[MD] depuis 2001, s'est vu décerner le « Coup de Cœur du Public régional » de la Gaspésie dans le volet Gîte du Passant[MD]. P. 156.

Félicitations !

*La Fédération des Agricotours du Québec est propriétaire des marques de certification : Gîte du Passant[MD], Auberge du Passant[MD], Maison de Campagne ou de Ville, Table aux Saveurs du Terroir[MD], Table Champêtre[MD], Relais du Terroir[MD] et Ferme Découverte.

Merci au nom des lauréats!

Chaque année, les fiches d'appréciation permettent de décerner le Prix de l'Excellence, dans la catégorie « Coup de Cœur du Public », aux établissements qui se sont démarqués de façon remarquable par leur accueil. En remplissant une fiche d'appréciation, vous contribuez non seulement à maintenir la qualité constante des services offerts, mais également à rendre hommage à tous ces hôtes.

COUREZ LA CHANCE DE GAGNER UN SÉJOUR!
Chacune des fiches d'appréciation , vous donne la chance de gagner un séjour de 2 nuits pour 2 personnes dans un « Gîte ou une Auberge du Passant[MD] » de votre choix. La fiche d'appréciation est disponible dans tous les établissements certifiés et sur Internet :
www.gitesetaubergesdupassant.com
www.tablesetrelaisduterroir.com

Section publicitaire

Amqui
Auberge Beauséjour ★★★

Érigée au cœur de la ville d'Amqui, cette auberge centenaire, nouvellement rénovée dans le respect de ses origines, vous offre une ambiance chaleureuse où le repos et la bonne table sont à l'honneur. Séjourner au Beauséjour, c'est s'imprégner d'histoire à l'intérieur d'une architecture digne des grandes maisons de la Nouvelle-Angleterre. **Certifié Table aux Saveurs du Terroir**^{MD}. P. 166.

Aux alentours: station de ski, golf, sentiers VTT et motoneige, pêche au saumon, sentiers pédestres.

Chambres: climatisées, bureau de travail, téléphone, TV, accès Internet, cachet d'antan, romantiques. **Lits:** double, queen, divan-lit, d'appoint. **9 ch. S. de bain privée(s).**

Forfaits: charme, gastronomie, motoneige, détente & santé, ski alpin, théâtre.
2 pers: B&B 79-95$ PAM 135-155$ **1 pers:** B&B 69-85$ PAM 97-115$.
Enfant (12 ans et −): B&B 10$ PAM 25$. Taxes en sus. AM IT MC VS
Réduction: hors saison.
Ouvert: à l'année.

Marcel Landry
71, boul. St-Benoit Ouest
Amqui G5J 2E5
Tél. (418) 629-5531 1-866-629-5531
Fax (418) 629-5410
www.auberge-beausejour.com
aubergebeausejour@globetrotter.net
Rte 132 est, à Amqui, 2ᵉ feu, en face.

✕ AV @ ♿ Certifié: 2008

Cap-Chat
Gîte Le Perchoir ✿ ✿ ✿

Maison ancestrale située à proximité du fleuve St-Laurent, du sentier de motoneige «Trans-Québec 5», du parc de la Gaspésie et de la réserve Matane. La propriété s'étend sur 180 acres, offrant de nombreuses possibilités récréatives. Certaines unités avec mini-frigo & climatisation Exposition d'oeuvres d'art. Cuve de relaxation (SPA) 4 saisons. P. 147.

Aux alentours: parc national de la Gaspésie, parc éolien, galeries d'art, musée, théâtre d'été, sortie en mer (Exploramer) et golf.

Chambres: certaines climatisées, TV, cachet ancestral, chambre familiale, vue panoramique. **Lits:** simple, double, queen, d'appoint, pour bébé. **3 ch. S. de bain partagée(s).**

Forfaits: motoneige, hiver.
2 pers: B&B 65-75$ **1 pers:** B&B 50-60$.
Enfant (12 ans et −): B&B 10-15$. MC
Réduction: hors saison, long séjour.
Ouvert: à l'année.

Maggie Durette
97, route du Village-du-Cap (Chemin du Cap)
Cap-Chat G0J 1E0
Tél. (418) 786-9282
Fax (418) 786-1399
www.giteetaubergedupassant.com/giteleperchoir
gite_leperchoir_bb@yahoo.ca
Rte 132 E, à Cap-Chat, à la rivière, rue des Fonds à droite, rte du Cap à droite. 2ᵉ rte fermée l'hiver: rte 132 E, à EOLE, Chemin du Cap à droite, Village-du-Cap à gauche.

🅰 ● 🐎 AV @ Certifié: 2008

Cap-Chat, Capucins
Auberge aux Capucins ✿ ✿ ✿ ✿

Respirer l'air iodé de la mer, contempler le coucher de soleil, dormir au bruit des vagues, déjeuner face au fleuve dans un décor artistique. Voici une expérience de bord de mer qui vous est offerte.

Aux alentours: observation faune aviaire (Environnement Canada), Éole Cap-Chat, parc national de la Gaspésie, pêche au saumon.

Chambres: personnalisées, décoration thématique, couettes en duvet, tranquillité assurée, bois franc, vue sur mer. **Lits:** double, queen. **2 ch. S. de bain privée(s).**
2 pers: B&B 100$ **1 pers:** B&B 90$. Taxes en sus. MC VS
Ouvert: à l'année.

Certifié: 2001

Sylvie Garant
274, rue du Village
Cap-Chat, Capucins G0J 1H0
Tél. / Fax (418) 786-9026 Tél. 1-866-786-9026
www.giteetaubergedupassant.com/aubergeauxcapucins
aubergeauxcapucins@globetrotter.net
Rte 132 est, Cap-Chat (secteur Capucins), en bordure du fleuve, rue du Village.

Cap-Chat, Capucins
Gîte Domaine Joseph Ross ❀ ❀ ❀

Gîte du Passant
certifié

Notre gîte offre 3 chambres confortables et 2 salles de bains partagées. Service offert: cuisinière et micro-ondes, laveuse, sécheuse. Salle de télévision, coin lecture et détente. Pour votre plaisir: feu de foyer à l'extérieur, tables de pique nique, aire de jeux pour enfants, animaux de basse-cour, bicyclettes. Possibilité de repas du soir.

Aux alentours: parc éolien, Arbre en Arbre, Exploramer, parc de la Gaspésie, club de golf, équitation, pêche en haute mer, baignade.
Chambres: TV, cachet d'autrefois, tranquillité assurée, originales, chambre familiale, vue splendide. Lits: simple, double, d'appoint. **3 ch. S. de bain partagée(s).**
2 pers: B&B 70$ PAM 85$ **1 pers:** B&B 55$ PAM 70$.
Enfant (12 ans et −): B&B 10$ PAM 20$. Taxes en sus. VS
Réduction: hors saison, long séjour.
Ouvert: à l'année.

Marie-Claire Ross
238, route 132
Cap-Chat, Capucins G0J 1H0
Tél. / Fax (418) 786-5340 Tél. (418) 763-4118
www.giteetaubergedupassant.com/domainejosephross
domaine_joseph_ross@globetrotter.net
Route 132, à Cap-Chat, suivre les panneaux Gîte du Domaine.

🐾 AV @ Certifié: 2008

Caplan
Gîte des Lilas ❀ ❀ ❀ ❀

Gîte du Passant
certifié

Pour un séjour de qualité avec repos assuré. Le Gîte des Lilas vous offre un accueil chaleureux dans un cadre enchanteur avec vue sur la baie des Chaleurs. Pierrette et Jean-François vous invite à venir profiter de l'air salin et vivifiant de la Gaspésie. Bienvenue !

Aux alentours: sentiers pédestres, Pointe-Taylor (canot, kayak, piste cyclable), plage aménagée, Village gaspésien héritage britannique
Chambres: avec lavabo, TV, cachet d'antan, meubles antiques, ventilateur, suite, chambre familiale. Lits: queen, d'appoint. **3 ch. S. de bain privée(s) ou partagée(s).**
Forfaits: golf.
2 pers: B&B 65-125$ **1 pers:** B&B 55-85$.
Enfant (12 ans et −): B&B 10-20$. IT MC VS
Réduction: hors saison, long séjour.
Ouvert: 1 juin - 15 oct.

Pierrette Michaud et Jean-François Laframboise
108, chemin des Lilas
Caplan G0C 1H0
Tél. (418) 388-2925 1-888-388-2925
Fax (418) 388-2488
www.gaspesie.com/lilas
lilasgit@globetrotter.net
Route 132 est, à Caplan, rue des Lilas.

A AV @ 🐾 Certifié: 2008

Carleton-sur-Mer
Gîte les Leblanc ❀ ❀ ❀

Gîte du Passant
certifié

Deux Acadiens vous accueillent dans leur maison 1 étage ½, style canadien en pierre de granite, construite sur un des plus anciens sites au cœur de Carleton. Au petit-déj., admirez la famille de colibris s'alimentant à la mangeoire suspendue à la fenêtre. À l'arrière de la maison, grande véranda avec vue sur le mont Joseph et champs de verdure.

Aux alentours: sentiers pédestres, plage, kayak, marina, golf, resto, théâtre, mont Joseph, parc de Miguasha.
Chambres: certaines avec lavabo, accès Internet, ensoleillées, confort moderne, bois franc, suite, vue sur montagne. Lits: simple, double, d'appoint. **4 ch. S. de bain partagée(s).**
2 pers: B&B 67$ **1 pers:** B&B 57$.
Enfant (12 ans et −): B&B 10-15$
Ouvert: 1 mai - 30 oct.

Jocelyne et Rosaire LeBlanc
346, boul. Perron
Carleton-sur-Mer G0C 1J0
Tél. (418) 364-7601
www.giteetaubergedupassant.com/leblanc
lesleblanc@globetrotter.net
Aut. 20 est, rte 132 est. À l'entrée de Carleton, voisin de «Optique Chaleurs». Entrée rue des Érables, 1re maison à droite. Rte 132 ouest, de l'église, 3 km, voisin du Motel.

A AV @ 🐾 Certifié: 1995

Causapscal
Gîte des Tilleuls ✿✿✿✿

Le Gîte des Tilleuls est situé en plein cœur de Causapscal, dans l'une des plus belles régions du Québec; la Vallée de la Matapédia. Chez nous, les immenses tilleuls chantent avec le vent et veillent sur la maison. L'ambiance de calme et de bien-être qui règne à l'intérieur enveloppe les visiteurs dès leur arrivée. Petits-déj. servis à la carte. Certifié "Bienvenue cyclistes !"™ᴰ **Certifié Table aux Saveurs du Terroir**™ᴰ. P. 166.

Aux alentours: site historique Matamajaw, pêche au saumon, piste de motoneige et de quad, Fort Causapscal, golf, SIA.

Chambres: climatisées, TV, confort moderne, cachet champêtre, peignoir, couettes en duvet. **Lits:** double, queen, d'appoint, pour bébé. **5 ch. S. de bain privée(s) ou partagée(s).**

Forfaits: charme, gastronomie, golf, motoneige, plein air, ski alpin, été, printemps, automne, hiver.

2 pers: B&B 70-100$. **1 pers:** B&B 60-85$.

Enfant (12 ans et −): B&B 0-15$. Taxes en sus. AM IT MC VS

Réduction: long séjour.

Ouvert: à l'année.

La Famille Rivard (Claude, Lise & Jessica)
107, rue Saint-Jacques Sud
Causapscal G0J 1J0
Tél. (418) 756-5050 1-877-846-5050
Fax (418) 756-5051
www.gite-tilleuls.ca
info@gite-tilleuls.ca

Aut. 20 est. À Cacouna, rte 132 est, dir. Rimouski. À Ste-Flavie, dir. Mont-Joli à droite. Continuez sur cette route jusqu'à Causapscal et profitez du paysage !

A ✗ @ ♿ Certifié: 2006

Gaspé
Auberge du Saumonier Lodge ★★★★

Découvrez un gîte confortable et accueillant à proximité du parc Forillon. Nous vous servons un copieux petit-déjeuner avec vue sur la rivière à saumon et sur un spectacle d'oiseaux colibris pour vous divertir. Aussi disponible: pêche au saumon de l'atlantique avec guide sur les 3 plus belles rivières de Gaspé. Classifié Pourvoirie 4 étoiles.

Aux alentours: parc national Forillon, musée de la Gaspésie, kayak, baleine, pêche au saumon, voile, rocher Percé, plusieurs plages.

Chambres: accès Internet, couettes en duvet, tranquillité assurée, vue sur rivière, vue panoramique. **Lits:** simple, double, king. **4 ch. S. de bain privée(s) ou partagée(s).**

Forfaits: croisière, plein air, automne, autres.

2 pers: B&B 98$. **1 pers:** B&B 98$. VS

Ouvert: 22 mai - 15 oct. **Fermé:** 16 oct - 21 mai.

Elie Elmaleh
282, montée Cortéréal
Gaspé G4X 6S2
Tél. / Fax (418) 368-2172 Tél. 1-877-368-2172
www.aubergedusaumonierlodge.com
lisaetelie@cgocable.ca

De Gaspé, rte 132 ouest, puis St-Majorique. À la station d'essence Pétro Canada à gauche, en haut de la côte, montée Cortéréal à gauche.

A ✗ AV ⛵ @ ♿ Certifié: 2008

Gaspé
Auberge La Maison William Wakeham ★★★

Située en plein cœur de Gaspé, cette maison, construite en 1860, attire bien des regards, car elle constitue un élément majeur de notre patrimoine architectural. Terrasse avec vue sur l'embouchure de la rivière York et sur la baie de Gaspé. Endroit enchanteur, tant par notre accueil courtois, notre service personnalisé que notre cuisine raffinée. Certifié "Bienvenue cyclistes !"™ᴰ **Certifié Table aux Saveurs du Terroir**™ᴰ. P. 14, 167.

Aux alentours: parc national Forillon, rocher Percé, marina, golf, promenade, 3 rivières à saumon.

Chambres: climatisées, TV, accès Internet, cachet victorien, terrasse, suite familiale, vue sur baie. **Lits:** simple, queen, d'appoint. **8 ch. S. de bain privée(s) ou partagée(s).**

Forfaits: charme, gastronomie, détente & santé, autres.

2 pers: B&B 105-169$. **1 pers:** B&B 95-149$.

Enfant (12 ans et −): B&B 0-20$. Taxes en sus. IT MC VS

Réduction: long séjour.

Ouvert: 7 avr - 31 déc. **Fermé:** 1 jan - 15 mars.

Desmond Ogden
186, rue de la Reine
Gaspé G4X 1T6
Tél. (418) 368-5537 (418) 368-5792
www.maisonwakeham.ca
maisonww@hotmail.fr

Rte 132. Au centre ville de Gaspé, rue de la Reine à gauche, sens unique vers la fin à droite. De Murdochville, rte 198, rue de la Reine à gauche, 300 m.

A ✗ AV @ ♿ Certifié: 2007

Gaspé
Gîte Historique l'Émerillon ※ ※ ※ ※

Gîte du Passant
certifié

Caroline Leclerc et Olivier Nolleau
192, rue de la Reine
Gaspé G4X 1T8
Tél. (418) 368-3063
Fax (418) 368-3263
www.gitelemerillon.ca
gaspeg@globetrotter.net
De Percé, en arrivant à Gaspé, 1er feu tout droit, 2e feu à gauche. Du parc Forillon, au 1er feu à droite, au 2e à gauche.

Pour un séjour de rêve, venez vous évader dans un cadre exceptionnel. Une vue sur la baie de Gaspé. Profitez de notre jardin pour découvrir un oasis de paix ou pour relaxer dans notre spa. Caroline et Olivier vous accueillent dans un décor de rêve et ils ont le plaisir de vous faire découvrir leur région, ainsi que l'histoire de leur ville.

Aux alentours: parc Forillon, croisière aux baleines, randonnée en kayak à la colonie de phoques, théâtre.
Chambres: jacuzzi, TV, accès Internet, personnalisées, raffinées, suite luxueuse, vue sur baie. **Lits:** double, queen, divan-lit, d'appoint, pour bébé. **4 ch. S. de bain privée(s).**
2 pers: B&B 95-115$.
Enfant (12 ans et −): B&B 20$. Taxes en sus. MC VS
Réduction: hors saison.
Ouvert: à l'année.

A 🚤 @ ♿ Certifié: 2001

Gaspé
L'Ancêtre de Gaspé ※ ※ ※ ※ ※

Gîte du Passant
certifié

Diane Lauzon et Ronald Chevalier
55, boul. York Est
Gaspé G4X 2L1
Tél. (418) 368-4358 1-888-368-4358
Fax (418) 368-4054
www.aubergeancetre.com
ancetre.gaspe@globetrotter.net
Rte 132 jusqu'à Gaspé, situé sur le boul. York est ou rte 198, face à la ville, au bord de la baie, près de l'information touristique.

Coup de Cœur du Public régional 2006. Un rendez-vous avec l'histoire, voilà l'impression que vous sentirez en entrant dans cette belle maison bâtie au milieu 1800. Cachet fort accueillant avec son escalier sculpté, ses riches boiseries, sa décoration soignée et la vue panoramique sur Gaspé. Déjeuner appétissant et gourmand servi sur notre terrasse. À proximité de tous les services. P. 148.

Aux alentours: piste cyclable, golf, plages, voile, kayak. À 20 min parc Forillon et 50 min de Percé.
Chambres: avec salle d'eau, TV, raffinées, cachet ancestral, ventilateur, bois franc, vue sur baie. **Lits:** queen, d'appoint. **4 ch. S. de bain privée(s).**
2 pers: B&B 95$ **1 pers:** B&B 90$.
Enfant (12 ans et −): B&B 20$. Taxes en sus. MC VS
Réduction: hors saison, long séjour.
Ouvert: 1 mai - 1 mars.

A @ ♿ Certifié: 1999

Maria
Gîte du Patrimoine ※ ※ ※ ※

Gîte du Passant
certifié

Lola Pichette
759, boul. Perron
Maria G0C 1Y0
Tél. (418) 759-3743
www.giteetaubergedupassant.com/gitedupatrimoine
gitedupatrimoine@globetrotter.net
Route 132, à Maria, boul. Perron est.

À 10 min. de la petite ville balnéaire de Carleton-sur-Mer, le Gîte du Patrimoine, vous offre le plaisir d'une demeure ancestrale au caractère préservé, mais avec tout l'agrément du confort moderne. Plaisirs de mer, splendeur des lumières et couleurs féériques de la Baie-des-Chaleurs vous y attendent. Petit-déjeuner avec préparations fait maison.

Aux alentours: sentier pédestre, artisanats indiens, musée de la rivière Cascapédia, hydromel, village loyaliste.
Chambres: avec lavabo, cachet ancestral, ventilateur, bois franc, chambre familiale. **Lits:** double, d'appoint. **5 ch. S. de bain privée(s) ou partagée(s).**
2 pers: B&B 70-90$ **1 pers:** B&B 55-70$.
Enfant (12 ans et −): B&B 20$. VS
Ouvert: 1 mai - 15 oct.

@ ♿ Certifié: 2008

Matane
Auberge la Seigneurie ★ ★ ★

Auberge du Passant
certifiée

Raymonde et Guy Fortin
621, rue Saint-Jérôme
Matane G4W 3M9
Tél. (418) 562-0021 1-877-783-4466
Fax (418) 562-4455
www.aubergelaseigneurie.com
info@aubergelaseigneurie.com
À Matane, avenue du Phare, après «Tim Horton», rue
Druillette à droite, au 148. Accueil et stationnement au 621
St-Jérôme.

Coup de Cœur du Public régional 2004. Ancien site de la Seigneurie Fraser, au confluent de la rivière Matane et du fleuve St-Laurent. Près du centre-ville, maison ancestrale, terrain boisé, balcons et balançoires. Une chasse aux trésors pour terminer devant le foyer avec un cocktail de bienvenue. Dentelles aux fenêtres. Accueil sympathique et chaleureux de Raymonde et Guy.

Aux alentours: promenade des Capitaines, maison de la culture, église de style dombello, piste cyclable.

Chambres: avec lavabo, TV, ensoleillées, raffinées, peignoir, romantiques, spacieuses, bois franc. **Lits:** double, queen, d'appoint. **9 ch. S. de bain privée(s) ou partagée(s).**

Forfaits: charme, vélo, golf, motoneige, romantique, ski alpin, ski de fond, automne, autres.

2 pers: B&B 69-159$.

Enfant (12 ans et —): B&B 15$. Taxes en sus. AM IT MC VS

Réduction: hors saison, long séjour.

Ouvert: à l'année.

AV @ ♿ **Certifié: 1997**

Matane, Saint-Léandre
Gîte au Jardin de Givre ❀ ❀ ❀ ❀

Gîte du Passant
certifié

Ginette Couture et Gérald Tremblay
3263, route du Peintre
Saint-Léandre-de-Matane G0J 2V0
Tél. / Fax (418) 737-4411 Tél. 1-800-359-9133
www.giteetaubergedupassant.com/jardindegivre
jardin-de-givre@globetrotter.net
Rte 132, à St-Ulric, dir. sud St-Léandre (Caravane Joubert),
suivre les 7 panneaux bleus du gîte sur 14 km. Rte pavée en
montagne. Gîte à 15 min de la mer.

Coup de Cœur du Public régional 2000. À la campagne, à 15 min de Matane, une demeure au charme ancestral d'un ancien manoir, là où la montagne parle de silence. Boiseries, meubles d'époque, poésie et romance au coin de l'âtre. Délicatesse et plaisir de vivre. Déjeuner campagnard. Entrée indépendante. Chien golden affectueux. Internet sans fil. Piano.

Aux alentours: mer, sentiers Grotte des fées, baignade, cascade, vignoble, érablière, Jardins de Métis, parcs de la Gaspésie et éolien.

Chambres: baignoire sur pattes, cachet champêtre, peignoir, tranquillité assurée, romantiques. **Lits:** simple, double, divan-lit, d'appoint, pour bébé. **5 ch. S. de bain privée(s) ou partagée(s).**

2 pers: B&B 75-90$ **1 pers: B&B** 65$.

Enfant (12 ans et —): B&B 15$. Taxes en sus. VS

Ouvert: à l'année.

A 🐾 AV 🛶 @ **Certifié: 1995**

Matane, Saint-René
Gîte des Sommets ❀ ❀ ❀

Gîte du Passant à la Ferme
certifié

Marie-Hélène Mercier et Louis-Philippe Bédard
161, route 10e et 11e Rang
Saint-René-de-Matane G0J 3E0
Tél. (418) 224-3497
www.giteetaubergedupassant.com/sommets
gitedessommets@globetrotter.net
De Matane, rte 195 sud, à l'église de St-René, 5,5 km vers le
sud, route du 10e et 11e Rang à gauche, 6,2 km.

Ferme d'élevage. Gîte rénové à l'ancienne, sur la route menant au village de St-Nil. Village défriché durant la crise économique et qui s'est éteint en 1970 avec 15 autres villages de l'arrière-pays gaspésien. Situé à deux pas de la réserve faunique de Matane. Venez pratiquer plusieurs activités en pleine nature. Souper sur réservation. Vos hôtes vous attendent. P. 165.

Aux alentours: réserve faunique de Matane, rivière, snowmobile, érablière, centre d'interprétation en forêt.

Chambres: ensoleillées, cachet champêtre, tranquillité assurée, originales, vue sur champs. **Lits:** double, d'appoint, pour bébé. **3 ch. S. de bain partagée(s).**

2 pers: B&B 55$ **PAM** 85$ **1 pers: B&B** 40$ **PAM** 55$.

Enfant (12 ans et —): B&B 20$ **PAM** 28$

Ouvert: à l'année.

✗ AV @ **Certifié: 1999**

Gîtes et Auberges du Passant[MD]
Maisons de Campagne et de Ville

Matane, Saint-Ulric
Chez Nicole ❀ ❀ ❀

Gîte du Passant
certifié

Nicole et René Dubé
3371, route 132
Saint-Ulric-de-Matane G0J 3H0
Tél. / Fax (418) 737-4896 Tél. 1-866-268-4896
www.giteetaubergedupassant.com/nicole
gitenicole@globetrotter.net
Aut. 20 est, rte 132 est, longer le fleuve, 45 km à l'est de Ste-Flavie. Rte 132 ouest, 18 km à l'ouest de Matane.

Aux portes de la Gaspésie, une maison accueillante et ensoleillée vous attend. Venez respirer l'air pur du fleuve, observer les superbes couchers de soleil et les éoliennes uniques au Canada. Venez déguster nos confitures maison et admirer notre magnifique potager fleuri, différent à chaque année. Grand terrain et vaste plage à parcourir.

Aux alentours: maison de l'art indiscipliné, théâtre, passe migratoire du saumon, pont couvert, vignoble Carpinteri, Arbre en Arbre.
Chambres: avec lavabo, ventilateur, vue sur mer, vue sur fleuve, vue sur jardin, vue panoramique. **Lits:** simple, double. **3 ch. S. de bain partagée(s).**
2 pers: B&B 55-65$ **1 pers: B&B** 50$.
Enfant (12 ans et —): B&B 10-15$
Ouvert: 1 mai - 31 oct.

AV 🚲 **Certifié: 1987**

Métis-sur-Mer
Auberge une Ferme en Gaspésie ★ ★

Auberge du Passant
certifiée

Mathieu Lepage-Leclerc et Stéphanie Pelletier
542, 5ᵉ rang Ouest
Métis-sur-Mer G0J 1S0
Tél. 1-877-936-3544 (418) 936-3544
Fax (418) 936-3199
www.aubergegaspesie.com
fermeengaspesie@globetrotter.net
Route 132, à Métis-sur-Mer, route McNider vers le sud, puis 2ᵉ rang à droite, 5ᵉ rang Ouest.

Notre charmante auberge niche dans un endroit paisible où se côtoient la nature sauvage et le paysage agricole. On s'y laisse vivre au rythme des saisons, chacune apportant avec elle son lot de plaisirs et de découvertes. Venez y déguster nos délicieux plats aux saveurs régionales, mais surtout profiter de l'accueil chaleureux de vos aubergistes.

Aux alentours: Jardins de Métis, village Métis-sur-Mer, terrains de golf, Ste-Flavie, Route des Arts, sentier provincial de motoneige.
Chambres: décoration thématique, tranquillité assurée, lucarnes, vue sur campagne. **Lits:** simple, double. **6 ch. S. de bain partagée(s).**
Forfaits: charme, autres.
2 pers: B&B 72$ **PAM** 150-160$ **1 pers: B&B** 62$ **PAM** 90-95$.
Enfant (12 ans et —): B&B 0-15$. Taxes en sus. IT MC VS
Ouvert: à l'année.

A ✕ AV 🚲 **Certifié: 2008**

Mont-Louis
Maison le Capitaine ❀ ❀ ❀

Gîte du Passant
certifié

Yvon Robert
26, rue de la Rivière
Mont-Louis G0E 1T0
Tél. (418) 797-5335 (418) 797-5044
www.giteetaubergedupassant.com/maisonlecapitaine
maisonlecapitaine@globetrotter.net
Rte 132 est, à 550 km de Québec. À Mont-Louis, la rue de la Rivière près du pont, longe la rivière. À 1h du parc de la Gaspésie et à 2h du parc Forillon.

Maison gaspésienne à lucarnes en V du début du siècle dernier, spacieuse, éclairée, plancher de bois franc au rez-de-chaussée, de bois à l'étage. Murs décorés de tableaux et fresques de mon cru. Soin spécial mis sur la décoration intérieure. Tapis marocains dans les chambres et au salon. Patio extérieur comprenant cuisine et petit salon de repos.

Chambres: ventilateur, tranquillité assurée, lucarnes, spacieuses, vue sur fleuve, vue sur mont. **Lits:** simple, double, d'appoint, pour bébé. **3 ch. S. de bain partagée(s).**
2 pers: B&B 65-75$ **1 pers: B&B** 50-55$.
Enfant (12 ans et —): B&B 5-10$. AM MC VS
Réduction: hors saison, long séjour.
Ouvert: à l'année.

A 🛏 **Certifié: 2008**

New Carlisle
La Maison de Ressourcement Thompson ✱ ✱ ✱ ✱

Gîte du Passant
certifié

Située au cœur de la Baie-des-Chaleurs, dans un environnement exceptionnel, la Maison Thompson est une villa ancestrale de style régence datant de 1838, restaurée avec soins et meublée selon l'époque. Vous y retrouverez l'ambiance décontractée et chaleureuse permettant un véritable ressourcement personnel. Spa, sauna et massothérapie sur place.

Aux alentours: golf, marina, musée acadien, site historique de pêche, spectacles, cinéma, plage, sentier pédestre, bicyclettes.
Chambres: cachet ancestral, meubles antiques, peignoir, ventilateur, couettes en duvet. **Lits:** double, queen. **5 ch. S. de bain privée(s) ou partagée(s).**
Forfaits: détente & santé.
2 pers: B&B 75-90$ **1 pers:** B&B 75-90$. Taxes en sus. IT VS
Réduction: hors saison.
Ouvert: à l'année.

Rosella Boudreau et Bernard Nadeau
105, boul. Gérard-D. Lévesque
New Carlisle G0C 1Z0
Tél. (418) 752-7575
www.maisonthompson.com
maisonthompson@globetrotter.net
Sur la route 132, rendu à New Carlisle, dirigez-vous vers le no. civique 105.

A @ ♿ **Certifié: 2008**

New Richmond
Gîte les Bouleaux ✱ ✱ ✱

Gîte du Passant
certifié

Une maison située dans une nature aux accents sauvages. Bâtie sur une pointe, elle vous offre un grand jardin et une vue magnifique sur la baie des Chaleurs. Un petit sentier, donnant accès au bord de mer, vous permet d'y marcher ou de vous détendre au rythme des marées dans un décor de grand calme.

Aux alentours: sentiers pédestres de Pointe Taylor, Centre d'interprétation de l'héritage britannique, bord de mer.
Chambres: certaines avec lavabo, TV, tranquillité assurée, bois franc, entrée privée, vue sur mer. **Lits:** simple, double, queen. **4 ch. S. de bain partagée(s).**
2 pers: B&B 65-75$ **1 pers:** B&B 55-65$.
Enfant (12 ans et —): B&B 10-15$. VS
Ouvert: à l'année.

Patricia Fallu et Charles Gauthier
142, chemin de la Plage
New Richmond G0C 2B0
Tél. (418) 392-4111 1-877-392-4111
www.giteetaubergedupassant.com/bouleaux
gitelesbouleaux@globetrotter.net
Aut. 20 E., rte 132 E. dir. New Richmond. À la rte 299, à dr., 3,5 km, rue de la Plage à dr. Rte 132 O., dir. New Richmond. À la rte 299 à g., 3,5 km, rue de la Plage à dr.

A ◆ AV ♿ **Certifié: 1992**

Nouvelle
À l'Abri du Clocher ✱ ✱ ✱ ✱

Gîte du Passant
certifié

Cet ancien presbytère (1896) vous offre une halte hors du commun. Vous serez charmés par cette vaste demeure ancestrale superbement restaurée et aménagée avec goût. Accueil attentionné laissant place à l'intimité. Déj. copieux aux saveurs régionales. Situé en retrait de la rte principale, vous apprécierez le confort et la tranquillité des lieux.

Aux alentours: 5 min du parc national de Miguasha, 200 mètres de la piste cyclable, 15 min de Carleton.
Chambres: baignoire sur pattes, accès Internet, cachet champêtre, spacieuses, chambre familiale. **Lits:** simple, double, queen. **4 ch. S. de bain privée(s).**
Forfaits: divers.
2 pers: B&B 83-93$ **1 pers:** B&B 73-83$.
Enfant (12 ans et —): B&B 25$. MC VS
Ouvert: 1 mai - 15 oct.

Sylvie Landry et Sylvain Savoie
5, rue de l'Église
Nouvelle G0C 2E0
Tél. (418) 794-2580 1-877-794-2580
www.giteetaubergedupassant.com/labriduclocher
info@alabriduclocher.com
Rte 132 est ou ouest, au centre du village, en retrait de la rte 132, voisin de l'église.

@ ♿ **Certifié: 2001**

Percé
À la Rêvasse ✵ ✵ ✵ ✵

Gîte du Passant
certifié

Brenda Cain et William Lambert
16, rue Saint-Michel, C.P. 281
Percé G0C 2L0
Tél. (418) 782-2102 1-866-782-2102
Fax (418) 782-2980
www.revasse.com
revasse@bmcable.ca
Au cœur de Percé, route 132, rue Saint-Michel, maison en
retrait de la rue.

Jolie maison d'antan située au cœur de l'arrondissement naturel de Percé à l'écart du bruit. À moins de 300 mètres du célèbre «Rocher», du quai et des services. Nous vous offrons le calme et le confort de nos chambres au décor maritime. Dégustez nos bons petits plats du terroir gaspésien fait maison.

Aux alentours: rocher Percé, île Bonaventure, tours guidés en montagne, crevasse, mont Sainte-Anne.
Chambres: certaines climatisées, TV, unité pour fumeur, accès Internet, ensoleillées, confort moderne, personnalisées, décoration thématique, tranquillité assurée, vue sur jardin. **Lits:** double, queen, king, divan-lit. **5 ch. S. de bain privée(s).**
Forfaits: croisière, plein air, régional, autres.
2 pers: B&B 78-86$ **1 pers:** B&B 69-77$.
Enfant (12 ans et —): B&B 20$. Taxes en sus. VS
Réduction: hors saison, long séjour.
Ouvert: 20 avr - 15 nov.

A @ ℃ Certifié: 2008

Percé
Auberge Au Pirate 1775 ✵ ✵ ✵ ✵

Auberge du Passant
certifiée

Pauline Vaillancourt
169, route 132
Percé G0C 2L0
Tél. (418) 782-5055
Fax (418) 782-5680
www.giteetaubergedupassant.com/pirate1775
aupirate@bmcable.ca
Rte 132, au centre du village, côté mer, une maison peinte
en bleu.

Une histoire d'amour dans une maison de style, construite au 18e siècle directement sur la mer. Pauline et Jean-François vous proposent des séjours douillets dans un décor de rêve. Votre table est mise sur la véranda, face au rocher Percé. L'auberge et le restaurant sont inscrits aux meilleurs guides de voyage. Animaux acceptés. **Certifié Table aux Saveurs du Terroir^{MD}. P. 147, 167.**

Aux alentours: accès direct à la plage, au rocher Percé et aux bateaux pour les excursions à l'île et aux baleines.
Chambres: TV, ensoleillées, ventilateur, spacieuses, suite familiale, suite luxueuse, vue sur mer. **Lits:** simple, double, queen, divan-lit. **5 ch. S. de bain privée(s).**
Forfaits: charme, gastronomie, romantique, autres.
2 pers: B&B 175-250$.
Enfant (12 ans et —): B&B 35$. Taxes en sus. AM ER IT MC VS
Réduction: hors saison.
Ouvert: 10 juin - 10 oct.

A ✗ AV ⛵ @ ℃ Certifié: 2001

Percé
Au Presbytère ✵ ✵ ✵ ✵

Gîte du Passant
certifié

Michel Boudreau
47, rue de l'Église, C.P. 178
Percé G0C 2L0
Tél. (418) 782-5557 1-866-782-5557
Fax (418) 782-5587
www.perce-gite.com
info@perce-gite.com
Face à la rue du Quai, au centre du village, prendre la rue de
l'Église jusqu'à l'extrémité.

Coup de Cœur du Public régional 2003 et 2008. Maison centenaire située dans la paisible rue de l'Église, dont l'emplacement et l'ambiance unique, qui témoignent de son passé, vous assureront paix et tranquillité. S'y ajoutent: vue sur le rocher, village à deux pas, déjeuner généreux, gâteries maison, service Internet. Des chambres familiales sont aussi disponibles. **P. 146.**

Aux alentours: parc du Rocher-Percé, île Bonaventure, excursions, plongée, kayak, sentiers, musée, théâtre, plage et plus encore!
Chambres: ensoleillées, cachet particulier, tranquillité assurée, vue sur mer. **Lits:** simple, double, queen. **5 ch. S. de bain privée(s) ou partagée(s).**
2 pers: B&B 79-99$ **1 pers:** B&B 62-82$.
Enfant (12 ans et —): B&B 15$. Taxes en sus. MC VS
Réduction: hors saison, long séjour.
Ouvert: 1 mai - 31 oct.

A ✗ AV @ ℃ Certifié: 2001

Percé
Gîte du Cap Blanc ✻ ✻ ✻

Gîte du Passant
certifié

Coup de Cœur du Public régional 2007. Situé à 2 km du rocher Percé et de l'île Bonaventure. Accueil familial et chaleureux, havre de paix avec vue sur la mer, patio pour relaxer ou pour pique-niquer, jeux de pétanque et de fer. Copieux déjeuner fait de produits maison. À l'occasion, un petit air de violon pour vous détendre.

Aux alentours: croisières baleines, île Bonaventure, magasin historique, sentiers pédestres, plongée sous-marine.
Chambres: baignoire à remous, ensoleillées, peignoir, ventilateur, entrée privée, suite, vue sur mer. **Lits:** simple, double, queen, divan-lit, d'appoint. **5 ch. S. de bain privée(s) ou partagée(s).**
Forfaits: croisière.
2 pers: B&B 70-95$ **1 pers:** B&B 60-75$.
Enfant (12 ans et −): B&B 15-20$. Taxes en sus. VS
Réduction: hors saison.
Ouvert: à l'année.

A AV @ 🚲 **Certifié: 2001**

Nicole Laflamme et Adélard Dorion
442, route 132 Ouest
Percé G0C 2L0
Tél. (418) 782-2555 1-888-782-2555
Fax (418) 782-2662
www.iquebec.com/giteducapblanc
ndorion@bmcable.ca
Route 132 ouest, 2 km du bureau d'information touristique de Percé. Face à la mer.

Percé
Gîte du Capitaine ✻ ✻ ✻

Gîte du Passant
certifié

Notre gîte est situé sur le Cap Blanc, à 2 km du centre-ville de Percé. De notre salle à manger, vous aurez une vue splendide sur le rocher Percé et l'île Bonaventure. Les chambres du Capitaine et du Commandant ont aussi la vue sur le rocher Percé et l'île Bonaventure.

Aux alentours: rocher Percé, île Bonaventure, mont Saint-Anne, chute aux esmeralds, croisières, kayak, sentiers des rivières.
Chambres: avec lavabo, foyer, tranquillité assurée, spacieuses, lumineuses, vue sur mer, vue splendide. **Lits:** simple, double, queen. **4 ch. S. de bain privée(s) ou partagée(s).**
2 pers: B&B 80-100$ **1 pers:** B&B 80-100$. Taxes en sus. ER MC VS
Ouvert: 1 juin - 16 oct.

A AV @ 🚲 **Certifié: 2009**

Daria Portmann et Urs Käch
10, chemin du Belvédère
Percé G0C 2L0
Tél. / Fax (418) 782-5559
www.giteducapitaine.com
bienvenue@giteducapitaine.com
Rte 132 est ou ouest jusqu'à Percé. Le gîte est situé sur le Cap Blanc, à environ 2 km du centre ville, voisin du Camping du Phare.

Percé
Gîte La Maison Réhel ✻ ✻ ✻

Gîte du Passant
certifié

Le Gîte La Maison Réhel est situé au cœur du village, à quelques pas de l'église et des autres services. C'est une maison patrimoniale et centenaire aménagée avec goût et style. Les gens qui y demeurent chaque été reconnaissent volontiers qu'elle possède une âme et qu'on s'y sent comme chez soi. Cette spacieuse maison est un incontournable.

Aux alentours: mont Ste-Anne et ses sentiers, visite du rocher Percé et de l'île Bonaventure, centre d'interprétation, boutiques.
Chambres: certaines avec lavabo, cachet champêtre, décoration thématique, spacieuses. **Lits:** queen. **5 ch. S. de bain partagée(s).**
2 pers: B&B 65-85$ **1 pers:** B&B 50-75$.
Enfant (12 ans et −): B&B 5-15$. ER
Réduction: hors saison.
Ouvert: 1 juin - 30 sept.

A 🚲 **Certifié: 2009**

Augustin Réhel
42, rue de l'Église
Percé G0C 2L0
Tél. (418) 782-2910
http://pages.globetrotter.net/jaar001/index_f.htm
jaar001@globetrotter.net
Rte 132 est, à Percé, rue de l'Église à droite ou rte 132 ouest, rue de l'Église à gauche.

2, Longue-Pointe
Petite-Vallée (Québec) G0E 1Y0
Tél. : 418 393-3105
Courriel : lamaisonlebreux@globetrotter.net
Site web : www.lamaisonlebreux.com

On vous ouvre notre monde!

On vous ouvre notre monde!

Percé, Sainte-Thérèse-de-Gaspé
Gîte du Moulin à Vent ✹✹✹

Gîte du Passant
certifié

Janine Desbois
247, route 132, C.P. 10
Sainte-Thérèse-de-Gaspé G0C 3B0
Tél. (418) 385-4922 1-866-385-3103
Fax (418) 385-3103
www.giteetaubergedupassant.com/moulinavent
moulinavent@bmcable.ca
Rte 132 ouest, à Ste-Thérèse, à mi-chemin entre le quai et
l'église. Moulin à Vent, en face du restaurant le Bria.

Séjournez dans ce pittoresque village de pêcheurs. En entrant, un ancien pêcheur, sculpté dans la porte par un artiste de St-Jean-Port-Joli, vous accueille. Copieux déjeuners servis dans une spacieuse salle à manger de style Bahutier et attenante à la cuisine aux couleurs ensoleillées. Patio, poêle B.B.Q. disponibles.

Aux alentours: musée de la pêche, visite de l'usine de poissons, glissades d'eau, Go Car, magasin historique.
Chambres: TV, accès Internet, confort moderne, personnalisées, raffinées, peignoir, bois franc. **Lits:** double, queen. **5 ch. S. de bain privée(s) ou partagée(s).**
2 pers: B&B 60-75$ 1 pers: B&B 45-60$.
Enfant (12 ans et –): B&B 15$. ER
Ouvert: 1 juin - 29 sept.

● AV @ ⚬ **Certifié: 1998**

Petite-Vallée
La Maison Lebreux ★★

Maison de Campagne
certifiée

Denise Lebreux et Simon Côté
2, rue Longue-Pointe
Petite-Vallée G0E 1Y0
Tél. (418) 393-2662 1-866-393-2662
Fax (418) 393-3105
www.lamaisonlebreux.com
lamaisonlebreux@globetrotter.net
Rte 132 est jusqu'à Petite-Vallée. À l'entrée du village, rue
Longue-Pointe à gauche, à l'embranchement à gauche.

En bordure de mer, de magnifiques chalets, entièrement équipés pour un séjour autonome, vous procureront la détente désirée. Vous endormir et vous réveiller au bruit des vagues, surprendre le coucher ou le lever du soleil sur la mer; voilà ce qui vous attend ici. Animaux domestiques acceptés à un coût supplémentaire. **Certifié Table aux Saveurs du Terroir**[MD]. P. 2, 158, 168.

Aux alentours: salle de spectacle du Théâtre de la Vieille Forge. Café-bistro.
Maisons: téléphone, TV, ventilateur, tranquillité assurée, vue sur mer, vue sur fleuve, vue splendide. **Lits:** double, divan-lit. **4 maison(s). 2 ch. 4-6 pers.**
Forfaits: spectacle, théâtre, été.
SEM 650$ JR 100-110$. Taxes en sus. IT MC VS
Réduction: hors saison.
Ouvert: à l'année.

🐾 ✗ **Certifié: 1981**

Petite-Vallée
La Maison Lebreux ★★

Auberge du Passant
certifiée

Denise Lebreux et Simon Côté
2, rue Longue-Pointe
Petite-Vallée G0E 1Y0
Tél. (418) 393-2662 1-866-393-2662
Fax (418) 393-3105
www.lamaisonlebreux.com
lamaisonlebreux@globetrotter.net
Rte 132 est jusqu'à Petite-Vallée. À l'entrée du village, rue
Longue-Pointe à gauche, à l'embranchement à gauche.

Sur une longue pointe qui s'avance dans la mer, en retrait de la route 132 et à une heure (70 km) du parc Forillon, notre maison centenaire ouvre grand ses portes pour vous offrir un accueil familial dans un cadre tout à fait exceptionnel. Cuisine traditionnelle où poissons et fruits de mer sont à l'honneur. **Certifié Table aux Saveurs du Terroir**[MD]. P. 2, 158, 168.

Aux alentours: salle de spectacle du Théâtre de la Vieille Forge. Café-bistro.
Chambres: certaines avec lavabo, chambre familiale, vue sur mer, vue sur montagne.
Lits: double, queen. **8 ch. S. de bain partagée(s).**
Forfaits: motoneige, spectacle, théâtre.
2 pers: B&B 60-75$ PAM 110-125$ 1 pers: B&B 50-55$ PAM 75-80$.
Enfant (12 ans et –): B&B 10-14$ PAM 20-25$. Taxes en sus. IT MC VS
Ouvert: à l'année.

✗ AV **Certifié: 1981**

Gîtes et Auberges du Passant[MD]
Maisons de Campagne et de Ville

Port-Daniel–Gascons
Gîte la Conche Saint-Martin ✤ ✤ ✤ ✤

Daniel Deraiche
252, route de la Rivière
Port-Daniel-Gascons G0C 2N0
Tél. (418) 396-2481 1-877-396-2491
www.giteetaubergedupassant.com/laconchesaintmartin
laconchesaint-martin@navigue.com

Aut. 20, à Ste-Flavie, route132 dir. Percé. À Port-Daniel, route
de la Rivière à gauche.

Auberge du Passant
certifiée

Grand Prix du tourisme régional 2005. Maison en bois rond de style scandinave. Tranquillité assurée. Du gîte, vous apercevez la vue splendide du barachois sous le coucher du soleil. Excellent endroit pour les adeptes d'ornithologie. Du balcon, on peut observer: hérons, outardes, pygargues à tête blanche. Déj. 5 services, différent chaque jour. **Certifié Table aux Saveurs du Terroir**^{MD}. P. 15, 168.

Aux alentours: le phare de la Pointe, réserve faunique, le tunnel ferroviaire (190 m), plage sablonneuse.

Chambres: baignoire à remous, cachet champêtre, ventilateur, murs en bois rond, romantiques, vue sur rivière, vue panoramique. Lits: double, queen, d'appoint. **3 ch. S. de bain privée(s).**

Forfaits: charme, gastronomie.

2 pers: B&B 90-120$ **PAM** 210-240$ **1 pers: B&B** 80-110$ **PAM** 140-170$.
Enfant (12 ans et −): B&B 35$ **PAM** 75$. Taxes en sus. MC VS
Ouvert: à l'année.

A ◆ ✕ AV @ ⌘ Certifié: 2006

Port-Daniel–Gascons
Les Acres Tranquilles ✤ ✤ ✤ ✤

Myra Roussy et Normand Roussy
252, route Gérard-D. Lévesque
Port-Daniel-Gascons G0C 3E0
Tél. (418) 396-3491 1-866-302-3491
Fax (418) 396-2014
www.gite-lesacrestranquilles.com
mynor@globetrotter.net

De Percé, 85 km, rte 132 O., à droite, rte. Gérard-D. Lévesque
(3 km, après Resto Maison du Homard). De Bonaventure,
45 km, rte 132 E., rte. Gérard-D. Lévesque à gauche.

Gîte du Passant à la Ferme
certifié

Ferme d'élevage. Maison ancestrale meublée avec antiquités et décoration faite par les propriétaires. Déj. de 4 services préparés avec produits de la ferme et régionaux. Repas du soir «table gourmande». Forfaits disponible à l'année avec déj. et souper inclus. Prix réduits pour une réservation faite directement avec nous. Myra, Normand et La Gaspésie vous attend. Certifié "Bienvenue cyclistes !"^{MD} P. 165.

Aux alentours: réserve faunique, Musée Bolduc, plage, site historique, centre thalassothérapie, pêche truite et observation d'oiseaux.

Chambres: certaines avec lavabo, ventilateur, chambre familiale, vue sur baie. Lits: simple, double, queen, d'appoint. **3 ch. S. de bain privée(s) ou partagée(s).**

Forfaits: vélo, famille, motoneige, été.

2 pers: B&B 60-85$ **PAM** 110-135$ **1 pers: B&B** 60-75$ **PAM** 85-100$.
Enfant (12 ans et −): B&B 25$ **PAM** 40$. IT MC VS
Réduction: long séjour.
Ouvert: à l'année.

A ✕ ⌘ Certifié: 2004

Sainte-Angèle-de-Mérici
La Guimontière ✤ ✤ ✤

Jeanne-Mance Guimont
515, av. Bernard-Lévesque
Sainte-Angèle-de-Mérici G0J 2H0
Tél. (418) 775-5542 (418) 725-9135
Fax (418) 775-5722
www.giteetaubergedupassant.com/guimontiere
jm.guimont@hotmail.com

Aut. 20 et rte 132 est. À Ste-Flavie dir. Mont-Joli. Après Mont-
Joli, 12 km. Au village, boul. de la Vallée à droite.

Gîte du Passant
certifié

Situé à 14 km de Ste-Flavie et du fleuve, au cœur du village de Ste-Angèle, centre naturel de la région métissitoune. Piscine creusée, petit-déjeuner copieux servi à votre heure. Descente en canot et kayak sur la rivière Métis à 300 m, aéroport de Mont-Joli. Rimouski: 48 km.

Aux alentours: parc Mont-Comi, Jardins de Métis, pêche au saumon, golf de la Pointe, aéroport de Mont-Joli, plage de Ste-Luce.

Chambres: avec salle d'eau, TV, cachet d'antan, ventilateur, spacieuses, terrasse, vue sur montagne. Lits: simple, double, queen, king, d'appoint, pour bébé. **5 ch. S. de bain partagée(s).**

Forfaits: famille, motoneige, romantique, ski alpin, automne, hiver.

2 pers: B&B 65-75$ **PAM** 90-100$ **1 pers: B&B** 45-50$ **PAM** 60-65$.
Enfant (12 ans et −): B&B 10-15$ **PAM** 10-15$. IT
Ouvert: à l'année.

A 🐾 AV ⚓ @ ⌘ Certifié: 1999

Sainte-Anne-des-Monts
Auberge La Seigneurie des Monts ★★★

Auberge du Passant
certifiée

Andrée Poisson et Mario Bellemare
21, 1ʳᵉ Avenue Est
Sainte-Anne-des-Monts G4V 1A2
Tél. (418) 763-5308 1-800-903-0206
Fax (418) 763-5398
www.bonjourgaspesie.com
info@bonjourgaspesie.com
Rte 138 est, 3ᵉ feu à gauche, 1ʳᵉ Av est à droite. Nous sommes
à 3 maisons de l'église, directement face à la mer et de
biais avec le quai.

Auberge située à Sainte-Anne-des-Monts, près des services, sur la route longeant le fleuve, à moins de 20 min de l'entrée du parc de la Gaspésie. Datant de 1864, 16 chambres dont 4 suites, certaines avec bain thérapeutique. Boutique sur place. Informez-vous du forfait observation de l'orignal avec Mario votre hôte.

Aux alentours: parc de la Gaspésie, éolienne de Cap-Chat, Centre Explorama, mines d'agates, phares, golf.

Chambres: baignoire à remous, téléphone, TV, accès Internet, balcon, suite luxueuse, vue sur mer. **Lits:** double, queen, divan-lit, d'appoint, pour bébé. **16 ch. S. de bain privée(s).**

Forfaits: plein air.

2 pers: B&B 115-175$ **1 pers:** B&B 105-165$.

Enfant (12 ans et −): B&B 20$. Taxes en sus. IT MC VS

Réduction: hors saison.

Ouvert: à l'année.

A ◆ 🐾 AV @ Certifié: 2007

Sainte-Anne-des-Monts
Chez Marthe-Angèle ❀ ❀ ❀

Gîte du Passant
certifié

Marthe-Angèle Lepage
268, 1ʳᵉ avenue Ouest
Sainte-Anne-des-Monts G4V 1E5
Tél. / Fax (418) 763-2692
www.giteetaubergedupassant.com/marthe_angele
Rte 132 dir. Ste-Anne-des-Monts. Avant le pont à gauche.
1ʳᵉ avenue à gauche.

Maison de style bungalow, spacieuse et confortable, avec un grand stationnement et près de tous les services. Venez partager notre coin de pays! Vous serez enchantés de découvrir les attraits du milieu rural et l'accueil chaleureux de ses habitants. Bienvenue à tous les visiteurs!

Aux alentours: Exploramer, parc de la Gaspésie, parc du Petit-Bois pour randonnée pédestre, golf, baignade.

Chambres: certaines avec lavabo, bureau de travail, TV, ventilateur, chambre familiale. **Lits:** simple, double. **5 ch. S. de bain partagée(s).**

2 pers: B&B 64-69$ **1 pers:** B&B 49$.

Enfant (12 ans et −): B&B 10-15$

Réduction: long séjour.

Ouvert: à l'année.

◆ AV Certifié: 1983

Sainte-Anne-des-Monts
Gîte de la P'tite Falaise ❀ ❀ ❀

Gîte du Passant
certifié

Ginette Ross
127-129, 2ᵉ Avenue Ouest
Sainte-Anne-des-Monts G4V 1H9
Tél. (418) 763-5188 (418) 763-9588
Fax (418) 763-2510
www.giteetaubergedupassant.com/laptitefalaise
laptitefalaise@globetrotter.net
Route 132 dir. Sainte-Anne-des-Monts, rue Carignan à
gauche, continuer tout droit.

Panorama à 10 mètres au dessus du niveau de la mer. Quoi de mieux pour atténuer le stress de la route et la fatigue, suite aux activités d'une journée bien remplie, que de fixer son regard là où se montrent de ravissants couchers de soleil surplombant le faubourg et la mer! Rien de plus bénéfique pour le corps et l'âme! P. 162.

Aux alentours: baignade à la mer, parc de la Gaspésie et ses attraits, Exploramer, parc éolien, golf, équitation, vol libre.

Chambres: foyer, accès Internet, tranquillité assurée, vue sur fleuve, vue panoramique. **Lits:** simple, double. **3 ch. S. de bain privée(s) ou partagée(s).**

2 pers: B&B 70-85$ **1 pers:** B&B 55-70$.

Enfant (12 ans et −): B&B 10-15$. ER

Réduction: hors saison, long séjour.

Ouvert: à l'année.

◆ 🐾 AV @ Certifié: 2008

Sainte-Anne-des-Monts
Gîte de la P'tite Falaise ★ ★ ★

Maison de Campagne
certifiée

Appartement de 4 pièces et 1/2 situé au dessus du gîte et offrant une vue superbe, avec balcon. Tout équipé, vaisselle, lingerie fournie, ainsi que cuisinière, frigo, télévision, laveuse et sécheuse. Idéal pour famille et groupe. Près de tous les services. Endroit tranquille et propre. Près de plusieurs activités culturelles et de plein-air. P. 161.

Aux alentours: Exploramer, parc éolien, parc de la Gaspésie, mines d'agate, randonnées et promenade le long de la mer et la rivière.
Maisons: foyer, cachet particulier, tranquillité assurée, vue sur fleuve, vue panoramique. **Lits:** double, divan-lit, d'appoint, pour bébé. **1 maison(s). 2 ch. 6 pers.**
SEM 300-600$ **WE** 100-200$ **JR** 75-120$. ER
Réduction: hors saison, long séjour.
Ouvert: à l'année.

🚭 AV @ Certifié: 2008

Ginette Ross
127-129, 2ᵉ Avenue Ouest
Sainte-Anne-des-Monts G4V 1H9
Tél. (418) 763-5188 (418) 763-9588
Fax (418) 763-2510
www.giteetaubergedupassant.com/laptitefalaise
laptitefalaise@globetrotter.net
Route 132 dir. Sainte-Anne-des-Monts, rue Carignan à gauche, continuer tout droit.

Sainte-Flavie
Au Gîte à la Chute ✤ ✤ ✤ ✤

Gîte du Passant
certifié

Coup de Cœur du Public régional 2005. Site d'une rare beauté face au St-Laurent. Maison datant de 1926. Venez vous détendre près de la chute, petit coin spécialement aménagé. Succulent petit-déj. Vue sur la mer, couchers de soleil inoubliables. Petit pont couvert qui traverse le ruisseau pour vous guider au petit lac à truite. Accès direct au fleuve. Restaurant fruits de mer à 125 m.

Aux alentours: Jardins de Métis, Centre d'Art Marcel Gagnon, Route des Arts, Vieux Moulin, Musée de la mer, parc national du Bic.
Chambres: accès Internet, peignoir, ventilateur, couettes en duvet, bois franc, vue sur fleuve. **Lits:** queen. **4 ch. S. de bain privée(s).**
Forfaits: charme, golf, ski alpin, autres.
2 pers: B&B 85-105$ **1 pers:** B&B 75-95$.
Enfant (12 ans et —): B&B 15$. Taxes en sus. MC VS
Ouvert: 5 juin - 3 oct.

A ◈ AV @ ♿ Certifié: 1992

Claire L. et Gervais Gagnon
571, route de la Mer
Sainte-Flavie G0J 2L0
Tél. (418) 775-9432 1-877-801-2676
Fax (418) 775-5747
www.gitealachute.ca
gitealachute@globetrotter.net
Aut. 20 est, rte 132 est dir. Ste-Flavie. À 1,2 km à l'est de l'église.

Sainte-Flavie
Au Gîte du Vieux Quai ✤ ✤ ✤ ✤

Gîte du Passant
certifié

Maison de style suisse située sur la Route touristique. Venez entendre les vagues dans la quiétude du village tout en savourant nos copieux petits-déjeuners 3 services servis face au fleuve. Le confort de nos jolies chambres communicantes avec accès direct aux balcons et nos magnifiques couchers de soleil, vous feront vivre des moments magiques. Certifié "Bienvenue cyclistes !"ᴹᴰ

Aux alentours: Jardins de Métis, galeries d'arts, golf, musée, boutiques souvenirs, sentiers de marche et sentiers de VTT à 500 pieds.
Chambres: accès Internet, balcon, cachet particulier, ventilateur, couettes en duvet, vue sur fleuve. **Lits:** simple, queen, divan-lit, d'appoint. **4 ch. S. de bain partagée(s).**
Forfaits: plein air.
2 pers: B&B 78-83$ **1 pers:** B&B 78$.
Enfant (12 ans et —): B&B 15$. IT MC VS
Réduction: hors saison, long séjour.
Ouvert: 1 mai - 31 oct. **Fermé:** 1 nov - 30 avr.

A @ ♿ Certifié: 2004

Pierrette Chiasson
457, route de la Mer Ouest
Sainte-Flavie G0J 2L0
Tél. (418) 775-9111 1-866-575-9111
www.giteetaubergedupassant.com/vieuxquai
pierrette.jean-guy@cgocable.ca
Que vous fassiez le tour de la Gaspésie par le sud ou le nord (route 132), vous êtes certains de passer devant le Gîte du Vieux Quai, à 8 km à l'ouest des Jardins de Métis.

Sainte-Flavie
Centre d'Art Marcel Gagnon ★ ★ ★

Auberge du Passant
certifiée

Lieu de dépaysement et d'enchantement sur le bord du fleuve. L'auberge offre: salle à manger, cuisine régionale, vue sur le fleuve et les sculptures, boutique, librairie, salles d'exposition regroupant les artistes peintres Ghislaine Carrier, Marcel, Guillaume et Jean-Pierre Gagnon. Vivez l'expérience de l'art, la mer et la bonne table !

Aux alentours: Route des Arts, Vieux Moulin, galerie d'art extérieure à Mont-Joli, Jardins de Métis, parc de la rivière Mitis, golf.

Chambres: TV, accès Internet, cachet champêtre, ventilateur, bois franc, vue sur fleuve. Lits: simple, double, queen, divan-lit, d'appoint. **10 ch. S. de bain privée(s).**

Forfaits: divers.

2 pers: **B&B** 89-129$ **1 pers: B&B** 79-119$. Taxes en sus. IT MC VS

Réduction: hors saison.

Ouvert: 1 mai - 27 sept.

♿ ⚥ ✕ @ 🛏 **Certifié: 2005**

Guillaume Gagnon
564, route de la Mer
Sainte-Flavie G0J 2L0
Tél. (418) 775-2829 1-866-775-2829
Fax (418) 775-9548
www.centredart.net
info@centredart.net

À Ste-Flavie, au feu de circulation, 1 km à l'est en longeant le fleuve. 8 km à l'ouest des Jardins de Métis, 3 km au sud de Mont Joli.

Sainte-Flavie
Marée Bleue ✳ ✳ ✳

Gîte du Passant
certifié

Maison construite en 1850, face à l'estuaire du Saint-Laurent. Vue imprenable sur la mer que vous pouvez contempler de votre chambre, du 2e étage, de la salle à manger et de deux terrasses extérieures. Notre accueil chaleureux vous y attend, de même qu'un bon repas, sur réservation seulement, si vous voulez profiter de la restauration sur place.

Aux alentours: Jardins de Métis, Route des Arts, parc national du Bic, Musée de la mer, terrains de golf.

Chambres: certaines avec lavabo, ventilateur, couettes en duvet, entrée privée, vue sur fleuve. Lits: simple, double, queen. **4 ch. S. de bain partagée(s).**

Forfaits: charme, vélo, gastronomie.

2 pers: **B&B** 65-70$ **PAM** 105-110$ **1 pers: B&B** 55-60$ **PAM** 75-80$.

Enfant (12 ans et –): B&B 15$ **PAM** 30$. Taxes en sus. AM IT MC VS

Ouvert: 1 juin - 1 nov.

A ✕ AV 🛏 **Certifié: 2006**

Lise Blais et Louis-Georges Dionne
411, route de la Mer
Sainte-Flavie G0J 2L0
Tél. (418) 775-7801 1-866-480-7801
www.giteetaubergedupassant.com/mareebleue
louisgeorges.dionne@cgocable.ca

Rte 132 est. À Ste-Flavie, 1 km à l'est du kiosque touristique; 1 km à l'ouest de l'intersection boucle 132.

Sainte-Florence
Gîte du Vieux Moulin ✳ ✳ ✳

Gîte du Passant
certifié

Grands Prix du tourisme québécois 2002 pour la qualité de l'accueil. Maison ancestrale aux meubles d'antan, située en pleine nature. Havre de paix en retrait de la route 132, loin du bruit, à mi-chemin entre Montréal et les îles de la Madeleine. Pain et confitures maison. Savoureux déj. brunch. Vous êtes chez vous, chez nous.

Aux alentours: pêche au saumon et à la truite, vélo, sentiers pédestres, musées, chutes. Environnement idéal pour le plein air.

Chambres: cachet ancestral, meubles antiques, tranquillité assurée, spacieuses, lumineuses. Lits: simple, double, queen. **4 ch. S. de bain privée(s) ou partagée(s).**

2 pers: **B&B** 65$ **1 pers: B&B** 45-50$

Enfant (12 ans et –): B&B 10$

Ouvert: 1 mai - 15 nov.

@ 🛏 **Certifié: 2008**

Réjeannie Doiron
314, rue Beaurivage Nord C.P. 85
Sainte-Florence G0J 2M0
Tél. (418) 756-6208
Fax (418) 756-3999
www.giteduvieuxmoulin.ca
vieumoulint2020@yahoo.ca

Aut. 20 est, à Mont-Joli dir. Amqui, dir. Ste-Florence. Au village, passer le pont, après la voie ferrée, à droite, 1 km.

Sainte-Paule
Auberge de la Pente Abrupte ★★

Denise, Jean-Paul et Manon Lavoie
40, chemin Sayabec
Sainte-Paule G0J 3C0
Tél. (418) 737-9150 1-877-737-9150
Fax (418) 737-4134
www.aubergepenteabrupte.com
aubergepenteabrupte@globetrotter.net
Route 132 est, à Ste-Flavie dir. Mont-Joli jusqu'à Sayabec, route Ste-Paule à gauche, 10 km. Suivre la route menant à l'auberge à gauche.

Auberge du Passant
certifiée

Dans un endroit enchanteur, la famille Lavoie vous accueille. Séjour à l'auberge dans une atmosphère chaleureuse et calme. Repas composé des produits de l'érable de notre érablière. Réservation préférable pour l'hébergement. Une visite guidée de la cabane à sucre vous apprendra tout sur la production et la transformation du sirop d'érable. P. 169.

Aux alentours: sentiers pédestres et observation des oiseaux et animaux en forêt. Vélo de montagne, cabane à sucre.
Chambres: avec salle d'eau, cachet champêtre, ventilateur, tranquillité assurée, vue sur forêt. **Lits:** simple, double. **12 ch. S. de bain privée(s).**
2 pers: B&B 80-87$ **PAM** 118-132$ **1 pers:** B&B 73$ **PAM** 90$. Taxes en sus. IT MC VS
Réduction: long séjour.
Ouvert: à l'année. **Fermé:** 24 déc - 25 déc.

✕ **AV Certifié: 2008**

Val-Brillant
Gîte Grand-Père Nicole ※※※

Sylvain Marion et Shirley Nicole
39, Saint-Pierre Ouest
Val-Brillant G0J 3I0
Tél. (418) 742-3231
www.gitegrandperenicole.qc.ca
snicolemarion@hotmail.com
Rte 132 est, à Val-Brillant, rue St-Pierre à gauche, direction est. Rte 132 ouest, rue St-Pierre à droite, direction ouest.

Gîte du Passant
certifié

Situé dans le petit village de Val-Brillant, au cœur même de la vallée de la Matapédia, le Gîte Grand-Père Nicole est un établissement familial qui vous offre dans un décor d'antan le confort moderne d'aujourd'hui. Après une nuit paisible, vous débuterez votre journée avec un somptueux petit-déjeuner de trois services. Bon séjour chez-nous!

Aux alentours: mont Val-d'Irène, lac Matapédia, sentier de quad, sentier pédestre, vallée de la framboise, pont couvert, paraski.
Chambres: avec lavabo, TV, accès Internet, meubles antiques, suite, chambre familiale, vue sur lac. **Lits:** simple, double, d'appoint, pour bébé. **5 ch. S. de bain partagée(s).**
Forfaits: ski alpin, autres.
2 pers: B&B 70-75$ **PAM** 100-125$ **1 pers:** B&B 60-65$ **PAM** 75-90$.
Enfant (12 ans et –): B&B 5-10$ **PAM** 15-25$. Taxes en sus. ER MC VS
Réduction: long séjour.
Ouvert: à l'année.

※ **Certifié: 2009**

Matane, Saint-René
Gîte des Sommets

Gîte du Passant à la Ferme
certifié

Ferme d'élevage. Petite fermette abritant quelques chèvres et une bassecour. Située sur les plateaux des Chics-Chocs. On y retrouve le gîte et une ferme servant à loger les animaux et à remiser la récolte. Champs, montagnes et ruisseaux font partis de notre site enchanteur. P. 153.

Activités: autocueillette, visite libre, raquettes, ski de fond, participation aux activités à la ferme, participation aux récoltes, ramasser des oeufs, nourrir les animaux.

Services: aire de pique-nique.

161, route 10ᵉ et 11ᵉ Rang, Saint-René-de-Matane
Tél. (418) 224-3497
www.giteetaubergedupassant.com/sommets
gitedessommets@globetrotter.net

Port-Daniel-Gascons
Les Acres Tranquilles

Gîte du Passant à la Ferme
certifié

Ferme d'élevage. Petite Ferme Familiale avec vaches, veaux, poules à pondeur, cochon, moutons, lapins, chats et une jument, mademoiselle Chocolat et tous adore la visite et se faire photographier. Les enfants peuvent nourrir les petits animaux et ramasser les oeufs pour déjeuner. P. 160.

Activités: aire de jeux, ramasser des oeufs, nourrir les animaux.

Services: aire de pique-nique, location de voiture à proximité.

252, route Gérard-D. Lévesque, Port-Daniel-Gascons
Tél. (418) 396-3491 1-866-302-3491
www.gite-lesacrestranquilles.com
mynor@globetrotter.net

Amqui
Auberge Beauséjour

Table aux Saveurs du Terroir
certifiée

Pour vos papilles ou vos souvenirs, notre salle à manger offre une cuisine raffinée aux accents régionaux. Le tout magnifiquement mis en valeur par un décor recréant l'époque où un magasin général occupait ces lieux, le tout rehaussé d'une ambiance chaleureuse et feutrée. P. 149.

Spécialités : nous utilisons des produits régionaux: agneau au miel d'ici, linguini de saumon fumé, saumon au beurre de truite fumée.
Repas offerts : midi, soir.
Menus : à la carte, table d'hôte, gastronomique.
Nbr personnes: 2-55.
Réservation: recommandée, requise pour groupe.
Table d'hôte: 22-35$/pers. Taxes en sus. AM IT MC VS
Ouvert: à l'année.

Marcel Landry
71, boul. St-Benoit Ouest
Amqui, G5J 2E5
Tél. (418) 629-5531 1-866-629-5531
Fax (418) 629-5410
www.auberge-beausejour.com
aubergebeausejour@globetrotter.net
Rte 132 est, à Amqui, 2ᵉ feu, en face.

AV ♿ **Certifié: 2008**

Cap-Chat
Restaurant Le Fleur de Lys

Table aux Saveurs du Terroir
certifiée

Bienvenue entre mer et montagnes. Si vous recherchez un souvenir gaspésien inoubliable, bénéficier de forfaits avantageux, souhaiter le calme, la détente, le confort et la gastronomie ? Le Fleur de Lys vous séduira ! Récipiendaire de nombreux prix en Gaspésie depuis 2004. «A comparer avec les meilleures tables de Montréal», La Presse 2005.

Spécialités : homard, pétoncles 10/20 en fleur avec julienne de légumes, bouillabaisse avec demi-homard, côte de boeuf à la française.
Repas offerts : midi, soir, soir.
Menus : à la carte, table d'hôte, gastronomique.
Nbr personnes: 1-100.
Réservation: recommandée, requise pour groupe.
Table d'hôte: 20-45$/pers. Taxes en sus. IT MC VS
Ouvert: 10 mai - 7 oct. Tous les jours.

Serge Lauriot
184, route 132 est
Cap-Chat, G0J 1G0
Tél. (418) 786-5518 1-888-786-5518
Fax (418) 786-9293
www.motelfleurdelys.com
fleur.lys@globetrotter.net
Rte 132 est, sortie Cap-Chat, direction Sainte-Anne-des-Monts.

A ♿ ● **AV Certifié: 2008**

Causapscal
Gîte des Tilleuls

Table aux Saveurs du Terroir
certifiée

La salle à manger du Gîte des Tilleuls vous offre choix, goût et service professionnel. Vous pourrez y déguster des crêpes bretonnes qui sont la spécialité du gîte ou découvrir un menu table d'hôte avec grillades, poissons et autres qui mettent en valeur les produits régionaux. Une carte des vins vous est proposée sur place. P. 151.

Spécialités : profitez des services d'une authentique crêperie, ainsi que d'une table d'hôte élaborée avec des produits régionaux de qualité.
Repas offerts : brunch, soir.
Menus : à la carte, table d'hôte, gastronomique.
Nbr personnes: 1-26. Min. de pers. exigé varie selon les saisons.
Réservation: recommandée, requise pour groupe.
Table d'hôte: 19-37$/pers. Taxes en sus. AM IT MC VS
Ouvert: 1 juin - 31 sept. Tous les jours. Horaire variable.

La Famille Rivard (Claude, Lise & Jessica)
107, rue Saint-Jacques Sud
Causapscal, G0J 1J0
Tél. (418) 756-5050 1-877-846-5050
Fax (418) 756-5051
www.gite-tilleuls.ca
info@gite-tilleuls.ca
Aut. 20 est. À Cacouna, rte 132 est, dir. Rimouski. À Ste-Flavie, dir. Mont-Joli à droite. Continuez sur cette route jusqu'à Causapscal et profitez du paysage !

A ♿ **Certifié: 2007**

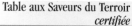

Gaspé
Auberge La Maison William Wakeham

Table aux Saveurs du Terroir
certifiée

Bâtiment historique de 1860. Hébergement et services 3 étoiles. Salle à manger de renom 44 places. Repas servis: matin, midi, soir. 8 ch. uniques évoquant l'histoire. Lits queen, AC, salles de bain privées, réceptions avec chapiteaux disponibles. Endroit tranquille et paisible. Grande terrasse avec vue sur la rivière York. Cuisine professionnelle P. 14, 151.

Spécialités : cuisine du marché, fruits de mer, grillades de choix, salades santé, pâtes fraîches et desserts maison. Lauréat 2007 et 2008.
Repas offerts : brunch, midi, soir.
Menus : à la carte, table d'hôte, gastronomique.
Nbr personnes : 1-44.
Réservation: recommandée.
Table d'hôte: 25-45$/pers. Taxes en sus. IT MC VS
Ouvert : 15 mars - 31 déc. Tous les jours.

A AV 🐾 **Certifié: 2007**

Desmond Ogden
186, rue de la Reine
Gaspé, G4X 1T6
Tél. (418) 368-5537 (418) 368-5792
www.maisonwakeham.ca
maisonww@hotmail.fr

Rte 132. Au centre ville de Gaspé, rue de la Reine à gauche, sens unique vers la fin à droite. De Murdochville, rte 198, rue de la Reine à gauche, 300 m.

Gaspé
Café de l'Anse du Centre Culturel Le Griffon

Table aux Saveurs du Terroir
certifiée

Magnifique café avec terrasse en bord de mer. Cuisine régionale utilisant les produits locaux. Table sans prétention au sympathique cachet maritime. Sur place: atelier d'artistes, exposition. Le Centre Culturel s'inscrit dans la continuité pour la sauvegarde et la mise en valeur d'un site authentique maritime. Forfait souper-théâtre.

Spécialités : chaudrée de poissons, brandade de morue, enfumé des mers, boule de morue, pâté au saumon Atkins, rillettes de truite, crevettes fumées.
Repas offerts : brunch, midi, soir.
Menus : à la carte, gastronomique.
Nbr personnes : 1-35.
Réservation: recommandée, requise pour groupe.
IT MC VS
Ouvert : à l'année. Horaire variable.

🐾 **Certifié: 2008**

Chantale Dufresne
557, boul. du Griffon
Gaspé, G4X 6A5
Tél. (418) 892-0115 (418) 892-5679
www.lanseaugriffon.ca
info@lanseaugriffon.ca
Situé dans le parc national Forillon.

Percé
Auberge Au Pirate 1775

Table aux Saveurs du Terroir
certifiée

Une histoire d'amour dans une maison de style, construite au 18e siècle directement sur la mer. Pauline et Jean-François vous proposent des séjours douillets dans un décor de rêve. Votre table est mise sur la véranda, face au rocher Percé. L'auberge et le restaurant sont inscrits aux meilleurs guides de voyage. Animaux acceptés. P. 147, 156.

Spécialités : soupe de poissons d'ici et sa rouille. Brandade de morue salée et gratinée. Suprême de volaille aux grains.
Repas offerts : soir.
Menus : à la carte, table d'hôte, gastronomique.
Nbr personnes : 1-34.
Réservation: recommandée, requise pour groupe.
Taxes en sus. AM ER IT MC VS
Ouvert : 10 juin - 10 oct. Tous les jours.

A 🐾 **Certifié: 2007**

Pauline Vaillancourt
169, route 132
Percé, G0C 2L0
Tél. (418) 782-5055
Fax (418) 782-5680
www.giteetaubergedupassant.com/pirate1775
aupirate@bmcable.ca

Rte 132, au centre du village, côté mer, une maison peinte en bleu.

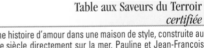

Tables aux Saveurs du Terroir^MD & Champêtres^MD

Petite-Vallée
La Maison Lebreux

Table aux Saveurs du Terroir
certifiée

Salle à manger avec vue imprenable sur la mer et pouvant accueillir 30 personnes autour de grandes tables qui favorisent la convivialité. Cuisine traditionnelle où poissons et fruits de mer sont offerts dans un menu table d'hôte. Carte des vins : québécois et importations. P. 2, 158, 159.

Spécialités : bouillabaisse de poissons et fruits de mer gaspésienne. Petits fruits en saison, sirop d'érable, confitures, pain et desserts «maison».
Repas offerts : soir.
Menus : table d'hôte.
Nbr personnes: 1-30.
Réservation: recommandée.
Table d'hôte: 25-30$/pers. Taxes en sus. IT MC VS
Ouvert: à l'année. Horaire variable.

AV Certifié: 2007

Denise Lebreux et Simon Côté
2, rue Longue-Pointe
Petite-Vallée, G0E 1Y0
Tél. (418) 393-2662 1-866-393-2662
Fax (418) 393-3105
www.lamaisonlebreux.com
lamaisonlebreux@globetrotter.net
Rte 132 est jusqu'à Petite-Vallée. À l'entrée du village, rue Longue-Pointe à gauche, à l'embranchement à gauche.

Port-Daniel-Gascons
Gîte la Conche Saint-Martin

Table aux Saveurs du Terroir
certifiée

Le Chef Daniel est un passionné et un artiste qui réalise des plats raffinés au caractère unique, à partir de produits régionaux. Son déjeuner champêtre comprend 5 services, un différent à chaque jour. Table gourmande cinq services. L'amour pour la nature de Daniel s'exprime sur ses toiles exposées au gîte. P. 15, 160.

Spécialités : nous vous convions à la découverte du terroir Terre et Mer. Poissons, fruits de mer, agneau de la Gaspésie nourrit aux algues, gibier.
Repas offerts : soir. Apportez votre vin.
Menus : gastronomique.
Nbr personnes: 1-12.
Réservation: requise.
Table d'hôte: 60$/pers. Taxes en sus. MC VS
Ouvert: à l'année.

A ● AV ⚬ Certifié: 2007

Daniel Deraiche
252, route de la Rivière
Port-Daniel-Gascons, G0C 2N0
Tél. (418) 396-2481 1-877-396-2491
www.giteetaubergedupassant.com/laconchesaintmartin
laconchesaint-martin@navigue.com
Aut. 20, à Ste-Flavie, route132 dir. Percé. À Port-Daniel, route de la Rivière à gauche.

Sainte-Paule
Auberge de la Pente Abrupte

Relais du Terroir & Ferme Découverte
certifiés

Denise, Jean-Paul et Manon Lavoie
40, chemin Sayabec
Sainte-Paule, G0J 3C0

Tél. (418) 737-9150 1-877-737-9150
Fax (418) 737-4134
www.aubergepenteabrupte.com
aubergepenteabrupte@globetrotter.net

Route 132 est, à Ste-Flavie dir. Mont-Joli jusqu'à Sayabec,
route Ste-Paule à gauche, 10 km. Suivre la route menant à
l'auberge à gauche.

Érablière. Dans un décor enchanteur, la famille Lavoie vous accueille. Une visite guidée de la cabane à sucre vous apprend tout sur la production et la transformation du sirop d'érable. Durée moyenne de la visite: une heure. Dégustez un repas composé de produits de l'érable et séjournez à notre auberge dans une atmosphère des plus chaleureuses. P. 164.

Produits: nous transformons cinq produits d'érable: sirop, beurre, tire, sucre dur et sucre granulé tout au long de l'année.

Activités sur place: dégustation, visite commentée français et anglais, randonnée pédestre, raquettes, aire de jeux, observation des activités de transformation.

Visite: adulte: 9$, enfant: 6-9$ IT MC VS

Réservation: requise pour groupe.

Ouvert: à l'année. **Fermé:** 24 déc - 25 déc. Tous les jours. 9h à 20h.

Services: centre d'interprétation / musée, vente de produits, salle de réception, réunion, stationnement pour autobus, emballages-cadeaux.

✕ AV **Certifié: 2008**

Relais du Terroir & Fermes Découverte

Îles de la Madeleine

Un espace exceptionnel au milieu du golfe du Saint-Laurent…

La douceur du relief, l'harmonie des couleurs, la fraîcheur des lieux, la mer omniprésente, les dunes blondes et les falaises de grès rouge… Tout pour séduire le visiteur en quête d'une nature sculptée par le vent et les vagues.

La région des Îles de la Madeleine est située en plein cœur du golfe du Saint-Laurent. Toutes les îles, sauf l'île d'Entrée, sont raccordées entre elles par des dunes. L'ensemble des îles forme un croissant allongé sur une distance de 65 km. L'archipel comprend une douzaine d'îles, dont six sont reliées entre elles par d'étroites bandes de sable.

La pêche est l'activité principale aux Îles de la Madeleine. La variété de poissons et de fruits de mer est impressionnante. Voilà une belle occasion pour aller se balader sur les quais à l'arrivée des bateaux.

Les îles sont paradisiaques pour les sports de vent. Elles sont classées comme l'une des 10 meilleures destinations de sports de glisse et de vent à travers le monde. La variété des sites et la vélocité des vents satisferont les attentes de tous les adeptes.

La région offre de tout: des plages, des dunes, des routes panoramiques, des activités culturelles et sportives, des sites de plein air, des bonnes tables et des cafés où flâner dans une ambiance décontractée et un climat maritime.

Saveurs régionales

Les Îles de la Madeleine sont l'occasion de découvrir le savoir-faire culinaire des Madelinots. On dit qu'ils sont passés maîtres dans l'art d'apprêter ce qu'ils puisent de la mer si généreuse. Les fruits de mer et les poissons font la réputation des Îles sur les marchés internationaux. Découvrez:

- le pot-en-pot, une savoureuse préparation de fruits de mer ou de poissons et de pommes de terre en croûte;

- la bouillabaisse, les croque-monsieur aux fruits de mer, la mousse de crabe;

- le homard frais durant la saison (début mai au début juillet);

- le crabe des neiges, le pétoncle, les moules, le hareng, le maquereau ont une place de choix sur plusieurs tables;

- la chair du phoque, une viande remarquablement tendre et maigre avec un petit goût de mer.

Il faut goûter à la bière brassée à partir de l'orge battue par le vent et l'air salin des îles. Rendez-vous à la première microbrasserie québécoise «À l'abri de la tempête». Découvrez le «Barbocheux», un petit *shooter* de bagosse, une bière artisanale, le veau de «Nathael», un veau 100% madelinot. La Fromagerie artisanale du Pied-de-vent où l'on fabrique le fromage au lait cru. «Le bon goût frais des Îles de la Madeleine» est un regroupement de producteurs locaux et de restaurateurs. Recherchez cette appellation apposée sur les produits qui est un gage d'authenticité et de fraîcheur.

Îles de la Madeleine

Le saviez-vous?

Les dunes offrent une protection importante contre l'assaut de l'eau de mer sur la contamination de la nappe d'eau souterraine par l'eau salée. Elles empêchent aussi le vent de charrier le sable qui envahirait de précieux habitats naturels tels les lagunes et les étangs. Elles offrent également une protection pour les infrastructures routières, de même qu'un milieu de vie important pour des plants et animaux qui viennent y chercher abri et nourriture.

Clin d'oeil sur l'histoire

Les Îles de la Madeleine furent initialement appelées par le peuple Micmac *Memquit*, par la suite rebaptisées les «Araynes» par Jacques Cartier, puis dénommée les Îles Madeleine et finalement les Îles de la Madeleine, par François Doublet de Honfleur. Ce dernier, concessionnaire des îles, qui voulait ainsi honorer son épouse Madeleine Fontaine. Les Micmacs nommaient poétiquement l'archipel *Menagoesenog*, mot signifiant «îles balayées par la vague». On compte près de 13 000 habitants dont l'origine est acadienne à 85%. Le reste de la population est québécoise, écossaise, irlandaise ou anglaise.

Quoi voir? Quoi faire?

Visitez le Centre d'interprétation du phoque (Grande-Entrée).

Osez une escapade aux Économusées du Poisson fumé (Havre-aux-Maisons) et du Sable (Havre-Aubert).

Le Musée Elie à François et le centre d'interprétation de la mariculture (Étang-du-Nord).

Le Site historique de la Grave et l'Aquarium des Îles, le Musée de la Mer, plus de 300 ans d'histoire (Havre-Aubert) vous promettent des heures instructives.

Explorez le Musée historique de l'Île d'Entrée qui relate l'histoire de l'occupation de l'île. Grimpez la butte Big Hill, la plus haute colline des îles avec ses 174 m de haut. Amusez-vous durant le concours des châteaux de sable des Iles-de-la-Madeleine qui se déroule depuis 1986 chaque mois d'août (Havre-Aubert).

Admirez l'église en bois de La Vernière de l'Étang-du-Nord, l'une des plus imposantes églises de bois encore existantes en Amérique du Nord.

Observez les phoques, assistez à une démonstration de pêche au homard, apprenez sur la culture de la moule bleue et du pétoncle géant en faisant une excursion sur un bateau à fond de verre (Île du Havre aux Maisons).

Fréquentez en la plage de la Grande Échouerie (Grosse-Île).

Faites le plein de nature

Prévoyez des excursions guidées en kayak de mer pour explorer les joyaux du littoral et admirer les falaises.

Admirez le Sentier maritime pour sa voie navigable conçue pour les petites embarcations pour la découverte des îles.

Rendez-vous à la réserve écologique de l'Île Brion pour une visite éducative, une randonnée pédestre ou en kayak de mer.

La Martinique et la Réserve nationale de faune de la Pointe-de-l'Est pour l'observation de près de 200 espèces d'oiseaux.

Envie de *kitesurf*, planche à voile, voilier, kayak de mer, plongée sous-marine, les îles offrent une variété de sites pour les pratiquer et donnent des cours des plus reconnus.

Plusieurs sentiers de randonnée pédestre et pistes cyclables vous permettent de découvrir un univers paisible et enchanteur.

Pour plus d'information sur les Iles de la Madeleine: 1-877-624-4437

www.tourismeilesdelamadeleine.com

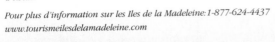

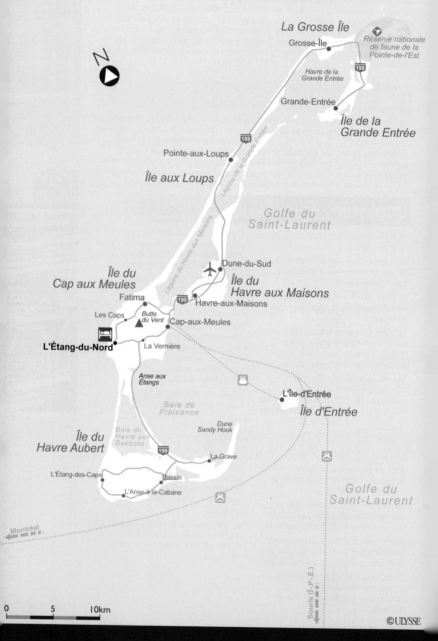

Île Brion (15km)

La Grosse Île

Grosse-Île

Réserve nationale
de faune de la
Pointe-de-l'Est

199

Havre de la
Grande Entrée

Grande-Entrée

Île de la
Grande Entrée

199

Pointe-aux-Loups

Île aux Loups

Golfe du
Saint-Laurent

Lagune de la Grande Entrée

Dune-du-Sud

Île du
Cap aux Meules

Île du
Havre aux Maisons

Fatima

199

Havre-aux-Maisons

Les Caps

Butte
du Vent

Cap-aux-Meules

L'Étang-du-Nord

La Vernière

Lagune du Havre aux Maisons

L'Île-d'Entrée

Anse aux
Étangs

Île d'Entrée

Baie de
Plaisance

Île du
Havre Aubert

Baie du
Havre aux
Basques

Dune
Sandy Hook

199

La Grave

L'Étang-des-Caps

Bassin

Golfe du
Saint-Laurent

L'Anse-à-la-Cabane

Montréal

Souris (Î.-P.-É.)

0   5   10km

©ULYSSE

L'Étang-du-Nord
B&B Les Réfugiés ✺ ✺ ✺

Gîte du Passant
certifié

Dans une maison typique des îles, un vrai gîte à l'esprit d'autrefois. Confortable, accueillant et gastronomique. Le théâtre inspire la décoration et la table est tout aussi théâtrale! Nombre de célébrités sont venues y manger; de Gilles Pelletier à Daniele Finzi Pasca du cirque Éloize et les madelinots. La spécialité: le petit-déjeuner

Aux alentours: kayak, kite-surf, excursions en grottes, visite de phoques, plages, golf, meilleurs restaurants, salles de spectacle.

Chambres: TV, personnalisées, raffinées, peignoir, ventilateur, tranquillité assurée, lumineuses. **Lits:** simple, double, queen. **4 ch. S. de bain partagée(s).**

Forfaits: gastronomie.

2 pers: B&B 73-85$ **1 pers: B&B** 73-85$

Réduction: hors saison.

Ouvert: 1 juin - 23 sept.

A 🐾 @ ♿ **Certifié: 2009**

Daniel Thérien
955, chemin du Gros-Cap
L'Étang-du-Nord G4T 3M9
Tél. (418) 986 4192
www.bblesrefugies.com
refugies@lino.com
En sortant du traversier, route199 Ouest; à gauche. Près de la COOP, chemin du Gros, à gauche.

Gîtes et Auberges du Passant[MD]
Maisons de Campagne et de Ville

Robert Therrien, Tourisme Lanaudière

Lanaudière
Tout en vert et en musique!

De sa plaine à son piedmont et jusqu'aux montagnes sauvages, vous y ferez le plein d'air pur. Par son patrimoine, vous serez charmé et par sa culture, littéralement transporté par de sublimes envolées musicales.

Lanaudière, c'est trois régions en une... Au sud, la plaine du Saint-Laurent, parsemée de villes et villages. Au centre, le piedmont et ses nombreux attraits naturels. Et au nord, le plateau laurentien, un royaume du plein air où la Matawinie fait office de capitale de la motoneige! De merveilleuses chutes et cascades enjolivent aussi cette région verdoyante et abondante en cours d'eau, avec ses 10 000 lacs et eaux vives. Un autre petit joyau: les îles de Berthier de l'archipel du lac Saint-Pierre (une réserve mondiale de la biosphère reconnue par l'UNESCO).

Si Lanaudière recèle de fantastiques paysages, elle compte aussi une étonnante richesse patrimoniale avec ses musées, ses maisons et ses bâtiments historiques. On ne saurait oublier son apport au domaine musical avec, entre autres, le célèbre Festival international de Lanaudière: une prestigieuse célébration de la musique classique.

En randonnée, en vélo, en canot, en motoquad, en motoneige, en ski de fond, en traîneau à chiens ou en raquettes, découvrez une région où le goût de la fête, les plaisirs de la bonne table et l'accueil chaleureux laisseront de précieux souvenirs.

Immagine

Maria Savard, Tourisme Lanaudière

Saveurs régionales

- Au printemps, le sirop coule à flot dans Lanaudière qui compte un grand nombre de cabanes à sucre, tant familiales que commerciales. La tradition acéricole est très implantée et vous pourrez allègrement vous sucrer le bec avec une belle variété de produits d'érable de qualité, dont le vin d'érable.

- Considérée comme le caveau à légumes de Montréal, il n'est pas surprenant d'y retrouver de nombreuses cultures maraîchères.

- Les fromages au lait de chèvre et de vache, dont plusieurs sont de lait cru, contribuent délicieusement aux saveurs régionales.

- Même du vin! Unique dans la région, l'île Ronde en face de Saint-Sulpice, d'une dimension de 3 km², compte 50 000 vignes.

- D'autres feront de leurs fraises un vin, de leur miel un excellent nectar, de leurs grains une bonne farine traditionnelle et de leurs petits fruits et fleurs de succulents vinaigres.

Produits du terroir à découvrir et déguster

- Bergerie des Neiges, Relais du Terroir^{MD} & Ferme Découverte certifiés, Saint-Ambroise-de-Kildare. P. 187
- Les Sucreries des Aïeux (2008) Inc., Relais du Terroir^{MD} & Ferme Découverte certifiés, Rawdon. P. 187

La région compte trois (3) Tables aux Saveurs du Terroir^{MD} et deux (2) Tables Champêtres^{MD} certifiées. Une façon originale de découvrir toutes ces saveurs. P. 185

Lanaudière

Le saviez-vous?

Les origines de la ceinture fléchée, dites de L'Assomption et symbole de la région, restent obscures. Chose certaine, c'est dans Lanaudière qu'elle naquit et que sa technique de tissage en forme de V coloré devint unique. Elle en séduira plus d'un pour devenir un apparat d'habit des nations canadienne-française, amérindienne et métisse, voire même un symbole politique pour avoir été portée par les Patriotes de la rébellion de 1837. Au XIXᵉ siècle, cette étoffe plaisait tellement aux Amérindiens qu'elle fit l'objet de troc contre de la fourrure. Bien des artisanes furent engagées par la Cie de la Baie d'Hudson pour tisser cette précieuse monnaie d'échange.

Clin d'oeil sur l'histoire

Si certains passés façonnent le patrimoine, d'autres forment le paysage, comme celui du petit village de Saint-Ignace-du-Lac qui devint le réservoir Taureau. En pleine phase d'industrialisation, le Québec avait besoin d'énergie pour alimenter ses entreprises de pâtes et papiers. C'est ainsi qu'en 1931 les 700 âmes de ce village furent contraintes à l'exil pour faire place au barrage hydroélectrique qui noya la région sur plus de 45 km de long et 250 km de circonférence. Ce réservoir, à la forme d'un taureau vu du haut des airs, est devenu un superbe lac dont le pourtour n'est que plages et le centre, du sable fin. Aujourd'hui, il fait le bonheur des plaisanciers.

Quoi voir? Quoi faire?

Vivez la campagne lanaudoise et ses spécialités régionales par le biais des 5 circuits des Chemins de campagne. (Sainte-Béatrix).

Le Chemin du Roy, de Repentigny à Saint-Barthélemy (route 138): un fleuve de découverte.

Jolis quartiers du Vieux L'Assomption et du Vieux-Terrebonne avec son site historique de l'Île-des-Moulins.

La patinoire de la rivière l'Assomption, deux corridors de 9 km (aller-retour). La plus longue au Québec. Plaisir garanti!

Le Festival international de Lanaudière à Joliette et ses concerts sous les étoiles à l'Amphithéâtre(fin juin au début août).

Le lieu historique national Sir-Wilfrid-Laurier, 1ᵉʳ Canadien-français élu premier ministre du Canada (Saint-Lin-Laurentides).

Le Festival Mémoires et racines (juillet): accordéonistes, tapeurs de pieds, joueurs de cuillères, souffleux de ruine-babines… (Saint-Charles-de-Borromée).

Les Jardins du Grand-Portage (Saint-Didace) et les villages de Saint-Donat et de Saint-Côme, sympathiques villages et porte d'entrée du parc du Mont-Tremblant.

L'été, un nombre considérable de parcours de golf sont offerts.

Faites le plein de nature

Îles de Berthier: sentier d'interprétation de 8 km (Sainte-Geneviève-de-Berthier).

Le Parc des Chutes-Dorwin et le parc des Cascades (Rawdon).

Arbraska, d'arbre en arbre (Rawdon).

Le Parc régional de la Forêt Ouareau, un classique de la randonnée pédestre. Son sentier des contreforts est l'un des plus beaux tronçons du Sentier national dans la région de Lanaudière pour la raquette (Saint-Donat).

Lac Archambault (Saint-Donat).

La Montagne Coupée: ski de fond et randonnée pédestre (Saint-Jean-de-Matha).

Les parcs régionaux des Chutes-Monte-à-Peine-et-des-Dalles et des Sept-Chutes (Saint-Zénon).

Le parc national du Mont-Tremblant: le sentier de la Corniche, la chute aux Rats… Sublime!

Les réserves fauniques Rouge-Matawin et Mastigouche, des oasis de tranquillité en toutes saisons pour les amateurs de plein air.

Ski alpin (Rawdon, Saint-Côme, Saint-Donat).

Pour plus d'information sur la région de Lanaudière : 1-800-363-2788
www.lanaudiere.ca

Lanaudière

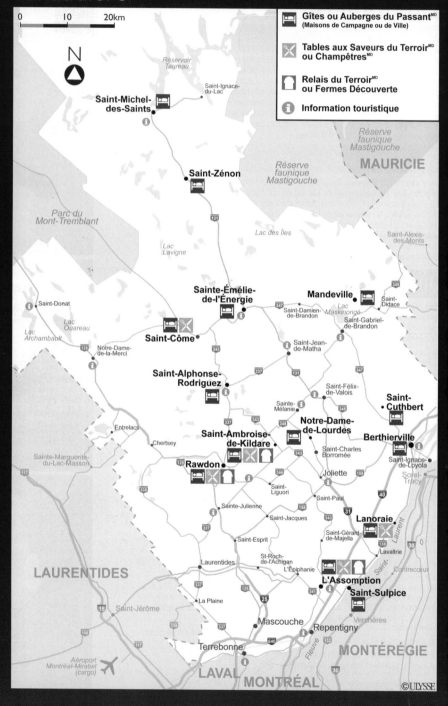

PRIX de L'EXCELLENCE 2008
Fédération des Agricotours du Québec
Coup de Cœur du Public régional

Saint-Zénon

Au Vent Vert
Maryse Thériault et Franck Turbot
6300, rue Principale
Saint-Zénon
J0K 3N0
(450) 884-0169
1-877-449-8444
Fax :(450) 884-0169
www.au-vent-vert.com
mail@au-vent-vert.com

La Fédération des Agricotours du Québec* est fière de rendre hommage aux hôtes Maryse Thériault et Franck Turbot, du gîte AU VENT VERT, qui se sont illustrés de façon remarquable par leur accueil de tous les jours envers leur clientèle. C'est dans le cadre des Prix de l'Excellence 2008 que les propriétaires de cet établissement, certifié Gîte du Passant[MD] depuis 1993, se sont vu décerner le « Coup de Cœur du Public régional » de Lanaudière dans le volet Gîte du Passant[MD]. P. 179, 184.

Félicitations !

*La Fédération des Agricotours du Québec est propriétaire des marques de certification : Gîte du Passant[MD], Auberge du Passant[MD], Maison de Campagne ou de Ville, Table aux Saveurs du Terroir[MD], Table Champêtre[MD], Relais du Terroir[MD] et Ferme Découverte.

Merci au nom des lauréats!

Chaque année, les fiches d'appréciation permettent de décerner le Prix de l'Excellence, dans la catégorie « Coup de Cœur du Public », aux établissements qui se sont démarqués de façon remarquable par leur accueil. En remplissant une fiche d'appréciation, vous contribuez non seulement à maintenir la qualité constante des services offerts, mais également à rendre hommage à tous ces hôtes.

Prix de l'Excellence

COUREZ LA CHANCE DE GAGNER UN SÉJOUR!

Chacune des fiches d'appréciation , vous donne la chance de gagner un séjour de 2 nuits pour 2 personnes dans un « Gîte ou une Auberge du Passant[MD] » de votre choix. La fiche d'appréciation est disponible dans tous les établissements certifiés et sur Internet :

www.gitesetaubergesdupassant.com
www.tablesetrelaisduterroir.com

Auberge Le Louis Philippe II

www.lelouisphilippe2.com

5650 rue Principale, Lourdes de Joliette (Québec), CANADA J0K 1K0
Tél. : **450 753-5019**   Sans frais : 1 866 753-5019   info@lelouisphilippe2.com

Bergerie des Neiges
Gîte et boutique

- Gîte du passant
- Table champêtre
- Produits de la ferme
- Visites de la bergerie
- Formation en agrotourisme et tourisme rural

Un plaisir pour tous les sens !

LAURÉAT RÉGIONAL
LES GRANDS PRIX DU TOURISME QUÉBÉCOIS
2008
Tourisme Québec

www.bergeriedesneiges.com   450.756.8395
1401, rang 5 (Principale), Saint-Ambroise-de-Kildare, Québec J0K 1C0

Berthierville
Gîte de l'Oie Blanche B&B ❋ ❋ ❋

Gîte du Passant
certifié

Réjean Desjardins
980, rue Montcalm
Berthierville J0K 1A0
Tél. / Fax (450) 836-6592 Tél. (514) 743-6580
www.gitedeloieblanche.com
info@gitedeloieblanche.com
Aut. 40, sortie 144, av. Gilles-Villeneuve à gauche, rue
Montcalm à droite.

Pour un séjour inoubliable dans une maison ancestrale, plus que centenaire, on vous offre une hospitalité chaleureuse. De plus, vous apprécierez nos petits-déjeuners copieux 4 services. Nous vous promettons un séjour mémorable. Nous sommes assurés que votre visite sera agréable et relaxante pour un moment de bonheur et de détente bien mérité... Certifié "Bienvenue cyclistes !"^{MD}

Aux alentours: chemin du Roy, Route verte, Chapelle des Cuthbert, Musée Gilles Villeneuve, golf, croisières.
Chambres: climatisées, baignoire sur pattes, avec salle d'eau, TV, cachet ancestral. **Lits:** double, queen. **4 ch. S. de bain privée(s) ou partagée(s).**
Forfaits: charme, vélo, golf, détente & santé, romantique.
2 pers: B&B 65-110$ **1 pers:** B&B 65-110$.
Enfant (12 ans et –): B&B 10$. Taxes en sus.
Réduction: hors saison, long séjour.
Ouvert: à l'année.

🐾 AV @ 🚲 Certifié: 2006

Berthierville
Manoir Latourelle ❋ ❋ ❋

Gîte du Passant
certifié

Colette, Roxane et Jules Rémillard
120, rang rivière Bayonne Nord
Berthierville J0K 1A0
Tél. / Fax (450) 836-1129 Tél. (450) 836-2188
www.valremi.qc.ca
gite@valremi.qc.ca
Aut. 40 est, dir. Berthier, sortie 144, rte 158 est, rte 138
est, 1,5 km.

Cette élégante demeure victorienne de 1888 ouvre grand ses portes. Colette vous accueille avec ses petites gâteries qui vous feront découvrir des cachettes de la région. Embellissez votre séjour avec les multiples activités de la région: musique, nature, vélo, art et culture vous convaincront d'y demeurer plus d'une journée. Déjeuner 4 services.

Aux alentours: Route verte, golf, croisière dans les îles de Berthier, concerts amphithéâtre de Joliette.
Chambres: meubles antiques, vue sur campagne. **Lits:** simple, double, queen. **4 ch. S. de bain privée(s) ou partagée(s).**
2 pers: B&B 70-80$ **1 pers:** B&B 45-55$.
Enfant (12 ans et –): B&B 15$. Taxes en sus. IT VS
Ouvert: 15 mai - 15 oct.

AV 🚲 Certifié: 2005

Lanoraie
Auberge du Petit Bois d'Autray ❋ ❋ ❋

Gîte du Passant
certifié

Sophie et Maryse Dallaire, Victor Conceicao
598, rg du Petit Bois d'Autray
Lanoraie J0K 1E0
Tél. / Fax (450) 836-7696 Tél. 1-877-836-7696
www.aubergepetitboisdautray.com
info@aubergepetitboisdautray.com
Aut. 40, sortie 130, ch. Joliette à droite, rte 138 à gauche,
12 km Montée d'Autray à gauche, rang du Petit Bois d'Autray
à droite.

Prix Réalisation 2007 - Mention spéciale. Notre maison fermière de 1852 est blottie au milieu des champs. La beauté des paysages, la basse-cour caquetante et le bruissement des feuilles seront synonymes de répit. Notre copieux petit-déj., accompagné de jus pressé, de confitures maison et de viennoiseries, vous est servi dans notre salle à manger de pièce sur pièce d'origine. Certifié "Bienvenue cyclistes !"^{MD} **Certifié Table aux Saveurs du Terroir^{MD}**. P. 185.

Aux alentours: chemin du Roy, croisière, kayak, sentiers pédestres, agrotourisme, pistes cyclables, pêche: été/hiver.
Chambres: baignoire à remous, ensoleillées, cachet d'antan, tranquillité assurée, vue sur champs. **Lits:** simple, double, queen. **5 ch. S. de bain partagée(s).**
Forfaits: charme, vélo, croisière, plein air, théâtre, régional, été, automne, hiver.
2 pers: B&B 65-75$ **PAM** 147-157$ **1 pers:** B&B 60-70$ **PAM** 100-110$.
Enfant (12 ans et –): B&B 10$ **PAM** 30$. Taxes en sus. IT MC VS
Réduction: long séjour.
Ouvert: à l'année.

A ● ✕ AV @ 🚲 Certifié: 2004

L'Assomption
Au Postillon de l'Assomption ✳✳✳✳

Gîte du Passant
certifié

Permettez-vous un voyage dans le temps. Venez apprécier l'originalité de ce gîte de par la richesse de son patrimoine. Ancien bureau de poste de 1938. La chaleur, l'hospitalité et les attraits de ce beau coin de pays sauront certainement vous charmer. Ce sera avec un grand plaisir que nous vous accueillerons Au Postillon de l'Assomption.

Aux alentours: bons restaurants, boutiques, théâtre Hector-Charland pour un bon spectacle. 5 minutes à pied.

Chambres: baignoire à remous, personnalisées, ventilateur, spacieuses, terrasse, studio. **Lits:** simple, double, queen, king, d'appoint, pour bébé. **5 ch. S. de bain privée(s).**

Forfaits: charme, détente & santé, romantique, spectacle, théâtre.

2 pers: B&B 95-115$ **1 pers:** B&B 85-95$.

Enfant (12 ans et −): B&B 15$. Taxes en sus. MC VS

Réduction: long séjour.

Ouvert: à l'année.

A AV 🖐 **Certifié: 2008**

Claudine Santerre
164, rue Notre-Dame
L'Assomption J5W 3C8
Tél. (450) 589-5752
Fax (450) 589-0483
www.aupostillon.com
aupostillon@yahoo.ca
Aut. 40 est, sortie 108 à droite, rte 341 nord à gauche, 3ᵉ feu, rte 344 à droite, rue Notre-Dame à gauche.

Mandeville
Domaine la Maison Chouette ✳✳✳✳

Gîte du Passant
certifié

C'est une maison victorienne à la mode d'autrefois. Elle est pimpante et bien chouette d'où lui vient son appellation. C'est un endroit de repos et de détente. Elle est située au pied d'une montagne et face à une rivière. Venez vous régaler de nos délicieuses crêpes aux petits fruits. Parlons aussi anglais, espagnol, allemand.

Aux alentours: Zec des nymphes, réserve faunique, motoneige, véhicule tout-terrain, pêche & chasse.

Chambres: TV, unité pour fumeur, balcon, ensoleillées, raffinées, meubles antiques, ventilateur. **Lits:** simple, double, queen, pour bébé. **4 ch. S. de bain privée(s) ou partagée(s).**

Forfaits: gastronomie, plein air, détente & santé, romantique, ski de fond, autres.

2 pers: B&B 65-90$ **PAM** 95-130$

Réduction: long séjour.

Ouvert: à l'année.

A 🔴 🚂 **Certifié: 2008**

Lauretta Lévesque
155, ch. Côte à Menick
Mandeville J0K 1L0
Tél. (450) 835-5657
Fax (450) 835-0083
www.giteetaubergedupassant.com/domainelamaisonchouette
laurettalev@sympatico.ca
Aut. 40 sortie 144, rte 158 à droite dir. St-Cuthbert, rte 347 dir. St-Gabriel-de-Brandon, rte 348 dir. Mandeville, rg Mastigouche, Zec des Nymphes à g., ancien ch. Lac Rose.

Notre-Dame-de-Lourdes
Auberge le Louis-Philippe II ✳✳✳✳

Gîte du Passant
certifié

À 10 min de Joliette, Le Louis Philippe II vous accueille dans un décor de carte postale. Située à flanc de montagnes, l'auberge reflète une imposante stature sur son propre lac. Ce domaine vous offre toutes les activités des plaisirs de la campagne. Les chambres vous garantissent confort et commodités. Spa extérieur fonctionnel 12 mois. P. 178.

Aux alentours: chutes Monte-à-Peine, baignade, parachutisme, vélo, circuit les Chemins de campagne, ski de fond et motoneige...

Chambres: baignoire à remous, avec salle d'eau, foyer, TV, peignoir, ventilateur, vue sur lac. **Lits:** queen, king, divan-lit. **5 ch. S. de bain privée(s).**

Forfaits: charme, gastronomie, golf, détente & santé, spectacle, théâtre, parachutisme, autres.

2 pers: B&B 85-135$ **1 pers:** B&B 65-115$.

Enfant (12 ans et −): B&B 15$. Taxes en sus. AM IT MC VS

Réduction: long séjour.

Ouvert: à l'année.

5650, rue Principale
Notre-Dame-de-Lourdes J0K 1K0
Tél. / Fax (450) 753-5019 Tél. 1-866-753-5019
www.lelouisphilippe2.com
info@lelouisphilippe2.com
Aut. 40, sortie 122, aut. 31 nord, sortie 15 est, rte 131 nord, 7ᵉ feu, rue Principale à gauche, 4,5 km.

A 🔴 AV 〰️ **Certifié: 2008**

Rawdon

Gîte à la Cinquième Saison d'Éliâh ☼☼☼☼

Gîte du Passant *certifié*

Guylaine Parent et René Pellerin
4333, chemin du Lac Brennan
Rawdon J0K 1S0
Tél. (450) 834-2364
www.5iemesaisoneliah.com
etre@5iemesaisoneliah.com

Aut. 25 nord, rte 125 nord, à St-Esprit, rte 337 nord dir. Ste-Julienne, rue Queen à gauche, 11e avenue, suivre panneaux bleus.

Plus qu'un gîte, une expérience, une rencontre! C'est parmi les hêtres, en montagne qu'on vous accueille chaleureusement. Une impressionnante structure de bois rond, de style scandinave, témoigne des échanges colorés des passants. De magnifiques sentiers pédestres bordent ce domaine. Un déjeuner santé vous est offert avec joie.

Aux alentours: golf, baignade, chutes et cascade d'eau, ski, raquette, sentier en forêt, vélo-spa, Arbraska, équitation, motoneige.
Chambres: ensoleillées, tranquillité assurée, lumineuses, chambre familiale, vue sur forêt. **Lits:** double. **5 ch. S. de bain privée(s).**
Forfaits: divers.
2 pers: B&B 80-99$ **1 pers: B&B** 65-75$.
Enfant (12 ans et –): B&B 20-25$. Taxes en sus.
Réduction: long séjour.
Ouvert: à l'année. **Fermé:** 30 déc - 2 jan.

A AV Certifié: 2008

Saint-Alphonse-Rodriguez

Le Cheval Bleu ☼☼☼

Gîte du Passant *certifié*

Monique et Serge Maietti-Smismans
414, route 343
Saint-Alphonse-Rodriguez J0K1W0
Tél. (450) 883-3080 1-866-883-3080
Fax (450) 883-3443
www.lechevalbleu.com
monique@lechevalbleu.com

De Montréal, aut. 25 N. À St-Esprit, rte 125 N. Après Ste-Julienne, rte 337 N, après Rawdon, jonction 343 S à droite, 100 m à gauche. De Joliette, rte 343 N, 25 km.

À 1 h de Montréal, l'auberge offre son confort douillet à tous les amoureux de la nature et de détente. 13 hectares de boisés sillonnés de sentiers à parcourir en toutes saisons. La piscine creusée chauffée: le «must» de l'été! La cuisine belge à saveur régionale en fait le point de chute idéal pour tomber en amour avec la région de Lanaudière. Certifié "Bienvenue cyclistes !"MD

Aux alentours: ski Val St-Côme, Arbraska, La Source Bains Nordiques, Parc des Chutes-Monte-à-Peine-et-des-Dalles, canot, kayak, etc.
Chambres: peignoir, ventilateur, tranquillité assurée, chambre familiale, vue sur forêt. **Lits:** double, queen. **4 ch. S. de bain privée(s).**
Forfaits: charme, charme, plein air, détente & santé, régional, été, hiver, restauration, autres.
2 pers: B&B 85-95$ **PAM** 130-140$ **1 pers: B&B** 65-75$ **PAM** 88-98$. Taxes en sus. IT MC VS
Ouvert: à l'année. **Fermé:** 1 avr - 15 mai.

AV Certifié: 2009

Saint-Ambroise-de-Kildare

Bergerie des Neiges ☼☼☼☼

Gîte du Passant *certifié*

Desneiges Pepin et Pierre Juillet
1401, Rang 5 (Principale)
Saint-Ambroise-de-Kildare J0K 1C0
Tél. (450) 756-8395
www.bergeriedesneiges.com
info@bergeriedesneiges.com

Aut. 40, sortie 122, aut. 31 N., rte 158 O., 1er feu, rue St-Pierre à dr., dir. St-Ambroise, boul. Manseau à g., rte 343 N., Beaudry à dr., 15 km. Au feu, rang 5 à g., 2,7 km.

Domaine paisible à la campagne, décor bucolique et enchanteur, fruit de 24 ans de passion. Intimité et autonomie à l'école de rang restaurée, toute équipée, déj. gourmands à la maison principale centenaire. Histoire inspirante, ferme authentique, accueil humain, un délice pour les sens à 1h de Mtl. Visite et produits de la ferme. Disp. en chalet. P. 178, 186, 187.

Aux alentours: agrotourisme, fromageries, artisans, golf, sentiers, vélo, patinoire, musée, spectacles, festivals, spas et bons restos!
Chambres: confort moderne, personnalisées, raffinées, cachet d'autrefois, décoration thématique. **Lits:** simple, queen. **5 ch. S. de bain privée(s).**
Forfaits: gastronomie, golf.
2 pers: B&B 95$ **1 pers: B&B** 85$.
Enfant (12 ans et –): B&B 20$. Taxes en sus. IT VS
Ouvert: à l'année.

A @ Certifié: 1999

Saint-Côme
Auberge Aux Quatre Matins ★★★

Auberge du Passant
certifiée

L'Auberge Aux Quatre Matins, par son environnement privilégié, promet à ses visiteurs : détente, retour à la nature, calme et sérénité. Pour un week-end de repos, loin de la ville et des soucis quotidiens, venez goûter aux plaisirs qu'offrent l'auberge; une chambre douillette et une table du terroir québécois. Au plaisir de vous recevoir ! **Certifié Table aux Saveurs du Terroir**^MD. P. 186.

Aux alentours: canot, kayak, parc national du Mont-Tremblant, Sentier Pédestre National, hébertiste, croisière, ski alpin, ski de fond.
Chambres: baignoire à remous, jacuzzi, foyer, TV, personnalisées, cachet champêtre, vue sur montagne. **Lits:** double, queen, divan-lit. **12 ch. S. de bain privée(s).**
Forfaits: charme, croisière, golf, détente & santé, romantique, ski alpin.
2 pers: B&B 130-225$ **PAM** 200-295$ **1 pers: B&B** 130-225$ **PAM** 165-270$.
Enfant (12 ans et —): B&B 5-15$ **PAM** 13-30$. Taxes en sus. IT MC VS
Réduction: long séjour.
Ouvert: à l'année.

A ✗ **AV Certifié: 2009**

Dominic Benjamin
155, des Skieurs
Saint-Côme J0K 2B0
Tél. (450) 883-1932 1-800-929-1932
Fax (450) 883-2941
www.auxquatrematins.ca
dbenjamin@auxquatrematins.ca
De Montréal, aut. 40, sortie 122, aut. 31, rte 158 O, rte 343 N, rte 347, rue des Skieurs à droite.

Saint-Cuthbert
Gîte l'Hibiscus ❀❀❀

Gîte du Passant
certifié

Coup de Cœur du Public régional 2007. Invitante et chaleureuse centenaire de 1865 sur le chemin du Roy et la Route verte #5. Hiver et été, arpentez nos boisés et coulées ou faites la sieste dans le hamac au gré du clapotis de l'étang. Coin paisible et agréable pour les sens. Sentez les odeurs, voyez les couleurs... non loin, le fleuve et ses îles. Spa thérapeutique $. Certifié "Bienvenue cyclistes !"^MD

Aux alentours: la plus grande héronnière au monde, excursion-guide kayak, tourbière, sentier pédestre, ski de fond.
Chambres: avec salle d'eau, ventilateur, couettes en duvet, tranquillité assurée, vue panoramique. **Lits:** double. **2 ch. S. de bain partagée(s).**
Forfaits: vélo, gastronomie, détente & santé, autres.
2 pers: B&B 65-85$ **1 pers: B&B** 55-75$. Taxes en sus.
Réduction: long séjour.
Ouvert: à l'année.

AV ⚓ **@** ♻ **Certifié: 2004**

France Laurens et Serge Paulin
2040, rang York
Saint-Cuthbert J0K 2C0
Tél. (450) 885-1530 1-866-885-1530
www.gitehibiscus.com
bnb@gitehibiscus.com
Aut. 40, sortie 151, rte 138 E. dir. St-Viateur, St-Viateur à g., York à g. Ou rte 138 E. dir. St-Cuthbert, Berthelet à g., St-Viateur à dr., ch. du Roy, York à dr., 2 km.

Saint-Michel-des-Saints
Gîte du Lac Taureau ❀❀❀

Gîte du Passant
certifié

Venez profiter de notre emplacement idéal au bord du lac Taureau pour vous détendre et vous divertir en famille ou entre amis. Notre gîte vous séduira par son intérieur tout en bois, son confort et sa terrasse avec une vue imprenable sur le lac Taureau. Accueil chaleureux et personnalisé dans un décor magnifique. Nombreux services sur place.

Aux alentours: lac Taureau, baignade, location de pontons et canots, location de VTT et motoneiges, sentiers VTT et motoneiges.
Chambres: accès Internet, ensoleillées, ventilateur, tranquillité assurée, chambre familiale, vue sur lac. **Lits:** simple, double. **5 ch. S. de bain partagée(s).**
Forfaits: motoneige, été, hiver.
2 pers: B&B 70-120$ **PAM** 100-136$ **1 pers: B&B** 52-70$ **PAM** 68-80$. Taxes en sus. IT MC VS
Réduction: long séjour.
Ouvert: 30 mai - 10 avr. **Fermé:** 20 oct - 10 déc.

⚓ **@ Certifié: 2009**

Emilie Chemarin et Xavier Saussereau
100, chemin Saint-Benoît
Saint-Michel-des-Saints J0K 3B0
Tél. (450) 833-6006
Fax (450) 833-1391
www.gitedulactaureau.com
info@gitedulactaureau.com
De Montréal, aut. 40 est, sortie 122, aut. 31 nord dir. Joliette, rte 131 dir. St-Michel-des-Saints. Traverser village, après le pont à gauche, 5 km, 1re route à gauche.

Saint-Sulpice
La Seigneurie de l'Île Ronde ✾ ✾ ✾ ✾

Gîte du Passant
certifié

Guy Vandandaigue et Ghislaine Mercier
1, Île Ronde, C.P. 99
Saint-Sulpice J5W 4L9
Tél. / Fax (450) 589-2688 Tél. (514) 497-9211
www.ileronde.com
ileronde@videotron.ca

Aut. 40 est direction Trois-Rivières, sortie 108, voie d'accès
pour 2 km. Rte 343 à droite, rue Notre-Dame à gauche, quai
en face de l'église de St-Sulpice.

À 30 minutes de Montréal, gîte sur une île au cœur du St-Laurent. Accessible seulement par bateau. Stationnement gratuit au quai de St-Sulpice. 3 km de sentier, boisé, gazebo, hamac et belvédère avec vue sur le fleuve. Silence et nature, couchers de soleil splendides. Voisin d'un vignoble, salle de réception. Quai pour plaisanciers.

Aux alentours: vignoble, golf, salle de spectacle, restaurants, chemin du Roy, pêche sur place.
Chambres: balcon, cachet champêtre, meubles antiques, peignoir, ventilateur, vue sur fleuve. Lits: simple, double, queen. **2 ch. S. de bain privée(s).**
Forfaits: vélo, croisière, famille, romantique, été.
2 pers: B&B 96-115$ **1 pers: B&B** 70-90$.
Enfant (12 ans et –): B&B 30$. Taxes en sus. MC VS
Ouvert: 15 mai - 31 oct.

A 🛏 **AV** ⚅ **Certifié: 2009**

Saint-Zénon
Au Vent Vert ✾ ✾ ✾

Gîte du Passant
certifié

Maryse Thériault et Franck Turbot
6300, rue Principale
Saint-Zénon J0K 3N0
Tél. / Fax (450) 884-0169 Tél. 1-877-449-8444
www.au-vent-vert.com
mail@au-vent-vert.com

De Montréal, aut. 40 est et aut. 31 dir. Joliette, route 131 dir.
St-Michel-des-Saints, gîte à 300 m de l'église.

Coup de Cœur du Public régional 2008. Découvrez la Haute-Matawinie et reposez-vous dans une maison centenaire située au cœur d'un des villages les plus élevés du Québec. Accueil chaleureux, espaces de vie confortables et relaxants. Excellents petits-déjeuners maison. Les amants de la nature et des sports seront comblés. Agrémentez votre séjour avec nos soupers sur réservation. P. 177, 179.

Aux alentours: parc des Sept-Chutes, réserves fauniques, ski de fond, motoneige, quad et activités de plein air.
Chambres: accès Internet, raffinées, cachet ancestral, meubles antiques, peignoir, vue splendide. Lits: double. **2 ch. S. de bain partagée(s).**
Forfaits: gastronomie.
2 pers: B&B 80$ **1 pers: B&B** 65$.
Enfant (12 ans et –): B&B 20$. Taxes en sus.
Ouvert: à l'année. **Fermé:** 1 avr - 30 avr.

A ◗ **@ Certifié: 1993**

Sainte-Émélie-de-l'Énergie
À la Belle Étoile ✾ ✾ ✾ ✾

Gîte du Passant
certifié

Johnny et Tatiana Henry
31, chemin du Grand Rang
Sainte-Émélie-de-l'Énergie J0K 2K0
Tél. (450) 886-0478
Fax (450) 886-1812
www.alabelleetoile.ca
info@alabelleetoile.ca

Rte 131 nord, à Sainte-Émélie-de-l'Énergie, après le 1er feu,
au centre du village, tout droit sur le chemin du Grand Rang,
le gîte est en haut de la côte à gauche.

Situé sur une colline, notre belle maison canadienne vous offre une vue superbe sur les montagnes environnantes. Chambres luxueuses avec salle de bain privée, télévision, foyer, air climatisé. Relaxez-vous au bord de la piscine en été et dans notre SPA thérapeutique en hiver ! Et pour les gourmands : table d'hôte - cuisine belge.

Aux alentours: plusieurs parcs régionaux, ski alpin du Val St-Côme, golf et super glissades de St-Jean-de-Matha, plage, motoneige.
Chambres: climatisées, jacuzzi, foyer, TV, accès Internet, luxueuses, bois franc, vue panoramique. Lits: double, queen. **5 ch. S. de bain privée(s).**
Forfaits: gastronomie, motoneige, plein air, romantique, été, hiver.
2 pers: B&B 80-120$ **PAM** 130-170$ **1 pers: B&B** 75-115$ **PAM** 100-140$.
Enfant (12 ans et –): B&B 10$ **PAM** 23$. Taxes en sus. IT MC VS
Réduction: long séjour.
Ouvert: à l'année.

A ✗ **AV** ⛵ **@ Certifié: 2008**

Lanoraie
Auberge du Petit Bois d'Autray

Table aux Saveurs du Terroir
certifiée

Notre maison fermière de 1852 est blottie au milieu des champs. La beauté du paysage, la basse-cour caquetante et le bruissement des feuilles seront synonymes de répit. Notre salle à manger de pièce sur pièce vous transportera vers une autre époque. Celle où on recevait simplement, avec cœur et surtout avec ce que la nature nous offrait. P. 180.

Spécialités : en toute simplicité, nous offrons un menu inspiré par la passion de nos fournisseurs locaux et cuisiné selon nos traditions familiales.
Repas offerts : soir.
Menus : table d'hôte.
Nbr personnes : 2-30. Min. de pers. exigé varie selon les saisons.
Réservation: requise.
Table d'hôte: 35-45$/pers. Taxes en sus. IT MC VS
Ouvert : à l'année. Horaire variable.

A ● AV ⚭ **Certifié: 2007**

Sophie et Maryse Dallaire, Victor Conceicao
598, rg du Petit Bois d'Autray
Lanoraie, J0K 1E0
Tél. / Fax (450) 836-7696 Tél. 1-877-836-7696
www.aubergepetitboisdautray.com
info@aubergepetitboisdautray.com
Aut. 40, sortie 130, ch. Joliette à droite, rte 138 à gauche, 12 km Montée d'Autray à gauche, rang du Petit Bois d'Autray à droite.

L'Assomption
La Seigneurie des Patriotes

Table Champêtre
certifiée

Érablière – Ferme d'élevage. À deux pas de Montréal, fondée en 1995, La Seigneurie des Patriotes est une ferme d'élevage exotique multifonctionnelle ayant conservée la mémoire et le patrimoine de notre passé. Nos personnages d'époque vous proposent de partager différents menus aux saveurs lanaudoises dans un décor champêtre. Offrons 3 salles privées et un chapiteau. P. 187.

Spécialités : noisettes de daim, sauce et gelée de Porto, volaille fermière, le tout agrémenté de succulents produits d'érable.
Repas offerts : brunch, midi, soir.
Menus : gastronomique, cabane à sucre.
Nbr personnes : 10-140.
Réservation: requise.
Repas: 46-48$/pers.
Ouvert : à l'année. Tous les jours.

AV ⚭ **Certifié: 2009**

Micheline Lamothe
573, Montée Ste-Marie
L'Assomption, J5W 5E1
Tél. (450) 588-7206
Fax (450) 588-1837
www.seigneuriedespatriotes.qc.ca
seigneuriedespatriotes@hotmail.com
Aut. 40 est, sortie 108, au 2e accès, rte 343 nord dir. Joliette, à l'église traverser le pont, Montée Ste-Marie, 2,9 km.

Rawdon
Parfum Nature

Table aux Saveurs du Terroir
certifiée

Venez vous évader en dégustant un repas composé de produits du terroir de notre région. Un festin champêtre à moins d'une heure de Montréal au cœur de Lanaudière. Vous pourrez prolonger votre expérience culinaire jusqu'à votre maison en vous procurant des produits concoctés pour vous et vendus sur place. Oct à mai: ouvert les samedis seulement.

Spécialités : bison, cerf, pintade, canard le tout agrémenté de la touche spéciale du chef.
Repas offerts : soir.
Menus : table d'hôte.
Nbr personnes : 1-37.
Réservation: recommandée.
Table d'hôte: 25-70$/pers.
Ouvert : 1 juin - 30 sept. Mar au sam. Horaire variable.

AV Certifié: 2009

Chantal et Bruno Gagné
6703 pontbriand
Rawdon, J0K 1S0
Tél. / Fax (450) 834-4547 Tél. 1-877-834-4547
parfumnature.qc.ca
Aut. 25 nord, route 125 jusqu'à la jonction de la route 341, faire moins de 1 km. De Joliette, prendre la route 158 est jusqu'à la route 125.

Tables aux Saveurs du Terroir^{MD} & Champêtres^{MD}

Saint-Ambroise-de-Kildare
Bergerie des Neiges

Table Champêtre
certifiée

Ferme d'élevage. Dans un décor raffiné et une atmosphère conviviale, découvrez les produits de notre authentique ferme familiale et de la région. La salle à manger largement fenêtrée donne vue sur la cour paysagée de la bergerie, où guidé par la bergère, vous aurez déjà appris les secrets de notre passion pour l'élevage de l'agneau, depuis plus de vingt ans. P. 178, 182, 187.

Spécialités : agneau cuit à basse température, légèrement fumé, et charcuteries maison disponibles sur place, fleurs comestibles de notre jardin.
Repas offerts : soir. Apportez votre vin.
Menus : table d'hôte, gastronomique.
Nbr personnes: 10-36. Min. de pers. exigé varie selon les saisons.
Réservation: requise pour groupe.
Repas: 49-59$/pers. Taxes en sus. IT VS
Ouvert: à l'année. Horaire variable.

A Certifié: 2008

Desneiges Pepin et Pierre Juillet
1401, Rang 5 (Principale)
Saint-Ambroise-de-Kildare, J0K 1C0
Tél. (450) 756-8395
www.bergeriedesneiges.com
info@bergeriedesneiges.com
Aut. 40, sortie 122, aut. 31 N., rte 158 O., 1er feu, rue St-Pierre
à dr., dir. St-Ambroise, boul. Manseau à g., rte 343 N.,
Beaudry à dr., 15 km. Au feu, rang 5 à g., 2,7 km.

Saint-Côme
Auberge Aux Quatre Matins

Table aux Saveurs du Terroir
certifiée

L'Auberge Aux Quatre Matins, par son environnement privilégié, promet à ses visiteurs : détente, retour à la nature, calme et sérénité. Pour un week-end de repos, loin de la ville et des soucis quotidiens, venez goûter aux plaisirs qu'offrent l'auberge; une chambre douillette et une table du terroir québécois. P. 183.

Spécialités : viandes locales.
Repas offerts : soir.
Menus : table d'hôte, gastronomique.
Nbr personnes: 2-50.
Réservation: requise.
Table d'hôte: 35-42$/pers. Taxes en sus. IT MC VS
Ouvert: à l'année. Tous les jours.

A AV Certifié: 2009

Dominic Benjamin
155, des Skieurs
Saint-Côme, J0K 2B0
Tél. (450) 883-1932 1-800-929-1932
Fax (450) 883-2941
www.auxquatrematins.ca
dbenjamin@auxquatrematins.ca
De Montréal, aut. 40, sortie 122, aut. 31, rte 158 O, rte 343 N,
rte 347, rue des Skieurs à droite.

L'Assomption
La Seigneurie des Patriotes

Micheline Lamothe
573, Montée Ste-Marie
L'Assomption, J5W 5E1
Tél. (450) 588-7206
Fax (450) 588-1837
www.seigneuriedespatriotes.qc.ca
seigneuriedespatriotes@hotmail.com
Aut. 40 est, sortie 108, au 2e accès, rte 343 nord dir. Joliette, à l'église traverser le pont, Montée Ste-Marie, 2,9 km.

Ferme Découverte
certifiée

Ferme d'élevage. À deux pas de Montréal, fondée en 1995, La Seigneurie des Patriotes est une ferme d'élevage exotique multifonctionnelle ayant conservée la mémoire et le patrimoine de notre passé. Nos personnages d'époque vous proposent donc de partager leur savoir au sein de différentes activités éducatives reliées à l'exploitation de la ferme. P. 185.

Activités sur place: animation pour groupe scolaire, animation pour groupe, visite autoguidée, visite commentée français, balade en charrette, souper-spectacle.
Tarif: adulte: 6$, enfant: 4$
Nbr personnes: 10-300.
Réservation: requise.
Ouvert: à l'année.
Services: centre d'interprétation / musée, salle de réception, réunion, stationnement pour autobus.

✕ AV ♿ **Certifié: 2002**

Rawdon
Les Sucreries des Aïeux (2008) Inc.

Guylaine Léveillé et Guy Breault
3794, chemin de Kildare
Rawdon, J0K 1S0
Tél. (450) 834-4404
Fax (450) 834-6454
www.membres.lycos.fr/aieux
sucreries-des-aieux@efferent.net
Aut. 25 nord, rte 125 nord, sortie 337, rte 348 est. Aut. 40 ouest, rtes 158 nord et 345 dir N.-D-de-Lourdes, 30 km, rte 348.

Relais du Terroir & Ferme Découverte
certifiés

Érablière. Les Sucreries des Aïeux, reconnues comme un transformateur d'élite, vous feront découvrir le sirop d'érable sous toutes ses formes. Producteur acéricole à la fine pointe de la technologie, Les Sucreries demeurent une entreprise familiale grandissante qui fabrique artisanalement ses produits, tout comme le faisait ses ancêtres. «Érablement» vôtre!

Produits: en kiosque, beurre d'érable, tire, sucre granulé, pain mou et dur, caramel, bonbons, gelée, chocolats, tarte au sucre, etc.
Activités sur place: animation pour groupe scolaire, dégustation, visite autoguidée, visite commentée français.
Visite: gratuite. ER
Réservation: requise.
Ouvert: à l'année. Lun au sam, 9h à 18h. Horaire variable.
Services: vente de produits, dépliant explicatif ou panneaux français, stationnement pour autobus, emballages-cadeaux.

AV **Certifié: 2002**

Saint-Ambroise-de-Kildare
Bergerie des Neiges

Desneiges Pepin et Pierre Juillet
1401, Rang 5 (Principale)
Saint-Ambroise-de-Kildare, J0K 1C0
Tél. (450) 756-8395
www.bergeriedesneiges.com
info@bergeriedesneiges.com
Aut. 40, sortie 122, aut. 31 N., rte 158 O., 1er feu, rue St-Pierre à dr., dir. St-Ambroise, boul. Manseau à g., rte 343 N., Beaudry à dr., 15 km. Au feu, rang 5 à g., 2,7 km.

Relais du Terroir & Ferme Découverte
certifiés

Ferme d'élevage. Beau temps, mauvais temps, découvrez à votre rythme nos 10 races de moutons, l'histoire et les secrets de notre élevage grâce à un accès privilégié à la bergerie, ses animaux, ses outils d'interprétation et la rencontre des bergers! Prolongez le plaisir dans le gîte ou la boutique dédiée à l'agneau. Site enchanteur, fruit de 24 ans de passion. P. 178, 182, 186.

Produits: choix de découpes d'agneau et charcuteries transformées sur place dans notre boucherie artisanale, laine, tricots, livres et cadeaux...
Activités sur place: animation pour groupe, visite libre, visite autoguidée, audio-visuel français et anglais, visite commentée français et anglais, cours / ateliers.
Visite: adulte: 6$, enfant: 4$ tarif de groupe, autres tarifs. Taxes en sus. IT VS
Réservation: requise pour groupe.
Ouvert: à l'année. Horaire variable.
Services: aire de pique-nique, centre d'interprétation / musée, vente de produits, dépliant explicatif ou panneaux français et anglais, autres.

A **Certifié: 2008**

Laurentides

La villégiature à son sommet!

Magnifiquement sauvage, tout en vert ou en blanc, en lumières et en couleurs flamboyantes, les Laurentides c'est la villégiature avec un grand V!

Dans cette région située aux portes de Montréal, les grands espaces, les plaines et les vallées, les collines et les montagnes, les forêts, les lacs et les rivières se savourent à travers une impressionnante pléiade d'activités de villégiature. Imaginez, des lieux idéaux pour le canot, le vélo, le golf, la descente de rivière, la baignade, la pêche, la chasse, le ski, la raquette, la motoneige, le traîneau à chiens... Bref, un paradis pour les mordus de la nature!

«Montez dans le Nord», comme le disent si bien les Montréalais. Les Laurentides, de réputation internationale, possèdent la plus grande concentration de pistes de ski alpin en Amérique du Nord. Tremblant, avec son village touristique animé au style «Vieux Québec», possède le plus haut sommet de la région (875 m).

Enfin, les Laurentides c'est aussi d'agréables et coquets villages où les boutiques, les bars, les artisans, les restaurants, et les cafés se mettent de la partie pour terminer votre journée de grand air dans la plus douillette des atmosphères. Quant à ses nombreux festivals et événements, ils ajouteront tout le piquant et la joie de vivre qui rendent une escapade mémorable.

Philippe Renault

Le Creux du Vent, Val-David

Saveurs régionales

Les petites fermes diversifiées à vocation touristique et agricole vous feront découvrir un terroir riche en produits succulents. On y retrouve des vignobles, des érablières, des vergers, des cidreries, des fromageries et des mielleries; des élevages d'agneau, de lapin et, moins traditionnels, de bison, de sanglier, d'autruche et de cervidés. Le caribou, le daim et les viandes de petits gibiers sont excellents accompagnés de gelée de cèdre ou de sapin.

Chose inusitée, on y fait la conservation des coeurs de quenouille, les boutons d'asclépiade, qu'on dit plus tendres et délicats que ceux de l'artichaut ou du palmier. Enfin, les cultures maraîchères en serre, une spécialité de la région, produisent tomates, laitues et fleurs comestibles.

Produits du terroir à découvrir et déguster

Gîte et Couette de la gare, Saint-Faustin–Lac-Carré

- Api Culture Hautes Laurentides inc., Relais du Terroir [MD] & Ferme Découverte certifiés, Ferme-Neuve. P. 213
- Intermiel, Relais du Terroir [MD] & Ferme Découverte certifiés, Mirabel, Saint-Benoît. P. 213
- Ferme La Rose des Vents, Relais du Terroir [MD] & Ferme Découverte certifiés, Mont-Laurier. P. 214
- Vignoble Rivière du Chêne, Relais du Terroir [MD] certifé, Saint-Eustache. P. 214
- Cidrerie Les Vergers Lafrance, Relais du Terroir [MD] & Ferme Découverte certifiés, Saint-Joseph-du-Lac. P. 214
- Fromagiers de la Table Ronde, Relais du Terroir[MD] & Ferme Découverte certifiés, Sainte-Sophie. P. 215

La région compte six (6) Tables aux Saveurs du Terroir[MD] et six (6) Tables Champêtres[MD] certifiées. Une façon originale de découvrir toutes ces saveurs. P. 209

Laurentides

Le saviez-vous?

C'est dans les Laurentides que la première remontée mécanique en Amérique du Nord fit son apparition en 1932 le long de la Big Hill de Shawbridge (Prévost). On attribue à Moïse Paquette un « patenteux » de Sainte-Agathe-des-Monts, cet incroyable mécanisme composé d'un câble actionné par la jante arrière d'une Dodge 1928 et relié à une autre jante fixée à un poteau au sommet de la pente. Par ailleurs, il fut commercialisé par un jeune champion sauteur de Montréal, Alex Foster. Si certains skieurs refusèrent de s'agripper à cette «patente», le temps des montées à pied à bout de souffle était bien révolu! Son invention permit au ski alpin de prendre le pas sur le ski nordique et donna naissance à plusieurs centres de ski.

Clin d'oeil sur l'histoire

C'est au curé Labelle de Saint-Jérôme, surnommé le « Roi du Nord », que l'on doit les Laurentides d'aujourd'hui. Mobilisant les gens de sa communauté, il obtint un chemin de fer pour faire le transport du bois vers Montréal en 1879. Suivant sa volonté, son successeur le curé Grenier fera monter la ligne jusqu'à Mont Laurier en 1909. Alors que l'ingénieur norvégien «Jackrabbit» popularise le ski de fond, le fameux «P'tit Train du Nord» arrive à temps pour répondre à la demande grandissante des citadins pour ce sport en 1928. Il prendra sa retraite en 1960 et son tracé renaîtra en parc linéaire en 1996: un réseau de 230 km accueillant cyclistes et skieurs. C'est le plus long parc linéaire au Canada.

Quoi voir? Quoi faire?

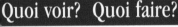

Le Vieux Saint-Eustache: Église Saint-Eustache, Maison et Jardins Chénier-Sauvé, Moulin Légaré.

L'abbaye cistercienne d'Oka.

Le Lieu historique national du Canada du Canal-de-Carillon (Carillon).

Glissades d'eau: les cascades d'eau de Piedmont, Parc aquatique Mont-Saint-Sauveur, le Boisé du fou du roi pour une descente en tube sur la rivière Rouge et le Super Aqua Club de Pointe-Calumet.

Pente des Pays-d'en-Haut: glissade sur tubes en hiver (Piedmont).

Les Factoreries Saint-Sauveur.

Pour les tout-petits : au Pays des Merveilles (Sainte-Adèle) et le Village du Père-Noël (Val-David).

Le centre de villégiature Tremblant: village touristique, télécabine panoramique...

Plusieurs centres de santé et bains finlandais.

De nombreux théâtres d'été.

Faites le plein de nature

Le parc national d'Oka et son large éventail d'activités éducatives et récréatives.

Le Parc régional du Bois de Belle-Rivière: marche, jardins, baignade... (Mirabel).

Le Parc linéaire du P'tit Train du Nord: de Saint-Jérôme à Mont Laurier, 200 km de vélo, 45 km de ski de fond. Attraits de toutes sortes.

Pour le vélo: La Vagabonde (46 km), le Parc linéaire des Basses-Laurentides (23 km), le Corridor Aérobique (58 km).

Le Centre Touristique et Éducatif des Laurentides (Saint-Faustin-Lac-Carré).

Le parc national du Mont-Tremblant:

en canot, à pied, en vélo, à skis ou à raquettes, vous serez étonnés par l'immensité de son territoire.

Les réserves fauniques de Papineau-Labelle (diverses activités de plein air) et de Rouge-Matawin (haut lieu de la motoneige).

Nominingue : plage, vélo, villégiature…

Le mont Sir-Wilfrid-Laurier: randonnée, raquette, ski de fond, vélo, motoneige, la chute de Windigo... (Ferme Neuve)

Parc du Domaine Vert, tentez l'expérience d'Arbre en Arbre, une piste d'hébertisme aérien (Mirabel).

Pour plus d'information sur la région des Laurentides: 1-800-561-6673
www.laurentides.com

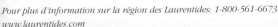

Laurentides

🛏	**Gîtes ou Auberges du Passant**ᴹᴰ (Maisons de Campagne ou de Ville)
✕	**Tables aux Saveurs du Terroir**ᴹᴰ **ou Champêtres**ᴹᴰ
⌂	**Relais du Terroir**ᴹᴰ **ou Fermes Découverte**
❶	**Information touristique**

0 10 20km

N

LANAUDIÈRE

Mont-Saint-Michel

Ferme-Neuve

Réservoir Kiamika

Réserve faunique Rouge-Matawin

Réserve faunique Rouge-Matawin

Saint-Michel-des-Saints

Mont-Laurier

L'Ascension

Sainte-Véronique

Lac-du-Cerf

Lac Nominingue

Rivière-Rouge

L'Annonciation

Lac-Nominingue

La Macaza

Parc du Mont-Tremblant

Parc du Mont-Tremblant

Réserve faunique de Papineau-Labelle

La Minerve

Lac Tremblant

Saint-Donat

Mont-Tremblant

Lac-Supérieur

Sainte-Lucie-des-Laurentides

La Conception

Saint-Jovite

Saint-Faustin–Lac-Carré

OUTAOUAIS

Brébeuf

Huberdeau

Sainte-Agathe-des-Monts

Val-David

Sainte-Marguerite-du-Lac-Masson

Val-Morin

Saint-Adolphe-d'Howard

Sainte-Adèle

Saint-Hippolyte

Namur

Chénéville

Morin-Heights

Piedmont

Saint-Sauveur

Prévost

Wentworth-Nord

Sainte-Sophie

Saint-Jérôme

Sainte-Anne-des-Plaines

Thurso

Papineauville

Rivière des Outaouais

Montebello

Brownsburg

Aéroport Montréal-Mirabel (cargo)

Blainville

Sainte-Thérèse

Lachute

Grenville

Mirabel

Rosemère

Hawkesbury

Saint-André-d'Argenteuil

Saint-Benoît

Saint-Eustache

ONTARIO

Saint-Placide

Saint-Joseph-du-Lac

Rigaud

Oka

©ULYSSE

Morin-Heights

Le Corps-y-Dort B&B

Madeleine Beauchesne et Jean-Pierre Dorais
980, chemin du Village
Morin-Heights
J0R 1H0
(450) 226-5006
(514) 249-6233
www.lecorpsydort.com
info@lecorpsydort.com

La Fédération des Agricotours du Québec*
est fière de rendre hommage aux hôtes
Madeleine Beauchesne et Jean-Pierre
Dorais, du gîte LE CORPS-Y-DORT, qui se
sont illustrés de façon remarquable par
leur accueil de tous les jours envers leur
clientèle. C'est dans le cadre des Prix de
l'Excellence 2008 que les propriétaires
de cet établissement, certifié Gîte du Pas-
sant^MD depuis 2006, se sont vu décerner
le « Coup de Cœur du Public régional »
des Laurentides dans le volet Gîte du Pas-
sant^MD. P. 200.

Félicitations !

*La Fédération des Agricotours du Québec est propriétaire des
marques de certification : Gîte du Passant^MD, Auberge du Passant^MD,
Maison de Campagne ou de Ville, Table aux Saveurs du Terroir^MD,
Table Champêtre^MD, Relais du Terroir^MD et Ferme Découverte.*

Merci au nom des lauréats!

Chaque année, les fiches d'appréciation permettent
de décerner le Prix de l'Excellence, dans la catégorie
« Coup de Cœur du Public », aux établissements qui se
sont démarqués de façon remarquable par leur accueil.
En remplissant une fiche d'appréciation, vous contribuez
non seulement à maintenir la qualité constante des
services offerts, mais également à rendre hommage
à tous ces hôtes.

COUREZ LA CHANCE DE GAGNER UN SÉJOUR!

Chacune des fiches d'appréciation, vous donne la chance de gagner
un séjour de 2 nuits pour 2 personnes dans un
« Gîte ou une Auberge du Passant^MD » de votre choix.
La fiche d'appréciation est disponible dans tous les établissements
certifiés et sur Internet :
www.gitesetaubergesdupassant.com
www.tablesetrelaisduterroir.com

LAURENTIDES

Prix de l'Excellence

PRIX *de*
L'EXCELLENCE
2008
Fédération des Agricotours du Québec
Coup de Cœur du Public provincial

Sainte-Anne-des-Plaines

La Conclusion

Chantal Fournier
172, chemin La Plaine
Sainte-Anne-des-Plaines
J0N 1H0
(450) 478-2598
Fax (450) 478-0209
www.laconclusion.com
chantal@laconclusion.com

La Fédération des Agricotours du Québec* est fière de rendre hommage à l'hôtesse Chantal Fournier, de la Table Champêtre^MD LA CONCLUSION, qui s'est illustrée de façon remarquable par son accueil de tous les jours envers sa clientèle. C'est dans le cadre des Prix de l'Excellence 2008 que la propriétaire de cet établissement, certifié Table Champêtre^MD depuis 1997, s'est vu décerner le « Coup de Cœur du Public provincial » dans le volet agrotourisme.

« On dit de cet endroit que d'y aller une fois n'est pas assez. Pourquoi ? Tout simplement en raison de l'accueil chaleureux et souriant qui se manifeste dès l'arrivée, mais surtout pour la grande gentillesse que l'on reçoit tout au long du moment passé dans cet endroit invitant. Le souci d'offrir des petites attentions et des petits extras font aussi tellement plaisir qu'on ne peut les oublier, dont les fameux petits chocolats messagers… « La conclusion » : une expérience à vivre et à répéter !» P. 212.

Félicitations !

*La Fédération des Agricotours du Québec est propriétaire des marques de certification : Gîte du Passant^MD, Auberge du Passant^MD, Maison de Campagne ou de Ville, Table aux Saveurs du Terroir^MD, Table Champêtre^MD, Relais du Terroir^MD et Ferme Découverte.

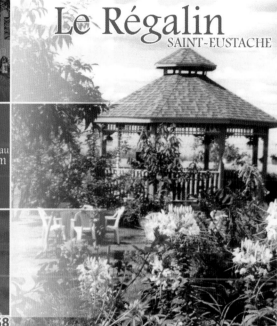

Le Régalin
SAINT-EUSTACHE

Soupers concert
voir programmation au
www.regalin.com

(450) 623-9668

La Capucine

Gîte et petit déjeuner
Repas gastronomiques

Julie et Alcide

Information /réservation : (450) 258-0202
www.gitelacapucine.com

Brébeuf
Auberge l'Été Indien ❀ ❀ ❀ ❀

Gîte du Passant
certifié

L'Été Indien c'est: une douce mélodie, une magnifique saison, un endroit à découvrir, idéal pour relaxer en bordure de la rivière Rouge, à 15 minutes de Mont-Tremblant. Spa 4 saisons, piscine, plage privée, vélos, foyer au salon et au jardin. Découvrez le repas du soir sur réservation et les matins aux couleurs de l'Été Indien. Certifié "Bienvenue cyclistes !"[MD]

Aux alentours: ski, ski fond, traîneau à chiens, piste cyclable, golf, pêche, randonnée, canot, kayak, parc du Mont-Tremblant.

Chambres: climatisées, jacuzzi, foyer, TV, CD, DVD, accès Internet, peignoir, terrasse, vue sur rivière. **Lits:** double, queen, divan-lit. **4 ch. S. de bain privée(s) ou partagée(s).**

Forfaits: vélo, golf, ski alpin, ski de fond, restauration, traîneaux à chiens.

2 pers: B&B 85-115$ **PAM** 155-185$ **1 pers: B&B** 65-85$ **PAM** 100-120$.

Enfant (12 ans et –): B&B 20$ **PAM** 40$. Taxes en sus. MC VS

Réduction: hors saison, long séjour.

Ouvert: à l'année.

Johanne Pépin et Luc Lemay
157, route 323
Brébeuf J0T 1B0
Tél. 1-877-429-6622 (819) 429-6622
Fax (819) 429-6922
www.eteindien.qc.ca
info@eteindien.qc.ca
Aut. 15 nord, rte 117 nord, sortie 117 dir. Montebello à gauche, 8 km. Ou rte 50 est, rte 148 est dir. Montebello, rte 323 nord dir. Mont-Tremblant.

A ● ✕ AV 🌊 @ Certifié: 2007

Lac-du-Cerf
Auberge le Gentilhomme ★ ★ ★

Auberge du Passant
certifiée

Chaleureuse auberge au bord du grand Lac du Cerf dans les Hautes-Laurentides, 8 chambres rénovées avec salle de bain privée, un grand salon avec TV et foyer, une salle à manger et 2 magnifiques terrasses au bord de l'eau. Paradis pour la pêche, le vélo, la randonnée, les activités nautiques.

Aux alentours: le grand Lac du Cerf et ses plages de sable, le sentier écologique, la nature à l'état pur...

Chambres: confort moderne, personnalisées, cachet champêtre, ventilateur, lumineuses, vue sur lac. **Lits:** simple, double, queen. **8 ch. S. de bain privée(s).**

Forfaits: charme, gastronomie, ski de fond, automne, hiver.

2 pers: PAM 72-87$ **1 pers: PAM** 67-72$.

Enfant (12 ans et –): PAM 15-20$. Taxes en sus. AM IT MC VS

Réduction: long séjour.

Ouvert: à l'année.

Christine et Marcel Richard
12, rue Bondu
Lac-du-Cerf J0W 1S0
Tél. (819) 597-4299 1-800-457-9875
www.auberge-le-gentilhomme.ca
gentilhomme.auberge@tlb.sympatico.ca
Aut. 15, rte 117 nord, rte 311 sud. Ou rte 50 ouest, rte 309 nord, rte 311 nord.

🐾 ✕ AV Certifié: 2007

La Conception
Les Jardins de l'Achillée Millefeuille ❀ ❀ ❀ ❀

Gîte du Passant
certifié

Notre domaine de 9 acres et nos jardins écologiques sont nichés en forêt, au creux de la vallée de la rivière Rouge, à 10 min de Mont-Tremblant et en bordure de la piste cyclable. Nous cuisinons dans notre magnifique maison en bois rond, à partir des récoltes du jardin et des oeufs frais de notre poulailler. Nous sommes certifiés biologiques. Certifié "Bienvenue cyclistes !"[MD]

Aux alentours: vélo, canot, ornithologie, équitation, randonnée en forêt, spa, ski, ski de fond, parc national, raquette.

Chambres: balcon, personnalisées, cachet champêtre, lumineuses, terrasse, vue sur jardin. **Lits:** double, queen, king, d'appoint. **5 ch. S. de bain privée(s).**

Forfaits: vélo, gastronomie, plein air, détente & santé, ski alpin, ski de fond.

2 pers: B&B 99-139$ **1 pers: B&B** 84-124$.

Enfant (12 ans et –): B&B 150-30$. Taxes en sus. IT MC VS

Réduction: hors saison, long séjour.

Ouvert: à l'année.

Monique et Claude
4352, route des Tulipes
La Conception J0T 1M0
Tél. / Fax (819) 686-9187 Tél. 1-877-686-9187
www.millefeuille.ca
achillee@millefeuille.ca
Aut. 15 nord, rte 117 nord, sortie 126 La Conception. À l'arrêt tout droit, 6 km. Au 2e arrêt, garder la gauche, 1 km.

A ♿ ● ✕ AV 🌊 ♨ Certifié: 2007

La Macaza
Le Gîte du Lac Chaud ❀ ❀ ❀

Gîte du Passant
certifié

Maison située en retrait des voisins et de la route par son grand terrain boisé, face au lac, terrasse panoramique et entrée privée. Sa décoration intérieure dégage une atmosphère chaleureuse et familiale, avec sa cuisine complète, ses peintures et ses boiseries. TV, musique, bibliothèque incitent à la détente et à la discussion entre amis.

Aux alentours: vélo, golf, équitation, tours d'avion, ski de fond, Mont-Tremblant, sentiers pédestres, raquette.

Chambres: confort moderne, raffinées, peignoir, tranquillité assurée, vue sur lac, vue sur forêt. Lits: simple, king. **3 ch. S. de bain privée(s) ou partagée(s).**

Forfaits: gastronomie, restauration, autres.

2 pers: B&B 85$ **1 pers:** B&B 60$.

Enfant (12 ans et −): B&B 15$. Taxes en sus.

Réduction: long séjour.

Ouvert: à l'année.

Carole Lesage
444, chemin du Lac-Chaud
La Macaza J0T 1R0
Tél. (819) 275-7886
www.LeGiteDuLacChaud.com
info@LeGiteDuLacChaud.com
Aut. 15 nord, rte 117 jusqu'à l'Annonciation. Au feu, ch. Macaza à droite, ch. de l'Aéroport à gauche qui devient le ch. du Lac-Chaud, 4,4 km.

A ● ⛄ ✗ AV ≈ @ ♨ **Certifié: 2005**

La Minerve
La Closerie des Lilas ❀ ❀ ❀

Gîte du Passant
certifié

Nous avons une grande maison familiale. On vous y accueille chaleureusement, dans un décor champêtre et calme. On y sert un petit-déjeuner chaud et de petites gâteries préparées sur place. On prend le café en admirant le paysage magnifique quatre saisons. Près de Mont-Tremblant et de tous ses attraits.

Aux alentours: un paysage à couper le souffle. Lac Chapleau et lac Désert. Sentiers pédestres et pistes de motoneige.

Chambres: avec salle d'eau, TV, cachet champêtre, tranquillité assurée, vue sur montagne. Lits: double. **3 ch. S. de bain partagée(s).**

2 pers: B&B 70$ **1 pers:** B&B 70$

Ouvert: à l'année.

Nicole Lacombe Beaudin
212, chemin des Fondateurs
La Minerve J0T 1S0
Tél. (819) 274-1299
www.giteetaubergedupassant.com/lacl03eriedeslilas
beaudinjg@sympatico.ca
Rte 117, sortie La Minerve.

● **Certifié: 2008**

Mirabel
La Provençale ❀ ❀ ❀

Gîte du Passant
certifié

À 30 minutes de Montréal et de l'aéroport. Charmante maison provençale entourée d'érables. Déjeuners santé avec des produits fait maison et régionaux. Terrasse et piscine, salon avec télévision, foyer pour relaxer. À proximité de pistes cyclables, sentiers pédestres, VTT, motoneige. Nous vous attendons. Certifié "Bienvenue cyclistes !"^{MD}

Aux alentours: parc Belle-Rivière, parc Domaine Vert, centre équestre, cyclisme, Arbre en Arbre, route agroalimentaires, touristique.

Chambres: avec salle d'eau, bureau de travail, TV, insonorisées, couettes et oreillers en duvet. Lits: queen. **3 ch. S. de bain privée(s) ou partagée(s).**

2 pers: B&B 65-95$ **1 pers:** B&B 55-75$.

Enfant (12 ans et −): B&B 5-30$. ER

Ouvert: à l'année.

Marie-Hélène Parchet-Cachat
18350, de la Promenade
Mirabel J7J 1B6
Tél. (450) 971-0980 (514) 914-0320
Fax (450) 971-2272
www.laprovencale.ca
parchet@sympatico.ca
Autoroute 15. À Saint-Janvier, Mirabel, sortie 31, rue Charles est. Rue Armand à droite. Environ 1 km de la sortie de l'autoroute.

● ✗ AV ≈ @ ♨ **Certifié: 2009**

Mont-Tremblant
Auberge Le Lupin B&B ★★★

Auberge du Passant
certifiée

À 1 km de Tremblant, Sylvie et Pierre ont pris soin de préserver l'ambiance chaleureuse d'antan de cette accueillante maison de bois rond construite en 1945. Le Lupin accueille les vacanciers désirant se reposer près du foyer et profiter des grands espaces, de la montagne et des superbes lacs. Petits-déj. gourmands. Tarifs d'hiver à la hausse. Certifié "Bienvenue cyclistes !"MD

Aux alentours: plage privée lac Tremblant, ski alpin et fond, vélo P'tit Train du Nord, parc national du Mont-Tremblant, golf, spa.
Chambres: certaines climatisées, foyer, TV, accès Internet, ensoleillées, bois franc.
Lits: simple, queen, d'appoint, pour bébé. **9 ch. S. de bain privée(s).**
Forfaits: vélo, golf, détente & santé, ski alpin, autres.
2 pers: B&B 119-149$ **1 pers:** B&B 104-134$.
Enfant (12 ans et –): B&B 15$. Taxes en sus. AM ER IT MC VS
Réduction: hors saison, long séjour.
Ouvert: à l'année.

Sylvie Senécal et Pierre Lachance
127, rue Pinoteau
Mont-Tremblant J8E 1G2
Tél. (819) 425-5474 1-877-425-5474
Fax (819) 425-6079
www.lelupin.com
lelupin@lelupin.com

Aut. 15 nord, à Ste-Agathe rte 117 nord, sortie 119, montée Ryan, 2ᵉ rond-point, chemin du Village à gauche, rue Pinoteau à gauche, en haut de la côte à droite.

A ⬢ AV ⬞ @ ⭗ Certifié: 2006

Mont-Tremblant
Au Grenier des Cousins ★★★

Auberge du Passant
certifiée

Située en bordure de la rivière du Diable à Mont-Tremblant, dans un cadre enchanteur, notre chaleureuse maison de style victorien vous charmera avec ses huit chambres confortables, chacune décorée avec soin. Pour votre confort, chacune d'elle offre un téléviseur à écran plat, lecteur cd/dvd et prise ipod, internet haute vitesse sans fil.

Aux alentours: golf, ski alpin, ski fond, piste cyclable, Spa le Scandinave, parc national, randonnée pédestre.
Chambres: climatisées, TV, ensoleillées, raffinées, peignoir, couettes en duvet, spacieuses, bois franc. **Lits:** queen, king. **8 ch. S. de bain privée(s) ou partagée(s).**
Forfaits: vélo, gastronomie, détente & santé, ski alpin, autres.
2 pers: B&B 105-135$ **1 pers:** B&B 85-105$.
Enfant (12 ans et –): B&B 20-30$. Taxes en sus. AM IT MC VS
Réduction: hors saison, long séjour.
Ouvert: à l'année.

Caroline Trottier et Steve Quevillon
100, chemin au Pied-du-Courant
Mont-Tremblant J8E 1N7
Tél. / Fax (819) 425-5355 Tél. 1-888-425-5328
www.tremblant-gites.com
info@tremblant-gites.com

Aut. 15 nord, rte 117 nord, sortie 119 Montée Ryan à droite, au rond point, dir. Village Mont-Tremblant à gauche, 1 km.

A ✕ AV ⬞ @ ⭗ Certifié: 2007

Mont-Tremblant
Au Ruisseau Enchanté Couette et Café ✾✾✾✾

Gîte du Passant
certifié

La maison restaurée est bordée par un ruisseau et entourée de fleurs et d'un boisé. Les chambres décorées avec soin sont spacieuses et confortables. L'harmonie du tout offre tranquillité et le charme d'un coin de campagne. Certifié "Bienvenue cyclistes !"MD

Aux alentours: à 3 km des boutiques, de la station Tremblant et de la plupart des activités aussi nombreuses en été qu'en hiver.
Chambres: TV, DVD, accès Internet, raffinées, cachet champêtre, spacieuses, terrasse, vue sur campagne. **Lits:** simple, queen, king. **3 ch. S. de bain privée(s).**
2 pers: B&B 100-120$ **1 pers:** B&B 80-120$.
Enfant (12 ans et –): B&B 25$
Réduction: hors saison, long séjour.
Ouvert: à l'année.

Élysabeth Defrênes et Gérard Jacquin
105, 7ᵉ Rang
Mont-Tremblant J8E 1Y4
Tél. (819) 425 7265
www.auruisseauenchante.com
ruisseauenchante@hotmail.com

De Montréal, aut. 15 Nord, Ste-Agathe, rte 117, sortie centre ville, montée Kavanagh à droite, 1,5 km, à l'arrêt à droite, 300 m à gauche.

@ ⭗ Certifié: 2008

Gîtes et Auberges du PassantMD
Maisons de Campagne et de Ville

Mont-Tremblant
Gîte la Tremblante ✺ ✺ ✺ ✺

Serge Champagne et Doris Lavoie
1315, montée Kavanagh
Mont-Tremblant J8E 2P3
Tél. (819) 425-5959 1-877-425-5959
Fax (819) 425-7607
www.tremblante.com
info@tremblante.com

Aut. 15 nord, rte 117 nord. 1re sortie dir. Mont-Tremblant
centre-ville à droite, 30 m, 1re intersection à droite, montée
Kavanagh, 2,8 km.

Gîte du Passant
certifié

Coup de Cœur du Public régional 2005. Venez profitez d'un séjour inoubliable dans une grande et chaleureuse maison de style canadien. Décoration rustique agencée d'un côté zen. Vous serez accueillis avec tant d'attentions que vous vous sentirez comme chez vous dès les premiers instants. À 9 km de la montagne, site enchanteur, immense terrain boisé et tranquillité. Petit-déj. raffiné.

Aux alentours: Mont-Tremblant, Le P'tit Train du Nord, golf, rafting, ski, bain scandinave.
Chambres: climatisées, avec lavabo, accès Internet, cachet champêtre, meubles antiques, ventilateur. Lits: simple, double, queen. **4 ch. S. de bain privée(s).**
Forfaits: vélo, gastronomie, golf, motoneige, détente & santé, romantique, ski alpin.
2 pers: B&B 85-95$ **1 pers: B&B** 75-85$.
Enfant (12 ans et —): B&B 20$. Taxes en sus. AM IT MC VS
Ouvert: à l'année.

A AV 🚲 Certifié: 2000

Mont-Tremblant
Les Dames du Lac ✺ ✺ ✺ ✺

Nicole Bidegain et Gaétane Plante
163, chemin des Amoureux
Mont-Tremblant J8E 2A6
Tél. (819) 681-0702
www.lesdamesdulac.com
lddl@cgocable.ca

Aut. 15 nord, rte 117 nord dir. Mont-Tremblant, sortie 116 dir.
rte 327 sud, 1,5 km, chemin des Amoureux à gauche.

Gîte du Passant
certifié

L'instant d'un été, venez vous détendre sur le bord de l'eau pour prendre un apéro, vous promenez en pédalo, en canot ou à vélo. Le temps d'un hiver, venez faire de la motoneige, raquette, ski ou marche dans un site étonnant. Enjôler vous serez par cette demeure à caractère d'époque dans un décor raffiné, confortable et d'une table plantureuse.

Aux alentours: lac maskinongé, baignade, pédalo, canot, pêche, vélo, golf. Ski, raquette, motoneige, Mont-Blanc, Mont-Tremblant.
Chambres: climatisées, TV, cachet d'autrefois, meubles antiques, bois franc, terrasse, vue sur lac. Lits: queen, d'appoint. **5 ch. S. de bain privée(s).**
Forfaits: vélo, motoneige, ski alpin, été, hiver.
2 pers: B&B 110-125$ **1 pers: B&B** 100-115$.
Enfant (12 ans et —): B&B 25-30$. Taxes en sus. IT MC VS
Réduction: hors saison, long séjour.
Ouvert: à l'année.

A AV 🚲 @ 🚲 Certifié: 2007

Mont-Tremblant
Le Second Souffle ✺ ✺ ✺ ✺

Monique et Jean-Marie Leduc
815, montée Kavanagh
Mont-Tremblant J8E 2P2
Tél. / Fax (819) 429-6166
www.giteetaubergedupassant.com/secondsouffle
second.souffle@sympatico.ca

Aut. 15 nord, rte 117 nord, sortie Mont-Tremblant centre-ville,
rue Saint-Jovite et immédiatement dans la sortie, mtée
Kavanagh à droite, 800 m.

Gîte du Passant
certifié

En flanc de colline et entourée d'arbres matures, notre maison fut construite dans le but d'y aménager un Gîte du Passant de 5 chambres, avec salle de bain privée, différemment décorées. Que ce soit sur une de nos terrasses, au salon devant un feu de foyer ou à la salle à manger pour le petit-déj., vous serez enchantés de votre séjour chez nous. Certifié "Bienvenue cyclistes !"^{MD}

Aux alentours: piste cyclable Le P'tit Train du Nord, 10 terrains de golf, parc du Mt-Tremblant, ski.
Chambres: insonorisées, ventilateur, couettes en duvet, romantiques, lucarnes, bois franc. Lits: simple, queen. **5 ch. S. de bain privée(s).**
Forfaits: vélo, golf, ski alpin, ski de fond.
2 pers: B&B 95-125$ **1 pers: B&B** 85-95$.
Enfant (12 ans et —): B&B 20$. Taxes en sus. IT MC VS
Réduction: hors saison, long séjour.
Ouvert: à l'année.

A AV @ 🚲 Certifié: 2000

Mont-Tremblant, Lac-Supérieur
Gîte et Couvert la Marie Champagne ❀ ❀ ❀ ❀

Gîte du Passant
certifié

À la porte du parc du Mont-Tremblant et versant nord de Tremblant, magnifique maison canadienne embrassée par la nature. Parc linéaire à 2,5 km. Ski, vélo, piscine, terrasse, détente devant le feu de foyer. Repas du soir sur réservation. Déj. copieux avec la joie de vivre des gens qui vous y invitent. Notre priorité: votre bien-être et confort.

Aux alentours: station touristique Tremblant, parc du Mont-Tremblant secteur La Diable, ski, golf.
Chambres: avec lavabo, personnalisées, cachet champêtre, meubles antiques, bois franc. **Lits:** double, queen. **4 ch. S. de bain privée(s).**
2 pers: B&B 80-85$ **1 pers:** B&B 70-75$.
Enfant (12 ans et –): **B&B** 25$. Taxes en sus. MC VS
Réduction: hors saison, long séjour.
Ouvert: à l'année.

Micheline Massé et Gérald Gagnon
654, chemin Lac-Supérieur
Lac-Supérieur J0T 1J0
Tél. (819) 688-3780
Fax (819) 688-3758
www.mariechampagne.ca
lamariechampagne@qc.aira.com
Aut. 15 nord, rte 117 nord, sortie St-Faustin/Lac-Carré. À l'arrêt à droite, 2,3 km, suivre indication parc Mont-Tremblant, 2,5 km sur chemin Lac-Supérieur.

A ● AV ⌕ ♺ **Certifié: 2006**

Morin-Heights
Auberge Clos-Joli ★★

Auberge du Passant
certifiée

Prix Réalisation 2007 - Auberge. Ancienne maison ancestrale des années 20, offrant quiétude et bien-être. Autour de la maison: une grande piscine creusée, un aménagement fleuri, des jardins et un potager de fines herbes. Été comme hiver, une gamme d'activités sportives ou culturelles vous est offerte. Dégustez notre table du soir, une cuisine santé aux saveurs méditerranéennes.

Aux alentours: ski Morin-Heights, Spa Ofuro, Spa Le Baltique, à 5 min de St-Sauveur et de ses nombreuses activités.
Chambres: baignoire à remous, foyer, personnalisées, cachet champêtre, meubles antiques, vue sur campagne. **Lits:** queen. **9 ch. S. de bain privée(s).**
Forfaits: charme, vélo, gastronomie, golf, plein air, détente & santé, ski alpin, ski de fond, théâtre, restauration, traîneaux à chiens.
2 pers: B&B 95-120$ **PAM** 180-220$ **1 pers:** B&B 82-92$ **PAM** 117-127$. Taxes en sus. AM IT MC VS
Ouvert: à l'année.

Gemma Morin et André Théorêt
19, chemin Clos-Joli
Morin-Heights J0R 1H0
Tél. (450) 226-5401 1-866-511-9999
www.aubergeclosjoli.net
atheo@aubergeclosjoli.net
Aut. 15 nord, sortie 60, rte 364 ouest dir. Morin-Heights. Suivre les panneaux bleus.

A ✕ AV ⌕ **Certifié: 2006**

Morin-Heights
Aux Berges de la Rivière Simon ❀ ❀ ❀

Gîte du Passant
certifié

Coup de Cœur du Public régional 2007. Venez vous reposer dans notre charmante maison ancestrale, construite en 1885. Vous serez comblés autant par notre accueil chaleureux que par nos petits-déjeuners copieux. Laissez-vous dorloter à notre spa de jour: massages, soins corporels et esthétiques, bains. Dans ce décor de rêve au cœur de la nature, vous vivrez des moments inoubliables.

Aux alentours: ski alpin et fond, raquette, piste cyclable, sentier pédestre, glissade, golf, équitation, théâtre, boutiques, restos.
Chambres: certaines avec lavabo, ensoleillées, cachet d'antan, peignoir, tranquillité assurée. **Lits:** simple, double, queen. **4 ch. S. de bain privée(s) ou partagée(s).**
Forfaits: détente & santé.
2 pers: B&B 75-90$ **1 pers:** B&B 65-80$. MC VS
Réduction: long séjour.
Ouvert: à l'année.

Gaétane Martel et Gilles Normand
54, rue Legault
Morin-Heights J0R 1H0
Tél. (450) 226-1110 1-877-525-1110
Fax (450) 226-5015
www.aubergedelariviere.com
info@aubergedelariviere.com
Aut. 15 nord, sortie 60, rte 364 ouest, dir. Christieville à dr., rue côte St-Gabriel est, rue Papineau à g., rue Legault à dr., après le pont à dr., 1re entrée à g.

A @ **Certifié: 2002**

Morin-Heights
Le Corps-y-Dort B&B ❄ ❄ ❄ ❄

Madeleine Beauchesne et Jean-Pierre Dorais
980, chemin du Village
Morin-Heights J0R 1H0
Tél. (450) 226-5006 (514) 249-6233
www.lecorpsydort.com
info@lecorpsydort.com
Aut. 15 nord, sortie 60, rte 364 ouest, chemin du Village
à gauche.

Gîte du Passant
certifié

Coup de Cœur du Public régional 2008. Jolie maison campagnarde, tout en cèdre, qui vous accueille chaleureusement. Située directement à l'entrée du corridor aérobic de Morin-Heights d'où le nom Le Corps-y-Dort. Stationnement privé pour y laisser votre véhicule et partir en vélo, randonnée pédestre ou ski de fond. 58 km de piste vous attendent. P. 191.

Aux alentours: randonnée pédestre, piste cyclable, ski de fond et alpin, spa, manufacture, restos.
Chambres: TV, accès Internet, peignoir, couettes en duvet, tranquillité assurée, entrée privée. Lits: queen. **3 ch. S. de bain privée(s).**
Forfaits: gastronomie, détente & santé, ski de fond, autres.
2 pers: B&B 132$. AM IT MC VS
Ouvert: à l'année.

A ● AV @ **Certifié: 2006**

Rivière-Rouge
La Clairière de la Côte ❄ ❄ ❄

Monique Lanthier et Yves Bégin
700, chemin Laliberté
Rivière-Rouge J0T 1T0
Tél. (819) 275-2877
www.giteetaubergedupassant.com/clairieredelacote
Aut. 15 nord et rte 117 jusqu'à L'Annonciation (Rivière-Rouge).
De l'hôpital, 4,3 km, ch. Laliberté à gauche.

Gîte du Passant à la Ferme
certifié

Ferme d'élevage. Hiver blanc, été fleuri, un petit coin de montagnes à nous, pour vous. Enseignants à la retraite, nous sommes des gens simples et vrais qui ont le goût de partager avec vous leur bonheur de vivre et les valeurs d'antan. Venez profiter de la vue, du décor antique et du charme de cette nature et vous amuser à notre ferme. P. 208, 210.

Aux alentours: P'tit Train du Nord, golf, baignade, canotage, centre d'exposition, randonnée pédestre, équitation.
Chambres: TV, balcon, personnalisées, cachet champêtre, meubles antiques, originales, vue sur montagne. Lits: double. **4 ch. S. de bain privée(s) ou partagée(s).**
2 pers: B&B 55-70$ **PAM** 85-100$ **1 pers:** B&B 35-50$ **PAM** 50-65$.
Enfant (12 ans et –): B&B 15$ **PAM** 25$
Ouvert: 1 déc - 31 oct.

✕ ❄ **Certifié: 1997**

Saint-Faustin-Lac-Carré
Gîte de la Pisciculture ❄ ❄ ❄

Jacques Dubé
714, rue de la Pisciculture
Saint-Faustin-Lac-Carré J0T 1J2
Tél. (819) 688-2195 (514) 912-3739
Fax (819) 688-2548
http://gitedelapisciculture.com/
jacques_dube@sympatico.ca
Aut. 15 nord, rte 117 nord, sortie St-Faustin-Lac-Carré - Lac
Supérieur, 2e arrêt à droite de la pisciculture, 0,5 km.

Gîte du Passant
certifié

Situé à Saint-Faustin-Lac-Carré, à deux pas de la piste cyclable Le P'tit Train du Nord, du Mont-Blanc, de Mont-Tremblant et des terrains de golf. Site idéal pour des activités en hiver comme en été. Accès au spa et à la piscine extérieurs. Certifié "Bienvenue cyclistes !"^{MD}

Aux alentours: piste cyclable Le P'tit Train du Nord, Mont-Tremblant, Mont-Blanc, équitation, pêche, golf, restos, lac et plage privée.
Chambres: accès Internet, personnalisées, cachet particulier, peignoir, ventilateur, tranquillité assurée. Lits: simple, queen, d'appoint. **4 ch. S. de bain privée(s).**
Forfaits: vélo, golf, plein air, ski alpin, ski de fond.
2 pers: B&B 87-117$ **PAM** 117-147$ **1 pers:** B&B 67-87$ **PAM** 82-102$.
Enfant (12 ans et –): B&B 20$. Taxes en sus. MC VS
Réduction: hors saison, long séjour.
Ouvert: à l'année.

A ✕ AV @ **Certifié: 2007**

Saint-Faustin-Lac-Carré
Gîte et Café de la Gare ❀ ❀ ❀ ❀

Gîte du Passant
certifié

Havre de paix vous offrant des petits-déjeuners et des soupers santé. Permis d'alcool. À deux pas de la plage municipale et de la piste cyclable. Foyer intérieur et extérieur. Grande terrasse s'ouvrant sur la forêt. Informez-vous sur notre forfait Évasion. «Un gîte à retenir pour y revenir», Style de vie, juin-juillet 2006. Certifié "Bienvenue cyclistes !"[MD]

Aux alentours: la piste Le P'tit Train du Nord se trouve juste derrière la maison. Le Mont-Blanc est situé à 1,5 km.

Chambres: foyer, TV, balcon, décoration thématique, peignoir, couettes en duvet, vue sur forêt. **Lits:** double, queen. **2 ch. S. de bain privée(s) ou partagée(s).**

Forfaits: vélo, romantique, ski alpin, autres.

2 pers: B&B 80-100$ **1 pers: B&B** 70-90$.

Enfant (12 ans et −): **B&B** 12-15$. Taxes en sus. IT VS

Réduction: long séjour.

Ouvert: à l'année.

Normand Caron et Éliane Doré
362, rue de la Gare
Saint-Faustin-Lac-Carré J0T 1J1
Tél. (819) 688-6091 1-888-550-6091
www.giteetaubergedupassant.com/gitedelagare
info@gitedelagare.com

De Montréal, aut. 15 nord, 18 km après Ste-Agathe sortie St-Faustin/Lac Carré, à l'arrêt à droite, 1,5 km, au supermarché Lachaine, rue de la Gare à droite.

A ✕ AV ♿ Certifié: 2008

Saint-Faustin-Lac-Carré
Gîte Montagne Nirvana B&B ❀ ❀ ❀ ❀

Gîte du Passant
certifié

Paisiblement situé près de Mont-Blanc, Mont-Tremblant et son parc, nous vous invitons à jouir de nos chambres avec des vues sur la vallée et les montagnes, à prendre le petit-déjeuner dans notre élégante salle à manger et vous détendre dans notre salon devant le feu de la cheminée. Les familles peuvent rester dans le gîte ou notre suite autonome. Certifié "Bienvenue cyclistes !"[MD]

Aux alentours: ski de montagne & randonnée, raquettes, patinage (glace), golf, vélo, cyclisme de montagne, randonnée pédestre, go-kart.

Chambres: foyer, TV, DVD, insonorisées, couettes en duvet, romantiques, suite familiale, vue panoramique. **Lits:** double, queen, divan-lit. **3 ch. S. de bain privée(s).**

Forfaits: golf, plein air, détente & santé, ski alpin, autres.

2 pers: B&B 94-98$ **PAM** 134-138$ **1 pers: B&B** 83$ **PAM** 103$.

Enfant (12 ans et −): **B&B** 15$ **PAM** 30$. ER MC VS

Réduction: hors saison, long séjour.

Ouvert: à l'année.

Richard Pentreath et Gigi Lacroix
1580, chemin du Lac Rougeaud
Saint-Faustin-Lac-Carré J0T 1J2
Tél. (819) 321-2188
www.montagnenirvana.com
mntnirvana@distributel.net

Aut. 15 nord, à Ste-Agathe-des-Monts, rte 117 nord, 12 km, ch. du Lac Rougeaud à gauche, 0,5 km tout droit.

A ● 🚲 ✕ AV ♿ Certifié: 2008

Saint-Joseph-du-Lac
Gîte Cocorico ❀ ❀ ❀ ❀

Gîte du Passant
certifié

Situé tout près du cœur du village de Saint-Joseph-du-Lac, que l'on surnomme «Le Pays de la Pomme», le Gîte Cocorico vous offre un séjour dans le confort, la tranquillité et le délice de ses petits-déjeuners. À l'extérieur, vous pourrez vous dénicher un petit coin détente et apprécier le chant des oiseaux, l'air pur et la nature verdoyante.

Aux alentours: parc Oka, traversier Oka-Hudson, Super Aqua Club, lac Deux-Montagnes, vergers, vignobles, golf, vélo, patin, motoneige.

Chambres: certaines avec salle d'eau, raffinées, ventilateur, couettes en duvet, originales. **Lits:** double, queen. **3 ch. S. de bain privée(s) ou partagée(s).**

2 pers: B&B 90-110$ **1 pers: B&B** 75-95$.

Enfant (12 ans et −): **B&B** 15$. Taxes en sus. VS

Ouvert: à l'année.

Diane Laviolette
147, rue Théoret
Saint-Joseph-du-Lac J0N 1M0
Tél. (450) 623-0452
www.gitecocorico.com
info@gitecocorico.com

Aut. 640 ouest, sortie 2, chemin Principal à gauche, 2 arrêts après l'église, rue Brassard à droite, rue Théorêt à droite.

● ♿ Certifié: 2008

Saint-Placide
La Capucine ✸ ✸ ✸ ✸

Julie Fréchette et Alcide Paradis
42, rue de l'Église
Saint-Placide J0V 2B0
Tél. / Fax (450) 258-0202 Tél. (514) 895-5103
www.gitelacapucine.com
gitelacapucine@yahoo.fr

Aut. 15 sortie 20 O., aut. 640 O. jusqu'au bout, rte 344 O. dir.
Oka, 10 km passé Oka, au clignotant jaune rue de l'Église
vers le lac.

Auberge du Passant
certifiée

Repos et plein air… remplis de saveurs! Au cœur d'un secteur agricole et villageois, venez découvrir la campagne et tous ses attraits. Confort d'une maison ancestrale de style colonial anglais avec 2 foyers, un grand salon, une spacieuse salle à manger. Site enchanteur, quai public, face au lac des Deux-Montagnes. Certifié "Bienvenue cyclistes !"^{MD} **Certifié Table aux Saveurs du Terroir^{MD}**. P. 193, 211.

Aux alentours: piste cyclable, lac des Deux-Montagnes, pêche, ski de traction Paraski, raquette, vignoble, golf, pomme, cabane à sucre.
Chambres: climatisées, accès Internet, ensoleillées, raffinées, cachet champêtre, romantiques. **Lits:** double, queen. **5 ch. S. de bain privée(s) ou partagée(s).**
Forfaits: charme, vélo, gastronomie, golf, romantique, ski alpin, théâtre, autres.
2 pers: B&B 88-128$ PAM 158-198$ 1 pers: B&B 78-118$ PAM 113-153$.
Enfant (12 ans et –): B&B 15$ PAM 40$. Taxes en sus. AM MC VS
Réduction: long séjour.
Ouvert: à l'année. **Fermé:** 3 nov - 17 nov.

✗ AV @ 🚲 **Certifié: 2005**

Saint-Sauveur
Le Petit Clocher ✸ ✸ ✸ ✸ ✸

Richard Pilon
216, av. de l'Église
Saint-Sauveur J0R 1R7
Tél. (450) 227-7576
Fax (450) 227-6662
www.giteetaubergedupassant.com/lepetitclocher
lepetitclocher@bellnet.ca

Aut. 15, sortie 60, au feu à gauche, rte 364 est, chemin de
la Gare à droite, rue Principale à droite, avenue de l'Église
à gauche.

Gîte du Passant
certifié

Cet ancien monastère vous offre un hébergement haut de gamme. Situé en haut du chemin de la Montagne, entouré d'un verger et d'érables centenaires, ce gîte offre une vue panoramique sur la vallée de St-Sauveur. Laissez-vous séduire par le charme authentique de cette demeure ancestrale, à une distance de marche du village et de ses activités.

Aux alentours: à 1 km du village animé de St-Sauveur et de ses boutiques, pentes de ski, glissades d'eau, restos.
Chambres: TV, accès Internet, confort moderne, cachet ancestral, cachet champêtre, vue panoramique. **Lits:** queen, divan-lit. **5 ch. S. de bain privée(s).**
Forfaits: gastronomie, golf, détente & santé, romantique, ski alpin, automne.
2 pers: B&B 185-215$.
Enfant (12 ans et –): B&B 50$. Taxes en sus. AM IT MC VS
Réduction: long séjour.
Ouvert: à l'année.

A AV @ 🚲 **Certifié: 2009**

Sainte-Adèle
À l'Écoute des Saisons ✸ ✸ ✸ ✸

Jocelyn, Danielle et Mario
1480, rue de la Cascatelle
Sainte-Adèle J8B 1X9
Tél. (450) 229-4665
www.alecoutedessaisons.com
info@alecoutedessaisons.com

Aut. 15 nord, sortie 69 dir. Ste-Marguerite, 2 km, rue de la
Cascatelle à droite, deuxième maison à droite.

Gîte du Passant
certifié

Gîte de style champêtre, conçu de façon à assurer intimité, confort et détente à nos visiteurs. Quoi de plus reposant que notre salon-détente avec foyer pour lire, discuter entre amis ou consulter les dépliants des activités de notre région. Une cuisinette attenante met à votre disposition un réfrigérateur pour vos rafraîchissements.

Aux alentours: Le P'tit Train du Nord, théâtre, ski de fond et alpin, randonnée pédestre, golf, galeries d'art.
Chambres: climatisées, TV, meubles antiques, tranquillité assurée, vue splendide. **Lits:** queen. **3 ch. S. de bain privée(s).**
2 pers: B&B 90-110$ 1 pers: B&B 80-100$.
Enfant (12 ans et –): B&B 25$. Taxes en sus. MC VS
Ouvert: à l'année.

A 🚲 **Certifié: 2006**

Sainte-Adèle
Gîte Bonne nuit Bonjour ✳ ✳ ✳ ✳

Près de tout et de rien. Venez vous faire chatouiller les 5 sens dans notre petit nid douillet. Touchez la détente dans le spa 4 saisons et la piscine. Voyez et entendez la nature de notre chaleureuse verrière. Humez les arômes gourmands de la cuisine qui vous mèneront à une explosion de saveurs. Accueillant cocktail de bienvenue de 5 à 7. Certifié "Bienvenue cyclistes !"ᴹᴰ

Aux alentours: ski de fond, parc aquatique, théâtre d'été, golf, motoneige, ski alpin, vélo, équitation, plage.

Chambres: balcon, meubles antiques, peignoir, couettes et oreillers en duvet, bois franc, terrasse. **Lits:** double, queen. **5 ch. S. de bain privée(s) ou partagée(s).**

Forfaits: vélo, golf, motoneige, ski alpin, ski de fond, théâtre.

2 pers: B&B 99-125$ **1 pers:** B&B 85-90$.

Enfant (12 ans et –): B&B 20$. Taxes en sus.

Réduction: long séjour.

Ouvert: à l'année.

Sylvie et Gérard Beaudette
1980, boul. Ste-Adèle
Sainte-Adèle J8B 2N5
Tél. (450) 229-7500 1-866-941-7500
www.nuitetjour.net
beaudege@cgocable.ca
Aut. 15 nord, sortie 67, rte 117, boul. Ste-Adèle, 2 km.

🚲 ⚓ 🐾 **Certifié: 2006**

Sainte-Agathe-des-Monts
Auberge de la Tour du Lac ★ ★ ★

L'endroit idéal pour souligner les événements importants de votre vie: anniversaire, mariage, etc. Le pavillon Félix met à votre disposition huit chambres avec foyer et bain tourbillon au cachet unique. Le séjour comprend le souper et le petit-déjeuner servi à la chambre. Choisissez parmi nos forfaits, tels que théâtre, massage, golf, romantique. Certifié "Bienvenue cyclistes !"ᴹᴰ P. 204.

Aux alentours: Théâtre le Patriote, croisière lac des Sables, piste cyclable, golf, ski, Tremblant, sentier pédestre, équitation.

Chambres: climatisées, baignoire à remous, jacuzzi, foyer, TV, cachet champêtre, peignoir, romantiques. **Lits:** queen. **10 ch. S. de bain privée(s).**

Forfaits: charme, vélo, gastronomie, golf, détente & santé, romantique, théâtre.

2 pers: B&B 99-258$ **PAM** 134-258$ **1 pers:** B&B 99-229$ **PAM** 104-229$.

Enfant (12 ans et –): B&B 20$ **PAM** 35$. Taxes en sus. IT MC VS

Réduction: hors saison.

Ouvert: à l'année.

Mario Grand-Maison
173, ch. Tour-du-Lac
Sainte-Agathe-des-Monts J8C 1B7
Tél. (819) 326-4202 1-800-622-1735
Fax (819) 326-0341
www.latourdulac.ca
info@latourdulac.ca
De Montréal, aut. 15 nord, sortie 86. Rte 117 nord, 7ᵉ rue Préfontaine à gauche et chemin Tour-du-Lac à droite.

A ✗ **AV** @ 🐾 **Certifié: 1998**

Sainte-Agathe-des-Monts
Auberge et Restaurant Chez Girard ★ ★ ★

Charmante auberge de trois chambres située dans le centre-ville de Ste-Agathe-des-Monts. À quelques pas des boutiques, des restaurants et des plages. Vous y trouverez de tout! Adjacent restaurant centenaire où vous pourrez y déguster gibier, poissons et fruits de mer dans une ambiance romantique. L'équipe de Chez Girard vous attend!

Aux alentours: Centre éducatif forestier, Festi-Neige, cinéma Pine, croisière Alouette, location de motoneige et canot.

Chambres: climatisées, baignoire à remous, foyer, TV, DVD, décoration thématique, entrée privée. **Lits:** queen. **3 ch. S. de bain privée(s).**

Forfaits: gastronomie.

2 pers: B&B 100-120$ **PAM** 177-197$ **1 pers:** B&B 80-90$ **PAM** 119-129$.

Enfant (12 ans et –): B&B 20$ **PAM** 50-60$. Taxes en sus. IT MC VS

Réduction: hors saison.

Ouvert: à l'année. **Fermé:** 2 nov - 13 nov.

Anick Jérôme et Marco Périard
18, rue Principale Ouest
Sainte-Agathe-des-Monts J8C 1A3
Tél. (819) 326-0922 1-800-663-0922
Fax (819) 326-3103
www.aubergechezgirard.com
info@aubergechezgirard.com
Aut. 15 nord, sortie 86, rte 117 nord à droite dir. centre-ville.

A ✗ 🐾 **Certifié: 2008**

Auberge
LA TOUR DU LAC
Relais & Spa

Sainte-Agathe-des-Monts
Auberge Le Saint-Venant ★★★

Auberge du Passant
certifiée

Coup de cœur du Public régional 2003. Entre lacs et montagnes, notre établissement est le balcon souriant des Laurentides, son regard se pose sur un panorama apaisant allant du majestueux lac des Sables jusqu'à la forêt du mont Sainte-Agathe. Un déjeuner raffiné et divin, une atmosphère chaleureuse et confortable sont notre gage de qualité.

Aux alentours: face au lac, à deux pas du village et de nombreuses activités.
Chambres: certaines climatisées, TV, accès Internet, balcon, personnalisées, raffinées, vue sur lac. Lits: queen. **9 ch. S. de bain privée(s).**
Forfaits: théâtre.
2 pers: B&B 110-155$ **1 pers:** B&B 100-145$.
Enfant (12 ans et −): B&B 40$. Taxes en sus. IT MC VS
Réduction: hors saison.
Ouvert: à l'année.

A AV @ ♿ Certifié: 2001

Kety Kostovski, Benoît et Lucas Meyer
234, rue Saint-Venant
Sainte-Agathe-des-Monts J8C 2Z7
Tél. 1-800-697-7937 (819) 326-7937
Fax (819) 326-4848
www.st-venant.com
info@st-venant.com

Aut. 15 nord, sortie 83. À l'arrêt à gauche, dir. rte 329. Au 2ᵉ arrêt à droite, faire 500 m, puis à droite au #234 (chemin privé).

Sainte-Agathe-des-Monts
Gîte aux Champs des Elfes ✹✹✹

Gîte du Passant
certifié

Entourée d'arbres et de fleurs, chaleureuse maison de style antique construite sur pièce et joliment décorée. Les boiseries et la douce musique de notre demeure enjoliveront votre séjour, sans oublier le boudoir et la merveilleuse vue sur le lac Daoust.

Aux alentours: Mont-Tremblant, glissades d'eau, ski, golf, piste cyclable, motoneige, équitation, théâtre.
Chambres: unité pour fumeur, cachet d'antan, meubles antiques, peignoir, romantiques, poutres. Lits: double, queen. **3 ch. S. de bain privée(s) ou partagée(s).**
Forfaits: vélo, croisière, golf, romantique, ski alpin, ski de fond, théâtre, autres.
2 pers: B&B 90-110$ **1 pers:** B&B 80-100$.
Enfant (12 ans et −): B&B 15$. Taxes en sus. AM IT MC VS
Réduction: hors saison, long séjour.
Ouvert: à l'année.

◆ AV ♿ Certifié: 2003

Richard Lussier
4420, ch. Daoust
Sainte-Agathe-des-Monts J8C 2Z8
Tél. (819) 321-0797
www.gitedeselfes.com
info@gitedeselfes.com

Aut. 15 nord. Quand l'aut. se termine et rejoint la rte 117, 1ʳᵉ rue chemin Renaud à gauche, 0,5 km ch. Daoust à gauche.

Sainte-Marguerite-du-Lac-Masson
Auberge au Phil de l'Eau ✹✹✹

Gîte du Passant
certifié

Dans un site enchanteur en bord de lac, notre maison spacieuse et chaleureuse vous invite à la détente. Profitez des grandes terrasses ensoleillées ou des confortables salons et le soir, au coin du feu, notre table d'hôte de fine cuisine belge et française vous ravira. Lauréat régional Grands Prix du tourisme québécois 2004.

Aux alentours: sentiers en forêt, lac Masson et sa patinoire de 8 km, Bistrot à Champlain, Le P'tit Train du Nord, St-Sauveur.
Chambres: certaines avec salle d'eau, couettes en duvet, tranquillité assurée, vue sur lac. Lits: double, queen, divan-lit. **5 ch. S. de bain privée(s) ou partagée(s).**
Forfaits: motoneige, détente & santé, été, hiver.
2 pers: B&B 80-95$ **PAM** 134-163$ **1 pers:** B&B 70-85$ **PAM** 97-119$.
Enfant (12 ans et −): B&B 15$ **PAM** 30-42$. Taxes en sus. IT MC VS
Réduction: long séjour.
Ouvert: à l'année.

A ✗ AV ≈ @ Certifié: 2000

Marie-Noëlle Brassine et Bruno Leclerre
150, chemin Guénette
Sainte-Marguerite-du-Lac-Masson J0T 1L0
Tél. (450) 228-1882
Fax (450) 228-8271
www.auphildeleau.com
auphildeleau@sympatico.ca

Aut. 15 nord, sortie 69, rte 370 est, 8 km. À la résidence «Les 2 Roses d'Or», chemin Guénette à gauche, 4,5 km.

Val-David
Domaine des Merveilles ✻ ✻ ✻ ✻

Gîte du Passant
certifié

Magnifique gîte haut de gamme en bois rond scandinave situé en pleine forêt. 3 chambres luxueuses et confortables avec salle de bain privée, Internet, téléphone, plancher chauffant, foyer, TV. Grande terrasse donnant une vue sur le lac et la forêt, piscine int., spa ext., pédalo, randonnée, raquette sur le domaine. Déjeuners gourmets. P. 194.

Aux alentours: Saint-Sauveur, Montréal, Mont-Tremblant.
Chambres: baignoire à remous, avec lavabo, jacuzzi, foyer, cachet champêtre, luxueuses, vue sur lac. **Lits:** simple, double. **3 ch. S. de bain privée(s).**
Forfaits: romantique.
2 pers: B&B 150$ **1 pers:** B&B 100$.
Enfant (12 ans et –): B&B 20$. Taxes en sus. ER
Réduction: long séjour.
Ouvert: à l'année.

Christelle Pendino
3914, ch. Doncaster, 2e rang
Val-David J0T 2N0
Tél. (819) 322-7613 (819) 323-2339
www.domainedesmerveilles.com
contact@domainedesmerveilles.com
À 45 min. de Montréal et 30 min. de Tremblant. Aut. 15 jusqu'à Val-David.

🐾 🎿 **Certifié: 2009**

Val-David
Gîte Café Plumard ✻ ✻ ✻ ✻

Gîte du Passant
certifié

Un petit bijou dans les Laurentides situé à Val-David sur un magnifique domaine donnant accès à un site chaleureux de 3 chambres, un spa 4 saisons et un petit lac privé pour la baignade. Accès à la piste cyclable Le P'tit Train du Nord (km 43), en été le vélo, en hiver pour le ski de fond. Forfait massage disponible.

Aux alentours: randonnée pédestre, piste cyclable, escalade, canot, kayak, théâtre d'été. Équitation, ski de fond et alpin, raquettes.
Chambres: TV, DVD, insonorisées, peignoir, ventilateur, vue sur rivière. **Lits:** simple, queen, d'appoint. **3 ch. S. de bain privée(s).**
Forfaits: vélo, détente & santé, ski de fond, été.
2 pers: B&B 90-95$ **1 pers:** B&B 80-85$.
Enfant (12 ans et –): B&B 10$. Taxes en sus. AM MC VS
Réduction: hors saison, long séjour.
Ouvert: à l'année.

Daniel Sénécal
1641, chemin de la Riviere
Val-David J0T 2N0
Tél. (819) 322-2182
Fax (819) 322-3792
www.gitecafeplumard.com
gitecafeplumard@yahoo.ca
Aut.15 N, sortie 76 dir Val-David, 4.5 km, rue de l'Église à droite, 1er arrêt à gauche, chemin de la rivière 1 km. En vélo, km 43 du parc linéaire Le P'tit Train du Nord.

A ⚓ @ 🎿 **Certifié: 2009**

Val-David
Gîte La Romance ✻ ✻ ✻ ✻

Gîte du Passant
certifié

Coup de Cœur du Public régional 2006. Gîte situé dans le pittoresque village de Val-David, à une distance de marche du centre du village et de toutes les activités. Entre St-Sauveur et Mont-Tremblant, La Romance est l'endroit rêvé pour se faire dorloter ou tout simplement pour relaxer dans les jardins près de la cascade d'eau. Ma porte est toujours ouverte. Chez-moi, c'est chez vous!

Aux alentours: piste cyclable à la porte, ski de fond, ski alpin, théâtres d'été, boutiques, artisanat.
Chambres: foyer, cachet victorien, romantiques. **Lits:** double, queen. **3 ch. S. de bain privée(s) ou partagée(s).**
Forfaits: vélo, romantique, autres.
2 pers: B&B 109-129$ **1 pers:** B&B 85-95$. VS
Réduction: hors saison, long séjour.
Ouvert: à l'année.

Gordon Flynn
1183, ch. de la Rivière
Val-David J0T 2N0
Tél. (819) 322-1766
www.gitelaromance.com
info@gitelaromance.com
Aut. 15 nord, sortie 76, rte 117 nord, 4 km. 2e feu à droite, chemin de la Rivière à droite.

A ✗ AV 🎿 **Certifié: 2005**

Val-David
La Maison de Bavière ✤ ✤ ✤ ✤

Agathe Gendron et Yves Waddell
1470, chemin de la Rivière
Val-David J0T 2N0
Tél. (819) 322-3528 1-866-322-3528
www.maisondebaviere.com
contact@maisondebaviere.com
Aut. 15, sortie 76 dir. Val-David, 5 km. En vélo, km 42,3 du
Parc linéaire le P'tit Train du Nord. Accessible par transport
en commun.

Gîte du Passant
certifié

Gîte tranquille, près du paisible village de Val-David. Site d'une beauté exceptionnelle au bord des cascades de la rivière du Nord. De notre porte, vous avez accès gratuitement à plus de 200 km de pistes vélo, randonnée, ski, raquette. Généreux déjeuners santé qui vous garderont en forme pour la journée. Cuisine inventive. Abri pour vélo et ski. Certifié "Bienvenue cyclistes !"MD

Aux alentours: Situé sur le parc Le P'tit Train du Nord, accès gratuit au Parc Dufresne. Moins de 15 min de St-Sauveur. Restos à pied.
Chambres: climatisées, cachet particulier, peignoir, lumineuses, terrasse, studio, vue sur rivière. **Lits:** simple, double, queen. **4 ch. S. de bain privée(s).**
Forfaits: vélo, gastronomie, plein air, ski alpin, ski de fond.
2 pers: B&B 70-125$ **1 pers:** B&B 65-115$. Taxes en sus. VS
Réduction: hors saison, long séjour.
Ouvert: à l'année.

A ⚓ ♿ **Certifié: 2006**

Val-David
Le Creux du Vent ★ ★ ★

Bernard Zingré et Brigitte Demmerle
1430, rue de l'Académie
Val-David J0T 2N0
Tél. (819) 322-2280 1-888-522-2280
Fax (819) 322-2260
www.lecreuxduvent.com
info@lecreuxduvent.com
1h de Montréal, aut. 15 nord, sortie 76, rte 117 nord, rue de
l'Église à droite dir. Val-David, ch. de la Rivière à gauche,
jusqu'au coin rue de l'Académie.

Auberge du Passant
certifiée

Prix Réalisation 2006 - Hébergement. Notre charmante auberge est située en bordure du parc linéaire Le P'tit Train du Nord, à 2 min de marche du centre du village. La terrasse vous offre une vue imprenable sur la rivière du Nord et vous invite à la détente. L'accueil convivial, le décor chaleureux et notre cuisine créative sauront vous enchanter. Lauréat national Or Tourisme Québec. **Certifié Table aux Saveurs du Terroir**MD. P. 15, 212.

Aux alentours: outre les activités saisonnières régionales, nous vous proposons des ateliers gastronomiques.
Chambres: TV, décoration thématique, ventilateur, tranquillité assurée, lucarnes, vue sur rivière. **Lits:** simple, queen, d'appoint. **6 ch. S. de bain privée(s).**
Forfaits: vélo, gastronomie, plein air, romantique, ski de fond.
2 pers: B&B 95-105$ PAM 180-195$ **1 pers:** B&B 75-80$ PAM 120-125$.
Enfant (12 ans et −): B&B 20$ PAM 35$. Taxes en sus. IT MC VS
Réduction: hors saison, long séjour.
Ouvert: à l'année. **Fermé:** 2 nov - 2 déc.

A ✗ AV ♿ **Certifié: 2004**

Val-Morin
Auberge les Grands Balcons ✤ ✤ ✤

Lydie Stéfani et Monique Miller
1803, chemin de la Gare
Val-Morin J0T 2R0
Tél. / Fax (819) 322-7818 Tél. 1-888-322-7818
www.lesgrandsbalcons.net
admin@lesgrandsbalcons.net
Aut. 15 nord, sortie 76 Val-Morin, rte 117, rue Curé-Corbeil Est
à droite, à Morin à gauche, rue de La Rivière à droite, ch. de
la Gare à gauche.

Auberge du Passant
certifiée

Située sur la piste le P'tit Train du Nord, maison au cachet d'antan de 1921, entourée d'un balcon. Terrain de 54 000 pieds carrés traversé par un ruisseau. On peut y pratiquer: canot, kayak, la descente de la rivière du nord, ski fond, alpin, baignade. Golf à proximité. Chez nous, la vie est douce, la table est bonne, les gens sont vrais.

Aux alentours: directement sur la piste cyclable Le P'tit Train du Nord, pour vélo et ski. Lac Raymond pour la baignade.
Chambres: foyer, balcon, cachet d'autrefois, meubles antiques, couettes en duvet. **Lits:** simple, double, queen, d'appoint. **5 ch. S. de bain privée(s) ou partagée(s).**
Forfaits: charme, vélo, détente & santé, romantique, ski alpin, ski de fond, théâtre.
2 pers: B&B 70-85$ **1 pers:** B&B 55-75$. Taxes en sus.
Réduction: long séjour.
Ouvert: à l'année.

A ✗ ♿ **Certifié: 2008**

Val-Morin
Les Matins de Clémentine B&B ✵ ✵ ✵ ✵

Gîte du Passant
certifié

Monique Clément
6870, rue des Conifères
Val-Morin J0T 2R0
Tél. (819) 322-2713 1-866-522-2713
www.matinclementine.com
info@matinclementine.com

Aut. 15 nord, sortie 76, rte 117 nord, 3 km, au Motel Escapade,
rue Trudeau à droite, rue des Conifères à gauche.

Très grand terrain. Lac privé avec plage de sable. Une résidence de style inspiré «Art Déco»; luminosité-intimité-confort-cajolerie. Une destination internationale 4 saisons. Venez vous détendre dans un décor enchanteur au cœur des Laurentides; Val-Morin/Val-David. Petit-déjeuner copieux, santé et personnalisé. Bienvenue chez nous! Certifié "Bienvenue cyclistes !"ᴹᴰ

Aux alentours: P'tit Train du Nord, parc Dufresne, Mont-Tremblant, ski, bain scandinave, golf, théâtre, canotage, escalade, équitation.
Chambres: certaines climatisées, balcon, personnalisées, tranquillité assurée, luxueuses. **Lits:** queen, divan-lit. **3 ch. S. de bain privée(s).**
Forfaits: vélo, gastronomie, romantique, ski alpin, ski de fond.
2 pers: B&B 105$ **1 pers:** B&B 95$.
Enfant (12 ans et −): B&B 30$. Taxes en sus. MC VS
Ouvert: à l'année.

A AV 🚶 ‰ **Certifié: 2008**

■ Information supplémentaire sur l'hébergement à la ferme

Rivière-Rouge
La Clairière de la Côte

Gîte du Passant à la Ferme
certifié

700, chemin Laliberté, Rivière-Rouge
Tél. (819) 275-2877
www.giteetaubergedupassant.com/clairieredelacote

Ferme d'élevage. Dans notre belle campagne, voyez nos animaux choyés qui paissent dans les pâturages: veaux, brebis et agneaux; à la basse-cour: lapins, poules, poulets et dindes. P. 200, 210.

Activités: visite libre, mini-ferme, randonnée pédestre, visite de jardins, raquettes, ski de fond, observation des activités de la ferme.

Services: stationnement pour autobus, remise pour vélo, location de vélo à proximité, location de voiture à proximité.

Lachute
Au Pied de la Chute

Table Champêtre
certifiée

Émilie Kervadec et Yves Kervadec
273, route 329 Nord
Lachute, J8H 3W9

Tél. / Fax (450) 562-3147
www.aupieddelachute.com
info@pieddelachute.com

Aut. 15 nord, sortie 35, aut. 50 ouest, sortie 272, Côte St-Louis
à droite, rte 158 ouest à gauche, rte 329 nord à droite. 1,5 km
à gauche.

Ferme d'élevage. Respirez, vous êtes à la campagne! À la lisière d'une forêt, notre table vous offre charme, confort et caractère. Cuisine authentique où canard, perdrix, pintade, daim, agneau et poulet sont à l'honneur. L'étang, la chute et la rivière ajoutent au charme de la propriété. En saison, une terrasse de 152 places vous accueille pour nos méchouis.

Spécialités : canard de Barbarie, poulet fermier, champignons sauvages.
Repas offerts : midi, soir. Apportez votre vin.
Menus : table d'hôte, gastronomique, méchoui.
Nbr personnes : 16-30. Min. de pers. exigé varie selon les saisons.
Réservation : requise.
Repas : 42-48$/pers. Taxes en sus.
Ouvert : à l'année. Tous les jours.

A Certifié: 1989

Mirabel
Les Rondins

Table Champêtre
certifiée

Mylène Deschamps et Simon Bernard
5885, route Arthur-Sauvé
Mirabel, J7N 2W4

Tél. (514) 990-2708 (450) 258-2467
Fax (450) 258-2347
www.petite-cabane.com
lapetitecabane@qc.aira.com

Aut. 15 nord, sortie 35, aut. 50 ouest, sortie 272 chemin Côte
St-Louis. À l'arrêt à gauche, 3 km. «La P'tite cabane d'la
Côte» à gauche.

Érablière. Tout près de l'aéroport de Mirabel, un site enchanteur s'offre à vous. La splendeur de notre vaste érablière vous ravira; l'ambiance chaleureuse de nos 2 salles à manger, aménagées dans notre cabane à sucre «rustique», vous enveloppera; nos mets raffinés mijotés à partir de nos différents élevages vous combleront de plaisir. Apportez votre vin!

Spécialités : confit et suprême de canard de Barbarie, poulet de grain, sirop d'érable, produits régionaux qui répondent à des critères de fraîcheur.
Repas offerts : brunch, midi, soir. Apportez votre vin.
Menus : table d'hôte, gastronomique, cabane à sucre.
Nbr personnes : 15-50. Min. de pers. exigé varie selon les saisons.
Réservation : requise.
Repas : 30-39$/pers. Taxes en sus.
Ouvert : à l'année. Tous les jours.

A Certifié: 1989

Mont-Laurier
Ferme La Rose des Vents

Table Champêtre
certifiée

Diane Aubin
709, boul. des Ruisseaux
Mont-Laurier, J9L 3G6

Tél. (819) 623-6717
Fax (819) 623-5676
http://tablechampetrelrdv.com
tablechampetrelrdv@hotmail.fr

Rte 117 nord, après le centre-ville de Mont-Laurier, suivre les
indications sur la route 117.

Ferme d'élevage. La Table Champêtre la Rose des Vents, vous offre une multitude de saveurs du terroir, dans un univers et un paysage magnifique. Le Chef Patrick Morin, qui a eu la chance de travailler dans la grande métropole, vous convie afin de déguster une cuisine intuitive et vivre une expérience de mariage de saveurs exquises. P. 214.

Spécialités : la Table Champêtre La Rose des Vents se spécialise dans la préparation d'excellents plats à base de poulets de grains et jeunes boeufs.
Repas offerts : soir.
Menus : table d'hôte, gastronomique.
Nbr personnes : 2-50. Min. de pers. exigé varie selon les saisons.
Réservation : requise.
Repas : 24-49$/pers. Taxes en sus. IT MC VS
Ouvert : à l'année. Jeu au dim,

AV ⟡ Certifié: 2008

Tables aux Saveurs du Terroir^{MD} & Champêtres^{MD}

Mont-Tremblant
Le Cheval de Jade

Olivier Tali et Frédérique Pironneau
688, rue de Saint-Jovite
Mont-Tremblant, J8E 3J8
Tél. (819) 425-5233
Fax (819) 425-3525
www.chevaldejade.com
lechevaldejade@qc.aira.com

De Montréal, aut. 15 nord, rte 117 nord, sortie ville de Mont-Tremblant. Continuer tout droit sur la rue St-Jovite, après le 2e arrêt, resto à droite.

Table aux Saveurs du Terroir
certifiée

Le Chef Olivier Tali renouvelle le menu, en utilisant des produits régionaux et biologiques. L'ambiance est décontractée et chaleureuse, idéal pour des repas entre amis. En été, la grande terrasse est verdoyante et fleurie, un cadre parfait pour un repas romantique. Les fins gourmets pourront déguster notre menu découverte ou gastronomique.

Spécialités : poissons, fruits de mer et foie gras. Le Chef réalise devant vous des mets flambés et le caneton à la rouennaise sur réservation.
Repas offerts : soir.
Menus : à la carte, table d'hôte, gastronomique.
Nbr personnes: 2-34. Min. de pers. exigé varie selon les saisons.
Réservation: recommandée.
Table d'hôte: 36-49$/pers. Taxes en sus. AM ER IT MC VS
Ouvert: 21 nov - 12 oct. **Fermé:** 13 oct - 20 nov. Mar au sam. Horaire variable.

A AV ⚇ **Certifié: 2008**

Mont-Tremblant
Restaurant Château Beauvallon

Laurent Mangin
6385, montée Ryan
Mont-Tremblant, J8E 1S5
Tél. (819) 681-6611 (819) 681-6488
Fax (819) 681-1941
www.chateaubeauvallon.com
lmangin@chateaubeauvallon.com

Autoroute 15 nord, rte 117 nord, sortie 119 montée Ryan, route Marsade à gauche.

Table aux Saveurs du Terroir
certifiée

Le Bon Vivant - une expérience des plus remarquée qui se prête à tous les goûts et à tous les budgets. Le chef vous séduira par sa cuisine «bistronomique» du terroir, tel que le lapin de Stanstead, l'agneau de Venne et la truite de l'arc-en-ciel des monts, tout en comblant vos plaisirs épicuriens.

Spécialités: duo de lapin de Stanstead. Agneau de la ferme Venne aux champignons sauvages. Marbré de foie gras aux noix, fruits secs & épice douce
Repas offerts : brunch, midi, soir.
Menus : à la carte, table d'hôte.
Nbr personnes: 1-140.
Réservation: recommandée, requise pour groupe.
Table d'hôte: 30-95$/pers. Taxes en sus. AM IT MC VS
Ouvert: à l'année. Tous les jours. Horaire variable.

A AV Certifié: 2009

Rivière-Rouge
La Clairière de la Côte

Monique Lanthier et Yves Bégin
700, chemin Laliberté
Rivière-Rouge, J0T 1T0
Tél. (819) 275-2877
www.giteetaubergedupassant.com/clairieredelacote

Aut. 15 nord et rte 117 jusqu'à L'Annonciation (Rivière-Rouge). De l'hôpital, 4,3 km, ch. Laliberté à gauche.

Table Champêtre
certifiée

Ferme d'élevage. Dans cette trouée de forêt située au cœur des Hautes-Laurentides, 30 min au nord de Tremblant, le calme et la détente règnent. Nos voisins sont les animaux de notre ferme: lapins, poules, poulets, dindes de grain, agneaux, chevreaux et veaux. Vous les retrouverez au menu accompagnés de légumes frais sortis de nos jardins biologiques. P. 200, 208.

Spécialités : tous les mets sont cuisinés maison. Chaque plat est traité de façon spéciale. Mes livres de chevet sont mes livres de recettes.
Repas offerts : midi, soir. Apportez votre vin.
Menus : gastronomique.
Nbr personnes: 6-26.
Réservation: requise.
Repas: 35$/pers.
Ouvert: 1 déc - 31 oct. Tous les jours.

⚇ **Certifié: 1997**

Saint-Eustache
Le Régalin

Table Champêtre
certifiée

Ferme d'élevage – Ferme maraîchère. Pétale d'Or, Comité d'embellissement du Conseil des Arts de St-Eustache. À 30 min de Montréal, dans le quartier des érables, une belle grosse canadienne avec lucarnes éclairées surplombe un potager à perte de vue. Nous recevons dans 2 salles à manger climatisées, situées à chaque extrémité de la maison. Vous avez donc l'exclusivité de votre salle. P. 193.

Spécialités : nous nous spécialisons dans tout ce qui se retrouve sur le menu. Les coups de cœur sont l'autruche, le canard, le faisan et le lapin.
Repas offerts : midi, soir. Apportez votre vin.
Menus : gastronomique.
Nbr de pers. exigé varie selon les saisons.
Réservation: requise.
Repas : 39-44$/pers. Taxes en sus. IT MC VS
Ouvert : à l'année. Tous les jours.

A Certifié: 1992

Chantal Comtois et Philippe Martel
991, boul. Arthur-Sauvé, route 148 Ouest
Saint-Eustache, J7R 4K3
Tél. / Fax (450) 623-9668 Tél. 1-877-523-9668
www.regalin.com
regalin@videotron.ca
Aut. 15 nord, sortie 20 ouest, aut. 640 ouest, sortie 11 boul.
Arthur-Sauvé dir. Lachute, 5 km. 8 maisons après la pépinière
Eco-Verdure du côté droit de la route.

Saint-Eustache
Restaurant l'Impressionniste

Table aux Saveurs du Terroir
certifiée

Maryse et son équipe ont créé des menus faisant un clin d'oeil à la cuisine française mettant à l'honneur des produits locaux frais. Nous offrons: terrasse ombragée, salle de réception, grand stationnement, cave à vin de 1000 bouteilles, tables nappées et verrerie fine, atmosphère feutrée et musique d'ambiance. Pour une soirée inoubliable!

Spécialités : fine cuisine française aux saveurs régionales. Produits fermiers et du terroir pour une expérience des sens.
Repas offerts : midi, soir.
Menus : table d'hôte, gastronomique.
Nbr personnes: 2-120.
Réservation: recommandée.
Table d'hôte: 19-35$/pers. Taxes en sus. AM IT VS
Ouvert : à l'année. Tous les jours.

A Certifié: 2008

Jean Pierre Hans
245, chemin Grande-Côte
Saint-Eustache, J7P 1B3
Tél. / Fax (450) 491-3277 Tél. (514) 704-3277
www.restaurantimpressionniste.ca
mariemclaughlin01@yahoo.ca
Aut. 640, sortie St-Eustache dir. sud, 25e Avenue, ch. Grande-
Côte à droite.

Saint-Placide
La Capucine

Table aux Saveurs du Terroir
certifiée

Maison de prestige au cachet antique, grande salle à manger pour les groupes ou une petite salle avec plus d'intimité pour les amoureux. Meubles d'époque, boiserie authentique, grandes fenêtres ensoleillées et 2 foyers pour vous réchauffer l'hiver ou grands balcons et terrasses entourés de fleurs en été. P. 193, 202.

Spécialités : cuisine évolutive s'inspirant des produits du terroir, découverte de plats savoureux aux créations originales avec passion et amour.
Repas offerts : brunch, soir. Apportez votre vin.
Menus : gastronomique.
Nbr personnes: 6-20. Min. de pers. exigé varie selon les saisons.
Réservation: requise.
Table d'hôte: 38-48$/pers. Taxes en sus. AM MC VS
Ouvert : à l'année. **Fermé:** 3 nov - 17 nov. Tous les jours.

AV Certifié: 2007

Julie Fréchette et Alcide Paradis
42, rue de l'Église
Saint-Placide, J0V 2B0
Tél. / Fax (450) 258-0202 Tél. (514) 895-5103
www.gitelacapucine.com
gitelacapucine@yahoo.fr
Aut. 15 sortie 20 O., aut. 640 O. jusqu'au bout, rte 344 O. dir.
Oka, 10 km passé Oka, au clignotant jaune rue de l'Église
vers le lac.

Tables aux Saveurs du Terroir & Champêtres

Tables aux Saveurs du Terroir^{MD} & Champêtres^{MD}

Sainte-Agathe-des-Monts
Auberge la Sauvagine

Table aux Saveurs du Terroir
certifiée

C'est dans le cadre chaleureux d'une ancienne chapelle, qui abrite la salle à manger, que vous pourrez déguster les mets raffinés d'une gastronomie sans faille, concoctés par le chef propriétaire et membre des 33 Maîtres-Queux. P. 15.

Spécialités : canard et foie gras du Québec, saumon fumé par nos soins, gibier, poissons et crustacés, pâtisseries et desserts maison.
Repas offerts : soir.
Menus : à la carte, table d'hôte, gastronomique.
Nbr personnes: 1-85.
Réservation: recommandée, requise pour groupe.
Table d'hôte: 26-49$/pers. Taxes en sus. ER IT MC VS
Ouvert : à l'année. Mer au dim. Horaire variable.

René Kissler
1592, route 329 Nord
Sainte-Agathe-des-Monts, J8C 2Z8
Tél. (819) 326-7673
Fax (819) 326-9351
www.lasauvagine.com
infos@lasauvagine.com
Aut. 15 nord, sortie 89, rte 329 nord à droite, 1,5 km.

A AV ♿ **Certifié: 2007**

Sainte-Anne-des-Plaines
La Conclusion

Table Champêtre
certifiée

Ferme d'élevage – Ferme fruitière. Coup de Cœur du Public provincial 2005 et 2008 - Agrotourisme. Chez nous, c'est une passion pour la bonne cuisine que nous partageons avec vous dans un décor champêtre et une ambiance décontractée. Grand Prix du tourisme Laurentides 2007, notre souci constant est de vous offrir un accueil chaleureux et notre bonheur, faire partie de vos meilleurs souvenirs gastronomiques. Une expérience unique vous attend. P. 192.

Spécialités : cuisine saisonnière, menu dégustation. Potager de fleurs comestibles, légumes et fruits variés. Élevage de lapins, cailles et faisans.
Repas offerts : midi, soir. Apportez votre vin.
Menus : table d'hôte, gastronomique.
Nbr personnes: 2-34. Min. de pers. exigé varie selon les saisons.
Réservation: requise.
Repas: 34-62$/pers. Taxes en sus. VS
Ouvert : à l'année. Tous les jours.

Chantal Fournier
172, chemin La Plaine
Sainte-Anne-des-Plaines, J0N 1H0
Tél. (450) 478-2598
Fax (450) 478-0209
www.laconclusion.com
chantal@laconclusion.com
Aut. 640, sortie 38, rte 337 nord, 11 km, rte 335 sud à gauche, 2 km à gauche. Aut. 15, sortie 31, rue Victor est, rte 335 nord à gauche, 7,7 km.

A ♿ AV **Certifié: 1997**

Val-David
Le Creux du Vent

Table aux Saveurs du Terroir
certifiée

C'est dans l'ambiance chaleureuse de notre salle à manger ou sur notre magnifique terrasse ensoleillée que vous pourrez déguster une cuisine inspirée des produits du terroir. Un menu gastronomique est disponible en soirée. Une table d'hôte et un menu accessible sont proposés le midi par notre sympathique équipe. P. 15, 207.

Spécialités : le restaurant offre des plats variés, poisson, gibier, viande, volaille de qualité servis avec des accompagnements frais et originaux.
Repas offerts : midi, soir.
Menus : à la carte, table d'hôte, gastronomique.
Nbr personnes: 1-45.
Réservation: recommandée, requise pour groupe.
Table d'hôte: 25-42$/pers. Taxes en sus. IT MC VS
Ouvert : à l'année. Fermé: 3 nov - 2 déc. Horaire variable.

Bernard Zingré et Brigitte Demmerle
1430, rue de l'Académie
Val-David, J0T 2N0
Tél. (819) 322-2280 1-888-522-2280
Fax (819) 322-2260
www.lecreuxduvent.com
info@lecreuxduvent.com
1h de Montréal, aut. 15 nord, sortie 76, rte 117 nord, rue de l'Église à droite dir. Val-David, ch. de la Rivière à gauche, jusqu'au coin rue de l'Académie.

A AV ♿ **Certifié: 2007**

Ferme-Neuve
Api Culture Hautes Laurentides inc.

Relais du Terroir & Ferme Découverte
certifiés

Hydromellerie – Miellerie. En visitant le centre d'interprétation et en dégustant nos produits, un membre de notre équipe vous expliquera les méthodes de fabrication artisanale et le centre d'élevage de reines. Découvrez la richesse florale de la région. Respect des abeilles, goût, arômes, bienfaits sur la santé et plaisir forment la véritable essence de Miel d'Anicet.

Produits: gamme de produits de Miel d'Anicet certifiés biologiques (Québec Vrai) et non pasteurisés.

Activités sur place: animation pour groupe scolaire, animation pour groupe, dégustation, visite libre, cours / ateliers.

Anicet Desrochers-Dupuis
111, rang 2 Gravel
Ferme-Neuve, J0W 1C0
Tél. (819) 587-4825
Fax (819) 587-4826
www.api-culture.com
miels@api-culture.com
Rte 117 nord, à Mont-Laurier, rte 309 nord. À Ferme-Neuve, suivre les panneaux bleus de signalisation touristique.

Visite: adulte: 5-12$; enfant: 3-10$ autres tarifs. Taxes en sus. IT MC VS
Nbr personnes: 1-40.
Réservation: recommandée, requise pour groupe.
Ouvert: 15 juin - 15 sept. Tous les jours. 10h à 17h.
Services: terrasse, centre d'interprétation / musée, vente de produits, dépliant explicatif ou panneaux français et anglais, stationnement pour autobus.

A 🐴 **AV Certifié: 2009**

Mirabel, Saint-Benoît
Intermiel

Relais du Terroir & Ferme Découverte
certifiés

Cidrerie – Érablière – Hydromellerie – Miellerie. Le tour guidé des installations vous propose une ouverture de ruche, la visite d'une hydromellerie, une salle de jeux éducatifs et une panoplie d'activités familiales. Nouveau : érablière. Visite de la distillerie. Cidre de glace. L'accès à la boutique et à l'hydromellerie est libre en tout temps. Groupes et écoles sur réservation.

Produits: miels, produits de la ruche, hydromels, produits de l'érable, boissons alcooliques à l'eau de vie d'érable, cidre de glace.

Activités sur place: animation pour groupe scolaire, animation pour groupe, animation pour enfant, dégustation, visite libre, visite autoguidée, mini-ferme.

Viviane et Christian Macle
10291, rang de La Fresnière
Mirabel, Saint-Benoît, J7N 3M3
Tél. (450) 258-2713 1-800-265-MIEL
Fax (450) 258-2708
www.intermiel.com
contact@intermiel.com
Aut. 15 nord, sortie 20, aut. 640 ouest, sortie 8. Suivre les panneaux bleus de signalisation touristique du Québec, 18 km.

Visite: adulte: 5-10$; enfant: 2-10$ IT MC VS
Réservation: recommandée, requise pour groupe.
Ouvert: à l'année. Tous les jours. 9h à 18h.
Services: aire de pique-nique, centre d'interprétation / musée, vente de produits, dépliant explicatif ou panneaux français, emballages-cadeaux.

A ♿ 🚶 **AV Certifié: 1993**

Mont-Laurier
Ferme Fourragère Fléole - Centre Équestre Mont-Laurier

Ferme Découverte
certifiée

Ferme d'élevage. Reconnu pour notre accueil et notre professionnalisme, situé à 5 min du centre-ville de Mont-Laurier, nous nous spécialisons dans le domaine équin. Activités équestres : cours et randonnée, équithérapie. Site exceptionnel sur le lac Lanthier. Les possibilités sont illimitées. Laissez aller votre imagination, nous saurons combler vos désirs!

Particularités: activités pour tous les âges (enfants, adolescents, adultes, groupes scolaires, équipe de travail, etc.).

Activités sur place: animation pour groupe scolaire, animation pour groupe, randonnée en traîneau ou voiture à cheval, équitation, camp de jour, camp de vacances.

Madeleine Philie et Gilles Trudel
2098, montée Lanthier
Mont-Laurier, J9L 3G7
Tél. (819) 440-2384
Fax (819) 440-2385
www.centreequestre-mtlaurier.com
info@centreequestre-mtlaurier.com
Route 117 nord, de l'Hôpital de Mont-Laurier, 2.1 km, rang 5 sud à gauche, 2.3 km. Au 1er arrêt, montée Lanthier à droite, 1 km.

Tarif: adulte: 8$; enfant: 6$ Taxes en sus. IT MC VS
Nbr personnes: 2-80.
Réservation: recommandée, requise pour groupe.
Ouvert: à l'année. Tous les jours. 9h à 21h.
Services: vente de produits, dépliant explicatif ou panneaux français, salle de réception, réunion, stationnement pour autobus, autres.

A 🐴 AV ☕ **Certifié: 2009**

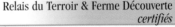

Mont-Laurier
Ferme La Rose des Vents

Relais du Terroir & Ferme Découverte
certifiés

Ferme d'élevage. Ferme familiale de 3 générations se spécialisant dans l'élevage de poulets de grain et de jeunes bovins. Ferme Découverte, Relais du Terroir et Table Champêtre. Venez découvrir les produits régionaux dans un environnement chaleureux et accueillant. Nouvellement certifié et en plein développement, plusieurs activités sont à venir, contactez-nous. P. 209.

Produits: c'est avec le plus grand soin que nous transformons toute une gamme de produits savoureux. Poulet de grain, jeune boeuf, bison, wapiti.
Activités sur place: animation pour groupe scolaire, animation pour groupe, dégustation, audio-visuel français, visite commentée français et anglais, mini-ferme.
Visite: adulte: 4-8$, enfant: 2-4$ tarif de groupe, autres tarifs. Taxes en sus. AM IT MC VS
Nbr personnes: 3-60.
Réservation: recommandée.
Ouvert: à l'année. Tous les jours. 9h à 20h. Horaire variable.
Services: centre d'interprétation / musée, vente de produits, dépliant explicatif ou panneaux français, stationnement pour autobus, autres.

Diane Aubin
2443, Rang 5 Sud
Mont-Laurier, J9L 3G7
Tél. (819) 623-5672
Fax (819) 623-5677
www.fermelarosedesvents.com
info@fermelarosedesvents.com
Rte 117 nord, après le centre-ville de Mont-Laurier, Rang 5 sud à gauche. La boutique est située sur la route 117, au 707 boulevard des Ruisseaux.

A AV Certifié: 2008

Saint-Eustache
Vignoble Rivière du Chêne

Relais du Terroir
certifié

Vignoble. Prix Réalisation 2006 - Agrotourisme. Situé au cœur des Basses-Laurentides, une visite au Vignoble Rivière du Chêne, c'est découvrir, sur une belle route de campagne, une gamme de produits remarquables, un accueil chaleureux et un site exceptionnel. Propriétaire d'une terre familiale de 18 hectares, c'est plus de 62 000 pieds de vignes qui y sont cultivés avec soin.

Produits: vin blanc, rosé, rouge. Vin apéritif et vin rouge fortifié aromatisés au sirop d'érable et vin de glace seront plaire à vos papilles.
Activités sur place: dégustation, visite commentée français et anglais, participation aux vendanges.
Visite: adulte: 10$, enfant gratuit. IT MC VS
Réservation: requise pour groupe.
Ouvert: à l'année. Tous les jours. 10h30 à 17h.
Services: vente de produits, salle de réception, réunion, emballages-cadeaux.

Daniel Lalande et Isabelle Gonthier
807, Rivière Nord
Saint-Eustache, J7R 4K3
Tél. (450) 491-3997
Fax (450) 491-6339
www.vignoblerivièreduchene.ca
vignobleduchene@videotron.ca
Aut. 640, sortie 11, rte 148 dir. Lachute, boul. Industriel à gauche, chemin Rivière-Nord à droite, 5km. Suivre les panneaux bleus de la Route des vins.

A Certifié: 2002

Saint-Joseph-du-Lac
Cidrerie Les Vergers Lafrance

Relais du Terroir & Ferme Découverte
certifiés

Cidrerie – Verger. Les Vergers Lafrance est un magnifique domaine agrotouristique offrant des installations d'inspiration européennes où l'on a su transformer et magnifier la pomme en de multiples produits de grande qualité. On y trouve: la boutique, la cidrerie, le café-terrasse, la pâtisserie, le parc de jeux, la mini-ferme, 12 000 pommiers et bien plus encore.

Produits: la cidrerie propose 15 cidres dont 4 cidres de glace gagnants de prix prestigieux. La boutique offre de délicieux produits gourmets.
Activités sur place: animation pour groupe scolaire, animation pour enfant, autocueillette, dégustation, visite libre, mini-ferme, balade en charrette, aire de jeux.
Visite: gratuite. AM IT MC VS
Réservation: requise pour groupe.
Ouvert: à l'année. Tous les jours. 9h à 17h.
Services: aire de pique-nique, vente de produits, dépliant explicatif ou panneaux français et anglais, stationnement pour autobus, emballages-cadeaux.

Éric Lafrance et Julie Hubert
1473, chemin Principal
Saint-Joseph-du-Lac, J0N 1M0
Tél. (450) 491-7859
Fax (450) 491-7528
www.lesvergerslafrance.com
info@lesvergerslafrance.com
Aut. 13 ou 15 nord. Aut. 640 ouest, sortie 2, chemin Principal à gauche, 3,5 km. Ou sortie 8. Suivre les panneaux bleus.

A AV Certifié: 2007

Sainte-Sophie
Fromagiers de la Table Ronde

Relais du Terroir & Ferme Découverte
certifiés

Famille Alary
317, route 158
Sainte-Sophie, J5J 2V1
Tél. (450) 530-2436 (450) 438-2753
Fax (450) 438-7446
www.fromagiersdelatableronde.qc.ca
fromagerie@fromagiersdelatableronde.qc.ca
Aut. 15 nord, sortie 39, rte 158 est dir. Sainte-Sophie, du village, 2 km, à droite.

Ferme d'élevage – Ferme laitière – Fromagerie fermière. Ferme laitière établie depuis 1922 à Sainte-Sophie. Nous produisons depuis 2003 de délicieux fromages au lait cru. La ferme est certifiée biologique (champs et troupeau). Fabrication artisanale pour des produits de qualité supérieure procurant à nos fromages un goût distinctif.

Produits: Rassembleu: fromage bleu au lait cru. Fou du Roy: fromage affiné à pâte semi-ferme. Fleurdelysé: fromage bleu de type fourme d'ambert.

Activités sur place: animation pour groupe scolaire, dégustation, visite commentée français et anglais, mini-ferme, observation des activités de transformation.

Visite: adulte: 4-12$, enfant: 2-5$ tarif de groupe, autres tarifs. IT

Réservation: requise.

Ouvert: à l'année. Tous les jours. 10h à 18h.

Services: aire de pique-nique, vente de produits, stationnement pour autobus.

A Certifié: 2007

Laval
Des fleurs par millions…

Ceinturée par deux magnifiques rivières, la rivière des Prairies et la rivière des Mille Îles, on oublie souvent que Laval est une île fort originale et étonnante…

C'est autant le charme de sa campagne que de ses agréables anciens quartiers et le caractère avant-gardiste de ses nombreux attraits qui confèrent à la région de Laval un petit quelque chose d'unique.

Envie de fleurs, de sciences, d'eau, de vélo ou de calme? Capitale horticole du Québec, Laval est une ville de jardins où l'on produit 35% des fleurs de la province. Prenez-en toute la mesure en parcourant la Route des Fleurs. Mettez aussi à votre agenda le Cosmodôme, le Musée Armand-Frappier, un haut lieu de recherche sur les grandes maladies, le Parc de la Rivière-des-Mille-Îles et le Centre de la Nature. Vous y découvrirez des petits trésors insoupçonnés et, pour la famille, des activités divertissantes. Pour le magasinage, on retrouve à Laval plusieurs centres commerciaux d'envergure.

Située à deux pas de Montréal et des Laurentides, cette île de 23 km, belle de ses rivages, ses boisés, ses forêts et ses champs cultivés, se révèle un agréable pied-à-terre pour les vacanciers et les gens d'affaires.

© Sylvain Majeau, Tourisme Laval

Saveurs régionales

Favorisée par son climat et la qualité de ses sols, la région de Laval compte d'innombrables champs cultivés, notamment de légumes tels le brocoli, le chou et le réputé maïs sucré de l'île. En ce qui a trait aux fruits, la pomme et l'exceptionnel cantaloup (melon) sont ses deux vedettes. On y retrouve aussi de très bons fromages.

L'île comptant un grand nombre de serres horticoles et floricoles, on ne sera pas surpris d'apprendre que les restaurateurs agrémentent leurs plats de jolies touches florales. Côté gastronomie, plusieurs des restaurants de la région sont reconnus parmi les meilleures tables du Québec.

Très présente sur l'île, la serriculture a inspiré plusieurs initiatives agrotouristiques, dont l'agréable événement La Venue des Récoltes. D'autres belles occasions de faire une escapade à Laval: la Tournée Gourmande en août et Le bon goût de notre campagne en septembre. Sans oublier le plaisir de cueillir soi-même ses fraises, ses framboises et ses pommes…

Image

Laval

Le saviez-vous?

En raison de son cadre champêtre et de ses beaux plans d'eau comme la rivière des Mille Îles, l'île Jésus fut un centre de villégiature qui attirait chaque été une multitude de plaisanciers. En 1941, Sainte-Rose et ses 2 300 habitants accueillirent 4 000 touristes! Pas étonnant que des villas et des infrastructures de plaisance y furent érigées avec, tout comme aujourd'hui, le souci du confort et de la qualité. Avec l'urbanisation, la villégiature s'est déplacée vers le nord, mais un caractère bucolique est demeuré. Le Parc de la Rivière-des-Mille-Îles, l'un des derniers sites naturels, est un endroit exceptionnel où l'on peut s'offrir une bouffée d'air frais.

Clin d'oeil sur l'histoire

Laval fut d'abord concédée aux jésuites en 1636, d'où son nom de l'époque, l'île Jésus. En l'absence d'un titre de propriété, les jésuites furent dépossédés de leur île en 1672 au profit du conseiller de Louis XIV, François Berthelot, qui l'échangea contre l'Île d'Orléans de Mgr Laval en 1675. Cinq ans plus tard, Mgr Laval céda la majorité de ses terres au Séminaire de Québec, dont il est le fondateur. À la suite du massacre de Lachine de 1689, Laval n'échappe pas à la terreur des Iroquois, ce qui freine son développement. Avant la signature de la paix avec les Iroquois en 1701, on ne comptait que 13 habitants! En 1965, la fusion des villes fit naître la ville de Laval.

Quoi voir? Quoi faire?

Le Cosmodôme, centre d'interprétation des sciences spatiales. Idéal pour une sortie familiale (Chomedey).

Le Musée Armand-Frappier: la bioscience et la biotechnologie, vous n'y connaissez rien? Voilà une formidable ressource de vulgarisation scientifique (Chomedey).

Les vieux quartiers de Sainte-Dorothée, Sainte-Rose et Saint-Vincent-de-Paul pour une charmante promenade.

La Route des Fleurs: un circuit de 11,5 km qui regroupe une trentaine de producteurs de fleurs en serre.

Les Chemins de la Nature, un circuit de produits gourmands.

La Venue des Récoltes: circuit de kiosques fermiers, autocueillette de fraises, de framboises et de pommes.

La Centrale de la Rivière-des-Prairies, une des plus anciennes installations hydroélectriques (Saint-Vincent-de-Paul).

Laval vous offre aussi son lot d'événements. Que l'on pense au Mondial Choral Loto-Québec (juin), au Symposium de peinture et de sculpture de Rose-Art (juillet), à La Semaine des artisans de Laval (août)..., vous aurez de quoi planifier d'agréables escapades.

Faites le plein de nature

Le Centre de la nature de Laval, un immense îlot de verdure et l'un des plus beaux parcs urbains de la région métropolitaine: randonnée pédestre, canot ou kayak, ski de fond, patin sur le grand lac... (Saint-Vincent-de-Paul).

Le Parc de la Rivière-des-Mille-Îles, un refuge faunique spectaculaire composé d'îles, de marécages et de berges: excursions en canot, en kayak ou en rabaska. Partez en randonnée muni d'une carte de parcours autoguidé.

Envie de vélo ? Le réseau lavallois vous propose près de 150 km de piste longeant plusieurs berges, des boisés, tels que le Bois Papineau, et des parcs, dont le Centre de la nature et le parc des Prairies. Certains passages permettent un accès à l'île de Montréal, de même qu'il est possible de se diriger vers les Laurentides ou de prendre un traversier en direction de l'île Bizard, un endroit enchanteur pour y faire du vélo.

Pour plus d'information sur Laval: 1-877-465-2825
www.tourismelaval.com

Laval

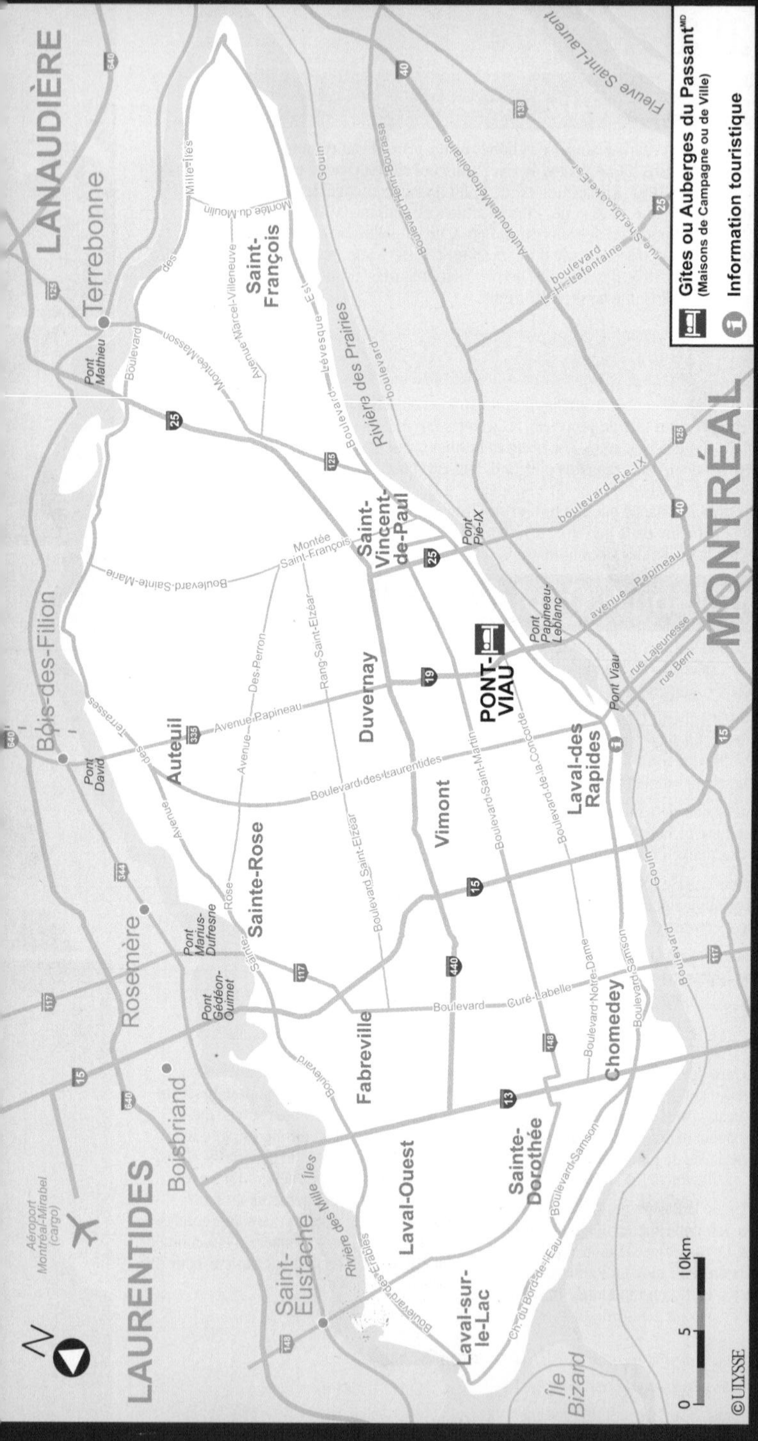

LANAUDIÈRE

LAURENTIDES

MONTRÉAL

Fleuve Saint-Laurent

Terrebonne

Saint-François

Bois-des-Filion

Rosemère

Boisbriand

Saint-Eustache

Aéroport
Montréal-Mirabel
(carpo)

Saint-Vincent-
de-Paul

Auteuil

Duvernay

Sainte-Rose

Vimont

Fabreville

Laval-Ouest

Sainte-
Dorothée

Chomedey

Laval-des-
Rapides

Laval-sur-
le-Lac

PONT-
VIAU

Île
Bizard

Pont Mathieu
Pont David
Pont Marius-Dufresne
Pont Gédéon-Ouimet
Pont Viau
Pont Pie-IX
Pont Papineau-Leblanc

Rivière des Prairies
Rivière des Mille Îles

Montée du Moulin
Montée Masson
Avenue Marcel-Villeneuve
boulevard Lévesque Est
boulevard Lévesque Est
Montée Saint-François
Boulevard Sainte-Marie
Des Perron
Rang Saint-Elzéar
Avenue Papineau
Terrasses
Sainte-Rose
Boulevard des Laurentides
Boulevard Saint-Elzéar
Boulevard Saint-Martin
Boulevard de la Concorde
Boulevard Curé-Labelle
Boulevard Notre-Dame
Boulevard Samson
Boulevard des Érables
Boulevard Bord-de-l'Eau
Boulevard Samson
Autoroute Métropolitaine
boulevard Henri-Bourassa
boulevard Louis-H.-Lafontaine
boulevard Pie-IX
avenue Papineau
rue Lajeunesse
rue Bern
avenue des Laurentides
Gouin

15 · 19 · 25 · 125 · 117 · 13 · 40 · 440 · 640

0   5   10km

Gîtes ou Auberges du PassantMD
(Maisons de Campagne ou de Ville)

Information touristique

©ULYSSE

Laval, Pont-Viau
Gîte & Appartements du Marigot ✵✵✵✵

Gîte du Passant
certifié

Jolie maison de style champêtre située en face du parc Marigot. Faites une randonnée sur le sentier menant à la rivière des Prairies. À 7 minutes de la station de métro Cartier de Laval. Vous pourrez profiter de notre coin jardin qui possède un bassin d'eau et une cascade vous invitant à la détente. Déjeuners copieux dans une ambiance conviviale.

Aux alentours: piste cyclable, tennis, pétanque, 7 min de marche du métro de Laval station Cartier, théâtre, Cosmodôme.
Chambres: climatisées, baignoire à remous, cachet champêtre, tranquillité assurée, romantiques. **Lits:** double, queen. **5 ch. S. de bain privée(s) ou partagée(s).**
2 pers: B&B 70-90$ **1 pers: B&B** 55-75$.
Enfant (12 ans et −): B&B 15$. Taxes en sus. MC VS
Ouvert: à l'année.

Chantal Lachapelle
128, boul. Lévesque Est
Laval, Pont-Viau H7G 1C2
Tél. (450) 668-0311
Fax (450) 668-5624
www.gitedumarigot.com
gitedumarigot@sympatico.ca
Aut. 15 nord, sortie 7, boul. Concorde est, rue Alexandre à droite, boul. Lévesque à droite.

A AV @ ⚙ **Certifié: 2000**

Mauricie

Plein air et nature à perte de vue…

La Mauricie est une destination de prédilection pour les amateurs de plein air. On y compte quelque 17 500 lacs et la nature occupe 85% de son territoire! De quoi revenir chaque fois que l'appel de la nature se fait sentir...

Patrick Escudero

Vélo, randonnée pédestre, canot, pêche, motoneige, ski de fond, raquette, patin, traîneau à chiens: le plein d'énergie en toutes saisons! Les amoureux de l'eau seront aussi choyés: à elle seule, la réserve faunique du Saint-Maurice compte 150 lacs cristallins reliés entre eux et nichés au cœur de la forêt.

Si la nature est riche en Mauricie, son histoire l'est tout autant. Pionniers, coureurs des bois et bûcherons ont en effet su tirer profit des belles forêts et de la rivière Saint-Maurice qui servait au transport du bois (drave). L'exploitation forestière et ses dérivés y jouent toujours un rôle important.

Située à presque égale distance entre Montréal et Québec, la Mauricie reliait ces villes importantes par le chemin du Roy (route 138). Parsemé de témoignages patrimoniaux, il vous transportera à l'époque des calèches et des diligences. Tout au long de son parcours vous apercevrez d'un côté le fleuve et de l'autre de sympathiques petits villages ruraux à visiter: Louiseville, Yamachiche, Champlain, Bastican, Sainte-Anne-de-la-Pérade...

Saveurs régionales

La Maurice se fait délicieuse de bien des façons:

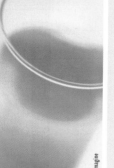

Inmagine

- Les produits des fermes maraîchères, où l'on peut cueillir des petits fruits, sont bien reconnus pour leur saveur.
- D'excellentes fromageries, érablières et fermes d'élevage de bison, de cerf rouge et de poulet y sont bien implantées.
- À découvrir: les bières artisanales, dont celles de la réputée microbrasserie Les bières de la Nouvelle-France (Saint-Paulin). Et, pour poursuivre dans le pétillant, la rafraîchissante eau minérale de Saint-Justin, la seule eau pétillante du Québec.
- Les Québécois aiment bien les crêpes, mais elles sont rarement faites avec du sarrasin, mais en Mauricie c'est la tradition ! La culture du sarrasin à Louiseville a même donné naissance à son Festival de la Galette de Sarrasin.

En hiver, c'est le poulamon (petit poisson des chenaux) que l'on pêche. La chair de ce minuscule poisson est excellente lorsqu'enfarinée et poêlée au beurre, sans plus de préparation. C'est en 1938 que la pêche au poulamon débuta lorsqu'Eugène Mailhot, occupé à couper des blocs de glace sur la rivière, ne put s'empêcher de tendre sa ligne à la vue des poulamons.

Produits du terroir à découvrir et déguster

La région compte sept (7) Tables aux Saveurs du Terroir[MD] certifiées. Une façon originale de découvrir toutes ces saveurs. P. 233

Mauricie

Le saviez-vous?

Ce n'est qu'en 1994 que cessa le transport du bois sur la rivière Saint-Maurice, suite aux pressions des groupes écologiques et des plaisanciers. La drave, si spectaculaire fut-elle pour acheminer le bois vers les usines de transformation avoisinantes, laissait des tonnes et des tonnes d'écorce dans le fond de la rivière. La drave ayant nui au frayage et libéré des substances nocives, une vaste opération de nettoyage des rives fut entreprise. Pas étonnant, puisqu'on estime qu'un milliard et demi de mètres cube de bois ont voyagé sur cette rivière entre 1909 et 1983. Une chaîne de bois d'une longueur équivalente à 19 fois la distance entre la Terre et la Lune!

Clin d'oeil sur l'histoire

Le chemin du Roy, première route carrossable construite au début du XVIIIe siècle, était entretenu par tous les habitants des seigneuries qu'il traversait. Même le seigneur était tenu de participer aux travaux, mais on le devine bien, il pouvait payer quelqu'un pour le remplacer... Ces travaux communautaires obligatoires étaient la «corvée» de l'époque. L'hiver, le chemin devait aussi être ouvert et son tracé signalé. Des épinettes plantées dans la neige servaient de repères lors des tempêtes où champs et chemin se confondaient.

Quoi voir? Quoi faire?

Envie de culture, de poésie, de petits cafés et restos sympathiques, de musées, de spectacles et de festivals ? Visitez le centre-ville de Trois-Rivières.

Le fascinant lieu historique national Les Forges-du-Saint-Maurice (Trois-Rivières).

Le Musée québécois de culture populaire... à la manière des québécois (Trois-Rivières).

Un bijou d'interprétation, le Centre d'exposition sur l'industrie des pâtes et papiers (Trois-Rivières).

Pour découvrir la région autrement : Croisières M/S Jacques-Cartier et M/V Le Draveur.

Le sanctuaire Notre-Dame-du-Cap, qui attire des milliers de pèlerins (Trois-Rivières).

Shawinigan, jadis industrielle, vous étonnera.

La Cité de l'énergie où technologie, exposition et spectacle (Eclyps), vous proposent un voyage fascinant (Shawinigan).

Un vrai rodéo ? Le populaire Festival Western de Saint-Tite (septembre).

Sainte-Anne-de-la-Pérade : pêche aux petits poissons des chenaux, de la fin décembre à la mi-février.

Des microbrasseries pour tous les goûts : Les Bières de la Nouvelle-France (Saint-Alexis-des-Monts), Le Trou du Diable (Shawinigan) et À la Fût (Saint-Tite).

Faites le plein de nature

Le lac Saint-Pierre (réserve de la biosphère de l'UNESCO): 40% des milieux humides du Saint-Laurent et la plus importante héronnière d'Amérique du Nord.

Canot, randonnée et ski de fond au Parc national du Canada de la Mauricie. Pour les raquetteurs aguerris, le sentier des Deux Criques.

La réserve faunique du Saint-Maurice, un espace naturel inoubliable avec la plage du lac Normand, l'une des plus belles au Québec (Rivière-Mattawin).

La réserve faunique Mastigouche, pour une nature sauvage (Saint-Alexis-des-Monts).

Baignade, canot et randonnée au Parc de la rivière Bastican (Saint-Narcisse).

Les plus hautes chutes du Québec sont au Parc des chutes de la petite rivière Bostonnais (La Tuque).

Randonnée au Parc des chutes de Saint-Ursule, un oasis de paix.

Divers circuits pour le vélo qui longent le fleuve et traversent la nature et les plus belles villes de la région.

Pour plus d'information sur la Mauricie: 1-800-567-7603
www.tourismemauricie.com

Mauricie

0   10   20km

La Tuque

Lac
Wayagamac

Carignan

155

Rivière-aux-Rats

Réserve
faunique du
Saint-Maurice

Grande-Anse

Trois-Rives

Lac
Mékinac

155

N

Rivière-
Matawin

Saint-Joseph-
de-Mékinac

Notre-Dame-
des-Anges

Lac-aux-
Sables

Rivière

Parc national
de la Mauricie

Saint-Roch-
de-Mékinac

Sainte-Thècle

RÉGION
DE QUÉBEC

363

Saint-Ubalde

354

Réserve
faunique
Mastigouche

Saint-Maurice

155

155

Saint-Tite

153

Saint-Adelphe

Hérouxville

**Grandes-
Piles**

159

Saint-
Stanislas

138

Grand-Mère

**Saint-
Narcisse**

**Sainte-Anne-
de-la-Pérade**

132

**Saint-Alexis-
des-Monts**

Saint-
Mathieu

Shawinigan

**Shawinigan-
Sud**

**Sainte-
Geneviève-de-Batiscan**

Deschaillons

**Saint-Boniface-
de-Shawinigan**

Saint-Prosper-
de-Champlain

Batiscan

Saint-Pierre-
les-Becquets

220

155

Saint-
Maurice

351

Charette

**Saint-Étienne-
des-Grès**

Champlain

Sainte-
Françoise

Saint-Paulin

153

55

Saint-Louis-
de-France

40

132

216

280

Manseau

Saint-Sévère

Cap-de-la-
Madeleine

Fleuve
Saint-Laurent

Trois-Rivières

Bécancour

Sainte-Marie-
de-Blandford

Saint-Louis-
de-Blandford

350

Pointe-du-Lac

LANAUDIÈRE

Louiseville

40

Lac
Saint-Pierre

Nicolet

261

138

132

CENTRE-DU-QUÉBEC

Baie-du-Febvre

Saint-Wenceslas

Victoriaville

Berthierville

Saint-Ignace-de-Loyola

138

Sorel-Tracy

132

Pierreville

255

Saint-
Elphège

226

Sainte-Perpétue

Sainte-Eulalie

162

161

Sainte-Marie-

116

MONTÉRÉGIE

©ULYSSE

Grand-Mère

Le Manoir du Rocher de Grand-Mère

Coup de Cœur du Public régional 2008.
Johanne Caron et Michel Bergeron
85, 6e Avenue
Grand-Mère
G9T 2G4
(819) 538-8877
www.giteetaubergedupassant.com/manoirdurocher
lemanoirdurocher@hotmail.com

La Fédération des Agricotours du Québec* est fière de rendre hommage aux hôtes Johanne Caron et Michel Bergeron, du gîte LE MANOIR DU ROCHER DE GRAND-MÈRE, qui se sont illustrés de façon remarquable par leur accueil de tous les jours envers leur clientèle. C'est dans le cadre des Prix de l'Excellence 2008 que les propriétaires de cet établissement, certifié Gîte du Passant^MD depuis 2005, se sont vu décerner le « Coup de Cœur du Public régional » de la Mauricie dans le volet Gîte du Passant^MD. P. 228.

Félicitations !

*La Fédération des Agricotours du Québec est propriétaire des marques de certification : Gîte du Passant^MD, Auberge du Passant^MD, Maison de Campagne ou de Ville, Table aux Saveurs du Terroir^MD, Table Champêtre^MD, Relais du Terroir^MD et Ferme Découverte.

Eaux-Berges
la Jarnigouenne

André et Denise Grandbois
353, Île-aux-Sables
Sainte-Anne-de-la-Pérade
G0X 2J0
(418) 325-3447
Fax : (418) 325-3137
www.giteetaubergedupassant.com/lajarnigouenne
lajarnigouenne@hotmail.com

La Fédération des Agricotours du Québec* est fière de rendre hommage aux hôtes André et Denise Grandbois de L'EAUX-BERGES LA JARNIGOUENNE, qui se sont illustrés de façon remarquable par leur accueil de tous les jours envers leur clientèle. C'est dans le cadre des Prix de l'Excellence 2008 que les propriétaires de cet établissement, certifié Auberge du Passant^MD depuis 2007, se sont vu décerner le « Coup de Cœur du Public provincial » dans le volet Auberge du Passant^MD.

«Quel plaisir que de se sentir accueillis comme des amis. Voilà comment se sentent les visiteurs qui séjournent à cet endroit. L'ambiance des lieux y est agréable parce que les hôtes qui y habitent savent créer cette atmosphère chaleureuse et unique. On les apprécient particulièrement pour être des gens à l'écoute, toujours disponibles et d'une grande gentillesse.»
P. 230, 236.

Félicitations !

*La Fédération des Agricotours du Québec est propriétaire des marques de certification : Gîte du Passant^MD, Auberge du Passant^MD, Maison de Campagne ou de Ville, Table aux Saveurs du Terroir^MD, Table Champêtre^MD, Relais du Terroir^MD et Ferme Découverte.

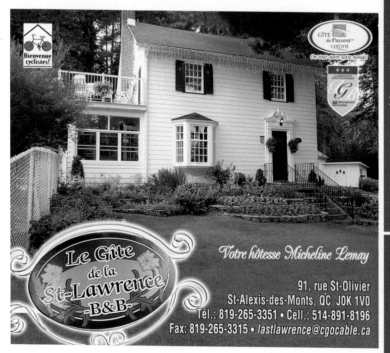
Section publicitaire

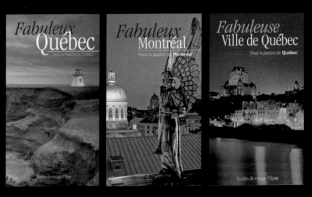

Champlain
Le Murmure des Eaux Cachées ✹ ✹ ✹ ✹

Gîte du Passant
certifié

Situé à Champlain avec une vue spectaculaire sur le Saint-Laurent, le charme attachant de ce site n'a d'égal que celui d'une région pour les amoureux de la nature. Accueil chaleureux, cadre superbe, bonne nourriture, repos au jardin ou au salon. Ambiance agréable et confortable. Piscine couverte de mai à octobre. Bienvenue à tous! Certifié "Bienvenue cyclistes !"ᴹᴰ

Aux alentours: planétarium, chutes, parcs, fermes, golf, vélo, atelier d'art, pêche, cabane à sucre, ski, théâtre, croisière.

Chambres: climatisées, cachet champêtre, peignoir, terrasse, vue sur fleuve, vue splendide. **Lits:** simple, double, queen, divan-lit, pour bébé. **3 ch. S. de bain privée(s) ou partagée(s).**

Forfaits: vélo, famille, gastronomie, printemps, automne, hiver, autres.

2 pers: B&B 68-73$ **1 pers: B&B** 50-65$.

Enfant (12 ans et —): B&B 15$. Taxes en sus. ER VS

Réduction: hors saison, long séjour.

Ouvert: à l'année. **Fermé:** 7 déc - 25 déc.

Rina et Gaston Vallières
528, rue Notre-Dame
Champlain G0X 1C0
Tél. / Fax (819) 295-3931
www.giteetaubergedupassant.com/
lemurmuredeseauxcachees
meby47@hotmail.com
Aut. 40, sortie 220 dir. sud, rte 138 ouest, 2,5 km.

A ✗ AV ⚓ @ ♿ Certifié: 2008

Charette
Gîte la Tempérance ✹ ✹ ✹

Gîte du Passant
certifié

Laissez-vous charmer par ce joli gîte aménagé dans un ancien presbytère datant de 1913. Vous aurez la possibilité de séjourner dans cette superbe maison au cachet d'autrefois tout en appréciant le confort d'aujourd'hui. Vous y découvrirez une cuisine maison savoureuse et des hôtes chaleureux. Situé à 20 minutes du Parc national de la Mauricie. Certifié "Bienvenue cyclistes !"ᴹᴰ

Aux alentours: randonnée pédestre, équitation, patinage, pistes de vélos, VTT et de motoneige.

Chambres: TV, ensoleillées, cachet champêtre, meubles antiques, couettes en duvet, romantiques. **Lits:** double, queen. **5 ch. S. de bain privée(s) ou partagée(s).**

Forfaits: vélo, gastronomie, romantique, été, printemps, automne, hiver, autres.

2 pers: B&B 85-115$ **1 pers: B&B** 75-105$. Taxes en sus.

Réduction: long séjour.

Ouvert: à l'année.

Johanne Raymond et Daniel Brunet
441, rue de l'Église
Charette G0X 1E0
Tél. / Fax (819) 221-3462 Tél. 1-866-921-3462
www.giteetaubergedupassant.com/latemperance
info@latemperance.com
Aut. 40, sortie 180 Yamachiche, route 153 nord. Après
St-Barnabé, tout droit direction Charette. Gîte situé à côté
de l'église.

A ● 🐎 AV @ Certifié: 2008

Grandes-Piles
Auberge le Bôme ★ ★ ★

Auberge du Passant
certifiée

Le Bôme, une demeure ancestrale sise au bord du Saint-Maurice. Vous recherchez la tranquillité et une atmosphère chaleureuse? L'Auberge le Bôme est là pour vous faire apprécier la Mauricie et goûter les arômes italo-français de sa fine cuisine. De plus, dix chambres pittoresques, intimes et très confortables. **Certifié Table aux Saveurs du Terroir**ᴹᴰ. P. 233.

Aux alentours: parc de la Mauricie, musée du Bûcheron, golf, rivière St-Maurice, Cité de l'énergie, festival western, sentier vert.

Chambres: climatisées, baignoire à remous, avec salle d'eau, jacuzzi, téléphone, TV, vue sur rivière. **Lits:** simple, double, queen, king, d'appoint, pour bébé. **10 ch. S. de bain privée(s).**

Forfaits: charme, gastronomie, golf, motoneige, détente & santé, ski de fond.

2 pers: B&B 125-155$ **PAM** 215-245$ **1 pers: B&B** 115-145$ **PAM** 160-195$.

Enfant (12 ans et —): B&B 20-30$ **PAM** 50$. Taxes en sus. IT MC VS

Réduction: long séjour.

Ouvert: à l'année. **Fermé:** 1 avr - 15 mai.

Matilde Mossa et Jean-Claude Coydon
720, 2ᵉ Avenue
Grandes-Piles G0X 1H0
Tél. (819) 538-2805 1-800-538-2805
Fax (819) 538-5879
www.bome-mauricie.com
infobome@xittel.ca
De Montréal, aut. 40 est dir. Trois-Rivières, aut. 55 nord, dir.
155 nord dir. Grandes-Piles.

A 🐎 ✗ AV @ Certifié: 2008

Grand-Mère
Gîte au Petit Louis ✳ ✳ ✳

Gîte du Passant
certifié

Maison ancestrale datant de 1905. Notre gîte se situe au cœur de notre grand-mère et vous réserve un accueil des plus chaleureux. À votre réveil, un petit déjeuner pantagruélique vous sera servi dans la chaleur de la cuisine familiale. Pour votre bien-être : terrasse et piscine. Venez découvrir par vous-même.

Aux alentours: parc de la Mauricie, Cité de l'énergie, Musée du Bûcheron, hydravion, golf, marina, piste cyclable, ski de fond.
Chambres: TV, cachet ancestral, cachet champêtre. **Lits:** double. **3 ch. S. de bain partagée(s).**
2 pers: B&B 70$ **1 pers:** B&B 55$.
Enfant (12 ans et −): B&B 15$
Ouvert: à l'année.

Micheline et Yvon Proteau
201, 5e Avenue
Grand-Mère G9T 2L8
Tél. / Fax (819) 538-2471 Tél. (819) 531-0759
www.giteetaubergedupassant.com/aupetitlouis
m.proteau@sympatico.ca
Aut.40 est, 55 nord, sortie 223, 5e ave. Aut.40 ouest, sortie 220, rtes 359 nord, 153 sud, pont 6e ave, 4e rue, 5e ave à gauche.

● 🐴 ⛵ @ **Certifié: 2009**

Grand-Mère
Gîte l'Ancestral ✳ ✳ ✳

Gîte du Passant
certifié

Coup de Cœur du Public régional 2005. Retrouvez une page d'histoire de la Mauricie. Une grande galerie vous invite au repos et à la causerie. Un contact unique avec vos hôtes, une maison chaleureuse, des chambres confortables et de copieux petits-déjeuners faits de produits maison et régionaux sont au rendez-vous. Un incontournable en Mauricie, en toutes saisons!

Aux alentours: parc national de la Mauricie, golf, vélo, randonnée pédestre, hydravion, ski, raquette.
Chambres: baignoire sur pattes, personnalisées, cachet ancestral, peignoir, vue sur rivière. **Lits:** simple, double, divan-lit, pour bébé. **5 ch. S. de bain privée(s) ou partagée(s).**
2 pers: B&B 75-90$ **1 pers:** B&B 65-80$.
Enfant (12 ans et −): B&B 20$
Réduction: long séjour.
Ouvert: à l'année.

Andrée Allard et Richard Stephens
70, 3e Avenue
Grand-Mère G9T 2T3
Tél. (819) 533-6573
www.giteetaubergedupassant.com/l_ancestral
gitelancestral@gmail.com
Montréal: 40 E, 55 N, sortie 223, 5e av, au clignotant à dr., au bout à gauche, arrêt à gauche, 3e av à gauche. Québec: 40 O, sortie 220, 359 N, 153 S, pont, 3e av à gauche.

A ● AV @ **Certifié: 2002**

Grand-Mère
Le Manoir du Rocher de Grand-Mère ✳ ✳ ✳ ✳ ✳

Gîte du Passant
certifié

Coup de Cœur du Public régional 2008. Coup de Cœur du Public provincial 2006 - Hébergement. Venez profiter de cette magnifique maison construite en 1916 et entièrement rénovée pour votre confort. Située à 5 mètres du fameux «Rocher de Grand-Mère», nous sommes à proximité de tous les services. Savourez notre délicieux petit-déjeuner gastronomique et profitez du spectacle panoramique qu'offre notre grande terrasse au 2e étage. P. 223.

Aux alentours: avis aux amoureux du golf, des sports de plein air et de bonne bouffe, un séjour qui vous comblera.
Chambres: climatisées, baignoire à remous, TV, romantiques, luxueuses, mur en pierres. **Lits:** queen, king. **4 ch. S. de bain privée(s).**
Forfaits: charme, vélo, gastronomie, golf, détente & santé, romantique, ski de fond.
2 pers: B&B 119-139$ **1 pers:** B&B 99-109$.
Enfant (12 ans et −): B&B 40$. Taxes en sus. IT MC VS
Réduction: long séjour.
Ouvert: à l'année.

Johanne Caron et Michel Bergeron
85, 6e Avenue
Grand-Mère G9T 2G4
Tél. (819) 538-8877
www.giteetaubergedupassant.com/manoirdurocher
lemanoirdurocher@hotmail.com
Aut. 40, aut. 55 N., 30 km, sortie 223 Centre-Ville. À l'arrêt, 5e av. à gauche, 3 km. Au clignotant jaune, prendre la fourche à gauche, 6e av. à gauche, 200 m à gauche.

A AV @ **Certifié: 2005**

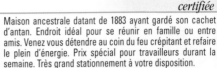

Hérouxville
Maison de Campagne Trudel ★★★

Nicole Jubinville et Yves Trudel
1031, rue Saint-Pierre
Hérouxville G0X 1J0
Tél. (418) 365-7624
www.maison-trudel.qc.ca
beaudege@cgocable.ca
Aut. 20 ou aut. 40, aut. 55 nord via Trois-Rivières. Fin de l'aut. 55, sortie rte 153 nord. À Hérouxville, au clignotant, rue voisine de l'église.

Maison de Campagne
certifiée

Maison ancestrale datant de 1883 ayant gardé son cachet d'antan. Endroit idéal pour se réunir en famille ou entre amis. Venez vous détendre au coin du feu crépitant et refaire le plein d'énergie. Prix spécial pour travailleurs durant la semaine. Très grand stationnement à votre disposition.

Aux alentours: parc national de la Mauricie, Village du Bûcheron et Cité de l'énergie
Maisons: foyer, TV, ensoleillées, cachet ancestral, meubles antiques, tranquillité assurée. **Lits:** simple, double, d'appoint. **1 maison(s). 6 ch. 12-15 pers.**
Forfaits: golf, motoneige, hiver, traîneaux à chiens.
WE 400$ **JR** 200$. VS
Réduction: long séjour.
Ouvert: à l'année.

🛏 AV **Certifié: 2009**

Saint-Alexis-des-Monts
Le Gîte de la St-Lawrence ✹✹✹

Charles et Micheline Lemay
91, rue St-Olivier
Saint-Alexis-des-Monts J0K 1V0
Tél. (819) 265-3351 (514) 891-8196
Fax (819) 265-3315
www.giteetaubergedupassant.com/st-lawrence
lastlawrence@cgocable.ca
Aut. 40 est, sortie 166, rtes 138 est et 349 nord dir. St-Alexis-des-Monts. Aut. 40 ouest, sortie 174, rtes 138 ouest et 349 nord.

Gîte du Passant
certifié

Laissez-vous séduire par le charme de notre gîte qui gît au creux d'arbres centenaires. Construite en 1940, cette maison d'architecture anglaise typique de la Nouvelle-Angleterre, a appartenu à la compagnie St-Lawrence Paper Mills. On vous offre: salle de bain avec baignoire thérapeutique, salle de séjour avec foyer, piscine creusée et véranda. Certifié "Bienvenue cyclistes !"MD P. 225.

Aux alentours: réserve Mastigouche, sentier pédestre, pêche, excursion en canot, chute, zoo, motoneige, ski.
Chambres: balcon, ventilateur, bois franc, terrasse, vue sur forêt, vue sur jardin. **Lits:** simple, double, queen, d'appoint. **3 ch. S. de bain partagée(s).**
Forfaits: charme, motoneige, été, hiver.
2 pers: B&B 75-85$ **1 pers: B&B** 50-65$. Taxes en sus. AM ER MC VS
Réduction: hors saison, long séjour.
Ouvert: à l'année.

A AV 🚲 @ **Certifié: 2004**

Saint-Boniface-de-Shawinigan
Le Domaine de la Baie ✹✹✹✹

Serge Champagne et Mireille Jean
4200, boul. Trudel Est (rte 153)
Saint-Boniface-de-Shawinigan G0X 2L0
Tél. (819) 698-9988
www.domainedelabaie.ca
champagne.serge@cgocable.ca
Aut. 55 nord, sortie 211 à droite, 2 km.

Gîte du Passant
certifié

Vue imprenable sur la rivière St-Maurice. À 15 minutes du parc national de la Mauricie. À 1h15 de Montréal. À 1h30 de la ville de Québec. Confort romantique et déjeuners gargantuesques. Spa, terrasse et piscine disponibles l'été. Certifié "Bienvenue cyclistes !"MD

Aux alentours: parc national de la Mauricie, Cité de l'Énergie, Village du Bûcheron, kayak de mer.
Chambres: climatisées, baignoire à remous, jacuzzi, accès Internet, romantiques, vue sur lac. **Lits:** queen. **3 ch. S. de bain privée(s).**
Forfaits: plein air, romantique, ski de fond.
2 pers: B&B 89-129$ **1 pers: B&B** 69-99$.
Enfant (12 ans et –): B&B 15$. Taxes en sus. IT MC VS
Réduction: hors saison, long séjour.
Ouvert: à l'année.

A AV 🚲 @ **Certifié: 2006**

Saint-Narcisse
Gîte la Marjolaine ❀ ❀ ❀ ❀

Gîte du Passant
certifié

Située entre Québec et Montréal, magnifique maison en bois rond sise sous les grands pins. Environnement indompté et sauvage en bordure d'un petit lac privé vous séduira. Toute de bois et climatisée, elle vous offre un confort moderne. Vous serez surpris du silence total qui y habite et serez ravis des déjeuners substantiels servis à votre heure.

Aux alentours: parc de la Mauricie, parc de rivière Batiscan, piste de motoneige no 3, chemin du Roy. Domaine de la Forêt Perdue.
Chambres: climatisées, baignoire à remous, téléphone, TV, peignoir, murs en bois rond, vue panoramique. Lits: queen, d'appoint. **2 ch. S.** de bain privée(s) ou partagée(s).
2 pers: B&B 85$ **1 pers:** B&B 75$.
Enfant (12 ans et –): B&B 15$. Taxes en sus.
Ouvert: à l'année.

**Marjolaine Baril-Lafrance
21, chemin du Barrage
Saint-Narcisse G0X 2Y0
Tél. (418) 328-8113**
www.giteetaubergedupassant.com/lamarjolaine
marjolaine.lafrance@cgocable.ca

Aut. 40, sortie 220, route 359 nord, 7 km, Thibault à droite, route 361 nord à gauche, chemin du Barrage à droite, 300 pieds.

🐕 🚭 AV ⛵ @ Certifié: 2006

Sainte-Anne-de-la-Pérade
Auberge à l'Arrêt du Temps ❀ ❀ ❀ ❀

Auberge du Passant
certifiée

Coup de Cœur du Public provincial 2007 - Auberge. Maison ancestrale où le temps s'est arrêté. On risque d'être ému par le cachet intérieur. Séjournez dans un musée; meubles et maison 1702. Jardin français, 2 gazebos, spa, solarium. Table gourmande du terroir. 2 fois lauréat aux Grands Prix du tourisme québécois 2002-2004 en hébergement et restauration. Certifié "Bienvenue cyclistes !"^{MD} **Certifié Table aux Saveurs du Terroir**^{MD}. P. 235.

Aux alentours: piste cyclable, chemin du Roy, parcs rivière Batiscan et Mauricie, site historique, pêche.
Chambres: foyer, raffinées, cachet champêtre, oreillers en duvet, spacieuses, bois franc, originales. Lits: simple, double, queen, divan-lit, d'appoint. **4 ch. S.** de bain privée(s) ou partagée(s).
Forfaits: charme, vélo, gastronomie, hiver.
2 pers: B&B 75-110$ PAM 115-150$ **1 pers:** B&B 65-100$ PAM 85-130$.
Enfant (12 ans et –): B&B 15$. Taxes en sus. ER IT MC VS
Réduction: long séjour.
Ouvert: à l'année.

**Serge Gervais et René Poitras
965, boul. de Lanaudière, Chemin du Roy
Sainte-Anne-de-la-Pérade G0X 2J0
Tél. / Fax (418) 325-3590 Tél. 1-877-325-3590**
www.laperade.qc.ca/arretdutemps
arretdutemps@globetrotter.net

Sur le chemin du Roy, rte 138, à 2 h de Montréal, 1 h de Québec. Aut. 40, sortie 236, 2 km à l'est de l'église.

✗ AV ⛵ ᷘ Certifié: 1999

Sainte-Anne-de-la-Pérade
Eaux-Berges la Jarnigouenne ❀ ❀ ❀ ❀

Auberge du Passant
certifiée

Coup de Cœur du Public provincial 2008 - Auberge Venez vivre une escapade au bord du fleuve en harmonie avec la nature. La découverte de notre table exceptionnelle coiffera la liste de vos belles trouvailles que ce soit en couple ou en groupe. Un as de cœur dans le jeu des amateurs de la gastronomie. Avec le fleuve comme décor et les oiseaux comme musiciens qui vous invitent à la détente. **Certifié Table aux Saveurs du Terroir**^{MD}. P. 224, 236.

Aux alentours: parc de la Mauricie, parc de la rivière Batiscan, chemin du Roy, ski, piste cyclable, baignade.
Chambres: avec lavabo, raffinées, cachet champêtre, peignoir, terrasse, vue sur fleuve. Lits: simple, double, queen. **4 ch. S.** de bain privée(s) ou partagée(s).
Forfaits: gastronomie, plein air, romantique.
2 pers: B&B 75-125$ **1 pers:** B&B 65-115$.
Enfant (12 ans et –): B&B 20$. Taxes en sus. AM IT MC VS
Réduction: long séjour.
Ouvert: à l'année.

**André et Denise Grandbois
353, Île-aux-Sables
Sainte-Anne-de-la-Pérade G0X 2J0
Tél. (418) 325-3447
Fax (418) 325-3137**
www.giteetaubergedupassant.com/lajarnigouenne
lajarnigouenne@hotmail.com

Rte 138 est dir. Sainte-Anne-de-la-Pérade, Ile-aux-Sables ouest à droite.

A ✗ AV ⛵ @ ᷘ Certifié: 2007

Shawinigan
Gîte et galerie du Joyeux druide ✵ ✵ ✵

Gîte du Passant
certifié

Gilles Rivest
3573, rue Bellevue
Shawinigan G9N 3L4
Tél. (819) 539-4705 (819) 531-0654
www.joyeuxdruide.com
info@joyeuxdruide.com
Aut. 55 nord, sortie 217 à gauche, rue Des Ormeaux à droite
jusqu'à la rue Bellevue. Le gîte est à votre droite.

Le gîte du Joyeux druide est un endroit où l'on peut se détendre en s'immergeant dans une ambiance celtique unique. Parmi les atouts: chambres confortables, forfait famille, produits maison, galerie d'art, salle de jeux, accès à la Mauricie, activités à proximité. Forfaits de rêve, de charme, de soirées meurtre et mystère et autres activités. Certifié "Bienvenue cyclistes !"[MD]

Aux alentours: la Route verte est à 100 mètres et en hiver c'est la piste de ski de fond et de raquette. Je peux louer des raquettes.

Chambres: foyer, téléphone, TV, CD, DVD, décoration thématique, ventilateur, bois franc, chambre familiale. **Lits:** simple, double, queen, d'appoint, pour bébé. **3 ch. S. de bain partagée(s).**

Forfaits: charme, vélo, famille, ski alpin, ski de fond, hiver, parachutisme, autres.
2 pers: B&B 75$ **1 pers:** B&B 70-75$.
Enfant (12 ans et —): B&B 20-25$. Taxes en sus. AM IT MC VS
Réduction: hors saison, long séjour.
Ouvert: à l'année.

A 🐾 AV ⚓ ♿ **Certifié: 2007**

Shawinigan-Sud
Les P'tits Pommiers ✵ ✵ ✵

Gîte du Passant
certifié

Michelle Fortin et Jean-Louis Gagnon
2295, rue Albert-Dufresne
Shawinigan-Sud G9P 4Y6
Tél. (819) 537-0158 1-877-537-0158
Fax (819) 537-4839
www.giteetaubergedupassant.com/pommiers
pommiers@yahoo.com
Aut. 55 N., sortie 211 dir. Shawinigan-Sud. Après Cité de
l'énergie, 1re sortie à dr., boul. du Capitaine, Lacoursière à g.,
Adrienne-Choquette à dr., Albert-Dufresne à dr.

Coup de Cœur du Public régional 2004. Gagnant Maisons Fleuries et Grand Prix tourisme québécois. Gâtez-vous au douillet refuge de deux artistes. Retirez-vous dans vos appartements; ils sont nés d'un rêve. Regardez la Cité de l'énergie, humez le parc national. Salon privé avec foyer, salles de bain avec douche ou bain tourbillon, piscine, terrasse, il ne manque... que vous.

Aux alentours: Cité de l'énergie, Eclyps, parc national de la Mauricie, observation de l'ours, Arbre en Arbre.
Chambres: accès Internet, raffinées, cachet particulier, tranquillité assurée, entrée privée. **Lits:** queen, d'appoint. **3 ch. S. de bain partagée(s).**
2 pers: B&B 68$ **1 pers: B&B** 58$.
Enfant (12 ans et —): B&B 15$. VS
Ouvert: à l'année.

A ⬢ 🐾 AV ⚓ @ ♿ **Certifié: 1998**

Trois-Rives
Gîte la Doucetière ✵ ✵ ✵

Gîte du Passant
certifié

Pierrette Doucet
317, chemin de la Rivière
Trois-Rives G0X 2C0
Tél. (819) 646-5236
www.giteladoucetiere.com
ladoucetiere@globetrotter.net
De Québec, aut. 40 ouest ou de Montréal aut. 40 est. À Trois-
Rivières, aut. 55 nord qui devient la rte155, sortie St-Joseph-
de-Mékinac, Trois-Rives.

Bordé de forêts et montagnes, le gîte est l'endroit de prédilection pour tous les amants de la nature dans un décor enchanteur. Vous trouverez un point de départ vers les expéditions dans la nature. Votre hôtesse et guide, d'origine algonquine de la nation Unini Métabénutin vous fera découvrir les traditions et culture de son peuple.

Aux alentours: parc de la Mauricie, rivière St-Maurice, magnifique lac Mékinac, canoë, kayak, traîneau à chiens, Village du Bûcheron.
Chambres: couettes et oreillers en duvet, romantiques, vue sur jardin, vue panoramique. **Lits:** double, queen, d'appoint. **2 ch. S. de bain partagée(s).**
Forfaits: plein air, ski de fond, été, automne, hiver, traîneaux à chiens.
2 pers: B&B 82$ **1 pers: B&B** 77$.
Enfant (12 ans et —): B&B 25$
Ouvert: à l'année.

AV Certifié: 2009

Trois-Rivières
La Maison des Leclerc ✵ ✵ ✵

Gîte du Passant
certifié

Georgie et Michel Leclerc
2821, Notre-Dame Est
Trois-Rivières G8V 1Y8
Tél. (819) 379-5946 1-866-379-5946
Fax (819) 379-9840
www.maisondesleclerc.com
maisondesleclerc@videotron.ca
De Montréal, aut. 40, sortie 205 à droite, 1er feu à droite dir.
Ste-Madeleine, rte 138 à gauche. De Québec, aut. 40, sortie
220 dir. Champlain, rte 138 à droite, 11 km.

Ombragée par les plus beaux érables du Québec, cette belle maison vous dévoile une histoire vécue par une famille modeste, mais riche en personnalité. Sobre en dehors, mais chaude en dedans. Galerie magnifique, cuisine d'été pour prolonger les déj. Visite de la ferme, promenade sur le sentier qui inspira Félix Leclerc. Accès au fleuve. Certifié "Bienvenue cyclistes !"^{MD} P. 226.

Aux alentours: musées, atelier peintres, croisières, festivals, golf, sanctuaire, parc-jardin, motoneige, poissons des chenaux.
Chambres: personnalisées, ventilateur, tranquillité assurée, vue sur fleuve, vue sur champs. **Lits:** simple, double, queen, d'appoint. **4 ch. S. de bain privée(s) ou partagée(s).**
Forfaits: spectacle.
2 pers: B&B 75$ **1 pers:** B&B 65$.
Enfant (12 ans et –): B&B 12$. VS
Ouvert: à l'année.

A ⌖ ⌖ **Certifié: 2002**

Trois-Rivières
Maison Parc Delormier ✵ ✵ ✵ ✵

Gîte du Passant
certifié

Sonia Lavergne et Mario Mélançon
225, rue Delormier
Trois-Rivières G9B 1C7
Tél. (819) 377-5636 (819) 373-0606
Fax (819) 379-7551
www.maisonparcdelormier.com
solaverg@live.ca
De Montréal, aut. 40 est, sortie 187, rte 138 est. De Québec,
aut. 40 ouest, aut. 55 sud, rue Notre-Dame ouest, rte 138
ouest.

Votre hôte Sonia, vous accueille dans la chaleur de sa luxueuse demeure qui séduira par sa luminosité et son ambiance chaleureuse. À coup sûr, le confort incomparable de son gîte vous ravira. Les enfants sont les bienvenus. Gîte non-fumeur. Stationnement intérieur pour vélo et moto. Air climatisé central. Spa. Un gîte à découvrir.

Aux alentours: musée, salle de spectacle, piste cyclable, piste de ski de fond et alpin, bons restaurants.
Chambres: climatisées, avec lavabo, jacuzzi, accès Internet, spacieuses, chambre familiale. **Lits:** simple, queen. **2 ch. S. de bain partagée(s).**
Forfaits: vélo, théâtre.
2 pers: B&B 92$ **1 pers:** B&B 82$.
Enfant (12 ans et –): B&B 20$
Réduction: long séjour.
Ouvert: à l'année.

A @ ⌖ **Certifié: 2008**

Grandes-Piles
Auberge le Bôme

Matilde Mossa et Jean-Claude Coydon
720, 2e Avenue
Grandes-Piles, G0X 1H0
Tél. (819) 538-2805 1-800-538-2805
Fax (819) 538-5879
www.bome-mauricie.com
infobome@xittel.ca
De Montréal, aut. 40 est dir. Trois-Rivières, aut. 55 nord, rte
155 nord dir. Grandes-Piles.

Table aux Saveurs du Terroir
certifiée

Le Bôme, une demeure ancestrale sise au bord du Saint-Maurice. Vous recherchez la tranquillité et une atmosphère chaleureuse? L'Auberge le Bôme est là pour vous faire apprécier la Mauricie et goûter les arômes italo-français de sa fine cuisine. De plus, dix chambres pittoresques, intimistes et très confortables. P. 227.

Spécialités : le Chef imprègne le Bôme de multiples arômes de fruits et légumes frais, de fines herbes, de gibier: caribou, cerf, agneau et canard.
Repas offerts : soir.
Menus : à la carte, table d'hôte, gastronomique.
Nbr personnes : 2-80.
Réservation : requise.
Table d'hôte : 32-66$/pers. Taxes en sus. IT MC VS
Ouvert : à l'année. **Fermé :** 1 avr - 15 mai. Tous les jours. Horaire variable.

A AV Certifié: 2008

Saint-Alexis-des-Monts
Les Bières de la Nouvelle-France

Martine Lessard
90, rang Rivière-aux-Écorces
Saint-Alexis-des-Monts, J0K 3M0
Tél. (819) 265-4000
Fax (819) 265-4020
www.lesbieresnouvellefrance.com
bnf@telmmilot.net
Aut. 40. À Louiseville, rte 349 nord, direction Saint-Alexis-des-Monts. Rang Rivière-aux-Écorces à gauche.

Table aux Saveurs du Terroir
certifiée

Située à l'entrée du village, la Microbrasserie Nouvelle-France vous ouvre ses portes afin de vous faire revivre l'ambiance qui régnait au temps des tavernes en Nouvelle-France. Des plats traditionnels aux accents simples et rustiques, préparés par la chef Denise Mercier, vous feront découvrir les trésors du terroir mauricien. Déj. les week-ends.

Spécialités : truite, moules et plats sans gluten.
Repas offerts : midi, soir.
Menus : à la carte, table d'hôte, gastronomique.
Nbr personnes : 1-100.
Réservation : recommandée, requise pour groupe.
Table d'hôte : 20-28$/pers. Taxes en sus. IT MC VS
Ouvert : à l'année. Tous les jours.

A Certifié: 2008

Saint-Étienne-des-Grès
Les Caprices de Fanny

France Fournier et Franck Richard
124, rue principale
Saint-Étienne-des-Grès, G0X 2P0
Tél. (819) 535-1291
www.capricesfanny.com
capricesfanny@cgocable.ca
Aut. 55 nord, sortie 202. À St-Etienne-des-Grès, 1er arrêt, rue
Principale à gauche.

Table aux Saveurs du Terroir
certifiée

Dans une ambiance conviviale et chaleureuse, une expérience gustative inoubliable vous attend. Débutant à 18.95$, la table d'hôte proposée est alléchante et variée. Les bouteilles de vin vous sont offertes au prix de la SAQ plus 2$ et nos succulents desserts maison à partir 4.75$. Et cela à seulement 10 min. de Trois-Rivières et de Shawinigan.

Spécialités : union des produits du terroir et du savoir-faire français qui diffèrent de semaine en semaine selon les arrivages du marché.
Repas offerts : soir.
Menus : table d'hôte.
Nbr personnes : 2-50.
Réservation : recommandée, requise pour groupe.
Table d'hôte : 18-36$/pers. Taxes en sus. IT MC VS
Ouvert : à l'année. Mer au sam.

Certifié: 2008

Tables aux Saveurs du Terroir MD & Champêtres MD

Saint-Paulin
Auberge le Baluchon

Table aux Saveurs du Terroir
certifiée

«Ma cuisine est à mon image, une cuisine qui s'imprègne de tous les goûts pour séduire et qui s'attache à sa terre, à ses saveurs spécifiques. Comme chef, je gagne énormément à découvrir autant de richesse. C'est ainsi que j'alimente ma passion: me laisser charmer par des passionnés et livrer avec créativité toute cette richesse.» P. Gérôme. Éco-café Au bout du Monde, p. 234, 235.

Spécialités : mise en valeur originale des produits du voisinage. Tables d'hôte: sans gluten, santé et végétarienne. Somptueux brunch du dimanche.
Repas offerts : brunch, midi, soir.
Menus : à la carte, table d'hôte, gastronomique, cabane à sucre.
Nbr personnes: 1-180.
Réservation: requise pour groupe.
Table d'hôte: 49-79$/pers. Taxes en sus. AM IT MC VS
Ouvert: à l'année. Tous les jours.

Louis Lessard
3550, chemin des Trembles
Saint-Paulin, J0K 3G0
Tél. (819) 268-2555 1-800-789-5968
Fax (819) 268-5234
www.baluchon.com
info@baluchon.com
Autoroute 40, sortie 166. À Louiseville, route 349 direction St-Paulin.

A Certifié: 2009

Saint-Paulin
Éco-café Au bout du Monde

Table aux Saveurs du Terroir
certifiée

L'Éco-café Au bout du Monde s'inspire du mouvement éco-gastronomique qui fait la promotion d'une alimentation de proximité et qui tend à sauvegarder les traditions culinaires. Vitrine de dégustation des produits locaux, l'Éco-café valorise la production biologique et naturelle. Des capsules théâtrales animent le décor spectaculaire de l'Éco-café. Auberge le Baluchon, p. 234, 235.

Spécialités : plus 30 producteurs régionaux en vedette. Épicerie fine sur place. Palettes de dégustation de bières régionales. Café équitable.
Repas offerts : midi, soir.
Menus : à la carte, table d'hôte.
Nbr personnes: 1-100.
Réservation: requise pour groupe.
Table d'hôte: 18-26$/pers. Taxes en sus. AM IT MC VS
Ouvert: à l'année. Tous les jours. Horaire variable.

Louis Lessard et Yves Savard
3550, chemin des Trembles
Saint-Paulin, J0K 3G0
Tél. (819) 268-2555 1-800-789-5968
Fax (819) 268-5018
www.baluchon.com
patricia.brouard@baluchon.com
Autoroute 40, sortie 166. À Louiseville, route 349 direction St-Paulin.

A AV Certifié: 2009

Sainte-Anne-de-la-Pérade
Auberge à l'Arrêt du Temps

Table aux Saveurs du Terroir
certifiée

Menus inspirés et exquis. Cuisine évolutive qui actualise les produits du jardin (en saison), les produits du terroir et la culture de fines herbes. Le souci de la créativité des produits authentiques tout en conservant ses goûts et saveurs dans nos plats raffinés fait maison. P. 230.

Spécialités : poulamon en fine gastronomie, cerf au Ciel de Charlevoix, autruche, côte de biche au fromage Peradiem le Baluchon, etc.
Repas offerts : midi, soir. Apportez votre vin.
Menus : table d'hôte, gastronomique.
Nbr personnes: 2-55.
Réservation: recommandée, requise pour groupe.
Table d'hôte: 25-40$/pers. Taxes en sus. ER IT MC VS
Ouvert: à l'année. Tous les jours.

Serge Gervais et René Poitras
965, boul. de Lanaudière, Chemin du Roy
Sainte-Anne-de-la-Pérade, G0X 2J0
Tél. / Fax (418) 325-3590 Tél. 1-877-325-3590
www.laperade.qc.ca/arretdutemps
arretdutemps@globetrotter.net
Sur le chemin du Roy, rte 138, à 2 h de Montréal, 1 h de Québec. Aut. 40, sortie 236, 2 km à l'est de l'église.

Certifié: 2007

Sainte-Anne-de-la-Pérade
Eaux-Berges la Jarnigouenne

André et Denise Grandbois
353, Île-aux-Sables
Sainte-Anne-de-la-Pérade, G0X 2J0
Tél. (418) 325-3447
Fax (418) 325-3137
www.giteetaubergedupassant.com/lajarnigouenne
lajarnigouenne@hotmail.com
Rte 138 est dir. Sainte-Anne-de-la-Pérade, Île-aux-Sables
ouest à droite.

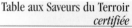

Table aux Saveurs du Terroir
certifiée

Un as de cœur dans le jeu des amateurs de la gastronomie se cache sur la berge du fleuve à l'est du village de La Pérade. Dans une superbe auberge de style breton, André et Denise vous convient à leur table. Cuisine régionale et française, agneau, canard, bouvillon, porcelet, fruits de mer, volaille. Produits régionaux. Un vrai délice! P. 224, 230.

Spécialités : salle à manger romantique. Endroit bucolique et champêtre au bord du fleuve, gastronomie exceptionnelle. Endroit inoubliable.
Repas offerts : brunch, midi, soir.
Menus : à la carte, table d'hôte, gastronomique.
Nbr personnes: 1-40.
Réservation: recommandée, requise pour groupe.
Table d'hôte: 32-45$/pers. Taxes en sus. AM IT MC VS
Ouvert: à l'année.

A AV 🦽 **Certifié: 2007**

MAURICIE

Sainte-Geneviève-de-Batiscan
Ferme Champs de Rêve

Relais du Terroir & Ferme Découverte
certifiés

Marie-Claude Gaudet, intervenante en zoothérapie
241, rue Principale
Sainte-Geneviève-de-Batiscan, G0X 2R0
Tél. (418) 362-2337
www.tablesetrelaisduterroir.com/champsdereve
fermepedagogique@globetrotter.net

Aut. 40, sortie 229 dir. Sainte-Geneviève-de-Batiscan, rte 361 nord, 4 km. À l'arrêt, traverser le pont, tourner à droite pour longer la rivière, ferme à 400 m.

Ferme d'élevage – Ferme fruitière. Prix Réalisation 2005 - Agrotourisme. L'activité à la ferme «Du brin d'herbe au brin de fil» s'inscrit tout à fait dans la nouvelle vague du tourisme d'apprentissage: fabriquez votre propre fil de mohair au fuseau. Aussi, concept innovateur d'atelier mobile: nous nous déplaçons avec nos chèvres angoras pour une présentation à votre établissement (école, parc, etc.).

Produits: fameux bas de mohair, couvertures et jetés de mohair. Bleuets géants biologiques en saison.

Activités sur place: animation pour groupe scolaire, animation pour groupe, visite commentée français et anglais, soin des animaux, nourrir les animaux, autres.

Visite: adulte: 5-6$, enfant: 5-10$ tarif de groupe, autres tarifs.

Nbr personnes: 15-60.

Réservation: requise.

Ouvert: à l'année. Tous les jours. 9h à 18h. Horaire variable.

Services: vente de produits, dépliant explicatif ou panneaux français, salle de réception, réunion, stationnement pour autobus, autres.

A 🐐 **AV Certifié: 2004**

Relais du Terroir & Fermes Découverte

Montérégie

Riche en histoire et belle à croquer!

La Montégérie : une agréable invitation aux plaisirs du terroir et de l'histoire. Une région de détente et de petits plaisirs vous attend à une enjambée de Montréal.

Invitante à souhait et généreuse de nature comme en témoigne son surnom de «Jardin du Québec», la Montérégie a développé des produits du terroir extraordinaires. Plusieurs circuits existent pour diriger vos découvertes: la Route des cidres, le Circuit du Paysan, la Route des vins et la Route gourmande des fromages fins.

Découvrir la Montérégie, c'est aussi découvrir l'histoire du Québec et du Canada. Vous en apprendrez beaucoup sur le beau rêve de la Nouvelle-France et sa conquête par les Britanniques. Cette région est la troisième en importance au Québec pour sa quantité de sites historiques, musées et centres d'interprétation.

On y retrouve aussi plusieurs beaux endroits méconnus où il fait bon de se promener sur l'eau. Du plaisir garanti avec une excursion dans les îles de Sorel ou la réserve nationale de faune du Lac-Saint-François ou encore une croisière sur la rivière Richelieu. Si vous avez envie d'une agréable randonnée, optez pour l'une des «montérégiennes» (monts Saint-Bruno, Saint-Hilaire ou Rougemont). Pistes cyclables, terrains de golf et théâtres d'été se mettent également de la partie pour agrémenter votre escapade.

Cidrerie Michel Jodoin, Rougemont

André Duchêsne

La Face Cachée de la Pomme, Hemmingford

Saveurs régionales

La Montérégie est la région agricole la plus importante du Québec. On y compte plus de 8 000 fermes. Cidreries, vergers, microbrasseries, hydromelleries, vinaigreries, vignobles, autocueillette de petits fruits, dont le bleuet de Corymbe, chocolateries, érablières, fromageries, élevages de veaux de grain et de lait… bref, on y trouve de tout!

Produits du terroir à découvrir et déguster

- Cidrerie La Pommeraie du Suroît, Relais du Terroir [MD] & Ferme Découverte certifiés, Franklin. P. 252
- Cidrerie du Minot, Relais du Terroir [MD] & Ferme Découverte certifiés, Hemmingford. P. 252
- La Face Cachée de la Pomme, Relais du Terroir [MD] certifié, Hemmingford. P. 252
- Cidrerie Michel Jodoin Inc., Relais du Terroir [MD] certifié, Rougemont. P. 253
- Vignoble De Lavoie, Relais du Terroir [MD] & Ferme Découverte certifiés, Rougemont. P. 253
- Brasserie Saint-Antoine-Abbé, Hydromellerie & Miellerie, Relais du Terroir [MD] & Ferme Découverte certifiés, Saint-Antoine-Abbé, Franklin. P. 254
- Clos Saint-Denis, Relais du Terroir [MD] certifié, Saint-Denis-sur-Richelieu. P. 254
- Fromagerie au Gré des Champs, Relais du Terroir [MD] certifié, Saint-Jean-sur-Richelieu. P. 254
- Vignoble Les Petits Cailloux, Relais du Terroir [MD] & Ferme Découverte certifiés, Saint-Paul-d'Abbotsford. P. 255
- Miellerie St-Stanislas, Relais du Terroir [MD] & Ferme Découverte certifiés, Saint-Stanislas-de-Kostka. P. 255
- Verger Cidrerie Larivière, Relais du Terroir [MD] & Ferme Découverte certifiés, Saint-Théodore-d'Acton. P. 256
- Les Fraises Louis-Hébert, Relais du Terroir [MD] & Ferme Découverte certifiés, Saint-Valentin. P. 256
- Érablière l'Autre Versan, Relais du Terroir [MD] certifié, Sainte-Hélène. P. 257

La région compte cinq (5) Tables aux Saveurs du Terroir[MD] et trois (3) Tables Champêtres[MD] certifiées. Une façon originale de découvrir toutes ces saveurs. P. 249

Montérégie

Le saviez-vous?

L'archipel du lac Saint-Pierre (Réserve mondiale de la biosphère de l'UNESCO), abrite la plus importante colonie de hérons de la planète! C'est sur la Grande Île, dans le delta de Sorel, que près de 5 000 hérons viennent nicher pendant les 3 mois que dure leur rituel de reproduction. Il est rare qu'une héronnière abrite plus de 100 oiseaux, car leurs excréments, fortement acides, détruisent leur habitat. La Grande Île fait exception à cette règle parce que les crues printanières qui lessivent l'île neutralisent l'acidité, préservant du même coup la flore locale. La vue de ce long échassier aux pattes traînantes en envoûtera plus d'un…

Clin d'oeil sur l'histoire

La Montérégie a longtemps été un avant-poste qui servait à protéger la colonie contre les Iroquois, les Anglais et les Américains. Le fort Chambly est un témoin fascinant de ce passé. Au Québec, le souvenir de la rébellion des Patriotes (1837-1838) contre les Britanniques, reste très vivant. La Maison nationale des Patriotes (Saint-Denis-sur-Richelieu) vous raconte ce soulèvement qui eut lieu à l'époque où le Canada était encore une colonie de la Couronne d'Angleterre (depuis la Conquête de 1763), et où les francophones du Bas-Canada n'avaient que quelques bribes de pouvoir. De cette impasse diplomatique naîtra la rébellion.

Quoi voir? Quoi faire?

Les lieux historiques nationaux du Canada de : Bataille-de-la-Châteauguay, Canal-Saint-Ours, Coteau-du-Lac, Fort-Chambly, Canal-de-Chambly et Fort-Lennox.

Le Parc archéologique de la Pointe-du-Buisson et la centrale hydroélectrique de Beauharnois (Melocheville).

Les beaux villages de Saint-Antoine-sur-Richelieu, de Verchères et ceux situés sur la frontière américaine. Le plus vieux pont couvert (1861) à Powerscourt.

Le Blockhaus-de-la-rivière-Lacolle (Saint-Bernard-de-Lacolle).

Le Théâtre de la Dame de Cœur et ses spectacles extérieurs avec sièges pivotants et bretelles chauffantes (Upton).

Le Jardin Daniel-A.-Séguin (Saint-Hyacinthe).

Le Musée d'art des beaux-arts Mont-Saint-Hilaire, la Maison nationale des Patriotes (Saint-Denis), le Centre d'interprétation du patrimoine de Sorel, le Musée du Fort Saint-Jean et le labyrinthe (Saint-Jean-sur-Richelieu).

Pour la famille : l'Électrium d'Hydro-Québec, (Sainte-Julie), L'Arche des Papillons (Saint-Bernard-de-Lacolle), le Parc Safari (Hemmingford), Chouette à voir! (Saint-Jude) et le Fort Débrouillard (Roxton Falls).

Découvrez l'Île-Perrot : l'église de Sainte-Jeanne de Chantal, le parc historique de la Pointe-du-Moulin, etc.

Faites le plein de nature

L'Escapade - Les sentiers du Mont-Rigaud: ski de fond et randonnée pédestre (25 km).

Canot à la réserve nationale de faune du Lac-Saint-François (Dundee).

Parc national des Îles-de-Boucherville: vélo, canot et randonnée pédestre (25 km).

Parc national du Mont-Saint-Bruno: randonnée pédestre et ski de fond en forêt, Domaine de ski Mont-Saint-Bruno: ski alpin.

Croisière sur la rivière Richelieu jusqu'à Saint-Paul-de-l'Île-aux-Noix.

Excursions (croisière, canot, rabaska) dans les îles de Sorel ou dans les marais de l'archipel du lac Saint-Pierre

Centre de la Nature du Mont-Saint-Hilaire: randonnée pédestre, ski de fond et raquette (24 km de sentiers).

Douze pistes cyclables (600 km) dont celle qui longe le fleuve de Boucherville à Sainte-Catherine, pour une vue imprenable sur Montréal.

Pour plus d'information sur la Montérégie : 1-866-469-0069
www.tourisme-monteregie.qc.ca

Montérégie

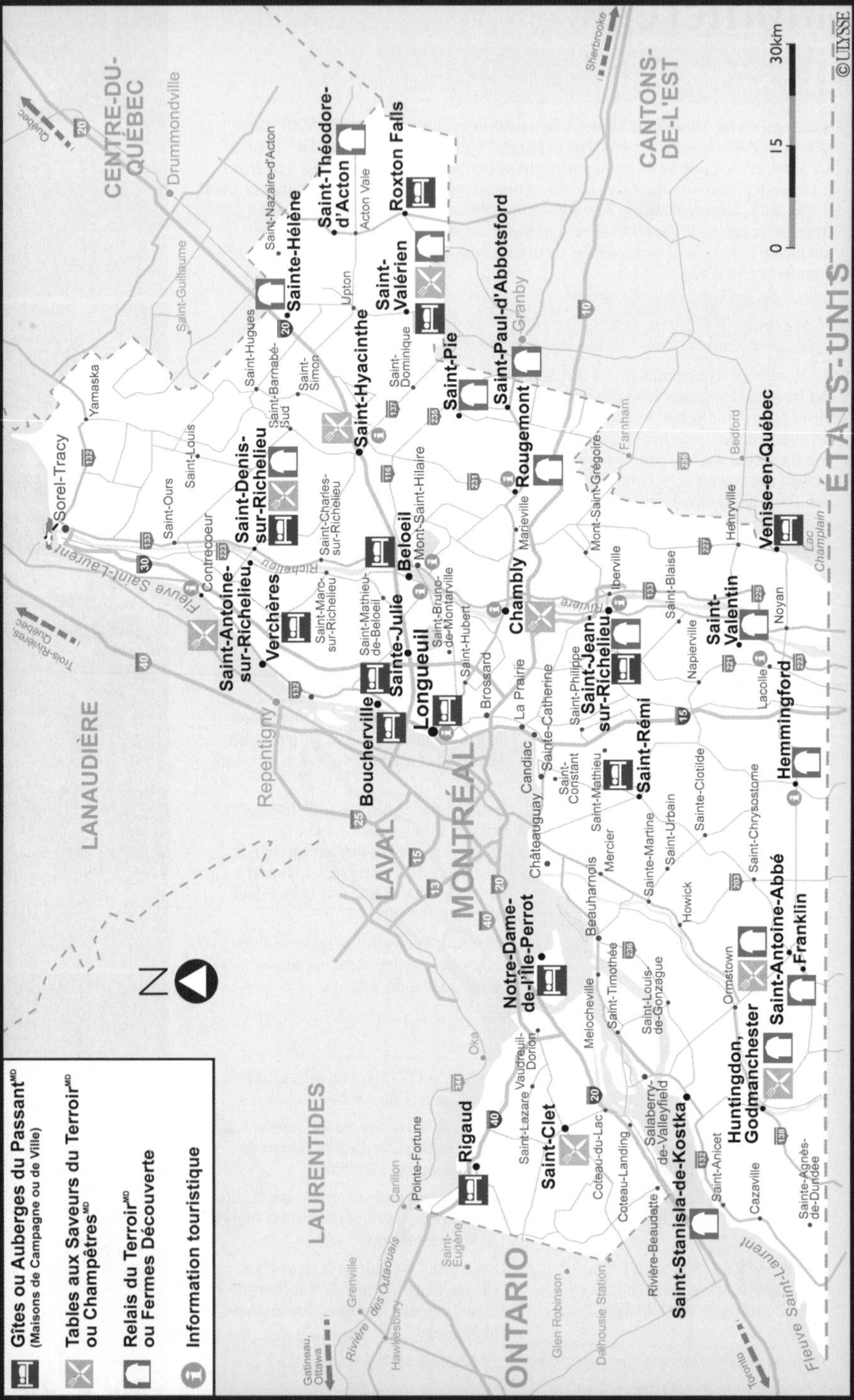

©ULYSSE

30km

15

0

CENTRE-DU-QUÉBEC

CANTONS-DE-L'EST

ÉTATS-UNIS

LANAUDIÈRE

LAVAL

MONTRÉAL

LAURENTIDES

ONTARIO

N

Légende:

- **Gîtes ou Auberges du Passant**MD
  (Maisons de Campagne ou de Ville)
- **Tables aux Saveurs du Terroir**MD
  ou ChampêtresMD
- **Relais du Terroir**MD
  ou Fermes Découverte
- **Information touristique**

Localités:

Drummondville
Saint-Nazaire-d'Acton
Sainte-Hélène
Saint-Théodore-d'Acton
Acton Vale
Roxton Falls
Saint-Valérien
Upton
Saint-Guillaume
Saint-Hugues
Saint-Hyacinthe
Saint-Pie
Saint-Paul-d'Abbotsford
Granby
Yamaska
Saint-Barnabé-Sud
Saint-Simon
Saint-Dominique
Rougemont
Sorel-Tracy
Saint-Louis
Saint-Ours
Saint-Denis-sur-Richelieu
Saint-Charles-sur-Richelieu
Beloeil
Mont-Saint-Hilaire
Marieville
Mont-Saint-Grégoire
Farnham
Bedford
Venise-en-Québec
Lac Champlain
Contrecoeur
Saint-Antoine-sur-Richelieu
Verchères
Saint-Marc-sur-Richelieu
Saint-Mathieu-de-Beloeil
Sainte-Julie
Saint-Bruno-de-Montarville
Chambly
Iberville
Henryville
Saint-Blaise
Repentigny
Saint-Hubert
Longueuil
Boucherville
Brossard
La Prairie
Saint-Philippe
Saint-Jean-sur-Richelieu
Napierville
Saint-Valentin
Noyan
Candiac
Sainte-Catherine
Saint-Constant
Saint-Mathieu
Saint-Rémi
Saint-Urbain
Lacolle
Hemmingford
Châteauguay
Mercier
Sainte-Martine
Saint-Chrysostome
Sainte-Clotilde
Notre-Dame-de-l'Île-Perrot
Beauharnois
Howick
Ormstown
Saint-Antoine-Abbé
Franklin
Melocheville
Saint-Timothée
Saint-Louis-de-Gonzague
Huntingdon
Godmanchester
Vaudreuil-Dorion
Saint-Lazare
Rigaud
Saint-Clet
Coteau-du-Lac
Salaberry-de-Valleyfield
Coteau-Landing
Saint-Anicet
Cazaville
Sainte-Agnès-de-Dundee
Saint-Stanislas-de-Kostka
Rivière-Beaudette
Pointe-Fortune
Carillon
Saint-Eugène
Glen Robinson
Dalhousie Station
Hawkesbury

Fleuve Saint-Laurent
Rivière des Outaouais
Rivière Richelieu

Québec → 20
Trois-Rivières → 40
Québec
Sherbrooke → 10
Gatineau, Ottawa →
Toronto →

PRIX de L'EXCELLENCE 2008
Fédération des Agricotours du Québec
Coup de Cœur du Public provincial

Notre-Dame-de-l'Île-Perrot

La PerrotDamoise

Louise Lapointe et Rodrigue Fraser
25, rue de l'Eglise
Notre-Dame-de-l'Île-Perrot
J7V 8P4
(514) 453-1444
(514) 266-1444
www.giteetaubergedupassant.com/laperrotdamoise
laperrotdamoise@videotron.ca

La Fédération des Agricotours du Québec* est fière de rendre hommage aux hôtes Louise Lapointe et Rodrigue Fraser de LA PERROTDAMOISE, qui se sont illustrés de façon remarquable par leur accueil de tous les jours envers leur clientèle. C'est dans le cadre des Prix de l'Excellence 2008 que les propriétaires de cet établissement, certifié Gîte du Passant[MD] depuis 2007, se sont vu décerner le « Coup de Cœur du Public régional » de la Montérégie et le « Coup de Cœur du Public provincial » dans le volet Gîte du Passant[MD].

« Tout commence par une voix très chaleureuse qui vous accueille au téléphone. Déjà le plaisir s'installe. L'amabilité de ces gens donne envie de les connaître avant même de les avoir rencontrés. Et puis, à l'arrivée, on se rend vite compte que se sont des hôtes passionnés par ce qu'ils font. Disponibilité et respect de l'intimité sont au rendez-vous, ainsi que ces petites attentions qui font toute la différence. Un vrai coup de cœur ! » P. 243.

Félicitations !

* La Fédération des Agricotours du Québec est propriétaire des marques de certification : Gîte du Passant[MD], Auberge du Passant[MD], Maison de Campagne ou de Ville, Table aux Saveurs du Terroir[MD], Table Champêtre[MD], Relais du Terroir[MD] et Ferme Découverte.

Prix de l'Excellence

Beloeil

Gîte Beaux Brunelles ✺ ✺ ✺

Belle maison ancestrale datant de 1846, offrant une vue spectaculaire sur la rivière Richelieu et le mont St-Hilaire. 1re maison en briques supérieures dans la ville de Beloeil. Grandes pièces, boiseries, entièrement rénovée. Entourée d'arbres matures et d'un jardin fleuri. Au cœur des activités du Vieux-Beloeil avec sa variété de bons restos.

Aux alentours: golfs, piste cyclable, théâtres, restos, canot, sentiers pédestres, mont St-Hilaire.

Chambres: certaines climatisées, balcon, ensoleillées, raffinées, vue sur montagne, vue sur rivière. **Lits:** simple, double, queen, king, d'appoint. **5 ch. S. de bain privée(s) ou partagée(s).**

Forfaits: vélo, croisière, golf, plein air, détente & santé, romantique, théâtre, autres.
2 pers: B&B 85-95$ **1 pers: B&B** 75-80$.

Enfant (12 ans et –): B&B 15$. Taxes en sus. MC VS

Réduction: long séjour.

Ouvert: à l'année.

A @ **Certifié: 1996**

Alain Forget
1030, rue Richelieu
Beloeil J3G 4R2
Tél. (450) 467-4700 1-877-508-4700
Fax (450) 467-4539
www.giteetaubergedupassant.com/beauxbrunelles
beauxbrunelles@convitech.ca
Aut. 20, sortie 112, Beloeil sur le Richelieu, rue Richelieu à droite, ou rte 116 dir. Beloeil. Gîte voisin de l'église du Vieux-Beloeil.

Boucherville

Maison Lambert Ducharme ✺ ✺ ✺ ✺

La Maison Lambert Ducharme vous propose une combinaison attrayante de la banlieue calme et paisible, tout en étant à quelques minutes de la vie trépidante d'une grande métropole.

Aux alentours: piste cyclable îles de Boucherville, golfs, Vieux-Port de Montréal, casino, ski de fond et alpin.

Chambres: climatisées, baignoire à remous, avec salle d'eau, accès Internet, romantiques, luxueuses. **Lits:** queen, d'appoint. **2 ch. S. de bain privée(s).**

2 pers: B&B 80$ **1 pers: B&B** 70$.

Enfant (12 ans et –): B&B 10$. MC VS

Réduction: long séjour.

Ouvert: à l'année.

 A @ **Certifié: 2006**

Louise Lambert Ducharme
1096, de Corbon
Boucherville J4B 6B8
Tél. (450) 449-2722
www.maison-lambert-ducharme.qc.ca
info@maison-lambert-ducharme.qc.ca
Aut. 20, sortie 92 de Mortagne.

Longueuil

Le Refuge du Poète ✺ ✺ ✺

«Il n'y a pas de honte à préférer le bonheur» (Albert Camus). Charmé par l'ambiance poétique de la maison et par la gentillesse de vos hôtes, vous découvrirez un endroit magique et magnifique. Sous l'œil intéressé de Cybelle (notre labrador), Loulou vous préparera un délicieux petit-déj. où amour rimera avec humour. À bientôt!

Aux alentours: piste cyclable, centre-ville de Montréal par métro ou navette fluviale, casino, La Ronde, Biodôme.

Chambres: climatisées, bureau de travail, meubles antiques, peignoir, couettes en duvet, originales. **Lits:** double, d'appoint. **3 ch. S. de bain privée(s) ou partagée(s).**

2 pers: B&B 70-90$ **1 pers: B&B** 60-80$.

Enfant (12 ans et –): B&B 20$. VS

Réduction: long séjour.

Ouvert: à l'année.

A ● ✈ @ Certifié: 1992

Louise Vézina
320, rue Longueuil
Longueuil J4H 1H4
Tél. (450) 442-3688 1-866-902-3688
Fax (450) 442-4782
www.giteetaubergedupassant.com/refugedupoete
refugedupoete@videotron.ca
Rte 132, sortie 8, rue St-Charles et rue St-Jean à droite. Situé derrière l'hôtel de ville de Longueuil.

Notre-Dame-de-l'Île-Perrot
La PerrotDamoise ✱ ✱ ✱ ✱

Gîte du Passant
certifié

Louise Lapointe et Rodrigue Fraser
25, rue de l'Eglise
Notre-Dame-de-l'Île-Perrot J7V 8P4
Tél. (514) 453-1444 (514) 266-1444
www.giteetaubergedupassant.com/laperrotdamoise
laperrotdamoise@videotron.ca

Sur l'Île-Perrot, boul. Don Quichotte jusqu'à boul. St-Joseph
(3 km) à droite, boul. Perrot à gauche, (2 km) rue de l'Eglise
à droite.

Coup de Cœur du Public provincial 2008 - Gîte. Dissimulé dans un manoir en pierre construit en 1754, notre gîte offre le meilleur confort pour un sommeil de rêve. Climatisation centrale. «Tout était parfait, jusque dans le moindre détail! Un petit-déjeuner digne de nos plus grands chefs! Mille mercis Rod et Louise. Voulez-vous nous adopter? « Nathalie et Marco (Paris) » P. 241.

Aux alentours: cyclisme sur l'île, golf, kayak, théâtre d'été, site historique de la Pointe du Moulin, photos, circuit patrimonial.

Chambres: climatisées, accès Internet, insonorisées, peignoir, romantiques, bois franc. **Lits:** simple, double, queen, king. **5 ch. S. de bain partagée(s).**

Forfaits: golf, détente & santé, théâtre, restauration.

2 pers: B&B 95$ **1 pers:** B&B 85$. Taxes en sus. IT MC VS

Réduction: hors saison, long séjour.

Ouvert: à l'année.

A AV @ 🚲 **Certifié: 2007**

Rigaud
Au Versant de la Montagne B&B ✱ ✱ ✱ ✱

Gîte du Passant
certifié

Lorraine Lawton et Denis Dubuc
89, chemin de la Seigneurie
Rigaud J0P 1P0
Tél. (450) 451-9977
Fax (450) 451-4934
www.auversantdelamontagnerigaud.com
auversantdelamontagne.rigaud@sympatico.ca

Aut. 40, sortie 17 montée Lavigne, rte 201 sud, rue de la
Mairie à droite, 1er arrêt, rue de la Seigneurie à gauche.

Venez séjourner dans notre demeure de style Cape Cod nichée dans la forêt de la montagne de Rigaud entourée d'un paysage enchanteur à perte de vue. Venez admirer les arbres gigantesques, les animaux et respirer l'air frais de la campagne. Profitez de notre Centre Anti-Stress et de nos soins corporels.

Aux alentours: ski Mont-Rigaud, la forêt des aventures Arbraska, parc aventure du Mont-Rigaud, sentiers pédestres de l'Escapade.

Chambres: climatisées, baignoire à remous, foyer, peignoir, romantiques, luxueuses, vue sur montagne. **Lits:** double, queen. **3 ch. S. de bain privée(s) ou partagée(s).**

Forfaits: charme, gastronomie, détente & santé, romantique, été, printemps, automne, hiver.

2 pers: B&B 100-150$ **PAM** 210-250$ **1 pers:** B&B 90-135$ **PAM** 140-185$. Taxes en sus. AM MC VS

Ouvert: à l'année.

A ✕ AV **Certifié: 2008**

Rigaud
Gîte Touristique Le Point de Vue ✱ ✱ ✱ ✱

Gîte du Passant
certifié

Jules Marion et Mario Ménard
135, rue Bourget
Rigaud J0P 1P0
Tél. / Fax (450) 451-0244 Tél. (514) 927-6468
www.lepointdevue.net
gite@lepointdevue.net

Aut. 40, sortie 12 Rigaud, St-Jean Baptiste ouest à gauche,
1er feu St-Viateur à gauche, au bout Bourget à gauche, 2 km
au sommet.

Profitez d'une vue panoramique où l'accueil et le confort sont à l'honneur, sans oublier la gastronomie du matin, soit un continental, plat chaud et dessert. Pour la détente: spa extérieur et massothérapie. Côté corporatif: salle de conférence, équipements. Tout cela au cœur d'un sanctuaire d'oiseaux et ravage de chevreuils. Nous vous attendons.

Aux alentours: golf Falcon, ski Mont-Rigaud, sentier escapade, équitation, Arbraska, vélo, pêche.

Chambres: baignoire à remous, jacuzzi, foyer, balcon, ventilateur, terrasse, suite luxueuse. **Lits:** queen. **5 ch. S. de bain privée(s).**

Forfaits: charme, gastronomie, golf, détente & santé, printemps.

2 pers: B&B 85-195$ **1 pers:** B&B 80-190$.

Enfant (12 ans et −): B&B 35$. Taxes en sus. MC VS

Réduction: hors saison, long séjour.

Ouvert: à l'année.

A AV ⛵ **Certifié: 2004**

354

Au Domaine Su-Lau

Hospitalité sans égale en bordure de la rivière Richelieu

Notre site champêtre vous offre pour un séjour des plus chaleureux 3 superbes chambres.

Vous retrouverez confort et tranquilité dans un charme ancestral.

Salle à dîner disponible pour réception ou souper intime (minimum de 6 personnes).

Chalet ancestral disponible entre mai et octobre.

Disponibilité de forfait **comprenant :**
Souper, coucher et déjeuner

Gîte champêtre

Vos hôtes **Danielle et Alain** vous recoivent !

Au Domaine Su-Lau

354, chemin des Patriotes,
Saint-Denis-sur-le-Richelieu (Québec) J0H 1K0

Tél.: 450.787.309 • 1.877.329.3099 (sans frais)
Cell.: 514.605.4204 • www.audomainesulau.com

Roxton Falls
Aux Portes du Médiéval ✺✺✺

La campagne dans toute sa splendeur. Laissez-vous séduire par la décoration médiévale des chambres, de la salle à manger où un copieux petit-déjeuner et une table d'hôte d'une grande variété de menus vous attendent ainsi que l'aménagement extérieur qui vous mèneront dans des sentiers thématiques. Pour compléter le tout, massothérapie et spa. Certifié "Bienvenue cyclistes !"[MD]

Aux alentours: centre équestre de Roxton Falls La Bergerie d'Autrefois, ferme Des Rapides, Club de golf d'Acton, 3 pistes cyclables.

Chambres: accès Internet, balcon, décoration thématique, peignoir, ventilateur, tranquillité assurée. **Lits:** queen. **4 ch. S. de bain privée(s) ou partagée(s).**

Forfaits: charme, vélo, à la ferme, famille, golf, détente & santé, ski de fond, théâtre.

2 pers: B&B 69-77$ PAM 118-125$ **1 pers:** B&B 60-68$ PAM 85-102$.

Enfant (12 ans et –): B&B 15-25$ PAM 25-40$. IT VS

Réduction: long séjour.

Ouvert: à l'année.

✕ AV ⛵ @ ⚙ Certifié: 2007

Claire-Marie Laplante
573, route 222
Roxton Falls J0H 1E0
Tél. (450) 548-2245
Fax (450) 548-2730
www.auxportesdumedieval.com
costumiere@xplornet.com
Aut. 20, sortie 147 dir. Acton Vale, boul. Roxton, Roxton Falls, rte 222, 5 km. Aut. 10, sortie 68 dir. Granby, rte 139. Rte 222, Sherbrooke, Valcourt, 22 km.

Saint-Denis-sur-Richelieu
Au Domaine Su-Lau ✺✺✺✺

À Saint-Denis-sur-Richelieu, en bordure de la rivière, se trouve le Domaine Su-Lau. Ce merveilleux site champêtre vous offre un séjour paisible et chaleureux dans un décor somptueux qui a gardé tout son charme ancestral. Un choix de trois superbes chambres vous est offert. Le soir venu, savourez notre cuisine aux saveurs régionales. **Certifié Table aux Saveurs du Terroir**[MD]. P. 244, 250.

Aux alentours: la Maison nationale des Patriotes, vignoble Clos-St-Denis, Jardins des Curiosités, fromagerie des Capriotes.

Chambres: climatisées, jacuzzi, foyer, cachet d'antan, cachet d'autrefois, peignoir, couettes en duvet. **Lits:** queen. **3 ch. S. de bain privée(s) ou partagée(s).**

Forfaits: gastronomie.

2 pers: B&B 70-80$ PAM 105-115$ **1 pers:** B&B 70-60$ PAM 95-105$. Taxes en sus. VS

Ouvert: à l'année.

🐾 ✕ @ Certifié: 2008

Alain et Danielle Bisaillon
354, chemin des Patriotes (rte 133)
Saint-Denis-sur-Richelieu J0H 1K0
Tél. (450) 787-3099 (514) 605-4204
Fax (450) 787-3649
www.audomainesulau.com
reservations@audomainesulau.com
Aut. 20 dir. Québec, sortie 113, rte 133 dir. St-Charles-sur-Richelieu jusqu'à St-Denis, dépasser le village.

Saint-Denis-sur-Richelieu
Le Bourg aux Papillons ✺✺✺✺

Pour des vacances inoubliables et agréables. De courte ou de longue durée. Offrez-vous un séjour à la campagne. C'est le paradis pour les amants de la nature. Nos petits-déjeuners vous seront servis dans une atmosphère familiale. Notre cour arrière peut vous accueillir pour un pique-nique improvisé. Ça vaut le détour!

Aux alentours: Maison nationale des Patriotes, fermes, antiquaires, La Grange aux Fées. Le Clos Saint-Denis.

Chambres: climatisées, TV, ensoleillées, raffinées, peignoir, luxueuses, spacieuses, vue sur campagne. **Lits:** double, queen, king, divan-lit, d'appoint. **4 ch. S. de bain privée(s) ou partagée(s).**

Forfaits: charme, vélo, famille, détente & santé, régional, été, automne, hiver.

2 pers: B&B 65-90$ **1 pers:** B&B 60-85$.

Enfant (12 ans et –): B&B 15$

Réduction: hors saison, long séjour.

Ouvert: à l'année.

A Certifié: 2007

Pauline et Maurice Bourgeault
100, rue Morin
Saint-Denis-sur-Richelieu J0H 1K0
Tél. (450) 787-2605
Fax (450) 787-4158
www.lebourgauxpapillons.com
p.bourgeault@sympatico.ca
Aut. 20, sortie 113, rte 133 dir. Maison nationale des Patriotes.

Saint-Jean-sur-Richelieu
Aux Chants d'Oiseaux ❀ ❀ ❀ ❀

Lisette Vallée et Claude Berthiaume
310, rue Petit-Bernier
Saint-Jean-sur-Richelieu J3B 6Y8
Tél. (450) 346-4118 (514) 770-2270
Fax (450) 347-9386
www.giteetaubergedupassant.com/chantsdoiseaux
Aut. 10, sortie 22, aut. 35 dir. St-Jean-sur-Richelieu, sortie
Pierre-Caisse tout droit, Grand-Bernier à gauche, des
Carrières (rte 219) à droite, Petit Bernier à gauche, 2km.

Gîte du Passant à la Ferme
certifié

Ferme de grandes cultures – Ferme d'élevage. Coup de Cœur du Public régional 2006. Maison canadienne construite dans un environnement enchanteur. Accès à un lieu de détente aménagé dans un espace fleuri près d'un bassin d'eau. Intérieur meublé d'antiquités et décoré avec goût par des créations de l'hôtesse. Tables de billard et d'échec sont à votre disposition. Découvrez l'ambiance chaleureuse de cette ferme familiale. Certifié "Bienvenue cyclistes !"^{MD} P. 248.

Aux alentours: International de montgolfières, piste cyclable, golf, vignobles, vergers, piste motoneige et quad, massage détente.

Chambres: climatisées, baignoire sur pattes, insonorisées, cachet d'autrefois, cachet champêtre. Lits: simple, queen. **3 ch. S. de bain privée(s).**

Forfaits: à la ferme, détente & santé, spectacle.

2 pers: B&B 80-90$ **1 pers: B&B** 75-85$.

Enfant (12 ans et –): B&B 30$. Taxes en sus.

Réduction: long séjour.

Ouvert: à l'année. **Fermé:** 10 oct - 15 mai.

✿ 🚲 **Certifié: 2003**

Saint-Rémi
Le Répit de Rémi B&B ❀ ❀ ❀ ❀

Françoise Troisponts
143, rue Poupart
Saint-Rémi J0L 2L0
Tél. (450) 454-1251
Fax (450) 454-7109
www.lerepitderemi.com
ftroisponts@hotmail.com
Aut. 30, sortie 86, rte 221 sud, jusqu'à St-Rémi, rue Notre-
Dame à droite, rue Poupart (IGA) à droite.

Gîte du Passant
certifié

Maison canadienne avec trois chambres joliment décorées au 2e étage. Petits-déjeuners délicats et délicieux sont servis dans la salle à manger décorée avec goût. Une superbe terrasse située en arrière de la maison avec piscine et spa où vous pourrez profiter de la tranquillité.

Aux alentours: circuit du Paysan, vignoble, cidrerie, golf.

Chambres: accès Internet, raffinées, cachet champêtre, peignoir, bois franc. **Lits:** simple, double, queen. **3 ch. S. de bain partagée(s).**

Forfaits: vélo, gastronomie, golf, romantique, théâtre, régional.

2 pers: B&B 85-95$ **1 pers: B&B** 70-80$. Taxes en sus. AM IT MC VS

Ouvert: à l'année.

A ✕ AV ✿ @ **Certifié: 2007**

Saint-Valérien
La Rabouillère ★ ★ ★ ★

Pierre Pilon, Jérémie Pilon, Denise Bellemare et
Marie-Claude Bouchard
1073, rang de l'Égypte
Saint-Valérien J0H 2B0
Tél. (450) 793-4998
Fax (450) 793-2529
www.rabouillere.com
info@rabouillere.com
Aut. 20 E, sortie 141. Aut. 20 O, sortie 143, 20 km, À St-
Valérien, le traverser, 3 km, au clignotant jaune à dr.

Maison de Campagne à la Ferme
certifiée

Ferme d'élevage. Maison de campagne de haut niveau décorée avec goût, annexée à la résidence principale de notre ferme. Idéal pour des vacances en famille (2 à 6 pers.). Piscine, terrain de jeux et accès à la ferme en tout temps. Possibilité de repas à notre Table Champêtre. Panier déjeuner composé de produits de la ferme. P. 248, 251, 256.

Aux alentours: parc de la Yamaska, Zoo de Granby, Théâtre de la Dame de Cœur, Fort Débrouillard.

Maisons: TV, ensoleillées, confort moderne, raffinées, cachet champêtre, lumineuses, vue sur campagne. Lits: queen, divan-lit, d'appoint. **1 maison(s). 2 ch. 6 pers.**

Forfaits: à la ferme, famille, gastronomie, plein air, théâtre.

SEM 640-1000$ **WE** 220-360$ **JR** 120-200$. Taxes en sus. IT MC VS

Réduction: hors saison, long séjour.

Ouvert: à l'année.

A 🐴 ✕ AV ✿ **Certifié: 2008**

Sainte-Julie
Aux Berges Fleuries ✦ ✦ ✦

Gîte du Passant
certifié

Dans un décor champêtre, le gîte Aux Berges Fleuries vous accueille avec ses trois chambres, un salon et une salle de bain complète. Service internet haute vitesse, piscine chauffée, peignoir de coton et stationnement font partis des commodités. Petit-déj. santé servi à la salle à manger. Forfaits et ateliers de peinture disponibles sur place. P. 246.

Anne Drouin et Nicolas Lapointe
1345, montée Sainte-Julie
Sainte-Julie J3E 1Y2
Tél. (514) 497-4934 (450) 922-8251
www.auxbergesfleuries.com
annedrouin@hotmail.com
Aut.30 est, sortie 128, rue de Touraine à gauche, montée Sainte-Julie à droite.

Aux alentours: galerie-atelier, cours et forfaits disponibles. Jardin fleuri, piste cyclable, mont Saint-Bruno. À 20 min. de Montréal.
Chambres: climatisées, bureau de travail, téléphone, TV, CD, DVD, accès Internet, insonorisées, peignoir. **Lits:** double, queen, d'appoint. **3 ch. S. de bain partagée(s).**
Forfaits: divers.
2 pers: B&B 75$ **1 pers:** B&B 75$.
Enfant (12 ans et −): B&B 25$. Taxes en sus. IT MC VS
Réduction: long séjour.
Ouvert: à l'année.

A ⬢ 🐾 ✕ 🏊 @ Certifié: 2009

Venise-en-Québec
Sous les Ailes de Lyne ✦ ✦ ✦ ✦

Gîte du Passant
certifié

«Se distinguer pour des gens qui se distinguent». Sur la rive du lac Champlain, avec des couchers de soleil à vous couper le souffle, venez vous détendre ou vous gâter. Nous vous offrons de copieux petits-déjeuners et mettons à votre disposition: spa, bain tourbillon et vapeur, ainsi que vélos, kayaks, pédalos et canots. Un garage est disponible. P. 246, 251, 256.

Jacques Landry
321, avenue Pointe-Jameson
Venise-en-Québec J0J 2K0
Tél. (450) 244-3014 1-866-844-3014
Fax (450) 244-5689
www.ailesdelyne.com
info@ailesdelyne.com
Aut. 20, aut. 10 est, aut. 35 sud dir. Iberville, rte 202 sud dir. Venise. Face au lac, à gauche.

Aux alentours: Route des vins, sentiers d'interprétation de Philipsburg, visite des Jardins de Versailles, Fort Lennox.
Chambres: climatisées, avec salle d'eau, DVD, accès Internet, cachet champêtre, terrasse, vue sur lac. **Lits:** simple, double, queen. **4 ch. S. de bain privée(s) ou partagée(s).**
Forfaits: charme, vélo, croisière, gastronomie, golf.
2 pers: B&B 90-115$ **1 pers:** B&B 90-115$.
Enfant (12 ans et −): B&B 10$. VS
Réduction: long séjour.
Ouvert: à l'année.

A AV 🏊 @ Certifié: 2004

Verchères
Gîte de La Madelon ✦ ✦ ✦

Gîte du Passant
certifié

Situé sur une rue paisible du vieux village et aménagé dans une petite maison ouvrière datant de 1838, le Gîte de La Madelon vous assure un séjour agréable et plein de découvertes à caractère patrimonial. Notre déjeuner gourmet santé vous est servi dans la salle à manger ou sur la galerie donnant sur le jardin en été. Bienvenue chez nous! Certifié "Bienvenue cyclistes !"™

Carole Boisvert
20, Baillargé
Verchères J0L 2R0
Tél. (450) 583-5192 (514) 993-7936
Fax (450) 717-0543
www.giteetaubergedupassant.com/gitedelamadelon
gitedelamadelon@videotron.ca
Rte 132 est. À Verchères, rue Calixa-Lavallée à droite, rue Baillargé à droite. Aut. 30 est, sortie Verchères. À Verchères, rue Baillargé à gauche.

Aux alentours: site historique, maisons ancestrales, galeries d'art, antiquités et brocantes, kayak de randonnée, vignoble, croisière.
Chambres: TV, cachet d'antan, tranquillité assurée, terrasse, chambre familiale, vue sur jardin. **Lits:** simple, double, d'appoint. **2 ch. S. de bain partagée(s).**
Forfaits: charme, croisière, golf, plein air, régional.
2 pers: B&B 70-90$ **1 pers:** B&B 50-70$.
Enfant (12 ans et −): B&B 10-20$. Taxes en sus. MC VS
Réduction: long séjour.
Ouvert: à l'année.

A AV @ 🚲 Certifié: 2009

Saint-Jean-sur-Richelieu
Aux Chants d'Oiseaux

Gîte du Passant à la Ferme
certifié

Ferme de grandes cultures – Ferme d'élevage. Visite de la ferme de grande culture céréalière, des entrepôts à grains, machinerie agricole tel que les tracteurs, la moissonneuse batteuse et les équipements oratoires. En été, sentier de marche, feux de camp et baignade. P. 246.

Activités: visite libre, visite commentée français, rencontre avec le producteur pour se familiariser avec les productions, les produits et/ou les procédés de transformation, observation des activités de la ferme.

Services: aire de pique-nique, terrasse, remise pour vélo.

310, rue Petit-Bernier, Saint-Jean-sur-Richelieu
Tél. (450) 346-4118 (514) 770-2270
www.giteetaubergedupassant.com/chantsdoiseaux

Saint-Valérien
La Rabouillère

Maison de Campagne à la Ferme
certifiée

Ferme d'élevage. Prix Excellence «Réalisation» 2001 Agrotourisme. Grand Prix du Tourisme en 2003 et 2004 en Montérégie. Collection animale sans pareille dans un cadre paysagé exceptionnel. Endroit unique et dépaysant pour vivre une expérience à la ferme. P. 246, 251, 256.

Activités: dégustation, visite libre, visite commentée français, observation nature et faune, randonnée pédestre, visite de jardins, aire de jeux, souper-spectacle, observation des activités de la ferme, ramasser des oeufs, nourrir les animaux.

Services: aire de pique-nique, salle de réception, réunion, stationnement pour autobus, remise pour vélo.

1073, rang de l'Égypte, Saint-Valérien
Tél. (450) 793-4998
www.rabouillere.com
info@rabouillere.com

Chambly
Fourquet Fourchette

François Pellerin
1887, rue Bourgogne
Chambly, J3L 1Y8
Tél. (450) 447-6370 (514) 789-6370
Fax (450) 447-3032
www.fourquet-fourchette.com
fpellerin@fourquet-fourchette.com
Aut. 10, sortie 22 dir. Chambly, rue Bourgogne à droite.

Table aux Saveurs du Terroir
certifiée

Destination incontournable en Montérégie, ambiance historique, voisin du fort Chambly, terrasse en bordure du Richelieu entourée d'arbres et de fleurs. L'atmosphère générale évoque le 17e siècle: mobilier exclusif en bois et tables présentoirs d'artéfacts historiques de la bière, décorations, costumes, musique et animation typiques. P. 275.

Spécialités : un univers d'histoire et de gastronomie, où mets du terroir, vins locaux et bières de dégustations se fondent pour votre plaisir.
Repas offerts : brunch, midi, soir.
Menus : à la carte, table d'hôte, gastronomique.
Nbr personnes: 2-400.
Réservation: recommandée, requise pour groupe.
Table d'hôte: 12-30$/pers. Taxes en sus. AM ER IT MC VS
Ouvert: à l'année.

A AV 🚲 **Certifié: 2008**

Huntingdon, Godmanchester
Domaine de la Templerie

Roland et François Guillon
312, chemin New Erin
Huntingdon, Godmanchester, J0S 1H0
Tél. / Fax (450) 264-9405
www.domainedelatemplerie.com
domainetemplerie@hotmail.fr
Rte 138 ouest dir. Huntingdon. 9 km après l'arrêt d'Ormstown, au chemin Seigneurial à droite, 4,7 km, chemin de la Templerie à gauche, 350 m à l'arrêt, New Erin, 1 km.

Table Champêtre
certifiée

Érablière – Ferme d'élevage. Coup de Cœur du Public provincial 2002 et 2007. Au milieu des champs et boisés, maison ancestrale construite en 1846 vous attend, ainsi que François, le fils, notre relève assurée et diplômé en cuisine. Ouvert depuis 19 ans, l'entreprise familiale grandit, offrant une 2e salle à manger (style normand). Activités: randonnée, volleyball, fer, pétanque etc. P. 253.

Spécialités : la majorité des produits proviennent de notre ferme. En nouveauté, des jours thématiques sont offerts. Voir site Internet.
Repas offerts : midi, soir. Apportez votre vin.
Menus : gastronomique, méchoui.
Nbr personnes: 12-54. Min. de pers. exigé varie selon les saisons.
Réservation: requise.
Repas: 45-65$/pers.
Ouvert: à l'année. Tous les jours.

A **Certifié: 1991**

Saint-Antoine-Abbé, Franklin
Brasserie Saint-Antoine-Abbé, Hydromellerie & Miellerie

Gérald Hénault
3299, route 209
Saint-Antoine-Abbé, Franklin, J0S 1E0
Tél. (450) 826-4609
Fax (450) 826-0585
www.brasserie-saint-antoine-abbe.com
geraldh@rocler.qc.ca
De Montréal, rte 138 ouest jusqu'à Ormstown, à gauche, rte 201 sud jusqu'à Saint-Antoine-Abbé, rte 209 nord à gauche, 5 km. De la rive-sud, rte 132 vers Delson, rte 209…

Table aux Saveurs du Terroir
certifiée

Découvrez nos bières artisanales, vins de miel, produits de la ruche, marinades, confitures et pâtisseries maison. Resto-Bar terrasse et chapiteau: ambiance chaleureuse, décor exceptionnel, salle à manger, réceptions tous genres. Table d'hôte, menus gastronomiques. L'Express: sandwichs desserts maison, salades. Visites guidées. Forfait groupe. P. 254.

Spécialités : Resto-bar terrasse: table d'hôte, grillades, saucisses, méchoui. L'Express: sandwichs, salades. Bières artisanales, vins de miel, etc.
Repas offerts : midi, soir.
Menus : à la carte, table d'hôte, gastronomique, méchoui.
Nbr personnes: 1-80. Min. de pers. exigé varie selon les saisons.
Réservation: requise.
Table d'hôte: 20-32$/pers. Taxes en sus. AM IT VS
Ouvert: à l'année. Tous les jours.

AV **Certifié: 2008**

MONTÉRÉGIE

Tables aux Saveurs du Terroir[MD] & Champêtres[MD]

Saint-Antoine-sur-Richelieu
Au Fin Palais de Sir Antoine

Table Champêtre
certifiée

Josée Cloutier et Denis Bernier
1855, rang du Brûlé
Saint-Antoine-sur-Richelieu, J0L 1R0
Tél. (450) 787-2155 1-877-787-2155
www.sirantoine.com
sirantoine@sympatico.ca
Aut. 20, aut. 30 est dir. Sorel, sortie 158, chemin de la Pomme
d'Or à droite, au clignotant, rang du Brûlé à gauche, 3,7 km.

Ferme d'élevage. Venez savourer un somptueux repas dans un décor campagnard. Un grand salon et une verrière avec foyer, une variété de menus 7 services aux saveurs du terroir, une visite de la fermette, des hôtes heureux de vous faire partager leur passion et vous concocter des mets apprêtés avec art et enthousiasme… pour une soirée digne de «Sir Antoine».

Spécialités : lapin moutarde Meaux ou pruneaux, agneau dijonnaise romarin ou caramélisé, canard bière framboises, cassoulet, porc, carré d'agneau.
Repas offerts : midi, soir. Apportez votre vin.
Menus : gastronomique.
Nbr personnes : 15-60. Min. de pers. exigé varie selon les saisons.
Réservation : requise.
Repas : 60-75$/pers.
Ouvert : à l'année. Tous les jours.

Certifié : 2007

Saint-Clet
Les Délices Champêtres 1808

Table aux Saveurs du Terroir
certifiée

Diane tremblay et Michel Lafrance
350, chemin du Ruisseau Nord
Saint-Clet, J0P 1S0
Tél. (450) 456-3845 1-866-456-3845
Fax (450) 456-8465
www.deliceschampetres.com
info@deliceschampetres.com
Aut. 20, sortie 17, rte 201 nord, 3,5 km, ch. du Ruisseau nord
à gauche, 3 km.

Table gourmande située au cœur de la campagne à 45 minutes à l'ouest de Montréal. Nous vous offrons une cuisine raffinée dans un décor chaleureux et convivial d'un bâtiment ancestral. Vivez une expérience gastronomique des plus agréables qui comblera les plus fins palais. Une table à découvrir tout simplement pour le plaisir!

Spécialités : carré d'agneau, rôti de cerf, suprême de pintade aux pommes, cuisse de lapin farcie, caille farcie, noisettes de porc à l'érable, etc.
Repas offerts : midi, soir. Apportez votre vin.
Menus : table d'hôte, gastronomique.
Nbr personnes : 4-60. Min. de pers. exigé varie selon les saisons.
Réservation : requise.
Table d'hôte : 45$/pers. Taxes en sus.
Ouvert : à l'année. Tous les jours. Horaire variable.

A Certifié : 2008

Saint-Denis-sur-Richelieu
Au Domaine Su-Lau

Table aux Saveurs du Terroir
certifiée

Alain et Danielle Bisaillon
354, chemin des Patriotes (rte 133)
Saint-Denis-sur-Richelieu, J0H 1K0
Tél. (450) 787-3099 (514) 605-4204
Fax (450) 787-3649
www.audomainesulau.com
reservations@audomainesulau.com
Aut. 20 dir. Québec, sortie 113, rte 133 dir. St-Charles-sur-
Richelieu jusqu'à St-Denis, dépasser le village.

Le Domaine Su-Lau vous propose, dans une ambiance chaleureuse et amicale, une table d'hôte de quatre services et en plus qui s'adapte à vos besoins. Les repas sont servis dans l'une des trois salles à manger. La table d'hôte est offerte du vendredi au dimanche, possibilité d'organiser un brunch le samedi et dimanche. P. 244, 245.

Spécialités : magret de canard, carré d'agneau, filet de porc à la pomme de glace du Clos St-Denis, lapin aux prunes et porto.
Repas offerts : brunch, soir. Apportez votre vin.
Menus : gastronomique.
Nbr personnes : 1-40. Min. de pers. exigé varie selon les saisons.
Réservation : requise.
Table d'hôte : 35-45$/pers. Taxes en sus. VS
Ouvert : à l'année. Ven au dim.

Certifié : 2008

Saint-Hyacinthe
Terroir Etcetera

Table aux Saveurs du Terroir
certifiée

Une table bistro aux saveurs des produits régionaux située dans une magnifique boutique du terroir. Notre mission est de promouvoir le terroir québécois en distribuant et en faisant connaître les produits au niveau local, national et international. Salle de réception également offerte pour toutes les occasions. Vignoble sur place.

Spécialités : combinant gastronomie et restauration rapide, le café-bistro vous offre des mets composés d'aliments d'entreprises québécoises.
Repas offerts : brunch, midi.
Menus : à la carte.
Nbr personnes: 1-60.
Table d'hôte: 12-30$/pers. Taxes en sus. AM IT MC VS
Ouvert: à l'année. Tous les jours.

Certifié: 2009

Jean Fontaine
4900, rue Martineau, C.P. 275
Saint-Hyacinthe, J2S 7B6
Tél. (450) 799-4454
Fax (450) 799-3454
www.terroiretc.ca
kcloutier@terroiretc.ca
Autoroute 20, sortie 133. Situé tout près de la sortie.

Saint-Valérien
La Rabouillère

Table Champêtre
certifiée

Ferme d'élevage. Grand Prix du tourisme québécois régional en 2003 et en 2004. La cuisine de notre chef Jérémie allie tradition et modernité, en mettant en valeur les produits de notre ferme et de la Montérégie. Une collection animale sans pareille dans un cadre champêtre d'exception. L'endroit idéal pour un mariage, un anniversaire ou une réunion d'affaires. P. 246, 248, 256.

Spécialités : menus gastronomiques de 5 à 9 services, méchoui. Agneau, lapin, canard, pigeonneau. Rillettes et terrines maison. Fleurs comestibles.
Repas offerts : brunch, midi, soir. Apportez votre vin.
Menus : table d'hôte, gastronomique, méchoui.
Nbr personnes: 2-100. Min. de pers. exigé varie selon les saisons.
Réservation: requise.
Repas: 30-70$/pers. Taxes en sus. IT MC VS
Ouvert: à l'année. Tous les jours.

A **Certifié: 1993**

Pierre Pilon, Jérémie Pilon, Denise Bellemare et Marie-Claude Bouchard
1073, rang de l'Égypte
Saint-Valérien, J0H 2B0
Tél. (450) 793-4998
Fax (450) 793-2529
www.rabouillere.com
info@rabouillere.com
Aut. 20 E, sortie 141. Aut. 20 O, sortie 143, 20 km, À St-Valérien, le traverser, 3 km, au clignotant jaune à dr.

Tables aux Saveurs du Terroir^{MD} & Champêtres^{MD}

Franklin
Cidrerie La Pommeraie du Suroît

Relais du Terroir & Ferme Découverte
certifiés

Lucie Cousineau et Jean-Pierre Lepage
1385, route 202
Franklin, J0S 1E0
Tél. / Fax (450) 827-2509
www.lapommeraiedusuroit.com
lapommeraie@sympatico.ca
Aut. 15 sud, sortie 6 Hemmingford. Route 202 ouest, 30 km. À 45 min. de Montréal.

Cidrerie. Poursuivant 150 ans de tradition pomicole et cidricole, venez admirer les attraits de cette propriété ancestrale: verger d'arbres, maison de briques 1850, allée de pierres bordée d'érables, silo et laiterie en pierre et cimetière des pionniers. Visitez la salle de pressurage des pommes de glace pour la fabrication de nos cidres de glace.

Produits: Le Fruit Défendu et Le Pommeroy sont deux cidres de glace obtenus du pressurage des pommes de glace de récoltes automnale et hivernale.
Activités sur place: autocueillette, dégustation, visite commentée français et anglais.
Visite: gratuite. IT MC VS
Réservation: requise pour groupe.
Ouvert: 1 mars - 3 jan. **Fermé:** 4 jan - 29 fév. Sam au dim, 10h à 17h.
Services: vente de produits, dépliant explicatif ou panneaux français.

A Certifié: 2009

Hemmingford
Cidrerie du Minot

Relais du Terroir & Ferme Découverte
certifiés

Robert et Joëlle Demoy
376, chemin Covey Hill
Hemmingford, J0L 1H0
Tél. (450) 247-3111
Fax (450) 247-2684
www.duminot.com
info@duminot.com
À 45 min. de Montréal, aut. 15, sortie 6, rte 202 direction Hemmingford. Au centre du village, rue Frontière à gauche et rue Covey Hill à droite, 1 km.

Cidrerie. Profitez d'une petite escapade pour prendre la Route des cidres qui vous mènera à la Cidrerie du Minot. Vous pourrez déguster et comparer la variété des goûts et arômes des cidres du Minot. Voyez comment au 19e siècle on produisait le cidre dans les villages bretons dans la cidrerie du grand-père.

Produits: règles d'or à la Cidrerie du Minot: le cidre est l'expression de sa matière première, la pomme; saveur et passion dans son élaboration.
Activités sur place: dégustation.
Visite: gratuite, tarif de groupe. IT MC VS
Nbr personnes: 2-30.
Réservation: requise pour groupe.
Ouvert: 1 avr - 24 déc. Tous les jours. 10h à 17h.
Services: centre d'interprétation / musée, vente de produits, dépliant explicatif ou panneaux français et anglais, emballages-cadeaux.

A Certifié: 2009

Hemmingford
La Face Cachée de la Pomme

Relais du Terroir
certifié

Stéphanie Beaudoin et François M. Pouliot
617, route 202
Hemmingford, J0L 1H0
Tél. (450) 247-2899 poste 228
Fax (450) 247-2690
www.cidredeglace.com
info@cidredeglace.com
Aut. 15 S., sortie 6. Suivre indications pour le village d'Hemmingford. À 15 min des lignes américaines avec New York (douanes de Lacolle), à 45 min de Montréal.

Cidrerie. Prix Réalisation 2005 - Mention spéciale. Depuis sa première récolte, il y a plus de dix ans déjà, LA FACE CACHÉE DE LA POMME redéfinit l'expérience du cidre de glace. Notre terroir du nouveau monde, élément liant de la culture, des affaires et de l'hospitalité, met en appétit l'imaginaire et exprime notre soif de finesse. C'est aussi le plus fin de notre culture… embouteillé!

Produits: La Face Cachée produit trois cidres de glaces (Neige, Neige éternelle, Frimas), un cidre plat (Dégel) et un cidre effervescent (Bulle).
Activités sur place: animation pour groupe, dégustation, visite libre, visite autoguidée.
Visite: gratuite, tarif de groupe. AM IT MC VS
Nbr personnes: 1-50.
Réservation: requise pour groupe.
Ouvert: à l'année. **Fermé:** 24 déc - 3 jan. 10h à 17h. Horaire variable.
Services: aire de pique-nique, vente de produits, dépliant explicatif ou panneaux français et anglais.

A AV Certifié: 2004

Huntingdon, Godmanchester
Domaine de la Templerie

Ferme Découverte
certifiée

Roland et François Guillon
312, chemin New Erin
Huntingdon, Godmanchester, J0S 1H0
Tél. / Fax (450) 264-9405
www.domainedelatemplerie.com
domainetemplerie@hotmail.fr

Rte 138 ouest dir. Huntingdon. 9 km après l'arrêt d'Ormstown,
au chemin Seigneurial à droite, 4,7 km, chemin de la
Templerie à gauche, 350 m à l'arrêt, New Erin, 1 km.

Érablière – Ferme d'élevage. Coup de Cœur du Public provincial 2002 et 2007. Notre ferme est caractérisée par un élevage avicole, des sangliers, émeus, lamas et autres. On y retrouve des aménagements paysagers exceptionnels, des sentiers forestiers, notre érablière avec sa cabane à sucre traditionnelle. Un endroit unique et dépaysant pour vivre une expérience à la ferme ou pour fêter un évènement familial ou corporatif. P. 249.

Particularités: grands jardins de fines herbes, terrain de soccer, fers, volleyball, pétanque, petit golf et beaucoup d'autres.
Activités sur place: animation pour groupe, dégustation, mini-ferme, randonnée pédestre, aire de jeux, cours / ateliers, participation aux activités à la ferme.
Tarif: adulte: 6-10$, enfant: 4-8$
Nbr personnes: 8-50.
Réservation: requise.
Ouvert: 15 mai - 15 oct. Tous les jours. Horaire variable.
Services: aire de pique-nique, terrasse, vente de produits, stationnement pour autobus, emballages-cadeaux, remise pour vélo, autres.

A ⚐ ✕ Certifié: 2009

Rougemont
Cidrerie Michel Jodoin Inc.

Relais du Terroir
certifié

Michel Jodoin
1130, rang Petite Caroline
Rougemont, J0L 1M0
Tél. 1-888-469-2676 (450) 469-2676
Fax (450) 469-1286
www.cidrerie-michel-jodoin.qc.ca
info@cidrerie-michel-jodoin.qc.ca

Aut. 10, sortie 29, rte 133 à dr., rte 112 à dr., dir. Vergers de
Rougemont. À Rougemont, 2ᵉ rue à g. Aut. 20, sortie 115 à g.,
rte 229 sud, dir. des vergers, 1ᵉʳ arrêt à g.

Cidrerie. La Cidrerie Michel Jodoin connaît une solide réputation bâtie depuis 1988 par Michel Jodoin, maître cidriculteur, qui élabore des cidres de qualité dans un établissement remarquable. Sise au pied du mont Rougemont, la cidrerie accueille toute l'année des milliers de touristes désireux de découvrir le cidre québécois.

Produits: cidres rosés, mousseux méthode champenoise, spiritueux exclusifs (brandy, eau-de-vie, liqueur), cidres de glace.
Activités sur place: dégustation, visite commentée français et anglais, randonnée pédestre.
Visite: gratuite, tarif de groupe. IT MC VS
Nbr personnes: 1-50.
Réservation: requise pour groupe.
Ouvert: à l'année. Tous les jours. 10h à 16h.
Services: aire de pique-nique, vente de produits.

A 🚶 Certifié: 2005

Rougemont
Vignoble De Lavoie

Relais du Terroir & Ferme Découverte
certifiés

Francis Lavoie
100, de la Montagne
Rougemont, J0L 1M0
Tél. (450) 469-3894 (450) 909-2530
Fax (440) 469-5497
www.de-lavoie.com
info@de-lavoie.com

Aut. 10 est, sortie 29, rte 133 nord, rte 112 est. À Rougemont,
1ᵉʳ sortie à gauche. Aut. 20, sortie 115, rte 229 jusqu'à
Rougemont.

Cidrerie – Vignoble. Entreprise viticole reconnue pour la qualité de ses produits 100% québécois. La beauté des lieux et l'accueil chaleureux qui est réservé à nos invités en font un site merveilleux pour les sens et la découverte. Dégustation des produits (vins et cidres), explications de la viticulture. Située sur le versant sud de la montagne de Rougemont.

Produits: 2 vins blancs, 2 vins rouges, 1 vin rosé, 1 vin fortifié, 1 vin de poires, 1 cidre traditionnel et 1 cidre de glace.
Activités sur place: dégustation, visite commentée français et anglais.
Visite: adulte: 10$, IT MC VS
Nbr personnes: 5-25.
Réservation: requise pour groupe.
Ouvert: à l'année. Tous les jours.
Services: aire de pique-nique, terrasse, vente de produits, emballages-cadeaux.

A AV Certifié: 2009

Saint-Antoine-Abbé, Franklin
Brasserie Saint-Antoine-Abbé, Hydromellerie & Miellerie

Hydromellerie – Miellerie – Microbrasserie. Découvrez nos bières artisanales, vins de miel, produits de la ruche, marinades, confitures et pâtisseries maison. Au Resto-bar terrasse: ambiance chaleureuse, décor exceptionnel avec galerie d'art, salle à manger, réceptions de tous genres, chapiteau en annexe. Table d'hôte, menus express, méchoui, grillades... Visites guidées. Forfait groupe. P. 249.

Produits: découvrez nos bières inédites, vins de miel, produits de la ruche et maison. Resto-bar terrasse, table d'hôte, menu express, méchoui.
Activités sur place: dégustation, visite commentée français et anglais, méchoui.
Visite: gratuite, tarif de groupe. ER MC
Réservation: requise pour groupe.
Ouvert: à l'année. 9h à 18h. Tous les jours.
Services: terrasse, bar-restaurant, vente de produits, salle de réception, réunion, stationnement pour autobus, emballages-cadeaux, autres.

Gérald Hénault
3299, route 209
Saint-Antoine-Abbé, Franklin, J0S 1E0
Tél. (450) 826-4609
Fax (450) 826-0585
www.brasserie-saint-antoine-abbe.com
geraldh@rocler.qc.ca
De Montréal, rte 138 ouest jusqu'à Ormstown, à gauche, rte 201 sud jusqu'à Saint-Antoine-Abbé, rte 209 nord à gauche, 5 km. De la rive-sud, rte 132 vers Delson, rte 209...

✕ **AV Certifié: 2005**

Saint-Denis-sur-Richelieu
Clos Saint-Denis

Cidrerie – Vignoble. Bâtiments patrimoniaux au cœur de la vallée du Richelieu. Installations ultramodernes dans un décor historique. 15 hectares dont 7,5 en vignes et 2,5 en pommiers. À l'automne, les proprios vinifient les fruits de la vigne: 30 000 bouteilles de vins rouges, blancs et rosés. À l'hiver, c'est l'opération «Pomme de Glace». 10 fois médaillés d'Or.

Produits: Pomme de Glace, le Fine Pomme de Glace, le Cuvée Saint-Denis rouge, blanc, rosé et le Cidre du Bourg. Délices et plaisirs assurés!
Activités sur place: dégustation, visite libre, visite commentée français et anglais, randonnée pédestre, observation des activités de transformation.
Visite: gratuite, tarif de groupe, autres tarifs. IT MC VS
Nbr personnes: 2-55.
Réservation: requise pour groupe.
Ouvert: à l'année. 10h à 18h. Horaire variable.
Services: aire de pique-nique, vente de produits, dépliant explicatif ou panneaux français, salle de réception, réunion, stationnement pour autobus.

1150, chemin des Patriotes
Saint-Denis-sur-Richelieu, J0H 1K0
Tél. (450) 787-3766
Fax (450) 787-9956
www.clos-saint-denis.qc.ca
info@clos-saint-denis.qc.ca
Aut. 20, sortie 113, rte 133 nord, chemin des Patriotes, 18 km.

A ♿ ⚐ **AV Certifié: 2005**

Saint-Jean-sur-Richelieu
Fromagerie au Gré des Champs

Ferme laitière – Fromagerie fermière. Spécialisée dans la fabrication de fromages au lait cru de vache. À la ferme, il existe une saveur, un arôme, un caractère unique. Tous issus d'une rigueur soutenue dans la qualité de tous les éléments, à partir du champ de plantes fleuries et aromatiques, jusque dans la meule et en passant, bien sûr, par le troupeau de vaches.

Produits: 3 fromages au lait cru certifiés biologiques: le D'Iberville, le Gré des Champs, le Monnoir.
Activités sur place: dégustation, visite libre.
Visite: gratuite. IT MC VS
Ouvert: à l'année. Mer au dim, 10h à 17h.
Services: aire de pique-nique, vente de produits, dépliant explicatif ou panneaux français.

Suzanne Dufresne et Daniel Gosselin
400, rang St-Edouard
Saint-Jean-sur-Richelieu, J2X 5T9
Tél. (450) 346-8732
www.augredeschamps.com
gredeschamps@qc.aira.com
Aut. 10, sortie 22, aut. 35 dir. St-Jean-sur-Richelieu, sortie 6.
1er arrêt, av. Conrad-Gosselin à g. 2e arrêt, rang St-Edouard à g. À 30 km de Mtl, 30 min du pont Champlain.

🐄 **Certifié: 2003**

Saint-Paul-d'Abbotsford
Vignoble Les Petits Cailloux

Françoise Goudreau et Martin Lavertu
625, rang de la Montagne
Saint-Paul-d'Abbotsford, J0E 1A0
Tél. (450) 379-9368
Fax (450) 379-5209
www.lespetitscailloux.com
info@lespetitscailloux.com

Aut.10, sortie 55, route 235 à gauche, rue Principale portant le nom de la route 112 à droite, rang de la Montagne à gauche.

Relais du Terroir & Ferme Découverte
certifiés

Vignoble. Le vignoble, situé sur le versant ouest du mont Yamaska, surplombe la vallée montérégienne entourée des monts Rougemont, St-Hilaire et St-Grégoire. La vue est spectaculaire, le décor apaisant et les couchers de soleil sont à couper le souffle. Nous sommes ouverts à l'année sur réservation et nous offrons plusieurs forfaits de groupe.

Produits: deux vins blancs, un rosé, deux rouges et un vin rouge fortifié au brandy aromatisé à l'érable. Assiette de dégustation champêtre.
Activités sur place: animation pour groupe, dégustation, visite commentée français.
Visite: adulte: 10$, IT VS
Nbr personnes: 12-15.
Réservation: requise pour groupe.
Ouvert: 5 sept - 12 oct. Sam au dim,

 Certifié: 2009

Saint-Pie
Ferme du Coq à l'Âne

Mario Levesque
1984, Haut-de-la-Rivière Sud
Saint-Pie, J0H 1W0
Tél. (450) 772-6512
Fax (450) 772-2491
www.fermejeanduchesne.com

Aut 20, sortie 123 St-Hyacinthe. Rte 235 S. à g., Emile-Ville à g., Haut-rivière S. à g. Aut. 10, sortie 55 Ange-Gardien, rte 235 N., Emile-Ville à dr., arrêt à g.

Ferme Découverte
certifiée

Ferme d'élevage. Notre ferme vous transforme en apprenti fermier. Une journée bien garnie de plaisirs, d'interactions et d'apprentissages. Retrouvez les élevages significatifs des fermes du Québec tout en découvrant nos 2 principales productions. «C'est la ferme magique» des enfants. Une expérience à vivre en famille ou en groupe!

Activités sur place: animation pour groupe scolaire, visite autoguidée, visite commentée français, balade en charrette, participation aux activités à la ferme.
Tarif: adulte: 7-8$, enfant: 7-8$ tarif de groupe. Taxes en sus.
Réservation: requise.
Ouvert: 1 avr - 31 oct. Tous les jours. 10h à 15h. Horaire variable.
Services: aire de pique-nique, salle de réception, réunion, stationnement pour autobus.

Certifié: 1996

Saint-Stanislas-de-Kostka
Miellerie St-Stanislas

Joël Laberge
272, route 201
Saint-Stanislas-de-Kostka, J0S 1W0
Tél. (450) 373-7535
Fax (450) 373-5263
www.tablesetrelaisduterroir.com/miellerieststanislas
miel.st-stan@targo.ca

Rte 138 O, à Ormstown. dir. rte 201 N, 10 km. Ou aut. 20 O, à Salaberry-de-Valleyfield, sortie 14, dir 201 S, 10 km. Après le pont levant, 1re sortie à gauche, 5 km à droite.

Relais du Terroir & Ferme Découverte
certifiés

Miellerie. Ferme apicole familiale depuis 1960. Elle vous offre la possibilité de découvrir l'univers de l'abeille et le cheminement du miel provenant de la ruche jusqu'à votre table. Ensuite, prenez quelques instants pour déguster les différents miels qu'elles nous procurent et essayez notre grande variété de miels crémeux incroyables.

Produits: miels aux bleuets, trèfles, sauvage, sarrasin. Crémeux: naturel, érable, cannelle, citron. Rayon, pollen, gelée royale, propolis, cire.
Activités sur place: animation pour groupe scolaire, animation pour groupe, dégustation, visite libre, visite commentée français et anglais.
Visite: gratuite.
Nbr personnes: 1-75.
Réservation: requise pour groupe.
Ouvert: à l'année. Mar au sam, 9h à 17h. Horaire variable.
Services: vente de produits, dépliant explicatif ou panneaux français et anglais, stationnement pour autobus.

 Certifié: 2009

Saint-Théodore-d'Acton
Verger Cidrerie Larivière

Alexandre, Clément et Monique Larivière
777, route 139
Saint-Théodore-d'Acton, J0H 1Z0
Tél. (450) 546-3411
Fax (450) 546-4938
www.clementlariviere.com
clementlariviere@hotmail.com
Aut. 20 est, sortie 147 dir. Acton Vale, rte 139 nord, dir. St-Théodore-d'Acton et Drummondville. Aut. 20 ouest, sortie 173, aut. 55, sortie route139 sud, dir. Acton Vale.

Relais du Terroir & Ferme Découverte
certifiés

Cidrerie – Verger. Situé à quelques kilomètres d'Acton Vale et accessible par la piste cyclable, le Verger s'étend sur 200 acres et vous invite à vivre une expérience éducative et gustative. Venez admirer les pommiers en fleurs et cueillir vos pommes. 12 000 pommiers et 25 variétés transformées en jus naturel et cidres selon la méthode traditionnelle. Halte VR.

Produits: Jus de pommes naturel, Bonhomme Hiver: cidre de glace; L'Éden: mistelle; La Ruée vers l'Or, cidre fort; La Cidraise: apéritif.
Activités sur place: animation pour groupe scolaire, animation pour groupe, autocueillette, dégustation, visite autoguidée, visite commentée français.
Visite: enfant gratuit. Taxes en sus. IT
Nbr personnes: 15-30.
Réservation: requise pour groupe.
Ouvert: à l'année. **Fermé:** 24 déc - 3 jan. Tous les jours. Horaire variable.
Services: aire de pique-nique, vente de produits, dépliant explicatif ou panneaux français et anglais, stationnement pour autobus, emballages-cadeaux.

   Certifié: 2008

Saint-Valentin
Les Fraises Louis-Hébert

Robert Hébert et Dominique Larouche Hébert
978, chemin 4ᵉ Ligne
Saint-Valentin, J0J 2E0
Tél. (450) 291-3004
Fax (450) 291-3372
www.lesfraiseslouishebert.com
fraiseslhebert@netc.net
Aut. 15 sud, sortie 21, rte 221 à gauche. Après Napierville, 6 km, 4ᵉ Ligne St-Valentin à gauche. Ou rte 223 dir. St-Paul, après l'église, 4ᵉ Ligne à droite.

Relais du Terroir & Ferme Découverte
certifiés

Ferme fruitière. Pionnier de l'autocueillette au Québec depuis plus de 50 ans. Autocueillette de fraises, framboises et bleuets. Alcool de fraises et framboises, vin et mistelle. Tartes, gelées, confitures et emballages cadeaux. Visite commentée du chai, dégustation, balade en carriole et forfaits. Boutique gourmande ouverte à l'année.

Produits: cueillette de petits fruits et offre de produits dérivés: tarte, confitures, chocolat, etc. Fabrique de boissons artisanales.
Activités sur place: autocueillette, dégustation, visite commentée français et anglais, randonnée en traîneau ou voiture à cheval, balade en charrette.
Visite: adulte: 8$, gratuite, enfant gratuit, tarif de groupe, autres tarifs. IT MC VS
Réservation: recommandée, requise pour groupe.
Ouvert: à l'année. Ven au sam, 10h à 17h. Horaire variable.
Services: aire de pique-nique, terrasse, vente de produits, stationnement pour autobus, emballages-cadeaux.

AV   **Certifié: 2007**

Saint-Valérien
La Rabouillère

Pierre Pilon, Jérémie Pilon, Denise Bellemare et Marie-Claude Bouchard
1073, rang de l'Égypte
Saint-Valérien, J0H 2B0
Tél. (450) 793-4998
Fax (450) 793-2529
www.rabouillere.com
info@rabouillere.com
Aut. 20 E, sortie 141. Aut. 20 O, sortie 143, 20 km, À St-Valérien, le traverser, 3 km, au clignotant jaune à dr.

Ferme Découverte
certifiée

Ferme d'élevage. Prix Excellence «Réalisation» 2001 agrotourisme et Grand Prix du tourisme en 2003 et 2004 en Montérégie. Notre ferme est caractérisée par sa collection animale sans pareille dans un cadre paysagé exceptionnel. Un endroit unique et dépaysant pour vivre une expérience à la ferme ou pour fêter un événement familial ou corporatif de façon différente. P. 246, 248, 251.

Particularités: très grande diversité animale, très grands jardins de fleurs comestibles, vivaces, annuelles et fines herbes.
Activités sur place: animation pour groupe, dégustation, visite libre, visite de jardins, aire de jeux, méchoui, ramasser des oeufs, nourrir les animaux.
Tarif: adulte: 7$, enfant: 5$ tarif de groupe. Taxes en sus. IT MC VS
Réservation: recommandée, requise pour groupe.
Ouvert: 15 mai - 15 oct. Tous les jours. 10h à 16h.
Services: aire de pique-nique, vente de produits, salle de réception, réunion, stationnement pour autobus, remise pour vélo.

A   AV Certifié: 2008

Sainte-Hélène
Érablière l'Autre Versan

Relais du Terroir
certifié

Hélène Belley et Stéphan Roy
350, 4e Rang
Sainte-Hélène, J0H 1M0
Tél. (450) 791-2616 (450) 261-6271
Fax (450) 791-2282
www.tablesetrelaisduterroir.com/erabliere_autre_versan
Aut. 20 est, sortie 152, Ste-Hélène. À l'intersection à gauche, 2 km, 4e rang à droite, 3 km. 20 km de St-Hyacinthe, 20 km de Drummondville, 50 km de Montréal.

Érablière. À Ste-Hélène-de-Bagot, près de St-Hyacinthe, niche une petite cabane des plus charmantes. Ouverte en 2001, l'Autre Versan est probablement la plus jeune des cabanes au Québec. À votre visite, vous serez accueillis par des gens exceptionnels et passionnés de vous faire découvrir leur coup de cœur.

Produits: spécialités érable: chocolaterie, pâtisserie, confiserie, boulangerie, gelée, vinaigrette, tartinade.
Activités sur place: dégustation, visite autoguidée, visite commentée français, randonnée pédestre, observation des activités de transformation.
Visite: enfant gratuit, tarif de groupe. IT MC VS
Réservation: recommandée, requise pour groupe.
Ouvert: à l'année. Mer au dim, 9h à 17h.
Services: vente de produits, salle de réception, réunion, stationnement pour autobus, emballages-cadeaux, autres.

AV Certifié: 2002

Relais du Terroir[MD] & Fermes Découverte

Montréal (région)

Un riche bouillon de cultures!

Aux quatre coins de l'île de Montréal, vous trouverez des trésors captivants d'histoire et de culture, une pléiade d'attraits et d'activités avec pour toile de fond une vie de quartier festive, multiculturelle et gourmande. Montréal fait partie de ces grandes villes uniques où il fait bon vivre.

Perméable aux influences françaises et américaines, principal foyer de la culture québécoise et terre d'accueil de peuples provenant de tous les horizons, Montréal est un formidable carrefour culturel de réputation internationale. Résolument ouverte sur le monde et moderne, elle est surtout d'une originalité attachante.

Son centre-ville, ses quartiers latin, chinois et de la Petite-Italie, son village gai, son Plateau Mont-Royal et l'agréable Vieux-Montréal au cachet européen sont autant de circuits qu'il vous faut explorer. Vous découvrirez une grande métropole à une architecture de style française et anglaise côtoyant les tout premiers gratte-ciel du Canada... Portez votre regard sur ses beaux escaliers, ses corniches et ses balcons… et, surtout, osez contourner ses rues pour pénétrer ses ruelles: les véritables témoins de la joie de vivre des Montréalais.

Chacune des saisons offrant son lot de surprises, il sera impossible de vous ennuyer sur cette île. Vous vous y éclaterez le jour comme la nuit, sans oublier tous ses festivals. Les Montréalais adorent prendre possession de leurs rues, le temps que dure d'aussi prestigieux événements que le Festival International de Jazz, le Festival Juste pour rire et le concours international d'art pyrotechnique. Et le magasinage? Vous serez choyé: un nombre incroyable de boutiques et de commerces s'étale même dans la ville souterraine de Montréal, reliée par des lignes de métro!

Enfin, si vous avez besoin d'une bouffée d'air frais et de relaxation, vous pourrez être surpris d'apprendre que cette île compte plus 700 parcs et espaces verts! Bref, au gré de vos envies, vous pourrez déterminer vos propres circuits. De quoi vous séduire!

Saveurs régionales

La gastronomie de Montréal, de réputation internationale, réunit toutes les saveurs du Québec. On dit que l'on mange mieux à Montréal que partout ailleurs en Amérique du Nord. Ses restaurants de fine gastronomie et ses bistros façonnent de façon magistrale les produits du terroir québécois. Et, plus que nulle part ailleurs, Montréal est l'endroit où vous pourrez déguster des mets de tous les pays du monde, ou presque!

Certains lieux de restauration sont incontournables pour leur cachet typiquement montréalais. C'est le boulevard Saint-Laurent qui a vu naître le célèbre *smoked meat* de Montréal dont la réputation a traversé nos frontières.

Produits du terroir à découvrir et déguster

La région compte cinq (5) Tables aux Saveurs du Terroir[MD] *certifiées. Une façon originale de découvrir toutes ces saveurs. P. 274*

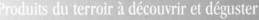

Montréal (région)

Le saviez-vous?

Lorsque Jacques Cartier gravit le mont Royal en 1535, se doutait-il qu'il deviendrait un lieu naturel exceptionnel pour les Montréalais en 1876? Le projet d'y créer un parc fut mis de l'avant en réponse aux pressions des résidants des environs qui voyaient leur terrain de jeu favori déboisé par divers exploitants de bois de chauffage. En réponse au scepticisme de certains opposants au projet qui prétendaient la montagne inaccessible, le colonel Stevenson fit l'ascension par deux fois du mont Royal avec du matériel d'artillerie et tira de son sommet des coups de canon! Avec éclat, c'est le moins qu'on puisse dire, la preuve fut faite de son accessibilité. Les travaux et les expropriations coûtèrent 1M$, une somme colossale pour l'époque.

Clin d'oeil sur l'histoire

En parcourant à pied ou à vélo les berges du canal de Lachine (creusé il y a plus d'un siècle pour contourner les rapides et permettre le transport de marchandises par cargo), vous ne soupçonnerez pas que cette agréable région fut le cœur du développement industriel et économique de Montréal et du Canada. Au tournant du siècle, des milliers d'hommes, de femmes et même d'enfants y travaillaient dans des conditions déplorables, vivant dans de petits logements exigus et insalubres. Dans le but de freiner les maladies et les épidémies liées à cette urbanisation effrénée, des bains publics ont fait leur apparition dans les quartiers défavorisés pauvres en structures appropriées.

Quoi voir? Quoi faire?

L'île de Montréal c'est une multitude de choses à faire et à voir, en voici quelques suggestions:

Centre-ville: le Musée des beaux-arts, le Musée d'art contemporain et le Musée McCord.

La Ronde (île Sainte-Hélène) et le Casino de Montréal (île Notre-Dame).

Le lieu historique national du Canada du Canal-de-Lachine.

Sur le mont Royal: la basilique de l'Oratoire Saint-Joseph et le cimetière Notre-Dame-des-Neiges: partez à la recherche de la pierre tombale d'Émile Nelligan, grand poète québécois.

Vieux-Port: randonnée, vélo, patin à roues alignées, patinoire extérieure en hiver, cinéma Imax, excursion nautique, Centre des sciences.

Vieux-Montréal: basilique Notre-Dame, Marché Bonsecours, Musées Marguerite-Bourgeoys et Pointe-à-Callières, lieu historique national du Canada de Sir-George-Étienne-Cartier.

Hochelaga-Maisonneuve : Jardin botanique, Biodôme, Insectarium de Montréal, Stade olympique.

Pour les amateurs de sport, le Canadien de Montréal, la Formule 1, les Alouettes de Montréal et plusieurs autres.

Faites le plein de nature

Le parc du Mont-Royal et belvédère qui surplombe la ville. Randonnée l'été et patinoire en hiver.

Parcs-nature : de la Pointe-aux-Prairies (randonnée pédestre), et de Île-de-la-Visitation (pour les amateurs d'histoire).

Le parc Jean-Drapeau (îles Sainte-Hélène et Notre-Dame), mosaïque d'eau et de verdure. Sentier pédestre, vélo, plage.

L'Arboretum Morgan, à quelques minutes du centre-ville: un vaste réseau de sentiers.

Parcs-nature dans l'ouest de l'île : Cap Saint-Jacques (plage), Anse-à-l'Orme (voile), Bois-de-l'Île-Bizard (marche, ski de fond) et Bois-de-Liesse (vélo, marche).

Le parc La Fontaine, un merveilleux lieu de nature. Pédalo en été et patinoire en hiver.

Envie de vélo? La piste cyclable des berges du canal de Lachine. Plusieurs autres circuits sillonnent la ville.

Pour plus d'information sur la région de Montréal : 1-877-266-5687
www.tourisme-montreal.org

Montréal (région)

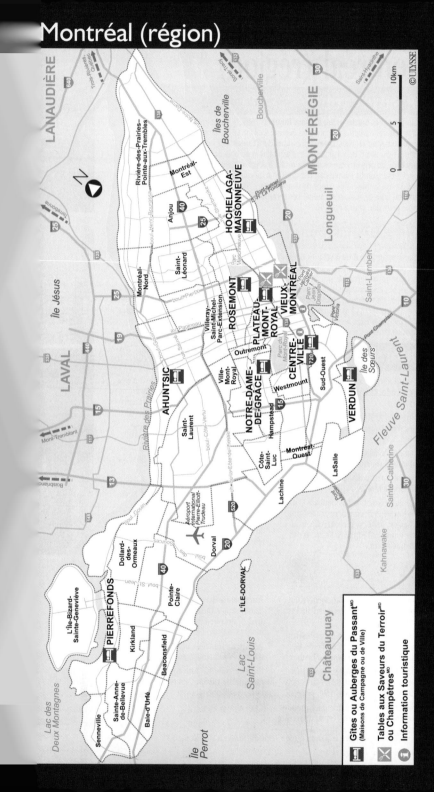

Pierrefonds

Gîte Maison Jacques B&B, Montréal

Micheline et Fernand Jacques
4444, rue Paiement
Montréal
H9H 2S7
(514) 696-2450
Fax : (514) 696-2564
www.maisonjacques.qc.ca
gite.maison.jacques@qc.aira.com

La Fédération des Agricotours du Québec* est fière de rendre hommage aux hôtes Micheline et Fernand Jacques, du GÎTE MAISON JACQUES B&B, qui se sont illustrés de façon remarquable par leur accueil de tous les jours envers leur clientèle. C'est dans le cadre des Prix de l'Excellence 2008 que les propriétaires de cet établissement, certifié Gîte du Passant[MD] depuis 1994, se sont vu décerner le « Coup de Cœur du Public régional » de la région de Montréal dans le volet Gîte du Passant[MD]. P. 262, 271.

Félicitations !

La Fédération des Agricotours du Québec est propriétaire des marques de certification : Gîte du Passant[MD], Auberge du Passant[MD], Maison de Campagne ou de Ville, Table aux Saveurs du Terroir[MD], Table Champêtre[MD], Relais du Terroir[MD] et Ferme Découverte.

(514) 696-2450
www.maisonjacques.qc.ca

Musique, comédie
et gastronomie de
la Nouvelle-France

Le Cabaret du Roy

363, de la Commune est, Vieux-Montréal 514.907.9000 www.oyez.ca

Montréal, Ahuntsic
À la Belle Vie ✹✹✹

Lorraine et Camille Grondin
1408, avenue Jacques-Lemaistre
Montréal H2M 2C1
Tél. / Fax (514) 381-5778
www.giteetaubergedupassant.com/bellevie
alabellevie@hotmail.com

De l'aéroport P.E. Trudeau de Dorval, rte 520 E. dir. Aut. 40 E.,
sortie 73, Christophe Colomb Nord à gauche, 1 km, Legendre
à droite, 0,2 km, André-Grasset à gauche,1ʳᵉ rue.

Situé dans un quartier résidentiel, sur rue boisée et paisible, nous offrons un accueil chaleureux, une ambiance familiale et un copieux petit-déjeuner varié servi sur la terrasse lorsque possible. Stationnement facile et gratuit, terrasse fleurie, près des services (0,1 km). Proximité des autobus, du métro Crémazie, voie rapide aut. 40.

Aux alentours: piste cyclable, Centre sportif Claude-Robillard, parc Île-de-la-Visitation, église érigée 1751.
Chambres: climatisées, certaines avec lavabo, TV, confort moderne, ventilateur, bois franc, suite. Lits: simple, double, queen. **3 ch. S. de bain partagée(s).**
2 pers: B&B 75-80$ **1 pers: B&B** 60$
Réduction: hors saison.
Ouvert: à l'année. **Fermé:** 20 déc - 10 jan.

A AV @ ♿ Certifié: 1994

Montréal, Ahuntsic
Le Clos des Épinettes ✹✹✹✹

Diane Teolis et Léo Lavergne
10358, rue Parthenais, app. 1
Montréal H2B 2L7
Tél. (514) 382-0737
www.giteetaubergedupassant.com/closdesepinettes
leclosdesepinettes@sympatico.ca

De l'aéroport Trudeau, rte 520 E., aut. 40 E., sortie 73
Papineau N., 3 km, Prieur à dr., au 3ᵉ arrêt Parthenais à dr. À
0,6 km à l'est de Papineau. Près de Henri-Bourassa.

Notre accueil chaleureux, nos «tuyaux» montréalais et nos petits-déj. santé bio et variés vous combleront. Avec une entrée et un stationnement privés, ainsi qu'un frigo et micro-ondes dans une salle attenante, vous profiterez d'un excellent rapport qualité/prix. Relaxez au jardin, café, thé et tisanes à votre disposition. Autres surprises...

Aux alentours: quartier calme, près des services et restos, Route verte, Parc riverain.
Chambres: TV, insonorisées, ensoleillées, peignoir, ventilateur, tranquillité assurée, entrée privée. Lits: simple, double. **1 ch. S. de bain privée(s).**
2 pers: B&B 90$ **1 pers: B&B** 75$.
Enfant (12 ans et –): B&B 5-10$
Réduction: long séjour.
Ouvert: à l'année.

A AV ♿ Certifié: 1999

Montréal, Centre-Ville
À l'Adresse du Centre-Ville ✹✹✹

Nathalie Messier et Robert Groleau
1673, rue Saint-Christophe
Montréal H2L 3W7
Tél. (514) 528-9516 1-866-528-9516
www.aladresseducentreville.com
info@aladresseducentreville.com

Métro Berri-UQAM, sortie Place Dupuis. De l'aut. 720, sortie
Berri, Ontario à dr., St-André à dr., Maisonneuve à dr., St-
Christophe à dr. Du terminus, 1 rue à l'est.

Selon un guide français reconnu, «le meilleur gîte au Québec» situé sur une petite rue calme et colorée du centre-ville. Depuis 25 ans, nous offrons toujours le même accueil chaleureux, celui de gens passionnés de leur métier. Profitez de nos conseils. Maison de 1885 offrant déj. gastronomiques, comptoir café, thé, salon, terrasse.

Aux alentours: métro/bus station centrale, Vieux-Montréal, quartier latin, Plateau Mont-Royal, festivals jazz/film, magasinage, restos.
Chambres: climatisées, bureau de travail, TV, accès Internet, terrasse. Lits: simple, double, queen. **5 ch. S. de bain privée(s) ou partagée(s).**
2 pers: B&B 95-125$ **1 pers: B&B** 85-120$. Taxes en sus. IT MC VS
Réduction: hors saison, long séjour.
Ouvert: à l'année.

A AV @ ♿ Certifié: 1989

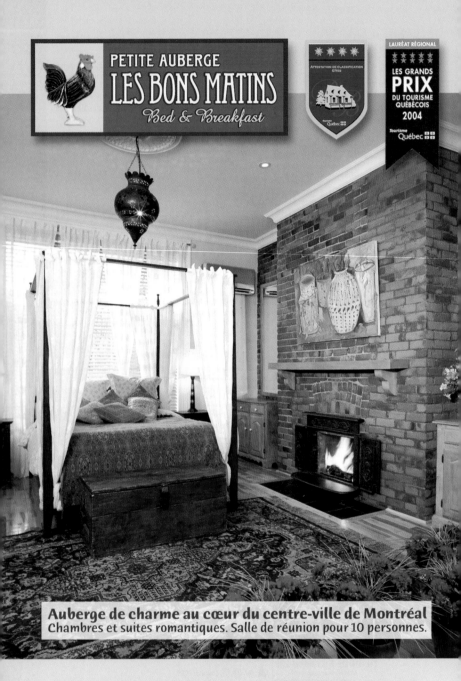

PETITE AUBERGE
LES BONS MATINS
Bed & Breakfast

LAURÉAT RÉGIONAL
LES GRANDS PRIX DU TOURISME QUÉBÉCOIS 2004
Tourisme Québec

Auberge de charme au cœur du centre-ville de Montréal
Chambres et suites romantiques. Salle de réunion pour 10 personnes.

1401, avenue Argyle, Montréal (Québec) H3G 1V5
(514) 931-9167 ou 1 800 588-5280

www.Bonsmatins.com

Montréal, Centre-Ville
Atmosphère ✤✤✤

Gîte du Passant
certifié

Situé au cœur de Montréal, le gîte Atmosphère vous accueille dans un environnement non fumeur, qui conjugue le passé avec le présent. Bâti en 1875, la pierre, la brique, les planchers de bois et les moulures d'origine vous enveloppent de leur chaleur et vous transmettent tout le caractère et la personnalité du temps.

Aux alentours: Vieux-Montréal, Vieux-Port, quartier latin, festivals, parcs, musées, spectacles, cinés, restos...
Chambres: certaines climatisées, TV, accès Internet, ventilateur, luxueuses, lumineuses. **Lits:** double, king. **3 ch. S. de bain privée(s) ou partagée(s).**
2 pers: B&B 119-229$ **1 pers: B&B** 99-209$. Taxes en sus. IT MC VS
Réduction: hors saison, long séjour.
Ouvert: à l'année.

A AV @ ♨ **Certifié: 2009**

Patryck Thévenard
1933, rue Panet
Montréal H2L 3A1
Tél. (514) 510-7976
www.atmospherebb.com
info@atmospherebb.com
À 4 min de marche du métro Beaudry. 5 rues à l'est de Amherst, sens unique vers le nord de Sainte-Catherine ou Maisonneuve, le gîte est entre les rues Fontaine et Ontario.

Montréal, Centre-Ville
Auberge du Carré St-Louis ★★★

Auberge du Passant
certifiée

Bonjour et bienvenue à l'Auberge du Carré St-Louis. C'est par ces mots que vous serez accueillis chez nous. Notre façon est simple, nos services sont conçus en fonction de votre confort et de votre plaisir. Située en plein cœur de Montréal dans le Quartier latin, l'Auberge permet d'accéder à pied aux spectacles, aux festivals et aux boutiques.

Aux alentours: parcs, centre-ville, Vieux-Montréal, bars, restos, Festival de Jazz, Juste pour Rire, Francofolies, Feux Loto-Québec...
Chambres: climatisées, jacuzzi, TV, DVD, accès Internet, peignoir, lumineuses, bois franc, terrasse, suite. **Lits:** queen, divan-lit. **8 ch. S. de bain privée(s).**
Forfaits: gastronomie, détente & santé, romantique, spectacle.
2 pers: B&B 99-170$ **1 pers: B&B** 79-150$. Taxes en sus. AM IT MC VS
Réduction: hors saison, long séjour.
Ouvert: à l'année.

A AV @ ♨ **Certifié: 2008**

Vanessa Houet
3466, rue St-Denis
Montréal H2X 3L3
Tél. (514) 982-9307 (514) 862-8869
Fax (514) 504-8535
www.aubergecarrestlouis.com
info@aubergecarrestlouis.com
Aut-20, sortie pont Jacques-Cartier, rue Sherbrooke à gauche (qui devient Cherrier), rue St-Denis à gauche. Aut-40, sortie St-Denis dir. sud. Stationnement à l'arrière.

Montréal, Centre-Ville
Auberge les Bons Matins B&B ✤✤✤✤

Gîte du Passant
certifié

Bienvenue à l'Auberge les Bons Matins, petit hôtel de charme reconnu pour son décor tout en raffinement et son accueil chaleureux. Sise dans de magnifiques demeures du siècle dernier, notre auberge vous offre ici ce qu'il y a de mieux en termes de confort et de service. P. 18, 264.

Aux alentours: un bout de rue paisible en plein centre-ville, centre Bell, musées, restos, grands magasins, antiquaires, 50 m du métro.
Chambres: climatisées, baignoire à remous, foyer, romantiques, mur en pierres, suite, suite luxueuse. **Lits:** queen. **5 ch. S. de bain privée(s).**
Forfaits: croisière, gastronomie, romantique, spectacle, théâtre, autres.
2 pers: B&B 119-229$. Taxes en sus. AM IT MC VS
Réduction: hors saison.
Ouvert: à l'année.

A AV @ ♨ **Certifié: 1993**

Les Frères Côté
1401, av. Argyle
Montréal H3G 1V5
Tél. (514) 931-9167 1-800-588-5280
Fax (514) 931-1621
www.bonsmatins.com
info@bonsmatins.com
Aut. Ville-Marie 720 est sortie Guy. 1er feu René-Lévesque à droite, 2e feu Guy dir. sud à droite, 1re rue av. Argyle à gauche, après Hôtel Days Inn. Métro Lucien-Lallier.

Gîte touristique
Le Saint-André-des-Arts
Chez vous au cœur de Montréal

bnb-montreal.com

514 527-7118

1 866 527-7118

Montréal, Centre-Ville
Couette et Chocolat Inc. ✱✱✱

Gîte du Passant
certifié

Daisy Delobelle et Eric Devos
1074, rue St-Dominique
Montréal H2X 2W2
Tél. (514) 876-3960
Fax (514) 876-3926
www.couetteetchocolat.net
couetteetchocolat@videotron.ca
Boul. René-Lévesque, rue Saint-Laurent vers le sud, rue
St-Dominique à gauche.

Charmante demeure en pierre construite en 1870 bénéficiant d'une localisation exceptionnelle. À seulement quelques pas du Vieux-Montréal, du Palais des Congrès et du Quartier chinois. 5 ch. spacieuses dans un style champêtre vous attendent pour un séjour pour le moins dépaysant. Charme particulier et hospitalité chaleureuse au cœur de Montréal.

Aux alentours: Mont-Royal, Vieux-Port, Palais des congrès.
Chambres: climatisées, TV, cachet champêtre, couettes en duvet, tranquillité assurée. **Lits:** simple, queen, king, divan-lit. **5 ch. S. de bain partagée(s).**
Forfaits: vélo, gastronomie, spectacle.
2 pers: B&B 95-135$ **1 pers:** B&B 80-105$.
Enfant (12 ans et —): B&B 20$. Taxes en sus. MC VS
Réduction: hors saison.
Ouvert: à l'année.

A AV @ ⌇ **Certifié: 2007**

Montréal, Centre-Ville
Gîte touristique Le Saint-André-des-Arts Inc ✱✱✱

Gîte du Passant
certifié

Philippe Julien
1654, rue Saint-André
Montréal H2L 3T6
Tél. (514) 527-7118 1-866-527-7118
www.bnb-montreal.com
info@bnb-montreal.com
De l'aéroport, aérobus vers métro Berri et terminus (2 min à
pied). Auto, 3 rues à l'est de Berri, sens unique vers le sud de
Sherbrooke ou Ontario, entre Robin et Maisonneuve

Tous les services du centre-ville sur une rue résidentielle tranquille. Maison patrimoniale de 1883 face à un parc. Grand appartement réservé aux clients avec entrée privée. Air climatisé et Internet sans fil. Stationnement sur rue. Cuisine, salon, TV, 2 s. de b. privées, 1 partagée, salle de lavage, terrasses. P. 266.

Aux alentours: Vieux-Montréal, Vieux-Port, Quartier Latin, festivals, parcs, musées, spectacles, cinés, restos...
Chambres: climatisées, certaines avec salle d'eau, TV, accès Internet, cachet victorien. **Lits:** simple, double, queen. **5 ch. S. de bain privée(s) ou partagée(s).**
2 pers: B&B 90-110$ **1 pers:** B&B 60-85$.
Enfant (12 ans et —): B&B 5-10$. Taxes en sus. MC VS
Réduction: hors saison, long séjour.
Ouvert: à l'année.

A @ ⌇ **Certifié: 2004**

Montréal, Centre-Ville
Gizella B&B ✱✱✱✱

Gîte du Passant
certifié

Gizella Bakonyi
3712, rue Laval
Montréal H2X 3C9
Tél. (514) 849-4702 (514) 995-0556
www.gizella.info
gisela.bakonyi@sympatico.ca
De Dorval, aut. 20 E., rte 720 E., sortie boul. St-Laurent
N., 1 km, av. des Pins à droite, av. Laval à droite. Métro
Sherbrooke, sortie ITHQ, à gauche, traverser le parc.

À quelques maisons du parc historique «Carré-St-Louis» se trouve le gîte Gizella, une magnifique maison restaurée, construite en 1887. Situé tout près de nombreux sites touristiques, ce gîte de haute qualité offre le charme du temps passé et le confort d'aujourd'hui.

Aux alentours: à quelques pas de la rue Prince-Arthur reconnue pour ses restaurants «Apportez votre vin».
Chambres: TV, ventilateur, romantiques, spacieuses. **Lits:** double, queen. **3 ch. S. de bain privée(s).**
2 pers: B&B 125$ **1 pers:** B&B 115$. Taxes en sus.
Ouvert: à l'année.

A @ ⌇ **Certifié: 2005**

Montréal, Centre-Ville
La Claire Fontaine ✤ ✤ ✤

Gîte du Passant
certifié

Philippe Arpoulet
1652, rue La Fontaine
Montréal H2L 1V2
Tél. (514) 528-9862
www.laclairefontaine.com
info@laclairefontaine.com
À 2 min de marche du métro Papineau. Gîte situé à l'entrée
du pont Jacques-Cartier à Montréal, au coin de Champlain
et la Fontaine.

Ouvert à l'année, venez vous détendre dans la chaleureuse ambiance de notre bed & breakfast au décor chaleureux ou dans notre spacieux jardin fleuri. Vous apprécierez la tranquillité du gîte où le quartier y est paisible, tout en étant au cœur de l'action du centre-ville de Montréal.

Aux alentours: à proximité de tous les attraits touristiques, Vieux-Montréal, Palais des congrès.

Chambres: certaines avec lavabo, bureau de travail, téléphone, accès Internet, balcon, ensoleillées, personnalisées. **Lits:** double, queen, d'appoint. **5 ch. S. de bain partagée(s).**

Forfaits: croisière.

2 pers: B&B 84-104$ **1 pers:** B&B 69-89$. Taxes en sus. MC VS

Réduction: hors saison, long séjour.

Ouvert: à l'année.

A AV @ ᨳ **Certifié: 2005**

Montréal, Hochelaga-Maisonneuve
Le Sieur de Joliette ✤ ✤ ✤

Gîte du Passant
certifié

Jeanne Laperle et Marc Transon
2617-2619, rue Joliette
Montréal H1W 3H1
Tél. (514) 651-5721 (514) 526-0439
Fax (450) 448-4409
www.lesieurdejoliette.com
le-sieur-de-joliette@hotmail.com
Aut. 20, aut. 720, sortie Notre-Dame est, rue Frontenac à
gauche, rue Hochelaga à droite, rue Joliette à gauche. Métro
Joliette sortie Nord.

Maison des années 20 sur 2 étages, aménagée avec terrasse et jardin. Vous profiterez d'un accueil chaleureux et d'un confort douillet. Petit-déjeuner équilibré pour bien débuter votre journée. À 10 min de marche: Parc olympique, Biodôme, Jardin botanique. À deux pas du gîte prenez le métro et en 10 min vous serez au cœur du Vieux-Montréal.

Aux alentours: galeries d'arts, Plateau Mont-Royal et montagne, musées, Montréal sous-terrain, casino, théâtres, Oratoire Saint-Joseph.

Chambres: climatisées, baignoire à remous, certaines avec salle d'eau, lumineuses, bois franc. **Lits:** double, queen, d'appoint. **3 ch. S. de bain privée(s).**

2 pers: B&B 90-125$ **1 pers:** B&B 75-110$.

Enfant (12 ans et –): B&B 15-20$. Taxes en sus. IT MC VS

Réduction: hors saison, long séjour.

Ouvert: à l'année.

A AV @ ᨳ **Certifié: 2008**

Montréal, Le Plateau Mont-Royal
Accueil chez François B&B ★ ★ ★ ★

Maison de Ville
certifiée

François Baillergeau et Isabelle Dozois
4031, rue Papineau
Montréal H2K 4K2
Tél. (514) 239-4638
Fax (514) 596-2961
www.chezfrancois.ca
chezfrancois@videotron.ca
Aut. 40 est, sortie 73, rue Papineau sud, 5 km. Aut. 40 ouest,
sortie 75, boul. St-Michel sud, 5 km, rue Rachel à droite, rue
Papineau à gauche.

Confort, quiétude, harmonie, une splendide vue du Parc Lafontaine, tout y est pour vous plaire. Vous aimerez l'ambiance et le décor zen de ces superbes appartements situés dans le très chic quartier du Plateau Mont-Royal. P. 269.

Aux alentours: parc Lafontaine, Parc olympique, île Notre-Dame, Vieux-Montréal, festivals, hôpital Notre-Dame, parc d'amusement.

Maisons: climatisées, baignoire à remous, téléphone, TV, confort moderne, lumineuses, vue sur jardin. **Lits:** queen, divan-lit, d'appoint. **2 maison(s). 1-2 ch. 4-6 pers.**

JR 140-260$. Taxes en sus. AM MC VS

Réduction: long séjour.

Ouvert: à l'année.

A AV @ ᨳ **Certifié: 2008**

Gîtes et Auberges du Passant[MD]
Maisons de Campagne et de Ville

Montréal, Le Plateau Mont-Royal
Accueil chez François B&B ✵✵✵✵

Gîte du Passant
certifié

François Baillergeau et Isabelle Dozois
4031, rue Papineau
Montréal H2K 4K2
Tél. (514) 239-4638
Fax (514) 596-2961
www.chezfrancois.ca
chezfrancois@videotron.ca

Aut. 40 est, sortie 73, rue Papineau sud, 5 km. Aut. 40 ouest, sortie 75, boul. St-Michel sud, 5 km, rue Rachel à droite, rue Papineau à gauche.

Au cœur de Montréal, à 10 minutes du centre-ville et du quartier latin, notre belle demeure centenaire est située dans l'arrondissement du Plateau Mont-Royal où restaurants, cafés animés, boutiques de mode, théâtres de tout genre sont au rendez-vous. Venez vous reposer dans une atmosphère colorée où tout a été pensé pour votre confort. P. 268.

Aux alentours: parc Lafontaine, Parc olympique, île Notre-Dame, Vieux-Montréal, festivals, hôpital Notre-Dame, parc d'amusement.

Chambres: climatisées, baignoire à remous, bureau de travail, TV, accès Internet, confort moderne. **Lits:** double, queen, d'appoint, pour bébé. **5 ch. S. de bain privée(s) ou partagée(s).**

2 pers: B&B 110-145$ **1 pers:** B&B 90-120$. Taxes en sus. AM MC VS
Réduction: hors saison, long séjour.
Ouvert: à l'année.

A AV @ ♿ **Certifié: 2008**

Montréal, Le Plateau Mont-Royal
Aux Portes de la Nuit ✵✵✵✵

Gîte du Passant
certifié

Olivia Durand
3496, av. Laval
Montréal H2X 3C8
Tél. (514) 848-0833
Fax (514) 848-9023
www.auxportesdelanuit.com
auxportesdelanuit@videotron.ca

Rue Sherbrooke dir. ouest depuis Pont Jacques Cartier, droite à Saint-Denis, av. des Pins à gauche, av. Laval à gauche.

Coup de Cœur du Public régional 2007. Niché dans une superbe maison du siècle dernier, sur l'une des rues les plus pittoresques de Montréal, le gîte est «un havre de paix dans une mer d'activités». Le petit-déjeuner artistique et savoureux vous émerveillera. Venir au gîte signifie s'imprégner de la vie montréalaise auprès d'une hôtesse qui sait partager sa passion pour la ville. Certifié "Bienvenue cyclistes !"[MD]

Aux alentours: en face du carré St-Louis. Distance à pied de presque toutes les attractions. Localisation idéale. Cafés, restaurants.

Chambres: certaines climatisées, accès Internet, cachet victorien, terrasse, vue splendide. **Lits:** simple, double, queen, d'appoint, pour bébé. **5 ch. S. de bain privée(s).**

2 pers: B&B 115-135$ **1 pers:** B&B 115-135$.
Enfant (12 ans et –): B&B 15$. Taxes en sus. AM IT MC VS
Réduction: hors saison, long séjour.
Ouvert: à l'année.

A @ ♿ **Certifié: 1993**

Montréal, Le Plateau Mont-Royal
Azur ✵✵✵

Gîte du Passant
certifié

Caroline Misserey
1892, rue Gauthier
Montréal H2K 1A3
Tél. (514) 529-6364
Fax (514) 529-0860
www.bbazur.com
reservations@bbazur.com

Métro Sherbrooke: bus 24 E. Aut. 20 et 720: sortie Papineau/ De Lorimier, Gauthier à gauche. Aut. 40 O.: sortie Papineau, Rachel à gauche, Bordeaux à droite, Gauthier à droite.

Un Gîte du Passant des plus sympathiques, au centre-ville, au cœur du fameux Plateau Mont-Royal. Ambiance colorée, chaleureuse et détendue. Petits-déjeuners santé, savoureux, copieux et raffinés. Massothérapie disponible sur place. Conseils pour vos sorties. Stationnement facile et gratuit. Accès Internet illimité. Au plaisir de vous accueillir!

Aux alentours: centre-ville (le Plateau), restos, boutiques, pistes cyclables, parc Lafontaine, festivals, etc.

Chambres: TV, accès Internet, personnalisées, tranquillité assurée, originales, chambre familiale. **Lits:** double, queen, king. **3 ch. S. de bain partagée(s).**

Forfaits: détente & santé, autres.

2 pers: B&B 80-110$ **1 pers:** B&B 70-90$. Taxes en sus.
Ouvert: à l'année.

A AV @ ♿ **Certifié: 2001**

Montréal, Le Plateau Mont-Royal
Chez Brasil ✲ ✲ ✲

Gîte du Passant
certifié

Eliana Saia
3945, avenue Laval
Montréal H2W 2H9
Tél. (514) 581-8363 (514) 849-7500
www.chezbrasil.com
elianasaia@gmail.com
Aut. 40 est, sortie boul. St-Laurent, av. des Pins ouest à gauche, av. Laval à gauche.

Situé au cœur du Plateau Mont-Royal, Chez Brasil est localisé sur l'avenue Laval, une rue paisible et calme bordée d'arbres centenaires, dans un quartier très branché et connu par sa vie culturelle. Notre gîte est près du boul. Saint Laurent et de la rue Saint Denis, qui sont les références à Montréal, des incontournables dans les nouvelles.

Aux alentours: parc Mont-Royal, parc Lafontaine, quartier latin, centre-ville, rue St-Denis et boul. St-Laurent, cinémas, théâtres.
Chambres: bureau de travail, téléphone, TV, accès Internet, ensoleillées, confort moderne, cachet particulier, studio. Lits: simple, double, queen, d'appoint. **4 ch. S. de bain privée(s) ou partagée(s).**
2 pers: B&B 80-150$ **1 pers:** B&B 60-120$.
Enfant (12 ans et −): B&B 50-80$. Taxes en sus. AM IT MC VS
Réduction: hors saison, long séjour.
Ouvert: à l'année.

A AV @ ♿ **Certifié: 2008**

Montréal, Le Plateau Mont-Royal
Gîte la Cinquième Saison ✲ ✲ ✲

Gîte du Passant
certifié

Jean-Yves Goupil
4396, rue Boyer
Montréal H2J 3E1
Tél. (514) 522-6439
www.cinquiemesaison.net
gite@cinquiemesaison.net
Du pont Jacques-Cartier, rue De Lorimier, rue Sherbrooke à gauche, rue Émile-Duployé à droite, rue Rachel à gauche, rue Boyer à droite. Métro Mont-Royal, sortie à droite.

Coup de Cœur du Public régional 2000 et 2004. Bercée par les arbres qui bordent la rue tranquille, à deux pas de l'animation de l'avenue du Mont-Royal, la Cinquième Saison offre une douce atmosphère de temps suspendu pour goûter pleinement un séjour douillet et savourer les copieux petits-déjeuners du matin. Hôte chaleureux et attentionné.

Aux alentours: à deux pas des boutiques et restos, à 5 min du métro, à proximité des attraits et festivals.
Chambres: bureau de travail, accès Internet, ensoleillées, personnalisées, meubles antiques, décoration thématique, ventilateur, spacieuses, bois franc, originales. Lits: double, queen, d'appoint. **4 ch. S. de bain partagée(s).**
2 pers: B&B 95-105$ **1 pers:** B&B 90-95$.
Enfant (12 ans et −): B&B 20$. Taxes en sus. IT MC VS
Réduction: long séjour.
Ouvert: 15 jan - 15 nov.

AV @ ♿ **Certifié: 1997**

Montréal, Le Plateau Mont-Royal
Gîte Romain Montagne ✲ ✲ ✲

Gîte du Passant
certifié

Michel Daigneaul et Dan Millette
4351, rue Saint-Urbain
Montréal H2W 1V7
Tél. (514) 843-6882 (514) 804-2982
Fax (514) 982-9930
www.romainmontagne.com
micheldaigneault@gmail.com
Aut. 40, sortie rue St-Laurent sud, devient rue Clark et rue St-Urbain. Aut. 20, sortie rue St-Laurent nord, rue Rachel à g., rue Esplanade à dr., rue Marie-Anne à dr.

Face au Mont-Royal, maison centenaire, chaleureuse, urbaine et étonnamment paisible. Stationnement gratuit sur la rue. Un séjour au gîte, constitue un excellent prétexte pour venir découvrir l'histoire et les richesses du quartier appelé arrondissement du Plateau Mont-Royal. Nous vous offrons un séjour mémorable dans une demeure urbaine de 1908.

Aux alentours: le Mont-Royal en face, piste cyclable à côté, Campus Université McGill, rue St-Laurent, le port du Vieux-Montréal.
Chambres: climatisées, cachet d'antan, cachet ancestral, tranquillité assurée, romantiques. Lits: double, queen. **3 ch. S. de bain partagée(s).**
2 pers: B&B 99-129$ **1 pers:** B&B 99-129$. Taxes en sus. AM MC VS
Réduction: hors saison, long séjour.
Ouvert: à l'année.

A AV @ ♿ **Certifié: 2008**

Montréal, Le Plateau Mont-Royal
Le Gîte l'Étoile Verte ✸✸✸

À quelques pas de la vie trépidante du boul. St-Laurent et de la rue St-Denis où se trouvent de belles boutiques, les théâtres, les terrasses et les bons restos, le Gîte l'Étoile Verte n'aurait pu trouver mieux comme emplacement pour accueillir ses visiteurs, dans deux superbes chambres mises à leur disposition.

Chambres: CD, balcon, insonorisées, cachet particulier, romantiques, entrée privée, suite luxueuse. Lits: double, queen. **2 ch. S. de bain privée(s).**
2 pers: B&B 179-229$ **1 pers: B&B** 169-219$
Réduction: hors saison, long séjour.
Ouvert: à l'année.

A ● @ ⅗ Certifié: 2009

**Monique Martel
4026, av. Laval
Montréal H2W 2J2
Tél. (514) 842-7943 (514) 591-7870**
www.letoileverte.ca
letoileverte@gmail.com
De l'aéroport, aut. 40 est jusqu'à la sortie rue St-Denis. Tourner à droite sur rue St-Denis, rue Roy à droite, rue Laval à droite.

Montréal, Notre-Dame-de-Grâce
Aux couleurs du monde ✸✸✸

Coup de Cœur du Public régional 2006. En entrant dans notre chaleureuse maison, vous trouverez calme et détente. Le salon est à votre disposition pour lire, écouter de la musique ou simplement relaxer. La variété des plats du petit-déj. permet à chacun de composer son menu selon ses goûts, son appétit et son humeur matinale. À 500 m de la piste cyclable.

Aux alentours: les attraits de Montréal : festivals, musées, spectacles, Vieux-Montréal, Mont-Royal, boutiques.
Chambres: accès Internet, cachet particulier, ventilateur, oreillers en duvet, tranquillité assurée, bois franc. Lits: double, queen, d'appoint. **2 ch. S. de bain partagée(s).**
2 pers: B&B 90-100$ **1 pers: B&B** 70-80$.
Enfant (12 ans et –): B&B 21$. Taxes en sus.
Ouvert: à l'année.

@ ⅗ Certifié: 2005

**Janine Dalaire et Jacques Landry
3454, avenue Oxford
Montréal H4A 2Y1
Tél. (514) 487-6179**
www.auxcouleursdumonde.com
info@auxcouleursdumonde.com
À 20 km de l'aéroport P.E. Trudeau, dir. centre-ville, aut. 15 nord, sortie Sherbrooke. Station de métro Vendôme.

Montréal, Pierrefonds
Gîte Maison Jacques B&B ✸✸✸

Coup de Cœur du Public régional 2008. Vous vous sentirez chez vous ici à notre gîte qui a tout pour vous plaire: stationnement privé gratuit, air climatisé, piano, foyers, lits douillets, solarium, déjeuner gourmand et tranquillité. Situé à l'ouest de l'aéroport Trudeau, on y vient de Dorval ou du centre-ville en auto ou par autobus. P. 261, 262.

Aux alentours: CEGEP Gérald-Godin, île Bizard, Centre Fairview, golf, piste cyclable, restaurants. Paisible.
Chambres: climatisées, foyer, accès Internet, insonorisées, confort moderne, tranquillité assurée. Lits: simple, double, queen, d'appoint. **3 ch. S. de bain privée(s).**
2 pers: B&B 79-89$ **1 pers: B&B** 59-69$.
Enfant (12 ans et –): B&B 3-13$. AM MC VS
Réduction: long séjour.
Ouvert: 7 jan - 15 déc.

A AV @ Certifié: 1994

**Micheline et Fernand Jacques
4444, rue Paiement
Montréal H9H 2S7
Tél. (514) 696-2450
Fax (514) 696-2564**
www.maisonjacques.qc.ca
gite.maison.jacques@qc.aira.com
De l'aéroport, aut. 20 ouest, 7 km, sortie 50 nord, 7 km boul. St-Jean, boul. Pierrefonds à gauche, 1,4 km, rue Paiement à gauche.

Montréal, Rosemont
À la Carte B&B ✳ ✳ ✳ ✳

Gîte du Passant
certifié

Daniel Labrosse
5477, 10ᵉ Avenue
Montréal H1Y 2G9
Tél. (514) 593-4005 1-877-388-4005
Fax (514) 593-9997
www.alacartebnb.com
dlabrosse@alacartebnb.com
Aut. 40, sortie 75, boul. St-Michel sud, 3.5 km, rue Masson à droite, 10ᵉ Avenue à droite.

Coup de Cœur du Public régional 2003. Que vous soyez un néophyte ou un assidu de la formule des gîtes et auberges pour vos déplacements, une chose est certaine vous serez impressionné et agréablement surpris par ce gîte urbain moderne où Daniel accueille tout le monde avec courtoisie et où tous se sentent bienvenus! Réservez maintenant, mentionnez ce site et obtenez un rabais.

Aux alentours: près du Jardin botanique, du Plateau Mont-Royal, de la Petite-Italie et autres endroits d'intérêt.
Chambres: climatisées, baignoire à remous, avec salle d'eau, TV, accès Internet, confort moderne. Lits: double, queen, divan-lit. **2 ch. S. de bain privée(s).**
2 pers: B&B 125-135$ **1 pers: B&B** 105-110$.
Enfant (12 ans et −): B&B 25$. Taxes en sus. AM MC VS
Réduction: long séjour.
Ouvert: à l'année.

A ● AV @ ⅏ **Certifié: 2002**

Montréal, Rosemont
Côté Croissant ★ ★ ★

Maison de Ville
certifiée

Philippe et Marie Berthet
3815, Place Victor-Bourgeau
Montréal H1X 1Z7
Tél. (514) 254-2732
www.cotecroissant.com
berthetp@videotron.ca
Aut. 40, sortie 75 St-Michel sud, rue Rachel à g., rue Valois à dr. Aut. 20, rue Notre-Dame est, rue Bourbonnière à g., rue Sherbrooke à g., Pl.V.Bourgeau à dr.

Logé au fond d'un parc, Côté Croissant, vous offre l'ambiance chaleureuse que vous cherchez lors d'un voyage d'agrément ou d'affaires. Nous vous accueillons dans un appartement spacieux, soigneusement meublé, invitant à la détente. Salon, bureau, cuisine, deux chambres indépendantes avec s.b. privées. Autobus et métro à proximité. Stationnement.

Aux alentours: Jardin botanique, parc Maisonneuve, Stade olympique, boutiques du Plateau Mont-Royal, spa, golf, piste cyclable, métro.
Maisons: climatisées, TV, CD, DVD, accès Internet, confort moderne, tranquillité assurée, lumineuses. Lits: queen, d'appoint. **1 maison(s). 1-2 ch. 1-4 pers.**
SEM 600-800$. MC VS
Réduction: long séjour.
Ouvert: à l'année.

A @ ⅏ **Certifié: 2009**

Montréal, Rosemont
Le Gîte Dézéry ✳ ✳ ✳ ✳

Gîte du Passant
certifié

Gilles Lord
3545, rue Dézéry
Montréal H1W 2S8
Tél. (514) 972-4654 (514) 598-0246
Fax (514) 598-8435
www.gitedezery.com
gitedezery@videotron.ca
Aut. 40 ouest, sortie St-Michel sud, rue Rachel à droite, rue Dézéry à droite. Aut. 20 est, sortie rue De Lorimier, rue Rachel à droite, rue Dézéry à droite.

Notre gîte vous offre le confort et l'originalité de deux chambres pour 3 personnes: l'une de style japonais, l'autre de style art déco. Pour une occupation double, nous vous offrons cette fois-ci un style marocain ou champêtre. Tout pour vous plaire!

Aux alentours: parc Maisonneuve, Jardin botanique, Stade olympique, Musée Dufresne. Tout près d'une piste cyclable.
Chambres: climatisées, avec lavabo, jacuzzi, TV, balcon, confort moderne, bois franc. Lits: queen. **4 ch. S. de bain privée(s).**
2 pers: B&B 130-140$ **1 pers: B&B** 110-120$. MC VS
Ouvert: à l'année.

A @ ⅏ **Certifié: 2006**

Montréal, Verdun
Le Relais des Argoulets ★ ★ ★

Maison de Ville
certifiée

Coup de Cœur du Public régional 2005. Maison située dans un quartier tranquille où la nature et le majestueux St-Laurent se côtoient. À deux pas du métro Verdun et à 10 min du centre-ville. Comprenant un salon avec divan-lit et télé, une cuisine avec lave-vaisselle et deux chambres. Un jardin et une terrasse. Un stat, 2 vélos et l'accès Internet gratuit. Séjour minimum de 3 jours.

Aux alentours: immense parc le long du magnifique fleuve St-Laurent, pistes cyclables et sanctuaires d'oiseaux.
Maisons: climatisées, baignoire sur pattes, téléphone, TV, accès Internet, ventilateur, tranquillité assurée, bois franc, terrasse. **Lits:** double, divan-lit. **1 maison(s). 2 ch. 1-6 pers.**
SEM 700$ **JR** 150$. Taxes en sus. MC VS
Réduction: hors saison, long séjour.
Ouvert: à l'année.

A 🚲 @ ♿ **Certifié: 2003**

Ann Guy
759, Willibrord
Montréal H4G 2T8
Tél. (514) 767-3696 1-866-761-3696
Fax (514) 421-4780
www.argoulets.com
lerelais@argoulets.com
Aut. 15, sortie 62, 3ᵉ feu de circulation, à gauche traverser le pont, à gauche sur Champlain, après le pont, 1ʳᵉ Avenue à droite, De Verdun à gauche, Willibrord à gauche.

Montréal, Verdun
Le Terra Nostra ✿ ✿ ✿ ✿

Gîte du Passant
certifié

Voisin des berges du Saint-Laurent, Le Terra Nostra offre un luxe abordable à 10 minutes de l'activité bouillonnante de la ville. Érigée en 1927, la maison vous propose 3 chambres inspirées des ambiances du monde, Afrika, Asia et Europa, avec salle d'eau privée et plancher chauffant. Petit-déjeuner servi au jardin de mai à septembre.

Aux alentours: restaurants, spa, métro, croisières, rapides, kayak, rafting, pistes cyclables, piscine, tennis, observation d'oiseaux.
Chambres: climatisées, décoration thématique, couettes en duvet, luxueuses. **Lits:** queen. **3 ch. S. de bain privée(s).**
2 pers: B&B 105-155$ **1 pers:** B&B 90-140$. Taxes en sus. IT MC VS
Ouvert: à l'année.

AV ♿ **Certifié: 2008**

Mireille Lauzon
277, rue Beatty
Montréal H4H 1X7
Tél. (514) 762-1223
Fax (514) 762-1543
www.leterranostra.com
info@leterranostra.com
De l'aéroport, aut. 20 est, aut. 15 sud dir. pont Champlain, sortie 62, 4ᵉ feu, rue Woodland à gauche, rue Champlain à droite, 3ᵉ rue, rue Beatty à gauche.

MONTRÉAL (RÉGION)

Gîtes et Auberges du Passant^{MD}
Maisons de Campagne et de Ville

Montréal, Le Plateau Mont-Royal
L'Atelier

Table aux Saveurs du Terroir
certifiée

L'Atelier s'associe aux meilleurs agriculteurs, fromagers et éleveurs du Québec afin de vous offrir, dans un lieu d'exploration culinaire, des plats finement élaborés et savoureux. C'est au sein d'un décor à la fois chaleureux, élégant et moderne que le personnel attentif vous présentera le menu. Vous apportez votre bon vin ! Le Bleu Raisin, p. 274.

Spécialités : foie gras, canard, gibiers, poissons... le tout préparé avec les produits du terroir; la source d'inspiration de notre cuisine.
Repas offerts : midi, soir. Apportez votre vin.
Menus : à la carte, gastronomique.
Nbr personnes: 1-60.
Réservation: recommandée, requise pour groupe.
Table d'hôte: 39-59$/pers. Taxes en sus. VS
Ouvert: à l'année. Mar au dim.

Fred et Hugo
5308, boul. Saint-Laurent
Montréal, H2T 1S1
Tél. (514) 273-7442
www.tablesetrelaisduterroir.com/latelier
we_know_where_yugo@hotmail.com

A 🐂 **Certifié: 2009**

Montréal, Le Plateau Mont-Royal
Le Bleu Raisin

Table aux Saveurs du Terroir
certifiée

Le Bleu Raisin offre à ses hôtes un espace à la fois intime, cordial et chaleureux et mise avant tout sur une conviviale simplicité et un accueil des plus attentionnés. C'est avec ce goût d'innover, de se rapprocher des artisans locaux et de vous transmettre notre passion que nous vous attendons enthousiastes et fébriles! Apportez votre vin. L'Atelier, p. 274.

Spécialités : mijoté de jarret d'agneau gaspésien à l'eucalyptus et aux pruneaux, tourbillon de sole de pleurotes et de crevettes de Matane, etc.
Repas offerts : soir. Apportez votre vin.
Menus : à la carte, gastronomique.
Nbr personnes: 50.
Réservation: recommandée.
Table d'hôte: 39-59$/pers. Taxes en sus. MC VS
Ouvert: à l'année. Mar au sam. Horaire variable.

Mey Frederick
5237, rue Saint-Denis
Montréal, H2J 2M1
Tél. (514) 271-2333
www.lebleuraisin.com
fmey@bellnet.ca

A 🐂 **Certifié: 2009**

Montréal, Le Plateau Mont-Royal
Les Infidèles

Table aux Saveurs du Terroir
certifiée

Le chef proposant une cuisine française du terroir, le resto Les Infidèles prépare et sert les plats de gibiers et autres viandes dans les règles de l'art, suivant les grands classiques des bistros français. Bref, voilà un incontournable pour les bonnes fourchettes.

Spécialités : cuisine française aux saveurs du terroir. Le chef vous propose des abats, du gibier, des poissons et fruits de mer, le foie gras...
Repas offerts : midi, soir.
Menus : à la carte, table d'hôte, gastronomique.
Nbr personnes: 2-60.
Réservation: requise.
Table d'hôte: 46-60$/pers. Taxes en sus. MC VS
Ouvert: à l'année. Tous les jours.

Louis Legault
771, rue Rachel
Montréal, H2J 2H4
Tél. (514) 528-8555
www.lesinfideles.ca
louis17@videotron.ca
Rue Rachel au coin de la rue St-Hubert.

🐂 **Certifié: 2009**

Montréal, Vieux-Montréal
Fourquet Fourchette

Table aux Saveurs du Terroir
certifiée

Destination unique en plein cœur du quartier international, à deux pas du Vieux-Montréal, ambiance qui évoque l'histoire en contraste avec le modernisme de l'environnement. Terrasse de style européen sur rue, mobilier exclusif en bois et tables présentoirs d'artéfacts historiques de la bière, décoration, costumes, musique et animation d'époque. P. 249.

Spécialités : un univers d'histoire et de gastronomie, où mets du terroir, vins locaux et bières de dégustations se fondent pour votre plaisir.
Repas offerts : midi, soir.
Menus : à la carte, table d'hôte, gastronomique.
Nbr personnes : 2-250.
Réservation : recommandée, requise pour groupe.
Table d'hôte : 12-30$/pers. Taxes en sus. AM ER IT MC VS
Ouvert : à l'année. Tous les jours.

A ♿ AV Certifié: 2008

François Gagnon
265, rue Saint-Antoine
Montréal, H2Z 1H5
Tél. (514) 789-6370 (450) 447-6370
Fax (514) 789-6371
www.fourquet-fourchette.com
Palais des congrès de Montréal. Métro Place d'Armes. Au coin de la rue Saint-Antoine et de la Place Riopelle.

Montréal, Vieux-Montréal
Le Cabaret du Roy

Table aux Saveurs du Terroir
certifiée

Le Cabaret du Roy, lauréat or des Grands Prix du tourisme en 2003, est un restaurant thématique qui vous transporte en 1708, en plein cœur de la colonie de la Nouvelle-France. Au son de la musique traditionnelle, savourez les meilleurs produits du terroir québécois. Gastronomie, histoire et divertissement : unique dans le Vieux-Montréal. P. 262.

Spécialités : cuisine inspirée de la Nouvelle-France, mets amérindiens, cuisine du terroir. En vedette: le canard, le cerf, la morue et le saumon.
Repas offerts : midi, soir.
Menus : à la carte, table d'hôte, gastronomique, cabane à sucre.
Nbr personnes : 1-150.
Réservation : recommandée, requise pour groupe.
Table d'hôte : 28-65$/pers. AM ER IT MC VS
Ouvert : à l'année. Horaire variable.

A AV Certifié: 2009

George Cloutier
363, de la Commune Est
Montréal, H2Y 1J3
Tél. (514) 907-9000
Fax (514) 858-6888
www.oyez.ca
lecabaretduroy@oyez.ca
Vieux-Montréal, Marché Bonsecours, à cinq minutes de marche de la station de métro Champs-de-Mars.

Outaouais

Champêtre et urbaine: tout pour plaire!

Région de contrastes, l'Outaouais possède ce don merveilleux d'offrir à la fois le calme et le divertissement, la nature et les plaisirs urbains.

Au printemps, l'Outaouais s'éveille aux couleurs chatoyantes de ses milliers de tulipes. En été, elle s'anime d'activités culturelles et d'espaces verdoyants. Ensuite, elle revêt ses vives couleurs d'automne et vous donne envie... de l'hiver! Découvrez-la à vélo, à pied, en canot, à skis de fond, en raquettes, en motoneige...

Longeant la rivière des Outaouais et choyée par ses réserves fauniques (Papineau-Labelle et la Vérendrye) et ses parcs nationaux (de la Gatineau et de Plaisance), l'Outaouais se fait aussi charmante par ses nombreux attraits, ses activités, ses musées et ses festivals. Entre autres, les belles couleurs du Festival canadien des tulipes en mai et le Festival de montgolfières à la fin août. Et pourquoi pas une escapade à Ottawa, la capitale nationale? Située à une traversée de pont de Gatineau, elle compte plusieurs attraits. De la Colline du Parlement à ses nombreux musées (des beaux-arts, de la guerre, de la nature, de la monnaie...), sans oublier le pittoresque canal de Rideau.

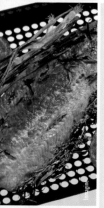

Saveurs régionales

Les paysages agricoles de l'Outaouais sont parmi les plus beaux du Québec et offrent un grand potentiel pour l'agrotourisme, encore relativement récent dans cette région. La Petite-Nation, située dans la portion est de l'Outaouais, est le secteur où l'agrotourisme est le plus présent et animé. Malgré cette nouveauté, des saveurs se distinguent et prennent de l'ampleur partout en Outaouais. Entre autres, vous y trouverez:

De délicieux et réputés fromages, des produits d'érable raffinés, de succulents saumons et esturgeons fumés à la Boucanerie Chelsea.

- Dans la Petite-Nation, on a mis sur pied la Route des herbes, où sept fermes vous présentent leur culture de fines herbes, de plantes médicinales, de petits fruits et de fleurs.

- L'Outaouais, territoire de chasse et de pêche, offre aussi des poissons et gibiers d'élevage, la truite d'élevage, le cerf de Virginie, le poulet de grain, l'orignal et la perdrix. S'approvisionnant en gibier d'élevage, les chefs cuisiniers de la région rivalisent d'ingéniosité pour les apprêter.

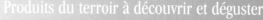

Produits du terroir à découvrir et déguster

La région compte trois (3) Tables aux Saveurs du Terroir^MD et une (1) Table Champêtre^MD certifiées. Une façon originale de découvrir toutes ces saveurs.
P. 284

Outaouais

Le saviez-vous?

Entre Gatineau et Plaisance, sur près de 50 km², on retrouve des milieux humides d'une remarquable diversité. Il y a 12 000 ans, la croûte terrestre s'enfonça sous le poids d'un glacier. L'océan Atlantique inonda alors la vallée de l'Outaouais et la mer de Champlain en fut le résultat. Le territoire mit 2 000 ans à se relever, la mer s'en retirant et y laissant des plages, des herbiers aquatiques, des marais et même certains poissons qui réussirent à s'adapter à l'eau douce, dont la «truite rouge», une variété de saumon que l'on trouve partout dans la région. À la fin d'août, il faut voir les plantes aquatiques transformer ces zones humides en de magnifiques jardins flottants.

Clin d'oeil sur l'histoire

Des peuples des Premières Nations aux marchands de fourrures, bûcherons et colons, la rivière des Outaouais fut au cœur du développement économique de la région. Elle était la grande autoroute commerciale de la fourrure et du bois. Au début du XIXᵉ siècle, le pin blanc, idéal pour la construction des mâts des navires et des édifices, était fort prisé. La Grande-Bretagne, non seulement en pleine révolution industrielle mais aussi en guerre contre Napoléon et privée de ses ressources, faisait descendre par milliers des billes de bois par cette rivière, puis par le fleuve Saint-Laurent jusqu'à Québec, où elles étaient chargées sur des navires destinés pour l'Europe.

Quoi voir? Quoi faire?

Le casino du Lac-Leamy: des spectacles, du divertissement et de bons restaurants dans un décor somptueux (Gatineau).

Le Musée canadien des civilisations, la plus importante et populaire institution culturelle au Canada (Gatineau).

Montez à bord du Train à vapeur Hull-Chelsea-Wakefield et découvrez le fonctionnement de ces locomotives d'une autre époque.

Le Manoir Papineau (Montebello), un exemple unique de manoir seigneurial et lieu historique du Canada.

Le Fairmont Le Château Montebello, seul établissement au monde entièrement fait de bois rond.

Au Parc Oméga, observez la faune à bord de votre voiture! (Montebello)

Le domaine Mackenzie-King, ancienne résidence d'été du 10e premier ministre.

La Caverne Laflèche, plus grande grotte du Bouclier canadien (Val-des-Monts).

Ottawa: visitez le Parlement et ses musées. En hiver, chaussez vos patins pour parcourir la célèbre et plus longue patinoire au monde (8 km) sur le canal de Rideau.

Faites le plein de nature

Pour une bouffée d'air frais en toute saison: le parc de la Gatineau.

Avec Souvenirs Sauvages, observez les ours noirs et blonds dans leur habitat naturel.

Parcourez l'espace aérien, à la cime des grands pins du Sentier suspendu de la Forêt de l'Aigle (Vallée-de-la-Gatineau).

L'excursion en traîneau à chiens, un plaisir qu'il faut s'offrir au moins une fois!

Randonnée pédestre au Parc national de Plaisance (entre Thurso et Papineauville).

Envie de baignade? Le Réservoir Baskatong, une petite mer intérieure artificielle (160 îles).

Pique-niquez aux Chutes Coulonge situées au sommet d'un spectaculaire canyon de 750 m (Fort-Coulonge).

Du vélo en pleine nature? Les circuits du Cycloparc PPJ (90km) et du Parc linéaire de la Vallée-de-la-Gatineau (80km).

Pour plus d'information sur l'Outaouais: 1-800-265-7822
www.tourismeoutaouais.ca

Outaouais

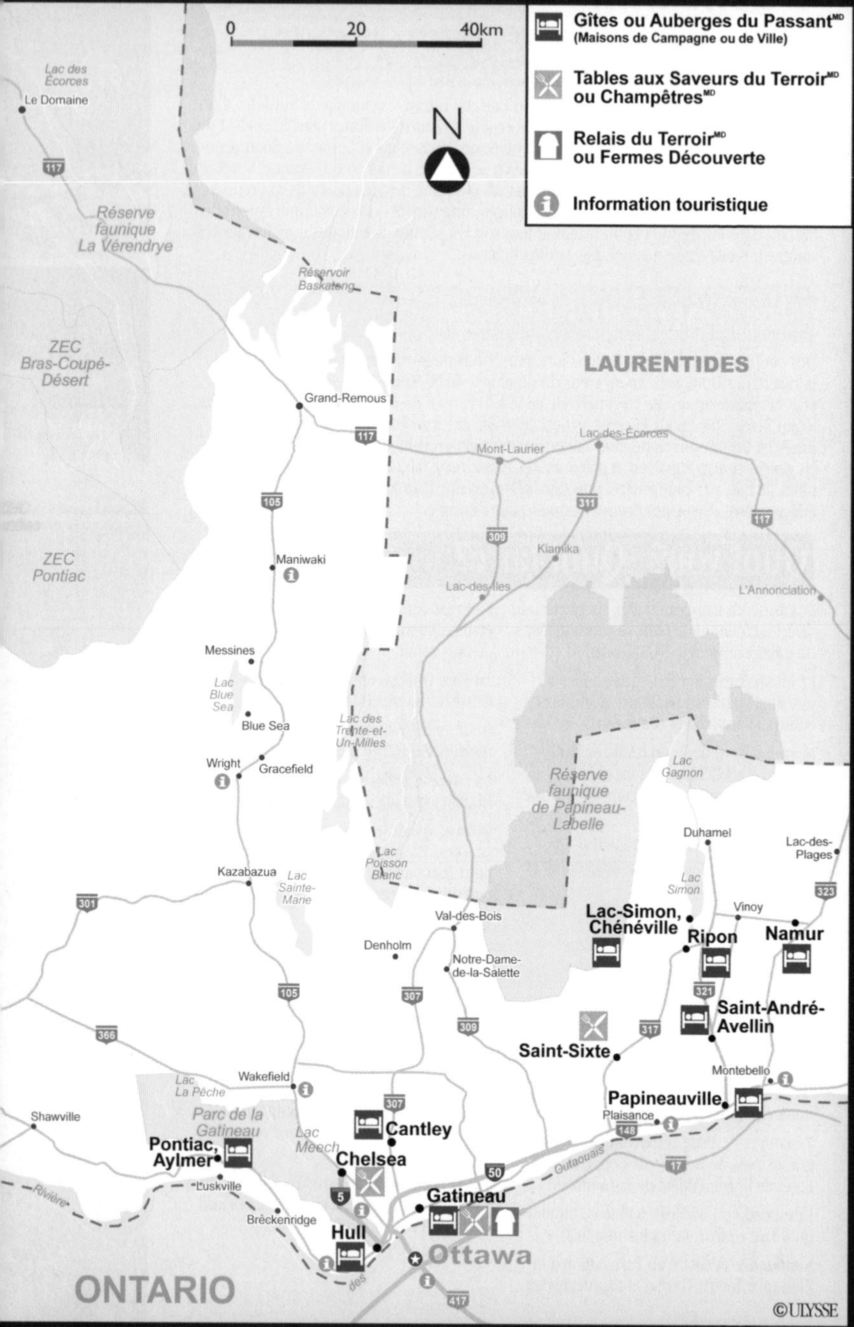

Légende

🛏️ Gîtes ou Auberges du Passant^{MD}
(Maisons de Campagne ou de Ville)

🍴 Tables aux Saveurs du Terroir^{MD}
ou Champêtres^{MD}

🏛️ Relais du Terroir^{MD}
ou Fermes Découverte

ℹ️ Information touristique

0   20   40km

N

Lac des
Écorces
Le Domaine

117

Réserve
faunique
La Vérendrye

Réservoir
Baskatong

LAURENTIDES

ZEC
Bras-Coupé-
Désert

Grand-Remous

117

Mont-Laurier

Lac-des-Écorces

105

311

117

ZEC
Pontiac

Maniwaki
ℹ️

309

Kiamika

Lac-des-Îles

L'Annonciation

Messines

Lac
Blue
Sea

Blue Sea

Lac des
Trente-et-
Un-Milles

Réserve
faunique
de Papineau-
Labelle

Lac
Gagnon

Wright
ℹ️

Gracefield

Duhamel

Lac-des-
Plages

Kazabazua

Lac
Sainte-
Marie

Lac
Poisson
Blanc

Lac
Simon

323

301

Val-des-Bois

Vinoy

Lac-Simon,
Chénéville

Namur

Denholm

Ripon

105

307

Notre-Dame-
de-la-Salette

321

Saint-André-
Avellin

366

309

317

Montebello

Wakefield
ℹ️

Saint-Sixte

Papineauville

Shawville

Parc de la
Gatineau

Lac
La Pêche

Cantley

307

Plaisance

148

ℹ️

17

Pontiac,
Aylmer

Lac
Meech

Chelsea

50

Outaouais

Luskville

5

Gatineau

Bréckenridge

ℹ️

Hull
ℹ️

ℹ️

Ottawa

des

417

ONTARIO

©ULYSSE

Gatineau

Chez les Rossignol

Huguette Rocheleau
4, rue Sanctuaire
Gatineau
J8R 1T3
(819) 243-3487
1-866-271-2511
www.chezlesrossignol.com
info@chezlesrossignol.com

La Fédération des Agricotours du Québec* est fière de rendre hommage à l'hôtesse Huguette Rocheleau, du gîte CHEZ LES ROSSIGNOL, qui s'est illustrée de façon remarquable par son accueil de tous les jours envers sa clientèle. C'est dans le cadre des Prix de l'Excellence 2008 que la propriétaire de cet établissement, certifié Gîte du Passant^MD depuis 2007, s'est vu décerner le « Coup de Cœur du Public régional » de l'Outaouais dans le volet Gîte du Passant^MD. P. 280.

Félicitations !

La Fédération des Agricotours du Québec est propriétaire des marques de certification : Gîte du Passant^MD, Auberge du Passant^MD, Maison de Campagne ou de Ville, Table aux Saveurs du Terroir^MD, Table Champêtre^MD, Relais du Terroir^MD et Ferme Découverte.

Aylmer, Pontiac
Maison Bon Repos ※ ※ ※ ※

Notre maison mezzanine vous offre le confort, la tranquillité et un accueil chaleureux. Prenez un moment de détente dans la nature et un magnifique boisé, en bordure de la rivière des Outaouais. Venez relaxer dans notre chaleureuse salle de séjour. Un copieux petit-déjeuner vous sera servi. Nous fournissons un abri pour vos articles de sport.

Aux alentours: aux abords du parc de la Gatineau, Musée des civilisations, pistes cyclables, Parlement, etc.
Chambres: accès Internet, ensoleillées, tranquillité assurée, terrasse, vue sur rivière.
Lits: double, queen. **3 ch. S. de bain privée(s) ou partagée(s).**
2 pers: B&B 80$ **1 pers: B&B** 70$.
Enfant (12 ans et —): B&B 10$
Réduction: long séjour.
Ouvert: à l'année.

Denyse et Guy Bergeron
37, rue Cedarvale
Pontiac, Aylmer J0X 2G0
Tél. (819) 682-1498
www.giteetaubergedupassant.com/maisonbonrepos
denise.bergeron2@sympatico.ca

Aut. 417, sortie 123 Island Park drive, pont Champlain, Aylmer à gauche. À l'hôtel de ville, Eardley à droite, 5 km, Terry Fox à gauche vers la rivière, Cedarvale à droite.

 AV Certifié: 1996

Cantley
Auberge le Bel Abri ※ ※ ※ ※

Grande maison de pierres, site enchanteur. Laissez-vous charmer par les multiples douceurs d'un gîte à la campagne. Marchez au bord du ruisseau. Rêvez devant le foyer. Savourez un déjeuner santé. Découvrez les attraits de la région et plus. Pour agrémenter votre séjour chez nous, nos chambres vous offrent confort, chaleur & douceur. Au plaisir!

Aux alentours: parc de la Gatineau, casino, musées, train à vapeur, ski, raquettes, glissades, patins, golf, vélo, kayak & parc aérien.
Chambres: ensoleillée, raffinées, cachet champêtre, peignoir, couettes en duvet, bois franc. **Lits:** simple, double, d'appoint. **5 ch. S. de bain privée(s) ou partagée(s).**
Forfaits: vélo, motoneige, détente & santé, ski alpin, ski de fond.
2 pers: B&B 80-90$ **1 pers: B&B** 60-80$.
Enfant (12 ans et —): B&B 10$
Ouvert: à l'année.

Nicole Lebel
44, ch. Vigneault
Cantley J8V 3A6
Tél. (819) 671-6296 1-888-671-6296
Fax (819) 671-4366
www.lebelabri.com
gerardetnicole@videotron.ca

Autoroute 50, sortie 145 direction nord, 7 km, chemin Vigneault à gauche.

 Certifié: 2008

Gatineau
Chez les Rossignol ※ ※ ※ ※

Coup de Cœur du Public régional 2008. Le confort de la campagne à la ville. Vos hôtes vous ouvrent grand leur porte. Maison ensoleillée, chambres accueillantes. Profitez de la terrasse parfumée de fleurs près de la piscine et dès l'automne, d'un bon feu de foyer. Petit-déjeuner copieux et santé. Près des pistes cyclables, à 8 min d'Ottawa, du casino Lac-Leamy. P. 279.

Aux alentours: parc de la Gatineau, piste cyclable, randonnée pédestre, ski fond, musées, festival montgolfières.
Chambres: accès Internet, ensoleillées, confort moderne, cachet d'antan, peignoir, couettes en duvet. **Lits:** queen, king, d'appoint, pour bébé. **3 ch. S. de bain privée(s).**
Forfaits: détente & santé, été, autres.
2 pers: B&B 85-95$ **1 pers: B&B** 75-85$.
Enfant (12 ans et —): B&B 20$. Taxes en sus. MC VS
Réduction: long séjour.
Ouvert: à l'année.

Huguette Rocheleau
4, rue Sanctuaire
Gatineau J8R 1T3
Tél. (819) 243-3487 1-866-271-2511
www.chezlesrossignol.com
info@chezlesrossignol.com

Aut. 40 dir. Ottawa, aut. 417, sortie Mann, King Edward dir. Gatineau. Aut 50 est dir. Montréal, sortie 145 mtée Paiement sud, 2e feu Nobert à dr., 3e rue, Sanctuaire à dr.

A @ Certifié: 2007

Gatineau, Hull
Gîte Fanny et Maxime ✦✦✦✦

Gîte du Passant
certifié

Coup de Cœur du Public provincial 2004 - Hébergement. Lauréat national 2005 et 2006. Gîte moderne avec 2 salons et 2 foyers en pierre. Copieux déj. servis sur notre terrasse avec vue sur la piscine et une cour entièrement entourée de cèdres, pour une tranquillité et relaxation assurées. Suite pouvant accommoder jusqu'à 8 pers. Accès gratuit à l'Internet, et accès Internet sans fil pour portable. Certifié "Bienvenue cyclistes !"MD

Aux alentours: train à vapeur, Casino Lac-Leamy, parc de la Gatineau, Musée des civilisations, pistes de vélo. Ski Keskinada.

Chambres: climatisées, foyer, téléphone, TV, accès Internet, luxueuses, spacieuses, terrasse, suite. **Lits:** simple, double, queen, pour bébé. **4 ch. S. de bain privée(s).**

Forfaits: vélo, famille, romantique, théâtre, autres.

2 pers: B&B 110-120$ **1 pers:** B&B 105-110$.

Enfant (12 ans et –): B&B 10-20$. MC VS

Réduction: hors saison, long séjour.

Ouvert: à l'année.

Nicole Dubé
31, rue Lessard
Gatineau, Hull J8Y 1M6
Tél. (819) 777-1960
www.fannyetmaxime.com
nickdube@videotron.ca
Aut. 417, sortie Mann, King Edward, dir. Hull, aut. 5 N., sortie 3 Casino, au feu à g., rue Richer à dr., rue Lessard à g. Rte 148, sortie 135, aut. 5 N., sortie 3.

A AV ⚓ @ 🚲 **Certifié: 2003**

Lac-Simon, Chénéville
Domaine aux Crocollines ✦✦✦✦

Gîte du Passant
certifié

En bordure du lac, dans une région verdoyante et vallonnée, notre domaine vous accueille dans un lieu pittoresque offrant un panorama magnifique, avec terrain paysager et plage privée de sable fin. Après un déjeuner gourmand, profitez de nos équipements nautiques: pédalos, canot, kayak, chaloupe motorisée ou jeux: pétanque, badminton, fer, etc.

Aux alentours: parcs Oméga et provinciaux, randonnée, pêche, ski de fond, traîneau à chiens, théâtre, musées.

Chambres: climatisées, avec lavabo, bureau de travail, TV, meubles antiques, vue sur lac. **Lits:** queen, d'appoint. **2 ch. S. de bain partagée(s).**

Forfaits: divers.

2 pers: B&B 83$ **1 pers:** B&B 63$.

Enfant (12 ans et –): B&B 20$

Réduction: hors saison.

Ouvert: 7 jan - 1 déc.

Thérèse Croteau et Franz Collinge
642, chemin Marcelais
Lac-Simon, Chénéville J0V 1E0
Tél. / Fax (819) 428-9262
www.giteetaubergedupassant.com/crocollines
crocollines@infonet.ca
Rte 148 dir. Papineauville, rte 321 nord. À Chénéville, rte 315 sud, 1,3 km, ch. Tour-du-Lac à droite, 1,5 km, ch. Marcelais à gauche.

A AV ⚓ **Certifié: 2000**

Namur
Maison Favier B&B ✦✦✦✦

Gîte du Passant
certifié

Maison ancestrale d'architecture victorienne construite en 1900 par un bâtisseur français par amour pour sa future épouse Émilie. Un gîte chaleureux où l'art et l'histoire font rêver. Il est situé sur un domaine de 4 acres entouré de jardin, forêts et montagnes. C'est l'endroit idéal pour faire le vide, faire le point et faire le plein d'énergie.

Aux alentours: Parc Oméga, 3 lacs, 3 golfs, vignoble, chemin des artisans et artistes, équitation, raquette, ski, randonnée, vélo.

Chambres: balcon, peignoir, couettes en duvet, tranquillité assurée, romantiques, vue sur jardin. **Lits:** double. **2 ch. S. de bain partagée(s).**

Forfaits: charme, gastronomie.

2 pers: B&B 75-85$ **PAM** 70$ **1 pers:** B&B 65-75$ **PAM** 35$.

Enfant (12 ans et –): B&B 15-20$ **PAM** 15-25$. Taxes en sus. VS

Réduction: long séjour.

Ouvert: à l'année.

Jean Claude Labrie et Lucie Fournier
826, côte à Favier
Namur J0V 1N0
Tél. (819) 426-2774 1-866-992-2774
Fax (819) 426-2775
www.maisonfavier.com
maisonfavier@gmail.com
De Montréal, rte 148, à Montebello rte 323, à Namur rte 315.
D'Ottawa ou Gatineau, aut. 50, à Masson rte 148, à Montebello rte 323, à Namur rte 315. GPS: 45°53»N; 74°56»O.

A @ **Certifié: 2009**

Papineauville
Au Fil des Ans, gîte et déjeuner ※ ※ ※ ※

Gîte du Passant
certifié

Maison victorienne datant de 1853. Chaque chambre offre une salle de bain privée. À l'étage: 4 chambres avec lit queen. Au rez-de-chaussée: suite familiale pouvant accueillir 6 pers. Salon privé. Déjeuner servi dans une spacieuse verrière avec 4 tables pour plus d'intimité. Rangement pour vélos et ski. Stationnement: bateaux, roulotte. Gazebo.

Aux alentours: Parc Oméga, Manoir Papineau, Parc et Chutes de Plaisance, golf, pistes cyclables, sentiers pédestres, galeries d'art.
Chambres: baignoire sur pattes, accès Internet, cachet victorien, suite familiale. **Lits:** simple, double, queen, divan-lit. **5 ch. S. de bain privée(s).**
2 pers: B&B 95-120$ **1 pers:** B&B 95$.
Enfant (12 ans et −): B&B 10-20$. MC VS
Réduction: long séjour.
Ouvert: à l'année.

A AV @ ♿ Certifié: 2009

France Sabourin et Denis Rochon
228, rue Duquette
Papineauville J0V 1R0
Tél. (819) 427-5167 1-800-361-0271
www.aufildesans.com
gite.aufildesans@videotron.ca
Rte 148, rue Papineau, avant la station d'essence Ultramar, rue Joseph-Lucien-Malo nord, à gauche, 2ᵉ maison à gauche. Coin Duquette et Joseph-Lucien-Malo.

Ripon
Ferme fée et fougère ※ ※ ※

Gîte du Passant à la Ferme
certifié

Ferme d'élevage. Maison centenaire, au décor épuré et apaisant, nichée dans un paysage enchanteur. Accueil chaleureux, familial et authentique. Déjeuner copieux et en soirée succulent repas concocté à partir des produits de la ferme: canard, agneau, lapin, porc, boeuf, légumes et accompagné de pain frais maison. Ferme et repas certifiés bio par Québec Vrai. P. 283.

Aux alentours: Parc Oméga, chutes et parc de Plaisance, Route des herbes, Circuit des créateurs, lac Simon.
Chambres: cachet champêtre, spacieuses, lumineuses, bois franc, chambre familiale, vue splendide. **Lits:** double, queen. **2 ch. S. de bain partagée(s).**
2 pers: B&B 85$ PAM 135$ **1 pers:** B&B 80$ PAM 105$.
Enfant (12 ans et −): B&B 10$ PAM 23$. Taxes en sus. AM IT MC VS
Réduction: long séjour.
Ouvert: à l'année.

A ◆ ✕ Certifié: 2004

Anne Mareschal et Harry Wubbolts
377, route 321 Nord
Ripon J0V 1V0
Tél. (819) 428-1499
www.giteetaubergedupassant.com/feefougere
feefougere@infonet.ca
De Montréal: rte 148 O. dir. Papineauville, rte 321 N. D'Ottawa: Aut. 50 dir. Thurso, rte 148 E. dir. Papineauville, rte 321 N. (14 km au nord de St-André-Avellin).

Saint-André-Avellin
Charmes d'Antan ※ ※ ※ ※

Gîte du Passant
certifié

Laissez-vous séduire par nos déjeuners cinq services et nos produits du terroir et profitez d'un accueil personnalisé. Nous sommes organisés pour recevoir les petits et les grands. Notre maison de ferme, bâtie en 1852, est entourée de 106 acres de terre, de boisés, de vallons, de jardins et de la rivière Petite-Nation. Bienvenue chez nous!

Aux alentours: vélo, randonnée pédestre, canoë, kayak, golf, équitation, pêche, parc animalier, musées, théâtre, galerie d'art.
Chambres: climatisées, cachet ancestral, meubles antiques, peignoir, vue sur campagne. **Lits:** simple, double, queen, pour bébé. **3 ch. S. de bain partagée(s).**
Forfaits: vélo, spectacle, été, printemps, automne, autres.
2 pers: B&B 85$ **1 pers:** B&B 65$
Enfant (12 ans et −): B&B 20$
Ouvert: 1 mai - 1 nov.

A ◆ 🚲 Certifié: 2008

Francine Fournier et Danielle Fournier
60, route 321 Sud, C.P. 5036
Saint-André-Avellin J0V 1W0
Tél. (819) 983-4301
www.giteetaubergedupassant.com/charmesdantan
charmesdantan@videotron.ca
Rte 148, à Papineauville, 1ᵉʳ feu, rte 321 dir. Saint-André-Avellin, 7 km.

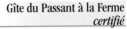

Ripon
Ferme fée et fougère

Gîte du Passant à la Ferme
certifié

Ferme d'élevage. Tout près, les lapins grignotent, là-bas les volailles picorent et les canards pataugent. Au loin, les moutons broutent, les vaches ruminent et les ânes paressent. À l'ombre, la truie allaite ses petits gloutons. Ainsi va la vie à la Ferme fée et fougère! P. 282.

Activités: visite libre, visite commentée français et anglais, observation nature et faune, randonnée pédestre, patinage, observation des activités de la ferme, ramasser des oeufs.

377, route 321 Nord, Ripon
Tél. (819) 428-1499
www.giteetaubergedupassant.com/feefougere
feefougere@infonet.ca

Services: aire de pique-nique, vente de produits.

Chelsea
Restaurant Les Fougères

Jennifer Warren Part et Charles Part
783, route 105
Chelsea, J9B 1P1
Tél. (819) 827-8942 (819) 827-2837
Fax (819) 827-2388
www.fougeres.com
info@fougeres.com

Aut. 5 nord, sortie 13, rue Scott à droite, route 105 à droite.

Table aux Saveurs du Terroir
certifiée

En toutes saisons, la vue offerte sur les jardins et le boisé environnant est de toute beauté. La salle à manger est aménagée dans une élégance champêtre où le bois de pin prédomine. La bonne odeur du feu de bois dans la cheminée vous accueille à l'hiver; à l'été, les dîneurs peuvent choisir une table à la véranda protégée par une moustiquaire.

Spécialités : Le Chef-propriétaire offre une cuisine raffinée qui reflète le passage des saisons tout en privilégiant les produits d'ici.
Repas offerts : brunch, midi, soir.
Menus : à la carte, table d'hôte, gastronomique.
Nbr personnes : 1-72. Min. de pers. exigé varie selon les saisons.
Réservation : recommandée, requise pour groupe.
Table d'hôte : 45$/pers. Taxes en sus. AM ER IT MC VS
Ouvert : à l'année. Tous les jours. Horaire variable.

A Certifié: 2008

Chelsea
Restaurant l'Orée du Bois

15, ch. Kingsmere, BP.1810
Chelsea, J9B 1A1
Tél. (819) 827-0332
Fax (819) 827-1255
www.oreeduboisrestaurant.com
admin@oreeduboisrestaurant.com

Aut. 5 Nord, à Gatineau sortie 12 à gauche. Traverser Chelsea, chemin Kingsmere à gauche. Le restaurant est à 500 mètres à gauche.

Table aux Saveurs du Terroir
certifiée

Savamment aménagé dans une vieille maison de ferme et ses dépendances, nichées en bordure d'un bois discret, à la porte du parc de la Gatineau, l'Orée du Bois vous invite à découvrir sa cuisine française et régionale pleine de saveurs, dans un décor rustique et une ambiance chaleureuse.

Spécialités : cerf rouge, pot au feu de la mer, canard de Barbarie aux champignons sauvages, lapin braisé aux bleuets, médaillons de porc au cidre.
Repas offerts : soir.
Menus : à la carte, table d'hôte, gastronomique.
Nbr personnes : 1-150.
Réservation : recommandée, requise pour groupe.
Table d'hôte : 38$/pers. Taxes en sus. AM IT MC VS
Ouvert : à l'année. Horaire variable.

A ♿ Certifié: 2008

Gatineau
Restaurant Le Tartuffe

133, rue Notre-Dame-de-l'Île
Gatineau, J8X 3T2
Tél. (819) 776-6424
Fax (819) 776-5980
www.letartuffe.com
restaurant@letartuffe.com

Aut. 50 ouest dir. Ottawa, sortie boul. Maisonneuve à droite dir. Ottawa - pont du Portage, rue Papineau à gauche.

Table aux Saveurs du Terroir
certifiée

La table du Tartuffe suit fidèlement l'inspiration de son chef propriétaire, et est un heureux mariage de ses origines françaises ainsi que celles de la région de l'Outaouais tout en gardant le respect des saveurs et des produits. L'esprit de l'établissement est de faire plaisir à sa clientèle pour qu'elle garde un souvenir inoubliable.

Spécialités : fine cuisine du terroir d'ici et d'ailleurs. Veau de Charlevoix, le cerf rouge, l'agneau, le canard. (Terrasse en été, 1-40 pers.)
Repas offerts : midi, soir.
Menus : à la carte, table d'hôte, gastronomique.
Nbr personnes : 1-50.
Réservation : recommandée.
Table d'hôte : 17-44$/pers. Taxes en sus. AM ER IT MC VS
Ouvert : 2 jan - 23 déc. Lun au sam. Horaire variable.

A ♿ Certifié: 2008

Saint-Sixte
Ferme Cavalier

Table Champêtre
certifiée

Gertie et Marc Cavalier
39, montée Saint-André
Saint-Sixte, J0X 3B0
Tél. (819) 985-2490
www.tablesetrelaisduterroir.com/cavalier
marccavalier@msn.com

Aut. 50 jusqu'à Masson, rte 148 jusqu'à Thurso. Rte 317 nord, 18 km jusqu'à la montée Paquette, montée St-André à gauche, ferme à 800 m.

Ferme d'élevage. Dans notre belle vallée, au bord de la rivière St-Sixte, agneaux et volailles de notre ferme vous permettent de déguster des mets issus de la richesse et de l'exotisme de la cuisine marocaine. Vous êtes reçus chez nous avec la même chaleur et la même attention que nos amis.

Spécialités : cuisine marocaine traditionnelle: soupe «Harira», «Pastilla» à la pintade, tajines d'agneau.
Repas offerts : brunch, midi, soir. Apportez votre vin.
Menus : gastronomique.
Nbr personnes: 15-23.
Réservation: requise.
Repas: 30-45$/pers. Taxes en sus.
Ouvert: 1 mai - 30 nov. Tous les jours.

A ● Certifié: 1988

Gatineau
Alpaga Illimité

Diane Feinberg et Francine Fournier
**1066, chemin du 6ᵉ Rang
Gatineau, J8R 3A6**
Tél. / Fax (819) 669-5775
www.alpagaillimite.ca
info@alpagaillimite.ca

Aut. 50, boul. Lorrain vers le nord, chemin Dufresne à droite, montée Dalton à gauche, chemin du 6ᵉ Rang à droite.

Relais du Terroir & Ferme Découverte
certifiés

Ferme d'élevage. Élevage d'alpagas champions dans la région de la capitale nationale du Canada. Visites guidées, ateliers de formation. Nous offrons une variété de produits : tuque, mitaine, bandeau, bas, foulard, etc. La toison de nos alpagas est traitée à la main, de la tonte au produit fini. La fibre d'alpaga est non allergène.

Produits: alpagas, fibre, produits dérivés. Services: pension d'alpagas, accouplements.
Activités sur place: rencontre avec le producteur pour se familiariser avec les productions, les produits et/ou les procédés de transformation.
Visite: adulte: 7$, enfant gratuit, tarif de groupe. Taxes en sus. AM IT MC VS
Nbr personnes: 1-60.
Réservation: requise.
Ouvert: à l'année. Horaire variable.
Services: aire de pique-nique, vente de produits, dépliant explicatif ou panneaux français et anglais, stationnement pour autobus.

A 🐎 ♿ Certifié: 2009

Québec (région)

Mille et un plaisirs!

Riche en histoire, en culture, en attraits et en gastronomie et située tout près d'une nature surprenante, la région de Québec attisera votre curiosité!

Surplombant le fleuve, la ville de Québec offre un panorama incomparable où le présent côtoie le passé. Le Vieux-Québec, classé « joyau du patrimoine mondial » par l'UNESCO, est vraiment une perle. Et on ne peut la savourer pleinement qu'en arpentant à pied ses jolis quartiers et ses rues étroites bordées de maisons anciennes.

Étendez votre itinéraire vers les secteurs de la Côte-de-Beaupré, de la Jacques-Cartier et de Portneuf. En parcourant la Route de la Nouvelle France et le Chemin du Roy vous traverserez l'époque des premières seigneuries. Vous pourrez pratiquer vos activités préférées autant dans les quartiers urbains que dans les nombreux espaces verts de la région. Au cours de votre visite de l'île d'Orléans, vous ferez un agréable tour d'horizon gourmand et patrimonial.

Ajoutez à tous ces plaisirs de sympathiques bistros, des restaurants de haute gastronomie, des bars animés, des galeries d'art, des artisans, des festivals renommés (Festival d'été de Québec, Fêtes de la Nouvelle-France, Carnaval de Québec); bref, autant de raisons d'y retourner à chaque saison!

Patrick Escudero

Saveurs régionales

La région a développé une fine gastronomie. D'ailleurs, à l'époque de la colonisation, la Haute-Ville (Vieux-Québec) était déjà reconnue pour son «bien mangé». Pas étonnant qu'on y retrouve un riche terroir.

Sur l'île d'Orléans, les pommes de terre et les pois sont fort réputés, sans oublier les succulentes fraises, la délicieuse liqueur de cassis, les fromageries, les pains artisanaux et les vignobles. Dans Portneuf, on retrouve le wapiti, l'émeu, le dindon élevé au grand air, les fromages de chèvre et bien plus encore. Le maïs est le délice estival des Québécois et celui de Neuville est le plus prisé du Québec. À L'Ange-Gardien, c'est la prune qui vole la vedette. Enfin, on retrouve partout des produits locaux vendus dans les kiosques sur le bord des routes.

Vignoble Isle-de-Bacchus, île-d'Orléans

Produits du terroir à découvrir et déguster

- Ferme Au goût d'Autrefois, Relais du Terroir ^{MD} & Ferme Découverte certifiés, L'Île d'Orléans, Sainte-Famille. P. 318

- Vignoble Isle de Bacchus, Relais du Terroir ^{MD} certifé, L'Île-d'Orléans, Saint-Pierre. P. 318

- Ferme Les Canardises, Relais du Terroir ^{MD} & Ferme Découverte certifiés, Saint-Ferréol-les-Neiges. P. 318

- La Bergerie des Caps, Relais du Terroir ^{MD} & Ferme Découverte certifiés, Saint-Tite-des-Caps. P. 319

Patrick Escudero

La région compte sept (7) Tables aux Saveurs du Terroir^{MD} et une (1) Table Champêtre^{MD} certifiées. Une façon originale de découvrir toutes ces saveurs. P. 313

Québec (région)

Le saviez-vous?

Tous près du Vieux-Québec, en longeant le fleuve par la route 138, surgit l'un des plus impressionnants sites naturels de la région, la chute Montmorency. Vous en serez ébahi, et pour cause : avec ses 83 m de hauteur, elle dépasse de 30 m les chutes Niagara! Un téléphérique, des escaliers situés à flanc de montagne et un pont suspendu vous permettront de mieux la contempler. Par jours ensoleillés, le reflet de la lumière sur les gouttelettes d'eau de la chute offre un beau spectacle d'arcs-en-ciel. En hiver, la vapeur d'eau cristallisée sous l'effet du froid forme le «pain de sucre», un cône de glace qui peut atteindre 30 m.

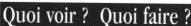

Clin d'oeil sur l'histoire

Après la découverte de l'Amérique du Nord par Cartier en 1534, il faudra attendre Champlain en 1608 pour la réalisation du rêve de ce grand explorateur : la fondation de Québec et de la Nouvelle-France. En 1690, le Québec est prospère et les Anglais, envieux de son commerce de la fourrure, décident de l'assiéger. Le gouverneur général Frontenac rétorque alors par la bouche de ses canons et par ses coups de fusil, sauvant Québec pour le moment. Si la France dû laisser son premier empire colonial en 1763, ce Frontenac a tout de même contribué à retarder la conquête britannique et permis au peuple français de poursuivre son enracinement. Le majestueux Château Frontenac lui est dédié. En 2008, Québec fêtera son 400e anniversaire. Participez à la fête !

Quoi voir ? Quoi faire ?

La Haute-Ville : le Château Frontenac, la Terrasse Dufferin et la rue du Trésor.

La colline Parlementaire, le Musée national des beaux-arts du Québec et les plaines d'Abraham.

Basse-Ville : le quartier Petit-Champlain, la Place Royale, le Vieux-Port et le Musée de la civilisation.

Le jardin historique du Domaine Cataraqui (Sillery) et le Parc Aquarium du Québec (Sainte-Foy).

Prenez le traversier vers Lévis et sa région, pour un panorama magnifique sur les vieux quartiers de la ville de Québec.

Le Parc de la Chute-Montmorency (Beauport).

Le Sanctuaire de Sainte-Anne-de-Beaupré.

Le tour de l'île d'Orléans en vélo ou voiture.

La Réserve nationale de Faune du Cap-Tourmente: 300 espèces d'oiseaux, dont l'oie des neiges.

Le fabuleux Hôtel de Glace (Sainte-Catherine-de-la-Jacques-Cartier).

La Route de la Nouvelle-France et le Chemin du Roy, deux circuits patrimoniaux à découvrir.

À Wendake, profitez-en pour vous restaurer selon la tradition huronne.

Faites le plein de nature

Le parc du Mont-Sainte-Anne.

L'époustouflant Canyon Sainte-Anne et ses ponts suspendus (Beaupré).

Les Sept-Chutes, saisissantes (Saint-Ferréol-les-Neiges).

Le Sentier des Caps, une vaste forêt avec des panoramas inédits sur le fleuve.

Le sentier Mestachibo de 11km (tronçon du Sentier National), insolite!

Le Parc national de la Jacques-Cartier: un plateau montagneux et des vallées aux versants abrupts.

La Réserve faunique de Portneuf: un relief entrecoupé de lacs de rivières et de chutes.

Les Marais du Nord, pour les ornithologues et les randonneurs (direction Lac-Delage).

La Forêt Montmorency (Réserve faunique des Laurentides).

La Station touristique Stoneham pour le ski alpin.

Le Parc de la Falaise et de la chute Kabir Kouba (Loretteville).

Envie de vélo? Le Corridor des Cheminots (22 km), la Piste Jacques-Cartier / Portneuf (68 km) et le Corridor du littoral (50 km).

Pour plus d'information sur la région de Québec : (418) 641-6290 ou 1-877-783-1608 www.quebecregion.com

Québec (région)

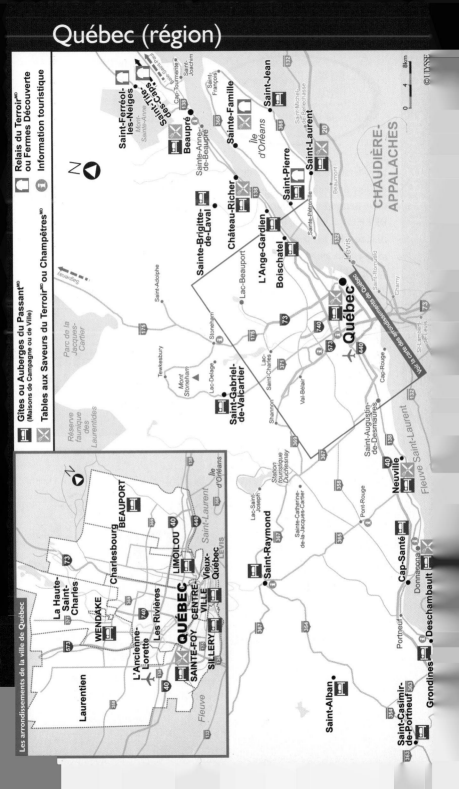

PRIX de
L'EXCELLENCE
2008
Fédération des Agricotours du Québec
Coup de Cœur du Public régional

L'Île-d'Orléans, Saint-Jean
Au Giron de l'Isle

Lucie et Gérard Lambert
120, chemin des Lièges
Saint-Jean-de-l'Île-d'Orléans
G0A 3W0
(418) 829-0985
1-888-280-6636
Fax : (418) 829-1059
www.bbgiron.com
info@bbgiron.com

La Fédération des Agricotours du Québec* est fière de rendre hommage aux hôtes Lucie et Gérard Lambert, du gîte AU GIRON DE L'ISLE , qui se sont illustrés de façon remarquable par leur accueil de tous les jours envers leur clientèle. C'est dans le cadre des Prix de l'Excellence 2008 que les propriétaires de cet établissement, certifié Gîte du Passant^MD depuis 1997, se sont vu décerner le « Coup de Cœur du Public régional » de la région de Québec dans le volet Gîte du Passant^MD. P. 297.

Félicitations !

La Fédération des Agricotours du Québec est propriétaire des marques de certification : Gîte du Passant^MD, Auberge du Passant^MD, Maison de Campagne ou de Ville, Table aux Saveurs du Terroir^MD, Table Champêtre^MD, Relais du Terroir^MD et Ferme Découverte.

Prix de l'Excellence

Merci au nom des lauréats!

Chaque année, les fiches d'appréciation permettent de décerner le Prix de l'Excellence, dans la catégorie « Coup de Cœur du Public », aux établissements qui se sont démarqués de façon remarquable par leur accueil. En remplissant une fiche d'appréciation, vous contribuez non seulement à maintenir la qualité constante des services offerts, mais également à rendre hommage à tous ces hôtes.

COUREZ LA CHANCE DE GAGNER UN SÉJOUR!

Chacune des fiches d'appréciation , vous donne la chance de gagner un séjour de 2 nuits pour 2 personnes dans un « Gîte ou une Auberge du Passant^MD » de votre choix. La fiche d'appréciation est disponible dans tous les établissements certifiés et sur Internet :

www.gitesetaubergesdupassant.com
www.tablesetrelaisduterroir.com

Section publicitaire

Beaupré
Gîte des Trois Beaux Érables ❀ ❀ ❀ ❀

Gîte du Passant
certifié

Construit en 1927, le Gîte des Trois Beaux Érables a su conserver son cachet historique. Ses grands espaces et son environnement campagnard truffé d'érable vous enchanteront. Ses deux chambres spacieuses avec salles de bain privées et modernisées vous assureront une pleine intimité. Vous bénéficierez d'une vue imprenable sur le Mont-Ste-Anne.

Aux alentours: ski alpin, ski de fond, oie blanche du cap Tourmente, golf, kayak, basilique Ste-Anne, Sept-Chutes, «Grand Canyon».

Chambres: accès Internet, ensoleillées, raffinées, tranquillité assurée, spacieuses, vue sur mont. **Lits:** queen. **2 ch. S. de bain privée(s).**

Forfaits: vélo, ski alpin.

2 pers: B&B 105$ **1 pers:** B&B 95$. AM MC VS

Ouvert: à l'année.

A ⛵ @ **Certifié: 2008**

Claude Gélinas
8, rue des Érables
Beaupré G0A 1E0
Tél. (418) 827-2061
Fax (418) 948-9059
www.gitedestroiserables.qc.ca
claude.chantale@gitedestroiserables.qc.ca
Rte 138 est dir. Ste-Anne-de-Beaupré, rue Prévost à droite, av. Royale à gauche, après le pont, rue des Érables à gauche. De Baie-St-Paul, rue Prévost à gauche...

Boischatel
Au Gîte de la Chute ❀ ❀ ❀

Gîte du Passant
certifié

Grande maison canadienne située dans un endroit paisible vous apportant fraîcheur et repos à proximité du fleuve St-Laurent et à 300 m du Parc de la Chute-Montmorency. Petit-déjeuner copieux et mettant à l'honneur les produits saisonniers. Menus sans gluten sur demande. Service Internet et stationnement gratuits. Remise pour les skis et vélos.

Aux alentours: chute Montmorency, route de la Nouvelle-France, théâtre d'été, golfs et plusieurs restaurants.

Chambres: ensoleillées, confort moderne, peignoir, ventilateur, lucarnes, lumineuses, vue sur jardin. **Lits:** simple, double, d'appoint. **5 ch. S. de bain partagée(s).**

Forfaits: croisière, spectacle, théâtre, hiver.

2 pers: B&B 85-90$ **1 pers:** B&B 55-60$.

Enfant (12 ans et −): B&B 15$. Taxes en sus. AM MC VS

Réduction: hors saison, long séjour.

Ouvert: à l'année.

A AV @ **Certifié: 1995**

Claire et Jean-Guy Bédard
5143, avenue Royale
Boischatel G0A 1H0
Tél. / Fax (418) 822-3789
www.quebecweb.com/gitedelachute
5143@augitedelachute.net
Aut. 20 E. ou 40 E. dir. Ste-Anne-de-Beaupré. À 1,6 km, après la chute Montmorency 1er feu, Boischatel à gauche, monter la Côte de l'Église, rue av. Royale à gauche, 0,6 km.

Boischatel
Le Royal Champêtre ❀ ❀ ❀ ❀

Gîte du Passant
certifié

Dans une maison récente au charme d'autrefois, bénéficiant d'une vue panoramique incroyable sur le St Laurent et l'île d'Orléans. Assis au coin de l'authentique poêle à bois de 1910, venez déguster les copieux déjeuners de votre hôte et profiter des beautés de notre région à seulement 10 min de Québec et 2 km de la chute Montmorency. P. 291.

Aux alentours: chute Montmorency, Vieux-Québec, île d'Orléans, Centre des congrès, canyon Ste-Anne, musées, Feux Loto-Québec.

Chambres: climatisées, cachet particulier, suite familiale, vue sur fleuve, vue splendide. **Lits:** simple, double, queen. **5 ch. S. de bain privée(s).**

Forfaits: golf, motoneige, détente & santé.

2 pers: B&B 90-125$ **1 pers:** B&B 85-95$. Taxes en sus. VS

Réduction: long séjour.

Ouvert: à l'année.

A AV @ **Certifié: 2003**

Corinne Gardy
5494, avenue Royale
Boischatel G0A 1H0
Tél. / Fax (418) 822-3500 Tél. 1-866-762-1800
www.leroyalchampetre.com
info@leroyalchampetre.com
Aut. 40 est, sortie Boischatel, en haut de la côte av. Royale à droite. Le gîte est à 500 m sur la droite.

Cap-Santé
B&B Panorama du Fleuve ❄ ❄ ❄

Découvrez notre gîte situé dans un endroit tranquille au bord du fleuve. Profitez de notre terrasse de 43 pieds où vous pourrez observer les bateaux et oiseaux. À la salle à manger avec vue sur le fleuve, venez déguster nos succulents et généreux déjeuners. Reposez-vous dans nos 3 ch. de qualité et très confortables dans notre chaleureuse maison. Certifié "Bienvenue cyclistes !"^{MD} → "Bienvenue cyclistes !"[MD]

Aux alentours: golf, piste cyclable, ski de fond, motoneige, pêche, chasse, théâtre.
Chambres: personnalisées, ventilateur, bois franc, terrasse, vue sur fleuve, vue splendide. Lits: simple, double, queen, divan-lit. **3 ch. S. de bain privée(s) ou partagée(s).**
Forfaits: golf, romantique, théâtre, autres.
2 pers: B&B 75-85$ **1 pers: B&B** 65-80$
Réduction: long séjour.
Ouvert: à l'année.

**Pearl Blanchette et Jackie Robidoux
211, route 138 (chemin du Roy)
Cap-Santé G0A 1L0
Tél. (418) 285-5166**
www.panoramadufleuvebb.com
panoramab-b@globetrotter.net
Aut. 40, sortie 269, rte 138 (chemin du Roy) à gauche.

A @ 🚲 **Certifié: 2007**

Château-Richer
Auberge Baker ★ ★ ★

En 1935, Alvin Baker convertit en auberge de campagne la maison construite en 1840 par Ferdinand Lefrançois. Restaurée, avec un grand souci d'authenticité, ses 5 ch., avec salle de bain privée et leur mobilier contribuent à créer l'atmosphère chaleureuse. Une maison ancestrale (1776), un studio ainsi qu'un pavillon complètent l'ensemble hôtelier. **Certifié Table aux Saveurs du Terroir^{MD} → Terroir[MD]. P. 313.**

Aux alentours: la région, la proximité du Mont-Ste-Anne et du Vieux-Québec rendront votre séjour inoubliable.
Chambres: climatisées, TV, accès Internet, confort moderne, sous les combles, lucarnes, mur en pierres. Lits: simple, double, queen, king, divan-lit, d'appoint, pour bébé. **7 ch. S. de bain privée(s).**
Forfaits: croisière, gastronomie, golf, détente & santé, ski alpin, autres.
2 pers: B&B 75-135$ **PAM** 153-213$ **1 pers: B&B** 68-128$ **PAM** 107-165$.
Enfant (12 ans et –): B&B 5-10$ **PAM** 25-35$. Taxes en sus. AM ER IT MC VS
Réduction: hors saison, long séjour.
Ouvert: à l'année.

**Gaston Cloutier
8790, avenue Royale
Château-Richer G0A 1N0
Tél. (418) 824-4478 1-866-824-4478
Fax (418) 824-4412**
www.auberge-baker.qc.ca
gcloutier@auberge-baker.qc.ca
Rte 138 E. dir. Ste-Anne-de-Beaupré. 18,5 km à l'est de la chute Montmorency. Au 3e feu après l'église de Château-Richer, rue Huot à gauche. Au bout, à droite avenue Royale.

A ✕ **AV** @ **Certifié: 1990**

Château-Richer
Gîte un Air d'Été ❄ ❄ ❄

Venez vivre tous les plaisirs de l'été. Situé entre Québec et Charlevoix, venez profiter de notre magnifique terrain, un lac aux abords du fleuve, piscine chauffée, spa extérieur, BBQ et un pédalo. Les déjeuners complets, confitures maison, servis dans notre pavillon vue sur le fleuve et l'Île d'Orléans. Détente garantie.

Aux alentours: chutes «Grand Canyon», Ste-Anne-de-Beaupré, Mont-Ste-Anne, Massif, croisières baleines & musées.
Chambres: climatisées, baignoire à remous, jacuzzi, TV, peignoir, entrée privée. **Lits:** queen. **3 ch. S. de bain privée(s) ou partagée(s).**
Forfaits: charme, famille, détente & santé, ski alpin, autres.
2 pers: B&B 85-105$ **1 pers: B&B** 65-85$.
Enfant (12 ans et –): B&B 15$. Taxes en sus. AM IT MC VS
Réduction: hors saison.
Ouvert: à l'année.

**Lynda Boucher et Claude Gingras
8988, boul. Sainte-Anne
Château-Richer G0A 1N0
Tél. (418) 824-9210 1-888-922-8770
Fax (418) 824-5645**
www.unairdete.com
gite.unairdete@videotron.ca
De Québec, rte 138 est ou boul. Ste-Anne. À droite tout près du fleuve. Au musée de l'Abeille ralentir, nous sommes la maison dans la cour arrière du Motel Roland.

A 🚲 **AV** ⛷ @ **Certifié: 2001**

Deschambault
La Maison Deschambault ★ ★ ★

Auberge du Passant
certifiée

Érigée en 1790, entre le fleuve et les champs, entourée d'arbres centenaires, la Maison Deschambault, majestueuse, vous accueille dans une atmosphère et un décor des plus chaleureux. Coin-apéro, 2 salles à manger, jardin bordé de roses. Les aubergistes vous proposent, à travers des aliments délicieusement apprêtés, leur fine cuisine régionale. Certifié "Bienvenue cyclistes !"^MD **Certifié Table aux Saveurs du Terroir^MD. P. 313.**

Hélène Grünert et Claude Fiset
128, chemin du Roy
Deschambault G0A 1S0
Tél. (418) 286-3386
Fax (418) 286-4064
www.quebecweb.com/deschambault
auberge@globetrotter.qc.ca
À mi-chemin entre Trois-Rivières et Québec. Aut. 40, sortie 257, rte 138, chemin du Roy, 2,5 km.

Aux alentours: village patrimonial de Deschambault, piste cyclable, 4 golfs, antiquaires, fleuve.
Chambres: bureau de travail, TV, accès Internet, cachet champêtre, romantiques, vue sur jardin. **Lits:** king. **5 ch. S. de bain privée(s).**
Forfaits: vélo, golf, romantique.
2 pers: B&B 139-159$ **PAM** 199-219$ **1 pers:** B&B 125-135$ **PAM** 155-165$.
Taxes en sus. AM ER IT MC VS
Réduction: long séjour.
Ouvert: à l'année. **Fermé:** 22 déc - 1 fév.

A ✗ @ 🚲 **Certifié: 2005**

Deschambault, Grondines
La Maison du Moulin ❀ ❀ ❀

Gîte du Passant
certifié

Nous serons heureux de vous accueillir dans notre maison centenaire calme et paisible, pour une nuitée ou deux. Nous avons été inspirés par les oiseaux qui vivent autour de La Maison du Moulin, pour décorer avec simplicité et goût nos chambres. Les saveurs régionales qui nous sont offertes nous permettent de vous servir des produits de qualité. Certifié "Bienvenue cyclistes !"^MD

Claudine Girard et Régent Gaumond
760, ch. du Faubourg
Grondines G0A 1W0
Tél. / Fax (418) 268-4089 Tél. (418) 284-4517
www.lamaisondumoulin.com
girardclaudine@globetrotter.net
Aut. 40, à Grondines, sortie 250, rte 138 ouest, 4 km, rue du Vieux-Moulin à droite, rue chemin du Faubourg (Principale) à gauche.

Aux alentours: la route des musées, les huiles essentielles, fromagerie locale, boulangerie artisanale et plus...
Chambres: avec lavabo, TV, cachet champêtre, ventilateur, lumineuses, vue sur rivière, vue splendide. **Lits:** double, queen, d'appoint. **3 ch. S. de bain partagée(s).**
Forfaits: charme, hiver, traîneaux à chiens.
2 pers: B&B 65-70$ **PAM** 105-130$ **1 pers:** B&B 55-60$ **PAM** 75-90$.
Enfant (12 ans et −): B&B 15$ **PAM** 30-40$
Réduction: long séjour.
Ouvert: à l'année.

A ◉ @ 🚲 **Certifié: 2008**

La Jacques-Cartier, Sainte-Brigitte-de-Laval
Gîte Aventures Nord Expe ❀ ❀ ❀

Gîte du Passant
certifié

Notre hébergement est construit en bois massif et décoré dans un style campagnard et traditionnel. En pleine nature, entre rivière et forêt, nous vous proposons détente et loisir de plein air 4 saisons dans un cadre enchanteur à seulement 30 minutes de Québec.

Chrystel Martin et Pierre Challier
996, avenue Sainte-Brigitte-de-Laval
Sainte-Brigitte-de-Laval G0A 3K0
Tél. (418) 825-1772
Fax (418) 825-1699
www.nordexpe.com
info@nordexpe.com
Aut. 40 est dir. Ste-Anne-de-Beaupré, sortie 321 Ste-Brigitte-de-Laval. Suivre boul. Raymond, ensuite avenue Ste-Brigitte jusqu'au 996. 7 km après le village.

Aux alentours: motoneige, kayak, vélo, pêche, randonnée pédestre, spa, luge d'eau, équitation, golf.
Chambres: CD, ensoleillées, cachet particulier, murs en bois rond, tranquillité assurée, spacieuses, originales, vue panoramique. **Lits:** simple, queen, king. **2 ch. S. de bain privée(s).**
Forfaits: vélo, motoneige, plein air, ski de fond, été, printemps, automne, hiver.
2 pers: B&B 90-105$ **PAM** 108-123$ **1 pers:** B&B 80-95$ **PAM** 98-113$.
Enfant (12 ans et −): B&B 15$ **PAM** 33$. Taxes en sus. IT MC VS
Réduction: long séjour.
Ouvert: à l'année.

A ✗ AV @ **Certifié: 2008**

L'Ange-Gardien
Au Domaine de la Sauvagine ✳ ✳ ✳ ✳

Gîte du Passant
certifié

Rémy Beyaert et Michèle Blondeel
6416, boul. Ste-Anne
L'Ange-Gardien G0A 2K0
Tél. (418) 822-4999
www.domainelasauvagine.com
domainelasauvagine@videotron.ca

De Québec dir. Ste-Anne-de-Beaupré, route 138. Après le pont de l'Île-d'Orléans et la chute Montmorency, poursuivre durant 5 minutes le long du fleuve Saint-Laurent.

Vous rejoindrez le centre du Vieux-Québec en quelques minutes. Maison de charme au bord du fleuve St-Laurent. Venez découvrir un gîte à l'ambiance familiale et une chaleureuse maison en pierre de style canadien où il fait bon vivre. Délicieux petit-déjeuner fait maison. Vos hôtes, Michèle et Rémy, se feront un plaisir de vous accueillir.

Aux alentours: Vieux-Québec, chute Montmorency, île d'Orléans, musées, Centre des congrès, Mont-Sainte-Anne, cap Tourmente.
Chambres: foyer, TV, mur en pierres, terrasse, entrée privée, vue sur fleuve, vue sur campagne. Lits: simple, queen, divan-lit. **4 ch. S. de bain privée(s).**
Forfaits: charme, vélo, croisière, motoneige, détente & santé, ski alpin, ski de fond.
2 pers: B&B 75-125$ **PAM** 125-175$ **1 pers: B&B** 65-115$ **PAM** 90-140$. VS
Réduction: hors saison, long séjour.
Ouvert: à l'année.

✗ AV Certifié: 2005

L'Île-d'Orléans, Saint-Jean
Au Giron de l'Isle ✳ ✳ ✳ ✳ ✳

Gîte du Passant
certifié

Lucie et Gérard Lambert
120, chemin des Lièges
Saint-Jean-de-l'Île-d'Orléans G0A 3W0
Tél. (418) 829-0985 1-888-280-6636
Fax (418) 829-1059
www.bbgiron.com
info@bbgiron.com

Aut.40 ou 440 est dir. Ste-Anne-de-Beaupré, sortie 325 Île-d'Orléans. Au feu de circulation, tout droit vers St-Jean.2,4 km après l'église de St-Jean, ch. des Lièges à droite.

Coup de Cœur du Public régional 2003 et 2008. Prix Excellence Réalisation et Coup de Cœur régional 2003. Lauréat Grands Prix du tourisme région de Québec 2003, 2006 et 2007. Lauréat national Or 2003 et Argent 2001 aux Grands Prix du tourisme québécois. Appréciez le calme de la campagne à 25 min du Vieux-Québec. Situé à 400 m de la route, près du fleuve, magnifique vue et accès au fleuve. P. 290.

Aux alentours: Manoir Mauvide-Genest, Espace Félix-Leclerc, Maison de nos Aïeux (généalogie), marche sur la grève. Golf.
Chambres: climatisées, jacuzzi, foyer, TV, accès Internet, balcon, insonorisées, suite, vue sur fleuve. Lits: simple, queen, king. **3 ch. S. de bain privée(s).**
Forfaits: charme, vélo, croisière, gastronomie, golf, détente & santé, romantique.
2 pers: B&B 110-145$ **1 pers: B&B** 100-135$.
Enfant (12 ans et −): B&B 50$. Taxes en sus. AM IT MC VS
Ouvert: 15 mai - 3 nov.

A AV @ ♻ Certifié: 1997

L'Île-d'Orléans, Saint-Jean
Dans les Bras de Morphée ✳ ✳ ✳ ✳ ✳

Gîte du Passant
certifié

Marc Cadieux
225, chemin Royal
Saint-Jean-de-l'Île-d'Orléans G0A 3W0
Tél. / Fax (418) 829-3792 Tél. 1-866-220-4061
www.danslesbrasdemorphee.com
danslesbrasdemorphee@sympatico.ca

Aut. 40, 440 est dir. Ste-Anne-de-Beaupré, sortie 325. Au feu dir. St-Laurent-St-Jean, 16 km. Après petit pont, 0,4 km, attrait touristique 132, gîte à g., en haut de la côte.

Grand Prix du tourisme 2008. Maison de pierres au charme d'antan, surplombant le majestueux fleuve St-Laurent. Ici pas de circulation, pas de klaxons, juste le chant des oiseaux, le son du ruisseau et la beauté tranquille du fleuve. Vient s'ajouter à cet endroit de rêve, un spa nature aménagé au jardin afin de profiter de tous les instants.

Aux alentours: Vieux-Québec, chute Montmorency, Mont-Ste-Anne, restos, boutiques, vélo, golf, croisières, traîneau à chiens, musées.
Chambres: jacuzzi, foyer, accès Internet, romantiques, lucarnes, mur en pierres, poutres, vue sur fleuve. Lits: double, queen, divan-lit, d'appoint, pour bébé. **4 ch. S. de bain privée(s).**
Forfaits: charme, vélo, croisière, gastronomie, golf, plein air, détente & santé, romantique.
2 pers: B&B 100-160$.
Enfant (12 ans et −): B&B 50$. Taxes en sus. VS
Réduction: hors saison, long séjour.
Ouvert: à l'année.

A ● ⛩ AV ⛵ @ ♻ Certifié: 2008

L'Île-d'Orléans, Saint-Jean
La Maison sur la Côte ❀ ❀ ❀ ❀

Gîte du Passant
certifié

Nous vous accueillons dans notre maison bicentenaire nichée sur le cap et sur les terres ancestrales des «Audet dits Lapointe». Malgré son jeune âge, son intérieur saura vous charmer et quelques antiquités piqueront votre curiosité. La vue sur le fleuve, les jeux des oiseaux et nos jardins fleuris vous inviteront à la détente et à la rêverie.

Aux alentours: Manoir Mauvide-Genest, Forge à Pique-Assaut, boutiques, cidreries, piste cyclable partagée, etc.
Chambres: avec lavabo, cachet d'autrefois, ventilateur, vue sur fleuve, vue sur montagne. **Lits:** simple, double. **5 ch. S. de bain privée(s) ou partagée(s).**
2 pers: B&B 80-105$ **1 pers:** B&B 80-105$.
Enfant (12 ans et —): B&B 40-50$. Taxes en sus.
Ouvert: 1 mai - 15 oct.

A AV @ ♿ **Certifié:** 1989

Hélène et Pierre Morissette
1477, chemin Royal
Saint-Jean-de-l'Île-d'Orléans G0A 3W0
Tél. (418) 829-2971
http://pages.videotron.com/orleans
p.morissette@videotron.ca
Aut. 40 ou 440 est, sortie Île-d'Orléans. Au feu, tout droit, 17,7 km. Après le Manoir Mauvide-Genest, 1re côte à gauche, en haut, maison blanche et verte à droite.

L'Île-d'Orléans, Saint-Jean
La Maison Victoria ❀ ❀ ❀ ❀

Gîte du Passant
certifié

Coup de Cœur du Public régional 2007. Belle maison d'époque meublée avec élégance et souvenirs d'antan. Située dans un environnement champêtre avec une vue panoramique sur la voie maritime. Accès au fleuve.

Aux alentours: musée, restaurants, artisanats, golf, vélo, croisière, randonnée pédestre.
Chambres: ensoleillées, cachet d'antan, meubles antiques, ventilateur, bois franc, vue sur fleuve. **Lits:** queen. **3 ch. S. de bain privée(s).**
2 pers: B&B 95-125$ **1 pers:** B&B 95-125$. VS
Ouvert: 15 mai - 15 oct.

A ♿ **Certifié:** 2006

Francine et Renald Fiset
3444, chemin Royal
Saint-Jean-de-l'Île-d'Orléans G0A 3W0
Tél. / Fax (418) 829-3617
www.giteetaubergedupassant.com/maisonvictoria
m.victoria@sympatico.ca
Aut. 40 ou 440 dir. Ste-Anne-de-Beaupré, sortie 325 Île-d'Orléans. Au feu tout droit dir. St-Jean. Après l'église de St-Jean, 4,4 km, côté fleuve.

L'Île-d'Orléans, Saint-Laurent
Auberge Le Canard Huppé ★ ★ ★ ★

Auberge du Passant
certifiée

L'auberge, nous l'avons imprégnée de notre joie de vivre, de nos rires et de notre passion. C'est ainsi qu'elle est devenue notre maison, c'est notre chez nous. Mais lorsque vous descendez à l'auberge, que ce soit pour un repas, une nuit ou une réunion, vous êtes de précieux invités... Maggie et Philip, aubergistes par choix. Certifié "Bienvenue cyclistes !"^{MD} **Certifié Table aux Saveurs du Terroir**^{MD}. P. 315.

Aux alentours: vélo, promenade sur le bord du fleuve, le golf, les églises centenaires, cidrerie et vignobles.
Chambres: TV, accès Internet, personnalisées, tranquillité assurée, romantiques, terrasse, suite. **Lits:** simple, queen, king, divan-lit, d'appoint. **10 ch. S. de bain privée(s).**
Forfaits: charme, gastronomie, romantique, automne, hiver.
2 pers: B&B 125-240$ PAM 180-300$ **1 pers:** B&B 90-120$ PAM 145-185$.
Enfant (12 ans et —): B&B 25$ PAM 35-50$. Taxes en sus. IT MC VS
Réduction: hors saison, long séjour.
Ouvert: à l'année.

A ♿ ✕ @ ♿ **Certifié:** 2007

Philip Rae
2198, chemin Royal
Saint-Laurent-de-l'Île-d'Orléans G0A 3Z0
Tél. (418) 828-2292 1-800-838-2292
Fax (418) 828-0966
www.canardhuppe.com
info@canardhuppe.com
Aut. 40, 440 est ou rte 138 ouest, sortie Île-d'Orléans. Au feu, tout droit, 5,5 km, chemin Royal à gauche.

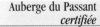

L'Île-d'Orléans, Saint-Laurent
Auberge Les Blancs Moutons ✹ ✹ ✹ ✹

Auberge du Passant
certifiée

Chaleureuse maison québécoise du XIXe siècle, située directement en bordure du fleuve. Sur la terrasse, au rythme des vagues ou à l'intérieur, près d'un feu de foyer, vous pourrez vous régaler de notre petit-déjeuner où les produits du terroir sont mis à l'honneur. Au rez-de-chaussée, une galerie d'art d'artistes professionnels québécois.

Aux alentours: musées, galerie d'art, théâtre, concert, vignobles, parc de bisons, pêche, golf, ski, croisières.
Chambres: confort moderne, personnalisées, cachet d'antan, terrasse, vue sur fleuve.
Lits: double. **4 ch. S. de bain privée(s) ou partagée(s).**
Forfaits: croisière, gastronomie, autres.
2 pers: B&B 89-99$.
Enfant (12 ans et –): B&B 30$. Taxes en sus. AM MC VS
Réduction: hors saison, long séjour.
Ouvert: à l'année.

Réal Bédard
1317, chemin Royal
Saint-Laurent-de-l'Île-d'Orléans G0A 3Z0
Tél. / Fax (418) 828-1859 Tél. 1-866-828-1859
www.lesblancsmoutons.com
auberge@lesblancsmoutons.com
Aut. 440 est, sortie 325, pont de l'Île-d'Orléans, à l'intersection en haut de la côte, tout droit, direction sud, 8 km.

A ✕ **AV** ♿ **Certifié: 2004**

L'Île-d'Orléans, Saint-Laurent
Auberge l'Île Flottante ✹ ✹ ✹ ✹

Gîte du Passant
certifié

Notre demeure ancestrale datant de 1836, rénovée avec goût et soin, a conservé tout son cachet. L'atmosphère est à la fois paisible, chaleureuse et gourmande. Petits-déjeuners gourmands fait maison. Notre terrasse au bord du fleuve, avec accès à la grève, vous invite à contempler paisiblement le paysage magnifique et le passage des bateaux.

Aux alentours: parc maritime, port de plaisance, église, golf, tennis, artisanat, galerie d'art, restos.
Chambres: baignoire sur pattes, meubles antiques, bois franc, terrasse, vue sur fleuve.
Lits: simple, double, queen. **5 ch. S. de bain privée(s).**
Forfaits: charme, vélo, croisière, gastronomie, golf, autres.
2 pers: B&B 95-125$ **1 pers:** B&B 90-100$.
Enfant (12 ans et –): B&B 30$. Taxes en sus. MC VS
Réduction: hors saison, long séjour.
Ouvert: à l'année.

Geneviève Lepage et Tony Fortugno
1657, chemin Royal
Saint-Laurent-de-l'Île-d'Orléans G0A 3Z0
Tél. (418) 828-9476
www.ileflottante.com
ileflottante@oricom.ca
Aut. 40 ou 440 est, sortie 325 Île-d'Orléans. Au feu tout droit, 9 km. Maison jaune et verte à droite.

A ⬧ **AV** @ ♿ **Certifié: 2002**

L'Île-d'Orléans, Saint-Pierre
Auberge le Vieux Presbytère ★ ★

Auberge du Passant
certifiée

Belle et grande résidence ancestrale, voisine de la plus vieille église du Québec. Restaurant sur place. Domaine de 150 000 pieds carrés. Bisons d'Amérique, wapitis, etc. Vue magnifique. 15 min du centre-ville de Québec.

Aux alentours: golf, théâtre, Espace Félix-Leclerc, vieille église Saint-Pierre, boutiques, vignobles.
Chambres: cachet ancestral, ventilateur, mur en pierres, suite familiale, vue sur fleuve. **Lits:** simple, double, queen, divan-lit, d'appoint. **8 ch. S. de bain privée(s) ou partagée(s).**
Forfaits: vélo.
2 pers: B&B 70-140$ PAM 130-200$ **1 pers:** B&B 60-130$ PAM 95-165$.
Enfant (12 ans et –): B&B 15$ PAM 12-30$. Taxes en sus. AM ER IT MC VS
Ouvert: à l'année.

Isabelle Daigneault et Joël Bastien
1247, rue Mgr. D'Esgly
Saint-Pierre-de-l'Île-d'Orléans G0A 4E0
Tél. (418) 828-9723 1-888-828-9723
Fax (418) 828-0224
www.presbytere.com
info@presbytere.com
De Québec, aut. Dufferin-Montmorency, sortie Île d'Orléans. Au feu à gauche. Au centre du village de Saint-Pierre, à gauche entre les deux églises.

A ✕ **AV Certifié: 2008**

L'Île-d'Orléans, Saint-Pierre
La Maison du Vignoble ✽✽✽✽

Gîte du Passant
certifié

Coup de Cœur du Public régional 2002. Lovée dans un vignoble, notre maison ancestrale vous donne rendez-vous avec l'histoire. Visite du vignoble, cuverie et cave à vins, ainsi que dégustation. Déjeuners mémorables! Relaxez au coin du feu, au séjour ou sur la terrasse face au fleuve. Vivez l'expérience de la campagne à 15 min du Vieux-Québec. Vignoble Isle de Bacchus, p. 291, 318.

Aux alentours: Espace Félix-Leclerc, Maison des Aïeux, Manoir Mauvide-Genest, parc de bisons, chute Montmorency.

Chambres: accès Internet, cachet ancestral, meubles antiques, tranquillité assurée, vue sur fleuve. **Lits:** simple, double, queen, king, divan-lit. **4 ch. S. de bain privée(s) ou partagée(s).**
2 pers: B&B 80-95$ **1 pers:** B&B 65-75$.
Enfant (12 ans et −): B&B 15$. Taxes en sus. MC VS
Ouvert: à l'année.

A ●Certifié: 1999

Lise Roy
1071, chemin Royal
Saint-Pierre-de-l'Île-d'Orléans G0A 4E0
Tél. (418) 828-9562
Fax (418) 828-1764
www.isledebacchus.com
isledebacchus@sympatico.ca
Aut. 40 ou 440 est dir. Ste-Anne-de-Beaupré, sortie Île-d'Orléans, au feu à gauche, 1,8 km.

Neuville
Auberge aux Quatre Délices ✽✽✽✽

Gîte du Passant
certifié

L'Auberge aux Quatre Délices vous séduira à coup sûr avec son four à pain d'origine, ses 14 lucarnes et ses deux foyers. La chaleur des lieux et l'accueil de ses propriétaires vous charmeront. Avec ses 288 ans, vous replongerez à l'époque de nos chers aïeux. Elle fera les délices de ceux qui aiment les vieilles demeures. Bienvenus! Certifié "Bienvenue cyclistes !"^{MD} **Certifié Table aux Saveurs du Terroir^{MD}.** P. 317.

Aux alentours: la Route verte, la rivière Jacques-Cartier, golf le Grand-Portneuf, kayak, plein air, à 20 minutes de Québec.

Chambres: accès Internet, cachet ancestral, meubles antiques, mur en pierres, vue sur fleuve. **Lits:** simple, double. **3 ch. S. de bain partagée(s).**
Forfaits: charme, gastronomie, golf, motoneige, détente & santé, traîneaux à chiens.
2 pers: B&B 80-92$ **1 pers:** B&B 72-82$.
Enfant (12 ans et −): B&B 10-20$. Taxes en sus. IT MC VS
Réduction: hors saison, long séjour.
Ouvert: à l'année.

Catherine Labrecque et Philippe Gasse
1208, route 138
Neuville G0A 2R0
Tél. (418) 909-0604 (418) 998-4278
www.aux4delices.com
info@aux4delices.com
Aut. 40, sortie 281 sud, direction Neuville. Route 138 à gauche, 150 mètres. L'auberge est à gauche.

🐾 ✕ AV ♿ Certifié: 2009

Québec, Beauport
Le Gîte du Vieux-Bourg ✽✽✽✽

Gîte du Passant
certifié

Venez vous détendre dans une ambiance familiale et chaleureuse! Notre maison ancestrale au charme d'antan, mais au confort d'aujourd'hui est située à 5 min de la chute Montmorency et de l'île d'Orléans. L'accès rapide au Vieux-Québec (5 min) vous surprendra. Déj. délicieux et copieux, piscine et jardin, air climatisé, remise pour vélos et skis.

Aux alentours: chute Montmorency, Théâtre la Dame Blanche, île d'Orléans, parc Rivière Beauport, piste cyclable.

Chambres: climatisées, baignoire sur pattes, accès Internet, balcon, meubles antiques, peignoir. **Lits:** double, queen. **3 ch. S. de bain privée(s) ou partagée(s).**
Forfaits: croisière.
2 pers: B&B 80-95$ **1 pers:** B&B 70-85$.
Enfant (12 ans et −): B&B 15$. Taxes en sus. VS
Réduction: hors saison, long séjour.
Ouvert: à l'année. Fermé: 21 déc - 9 jan.

Nancy Lajeunesse
492, avenue Royale
Québec G1E 1Y1
Tél. (418) 661-0116 1-866-661-0116
www3.sympatico.ca/vieux-bourg
vieux-bourg@sympatico.ca
Aut. 40 est, sortie 320, rue Seigneuriale à droite et Royale à droite. Du Vieux-Québec, aut. 440 est, sortie François de Laval, av. Royale à droite.

A ●● ♿ Certifié: 2000

Québec, Centre-Ville
À la Campagne en Ville ❋ ❋ ❋

Maison néoclassique de 1930, où règnent l'Art et le calme. Venez partager nos passions: histoire, architecture, peinture. Au retour, repos sur la galerie à l'ombre des tilleuls ou au salon: catalogues d'expos du MNBA, TV, service de tisanes. Petit-déj. exquis où l'on jase de ce qui vous fait plaisir et des bonnes adresses. Stationnement gratuit.

Aux alentours: vous marcherez vers le Vieux-Québec en admirant le St-Laurent. Plaines d'Abraham, MNBA, av. Cartier.
Chambres: bureau de travail, personnalisées, raffinées, tranquillité assurée, bois franc.
Lits: simple, double. **2 ch. S. de bain partagée(s).**
2 pers: B&B 80-90$ **1 pers:** B&B 70$.
Enfant (12 ans et –): B&B 15$
Réduction: long séjour.
Ouvert: à l'année. **Fermé:** 14 août - 12 sept.

⬤ 🚲 **Certifié: 1994**

Marie Archambault
1160, avenue Murray
Québec G1S 3B6
Tél. (418) 683-6638
www.giteetaubergedupassant.com/campagneenville
marie.archambault@videotron.ca
Aut. 20: dir. Québec centre-ville, boul. Laurier, 7,8 km, face au Collège Mérici. Aut. 40-440: sortie av. St-Sacrement sud jusqu'à Grande Allée, à gauche, 1,3 km.

Québec, Centre-Ville
À la Roseraie ❋ ❋ ❋ ❋

Vous serez accueillis en toute simplicité dans cette spacieuse demeure des années 40. Blottie dans le paisible quartier Montcalm, vous serez au centre de toutes les activités régionales. Un vaste salon pour vous détendre, des chambres confortables, ainsi qu'un copieux petit-déjeuner rendront votre séjour inoubliable.

Aux alentours: plaines d'Abraham, Musée des beaux-arts, Parlement, Observatoire de la capitale, Centre des congrès, Château Frontenac.
Chambres: jacuzzi, bureau de travail, accès Internet, lumineuses, bois franc, terrasse.
Lits: simple, queen, king. **3 ch. S. de bain privée(s).**
2 pers: B&B 95-115$ **1 pers:** B&B 90-105$.
Enfant (12 ans et –): B&B 20$. MC VS
Réduction: hors saison, long séjour.
Ouvert: à l'année.

A AV @ 🚲 **Certifié: 2004**

Doris Lavoie
865, ave. Dessane
Québec G1S 3J7
Tél. (418) 688-5076
Fax (418) 688-9217
www.alaroseraie.com
info@alaroseraie.com
Pont Pierre-Laporte, sortie Laurier, jusqu'à Holland à g., René-Lévesque à dr., Dessane à g. Aut. 40: St-Sacrement S., jusqu'à René-Lévesque à g. Dessane à g.

Québec, Centre-Ville
À La Villa Montcalm B&B ❋ ❋ ❋ ❋

À pied du Vieux-Québec, du Centre des congrès, des plaine d'Abraham et du Musée de Québec. Quiétude et confort. Petit-déjeuner copieux et animés. Stationnement gratuit. Arrêt d'autobus à la porte. Accueil chaleureux et information touristique pertinente.

Aux alentours: Vieux-Québec à pied. Moins de cinq minutes des plaines d'Abraham, Musée du Québec, av. Cartier et tous les services.
Chambres: climatisées, TV, accès Internet, peignoir, spacieuses, entrée privée, studio, suite familiale. **Lits:** simple, queen, king, d'appoint. **3 ch. S. de bain privée(s) ou partagée(s).**
2 pers: B&B 95-145$ **1 pers:** B&B 85-115$.
Enfant (12 ans et –): B&B 20$
Réduction: long séjour.
Ouvert: 1 avr - 30 nov.

A 🚲 **Certifié: 2008**

Lyse Poirier
445, boul. René-Lévesque Ouest
Québec G1S 1S2
Tél. (418) 683-2276 1-888-889-0088
www.quebeccitybb.com
villamontcalm@sympatico.ca
Aut. 20 est, pont Pierre-Laporte, boul. Laurier, 6 km, rue Belvédère à gauche, 1er feu, boul. René-Lévesque à droite.

Château du Faubourg

est un château privé, restauré, de style français

Situé au cœur du quartier historique de la ville de Québec

(418) 524-2902

www.lechateaudufaubourg.com

Québec, Centre-Ville
Auberge J.A. Moisan ✴ ✴ ✴ ✴

Gîte du Passant
certifié

Une maison du XIXe siècle, rénovée et restaurée avec soin. Vous serez charmés par son caractère anglais d'inspiration victorienne et par sa terrasse de ville. L'Auberge J.A Moisan vous offre un hébergement de grande qualité au cœur de la Haute-Ville de Québec. Localisé près du Vieux-Québec, Château Frontenac, Centre des congrès...

Aux alentours: site historique du Vieux-Québec, Château Frontenac, plaines d'Abraham, Centre des congrès, musées, Hôtel du Parlement...
Chambres: climatisées, insonorisées, cachet victorien, couettes et oreillers en duvet, bois franc. **Lits:** queen. **4 ch. S. de bain privée(s).**
2 pers: B&B 135-145$ **1 pers: B&B** 125-135$. Taxes en sus. IT MC VS
Ouvert: à l'année.

Nathalie Deraspe et Clément St-Laurent
695, rue Saint-Jean
Québec G1R 1P7
Tél. (418) 529-9764 (418) 802-8681
Fax (418) 522-2132
www.jamoisan.com
j.a.moisan@bellnet.ca

Aut. 20, pont Pierre-Laporte, sortie boul. Laurier. De Salaberry à g., St-Jean à dr. Aut. 40, sortie boul. Charest, St-Sacrement à dr., Ste-Foy à g., rue St-Jean.

A @ ⛯ **Certifié: 2008**

Québec, Centre-Ville
Au Château du Faubourg ✴ ✴ ✴ ✴

Gîte du Passant
certifié

Château privé de style français, restauré, cadre enchanteur et luxueux. Plusieurs articles de magazines ont été publiés sur la qualité de sa restauration. Situé dans le faubourg St-Jean-Baptiste, quartier historique de Québec. Entouré d'objets d'art et de meubles antiques français accumulés par la famille au fil des ans. P. 302.

Aux alentours: Centre des congrès, restaurants, théâtres et musées.
Chambres: climatisées, foyer, insonorisées, cachet victorien, meubles antiques, suite luxueuse. **Lits:** double, queen, king, d'appoint. **3 ch. S. de bain privée(s).**
2 pers: B&B 99-169$ **1 pers: B&B** 89-149$.
Enfant (12 ans et –): **B&B** 20$. Taxes en sus. AM IT MC VS
Réduction: hors saison, long séjour.
Ouvert: à l'année.

André Bélanger
429, rue St-Jean
Québec G1R 1P3
Tél. (418) 524-2902
Fax (418) 522-2906
www.lechateaudufaubourg.com
info@lechateaudufaubourg.com

Aut. 20, pont Pierre-Laporte, sortie boul. Laurier dir. centre-ville, rue Claire Fontaine à gauche, rue St-Jean à droite.

A ● ⛯ **Certifié: 2003**

Québec, Centre-Ville
Au Gîte du Parc ✴ ✴ ✴

Gîte du Passant
certifié

Maison centenaire baignée dans la tranquillité et la sécurité du quartier Montcalm et presque logée sur les plaines d'Abraham. Un accueil chaleureux, des renseignements touristiques judicieux sur Québec, un déjeuner copieux, un stationnement gratuit ainsi que la connexion haute vitesse font les délices de nos invités. P. 304.

Aux alentours: à deux pas: plaines d'Abraham, Musée National des beaux-arts, Rue Cartier-23 restos, Centre des Congrès, Vieux-Québec.
Chambres: bureau de travail, accès Internet, ventilateur, bois franc. **Lits:** queen. **4 ch. S. de bain privée(s).**
2 pers: B&B 85-130$ **1 pers: B&B** 75-105$.
Enfant (12 ans et –): **B&B** 20$
Réduction: hors saison, long séjour.
Ouvert: à l'année.

Henriette Hamel et René Thivierge
345, rue Fraser
Québec G1S 1R2
Tél. (418) 683-8603 1-888-683-8603
Fax (418) 683-8431
www.giteduparc.com
rene.giteduparc@sympatico.ca

Pont Pierre-Laporte, bl. Laurier, 6.4 km, des Érables à g., Fraser à g. Aut. 40, 440 Charest O, St-Sacrement Sud à dr., René-Lévesque à g., des Érables à dr., rue Fraser à dr.

A @ ⛯ **Certifié: 2000**

Québec, Centre-Ville
Aux Trois Balcons ✳ ✳ ✳ ✳

Gîte du Passant
certifié

Charmante maison des années 1930, située au cœur de l'animation de la Haute-Ville de Québec, offrant à la fois le calme de la vie de quartier et l'effervescence générée par les nombreux restaurants, pubs et boutiques bordant la chic avenue Cartier et la festive Grande Allée. Gourmandise et courtoisie sont au menu de ce gîte sans fumée.

Aux alentours: plaines d'Abraham (champs de batailles), Vieux-Québec, Musée de Québec, Château Frontenac.
Chambres: bureau de travail, accès Internet, peignoir, ventilateur, bois franc. **Lits:** double, queen. **4 ch. S. de bain privée(s) ou partagée(s).**
2 pers: B&B 99-125$ **1 pers:** B&B 75-95$. Taxes en sus. VS
Réduction: long séjour.
Ouvert: à l'année.

A AV ♿ **Certifié: 1995**

**Isabelle Ouellet
130, rue Saunders
Québec G1R 2E3**
Tél. (418) 525-5611 1-866-525-5611
Fax (418) 525-1106
www.troisbalcons.qc.ca
info@troisbalcons.qc.ca
Pont Pierre-Laporte, boul. Laurier, Cartier à gauche, Saunders à gauche. Aut. 40, boul. Charest, de l'Aqueduc sud, chemin Ste-Foy est, Cartier à droite, Saunders à droite.

Québec, Centre-Ville
B&B de la Tour ✳ ✳ ✳ ✳

Gîte du Passant
certifié

Maison des années 20 décorée avec goût, située sur une rue paisible, au cœur d'un quartier animé, à proximité des principales attractions touristiques et des lieux de congrès. Elle vous offre un environnement sans fumée. Des petits-déjeuners gourmands, quatre services, y sont servis dans une agréable salle à manger.

Aux alentours: rue Cartier, Grand Théâtre, Musée national des beaux-arts, plaines d'Abraham, Vieux-Québec, Petit-Champlain, Capitole.
Chambres: certaines avec lavabo, peignoir, ventilateur, couettes en duvet, bois franc. **Lits:** double, queen, d'appoint, pour bébé. **4 ch. S. de bain partagée(s).**
2 pers: B&B 90-110$ **1 pers:** B&B 75-85$.
Enfant (12 ans et −): B&B 25-30$. Taxes en sus.
Réduction: long séjour.
Ouvert: à l'année. **Fermé:** 21 déc - 4 jan.

A @ ♿ **Certifié: 1996**

**Huguette Rodrigue et André Blanchet
1080, avenue Louis-Saint-Laurent
Québec G1R 2W7**
Tél. (418) 525-8775 1-877-525-8775
www.quebecweb.com/bbdelatour
bbdelatour@qc.aira.com
Pont P-Laporte, boul. Laurier dir. centre-ville, av. Louis-St-Laurent à gauche, 8.8km. Aut. 40, boul. Charest, côte St-Sacrement S. à droite, Grande Allée O. à gauche, 2,6 km.

Québec, Centre-Ville
B&B des Grisons ✳ ✳ ✳

Gîte du Passant
certifié

En plein cœur du Vieux-Québec, à l'intérieur des murs et près du Château Frontenac, une famille québécoise vous accueille dans leur demeure raffinée (1888). Des chambres personnalisées avec TV et des petits-déjeuners gourmands vous invitent à la découverte... Nous vous accueillons comme nous souhaitons être reçus ailleurs.

Aux alentours: terrasse Dufferin, Château Frontenac, Citadelle, plaines d'Abraham.
Chambres: climatisées, bureau de travail, TV, spacieuses. **Lits:** double, queen. **3 ch. S. de bain partagée(s).**
2 pers: B&B 95$ **1 pers:** B&B 95$.
Enfant (12 ans et −): B&B 20$. Taxes en sus. AM IT MC VS
Ouvert: à l'année.

A AV ♿ **Certifié: 1998**

**Michel Pompilio
1, rue des Grisons
Québec G1R 4M6**
Tél. (418) 694-1461
Fax (418) 694-1167
www.giteetaubergedupassant.com/grisons
bbdesgrisons@yahoo.ca
Pont Pierre-Laporte, sortie boul. Laurier dir. Vieux-Québec. Après la Porte St-Louis, au feu rue d'Auteuil à droite, rue Ste-Geneviève à gauche, rue des Grisons à gauche.

Québec, Centre-Ville
B&B La Bedondaine ※ ※ ※

Maison située sur une rue calme près de tous les services. Salle à manger et boudoir destinés aux invités pour plus d'intimité. Suite familiale avec salle de bain privée. Installations pour enfants. Entrée privée, micro-ondes, frigo. Remise pour skis et vélos. Autobus au coin de la rue. Spécial pour long séjour du 15 octobre au 1er mai.

Aux alentours: restos, centres commerciaux, Jardin Coulonge, Vieux-Québec, chute Montmorency, musées.

Chambres: avec salle d'eau, accès Internet, bois franc, entrée privée, suite familiale. **Lits:** simple, double, queen. **3 ch. S. de bain privée(s).**

2 pers: B&B 70-75$ **1 pers:** B&B 70-75$.

Enfant (12 ans et –): B&B 25$. AM ER MC VS

Réduction: hors saison, long séjour.

Ouvert: à l'année.

A ● AV @ 🎿 Certifié: 1999

Sylvie et Gaétan Tessier
912, ave Madeleine-de-Verchères
Québec G1S 4K7
Tél. (418) 681-0783
www.giteetaubergedupassant.com/bedondaine
bedondaine@sympatico.ca
Pont Pierre-Laporte, boul. Laurier dir. Québec centre-ville.
Après Université Laval, des Gouverneurs à gauche, René-Lévesque à droite, Madeleine-de-Verchères à gauche.

Québec, Centre-Ville
B&B Le Transit ※ ※ ※

Notre gîte est situé à 10 minutes à pied des murs du Vieux-Québec, près du parc des plaines d'Abraham et de la superbe rue Cartier avec ses boutiques originales, ses restos accueillants et ses cafés sympas... à deux pas de la charmante Grande-Allée et des plaines d'Abraham.

Aux alentours: Citadelle, plaines d'Abraham, parcourez les rues historiques de ce quartier à l'ambiance unique.

Chambres: climatisées, certaines avec lavabo, foyer, TV, accès Internet, raffinées, cachet victorien. **Lits:** queen. **2 ch. S. de bain privée(s) ou partagée(s).**

2 pers: B&B 105-125$ **1 pers:** B&B 88-98$

Réduction: hors saison, long séjour.

Ouvert: à l'année.

A 🐾 AV @ 🎿 Certifié: 2007

Gaetan Bernard
1050, avenue Turnbull
Québec G1R 2X8
Tél. (418) 647-6802 (418) 454-3028
www.giteetaubergedupassant.com/letransit
bbletransit@quebecweb.com
Aut. 20, Pont Pierre-Laporte, sortie 173 nord, boul. Laurier dir.
Vieux-Québec, après l'avenue Cartier, au 2e feu de circulation
vers la gauche.

Québec, Centre-Ville
Couette et Café Champlain ※ ※ ※

Pour un séjour des plus agréables et mémorables dans la belle ville de Québec. On vous offre un accueil des plus chaleureux. Un boisé au flanc du cap servira de refuge à un séjour inoubliable au «CCC».

Aux alentours: le Petit-Champlain vous ouvre les bras avec son activité privilégiée à chaque saison.

Chambres: climatisées, téléphone, TV, accès Internet, balcon, entrée privée, suite familiale. **Lits:** simple, queen, d'appoint, pour bébé. **5 ch. S. de bain privée(s) ou partagée(s).**

2 pers: B&B 85-165$ **1 pers:** B&B 85-165$. Taxes en sus. IT MC VS

Réduction: hors saison, long séjour.

Ouvert: à l'année.

● AV @ 🎿 Certifié: 2004

Emily Bellefoy
942, boul. Champlain
Québec G1K 4J7
Tél. (418) 522-6449
Fax (418) 948-9069
www.couettecc.com
couetteetcafechamplain@videotron.ca
Aut. 20 ou 40, pont Pierre-Laporte, sortie 132 boul. Champlain,
5 min. En face de l'entrée du Port Maritime, à gauche.

Québec, Centre-Ville
Douceurs Belges ★★

Auberge du Passant
certifiée

Une pause, toute en douceur pour l'âme et le corps, au cœur du quotidien. Que pouvons-nous vous souhaiter aujourd'hui? Calme, intimité, paix? Vous êtes amoureux, poètes, peintres, artistes, bons vivants de tous âges et intérêts? C'est passionnément que nous vous accueillons. Douceurs Belges! Votre pause dans la course effrénée du quotidien.

Aux alentours: Vieux-Québec, village vacances Valcartier, village Huron, golf, théâtre d'été, piste cyclable, zoo.

Chambres: jacuzzi, TV, accès Internet, peignoir, tranquillité assurée, bois franc, entrée privée. Lits: double. **2 ch. S. de bain privée(s).**

Forfaits: gastronomie, romantique, autres.

2 pers: B&B 99$ **PAM** 180$. Taxes en sus. IT MC VS

Ouvert: à l'année. **Fermé:** 31 oct - 19 déc.

A ✗ AV @ ℇ **Certifié: 1999**

Lise Gill
4335, rue Michelet
Québec G1P 1N6

Tél. **(418) 871-1126 1-800-363-7480**
Fax **(418) 871-6319**
www.douceursbelges.ca
info@douceursbelges.ca

Pont Pierre-Laporte, aut. 73 dir. Ste-Anne-de-Beaupré, sortie 308, Masson-L'Ormière, rue Masson à gauche dir. sud, rue Michelet à droite.

Québec, Centre-Ville
La Maison Bourlamaque ❋ ❋ ❋

Gîte du Passant
certifié

À 10 min à pied du Vieux-Québec, la Maison Bourlamaque est un prestigieux gîte urbain qui vous offre un pied-à-terre dans la ville de Québec. Cette somptueuse maison construite en 1910 est située au cœur du quartier Montcalm dans la haute-ville de Québec. Gîte du Passant unique pour son architecture qui saura vous séduire par son atmosphère.

Aux alentours: parc des Champs-de-Bataille, Vieux-Québec et ses fortifications, Musée National des Beaux-Arts, Château Frontenac.

Chambres: baignoire sur pattes, certaines avec lavabo, meubles antiques. **3 ch. S. de bain partagée(s).**

2 pers: B&B 80-120$ **1 pers:** B&B 75-100$.

Enfant (12 ans et −): B&B 0-20$

Réduction: hors saison.

Ouvert: à l'année.

A ℇ **Certifié: 2009**

1045, Bourlamaque
Québec G1R 2P3
Tél. **(418) 529-7171**
www.maison-bourlamaque.com
info@maison-bourlamaque.com
Aut. 20 dir. Québec. Pont Pierre-Laporte, aut 73 nord, sortie boul. Laurier, rte 175 est. Rue Bourlamaque à gauche.

Québec, Limoilou
Le Gîte de la 11ème ❋ ❋ ❋

Gîte du Passant
certifié

Depuis près d'un siècle, cette résidence a assisté, comme un témoin privilégié, à l'histoire du quartier de Limoilou. J'ai décidé de la faire revivre afin de partager avec vous l'atmosphère paisible qui s'en dégage. J'ai mis un soin méticuleux à l'aménagement intérieur, tant pour l'ambiance des lieux que pour le confort de la clientèle.

Aux alentours: Vieux-Port, Vieux-Québec, gare de train et bus, Centre des congrès, Colisée Pepsi, rivière St-Charles, Domaine Maizeret.

Chambres: insonorisées, ensoleillées, raffinées, ventilateur, bois franc. Lits: queen. **2 ch. S. de bain partagée(s).**

2 pers: B&B 75-85$ **1 pers:** B&B 70-80$.

Enfant (12 ans et −): B&B 15$

Réduction: long séjour.

Ouvert: à l'année.

A @ ℇ **Certifié: 2009**

Claire Fortier
201, 11e Rue
Québec G1L 2L8
Tél. **(418) 529-3932 1-888-529-3911**
www.gitedela11.com
fortierclaire@hotmail.com
Rte 175 sud, sortie 4e rue pont Drouin, 2e avenue à gauche et monter jusqu'à la 11e rue, tourner à droite.

Gîtes et Auberges du Passant^{MD}
Maisons de Campagne et de Ville

Québec, Sainte-Foy
Au Gîte Monique et André Saint-Aubin ❀ ❀ ❀

Gîte du Passant
certifié

Coup de Cœur du Public régional 1995. Accueil chaleureux, atmosphère calme et paisible, grande maison familiale de style canadien située dans un quartier résidentiel, tranquille, à 10 min du Vieux-Québec. Petit-déj. copieux, mets variés, service personnalisé, salle de séjour spacieuse, climatisation centrale. 2 s. de bains partagées. Bienvenue! Certifié "Bienvenue cyclistes !"ᴹᴰ

Aux alentours: resto, centres d'achat, Univ. Laval, hôpital, voies rapides, piste cyclable, aquarium, aéroport, musées, Vieux-Québec.

Chambres: climatisées, accès Internet, meubles antiques, tranquillité assurée, lucarnes, bois franc. **Lits:** simple, double, queen. **3 ch. S. de bain partagée(s).**

2 pers: B&B 85$ **1 pers: B&B** 72$

Ouvert: à l'année.

Monique et André Saint-Aubin
3045, rue de la Seine
Québec G1W 1H8
Tél. (418) 658-0685
www.quebecweb.com/staubin
saint-aubin@videotron.ca

Pont Pierre-Laporte, sortie boul. Laurier, 1er feu ave. Lavigerie à droite, 3e rue de la Seine à droite. Aut. 40, sortie 305, boul. Duplessis sud sortie boul. Laurier...

A @ ᕯᕯ **Certifié: 1989**

Québec, Sainte-Foy
Au rêve fleuri ❀ ❀ ❀

Gîte du Passant
certifié

«Très bon accueil, on se sent comme chez soi! Au rêve fleuri porte bien son nom. Calme, douceurs et volupté, nous avons été gâtés. Entre les nuits silencieuses et récupératrices et les petits-déjeuners colorés, copieux et délicieux, notre séjour de 3 jours ici aura été bien agréable. Continuez ainsi! Félicitations!» (Cécile et Jean-Philippe)

Aux alentours: piste cyclable, Vieux-Québec, restos, musées, galeries d'art, chute Montmorency, village autochtone.

Chambres: climatisées, accès Internet, meubles antiques, peignoir, couettes en duvet, bois franc. **Lits:** double, d'appoint. **3 ch. S. de bain partagée(s).**

2 pers: B&B 75$ **1 pers: B&B** 65$.

Enfant (12 ans et –): B&B 15$. Taxes en sus. AM VS

Réduction: long séjour.

Ouvert: à l'année.

Jeanne-Mance Dallaire et Gilles Tremblay
1474, rue De Vinci
Québec G2G 1P5
Tél. (418) 872-0117 (418) 558-9721
www.aurevefleuri.qc.ca
aurevefleuri@videotron.ca

Pont Pierre Laporte, aut 40 ouest, Duplessis, sortie Charest ouest, sortie Legendre (304), Jules Verne gauche, Legendre droite, Auclair gauche, De Vinci droite.

A ◆ @ ᕯᕯ **Certifié: 2004**

Québec, Sainte-Foy
Aux Cinq Éléments ❀ ❀ ❀

Gîte du Passant
certifié

C'est dans un quartier calme, sécuritaire et résidentiel que vos hôtes vous accueilleront dans un environnement Feng shui et vous serviront un déjeuner santé. À 10 min du Vieux-Québec, proche de tous les services et des centres d'achats. Piscine extérieure et patio vous accueillent dans un jardin paysager. Stationnement gratuit. Internet Wi-Fi.

Aux alentours: aquarium, pistes cyclables, Route verte, chutes Chaudière, musées, croisières sur le fleuve, parcs.

Chambres: climatisées, TV, accès Internet, ventilateur, bois franc, vue sur jardin. **Lits:** double, queen, d'appoint, pour bébé. **3 ch. S. de bain privée(s) ou partagée(s).**

Forfaits: vélo, autres.

2 pers: B&B 65-88$ **1 pers: B&B** 55-65$.

Enfant (12 ans et –): B&B 15$

Réduction: hors saison, long séjour.

Ouvert: à l'année.

Valérie et Patrick
2742, de Montarville
Québec G1W 1V1
Tél. (418) 651-3216 1-866-651-2003
www.auxcinqelements.com
info@auxcinqelements.com

Aut 20, Pont Pierre-Laporte ou Aut 40 direction 540 sud, sortie boulevard Laurier. Route de l'église à droite, après ch. St Louis, 1re rue à gauche.

A AV ⌇ @ ᕯᕯ **Certifié: 2003**

Québec, Sillery
Gîte au Chemin du Foulon ❋ ❋ ❋

Coquette maison de ville, joliment décorée, face au fleuve St-Laurent et à la promenade Samuel de Champlain, située à 10 min du Vieux-Québec. Vous serez ravis par les petits-déjeuners très copieux, tout cela dans une ambiance chaleureuse et un confort douillet. Nous serons heureux de vous accueillir.

Aux alentours: Vieux-Québec, aquarium, piste cyclable, restos, musées, promenade Samuel de Champlain, centre commerciaux, Université.

Chambres: ensoleillées, raffinées, peignoir, ventilateur, bois franc. **Lits:** double. **2 ch. S. de bain partagée(s).**

2 pers: B&B 85$ **1 pers:** B&B 72$.

Enfant (12 ans et –): B&B 15$

Ouvert: à l'année.

A AV ♿ **Certifié: 2001**

Francine et Yvon Arsenault
2521 C, Chemin du Foulon
Québec G1T 1X6
Tél. (418) 659-1365
Fax (418) 659-1736
www.giteetaubergedupassant.com/chemindufoulon
auchemindufoulon@videotron.ca
Pont Pierre-Laporte, sortie 132 boul. Champlain, ou aut. Henri IV sud, sortie boul. Champlain. À 3 km à l'est du pont, sortie Côte du Verger, 1ʳᵉ rue à droite.

Québec, Wendake
Gîte la Huronnière ❋ ❋ ❋

Venez découvrir l'hospitalité du peuple huron-wendat de Wendake et vivre une expérience culturelle unique dans notre demeure souvent qualifiée de galerie d'art et de petit musée! De plus, dans un rayon de moins de 20 minutes vous trouverez les activités culturelles, de loisirs et touristiques incontournables de la région de Québec. Certifié "Bienvenue cyclistes !"ᴹᴰ P. 293.

Aux alentours: site traditionnel huron, chute Kabir Kouba, restaurant et boutiques, Valcartier village vacances, canot et kayak.

Chambres: accès Internet, cachet d'antan, meubles antiques. **Lits:** simple, double, d'appoint, pour bébé. **3 ch. S. de bain privée(s) ou partagée(s).**

Forfaits: gastronomie, été, hiver.

2 pers: B&B 85-125$ **1 pers:** B&B 70-85$.

Enfant (12 ans et –): B&B 18$. VS

Réduction: long séjour.

Ouvert: à l'année.

A 🏠 🐴 AV 🚣 @ ♿ **Certifié: 2008**

Yves Gros-Louis et Claire Noël de Tilly
415, rue Chef-Maurice-Sébastien
Wendake G0A 4V0
Tél. (418) 845-4118
Fax (418) 845-5304
www.lahuronniere.com
info@lahuronniere.com
Aut. 40, sortie 310, boul. Robert-Bourassa nord, 6,5 km, rue de la Faune à gauche, Max-Gros Louis à droite. 2ᵉ arrêt de l'Ours à droite et 2ᵉ arrêt Maurice-Sébastien à gauche.

Québec, Wendake
La Maison Aorhenche ❋ ❋ ❋

Maison centenaire, située au cœur du vieux Wendake, où le passé côtoie le présent. Une ambiance chaleureuse où l'art amérindien nous transporte dans le temps. Nos petits-déj. sont santé et très copieux. Souper à saveur amérindienne sur réservation. À 15 min du centre-ville. Au plaisir de partager notre culture Huronne-Wendat avec vous. P. 310.

Aux alentours: partez à la découverte du Vieux-Wendake, de son arrondissement historique et de sa culture Wendat.

Chambres: personnalisées, cachet d'autrefois, tranquillité assurée, bois franc, entrée privée. **Lits:** simple, double, queen, divan-lit. **3 ch. S. de bain privée(s) ou partagée(s).**

Forfaits: charme, vélo, gastronomie, motoneige, ski alpin, spectacle.

2 pers: B&B 90$ **1 pers:** B&B 67$.

Enfant (12 ans et –): B&B 25$. VS

Réduction: long séjour.

Ouvert: à l'année.

A 🐴 ✕ ♿ **Certifié: 1997**

Line Gros-Louis
90, rue François Gros-Louis
Wendake G0A 4V0
Tél. (418) 847-0646
Fax (418) 847-4527
www.maisonaorhenche.com
aorhenche@sympatico.ca
Aut. 175 est, boul. Robert-Bourassa, rte 740 nord, sortie boul. Bastien à gauche, rue Le Huron à droite, rue François Gros-Louis à gauche.

LA MAISON
AORHENCHE
847-0646
BED & BREAKFAST

90, François Gros-Louis, Wendake
(418) 847-0646 · www. maisonaorhenche.com
aorhenche@sympatico.ca

Saint-Alban
Gîte chez France �֍ �֍ ✖

Gîte du Passant
certifié

En pleine campagne, à moins de 45 minutes de Québec. Chez nous, vous serez reçus comme un membre de la famille. Accueil de touristes européens depuis 1990. Déjeuner compris et repas du soir (souper) sur réservation. Repas maison concoctés à partir de produits du terroir. Climatisation centrale. Deux salles de bain. Au plaisir de vous accueillir! Certifié "Bienvenue cyclistes !"'MD

France Leduc
87, rang de l'Église Nord
Saint-Alban G0A 3B0
Tél. (418) 268-3440
Fax (418) 268-1299
http://pages.globetrotter.net/gitechezfrance
chezfrance@globetrotter.net
Aut. 40, sortie 254, à droite, dir. St-Marc-des-Carrières, au feu de circulation à droite puis à gauche sur Principale dir. St-Alban. 1,3 km dépassé l'église de St-Alban.

Aux alentours: chiens de traîneau, ski de fond, visite guidée, canot, canot pneumatique, randonnée pédestre, vélo, golf, spéléologie.
Chambres: peignoir, ventilateur, tranquillité assurée, chambre familiale, vue panoramique. **Lits:** simple, double. **3 ch. S. de bain partagée(s).**
Forfaits: vélo, plein air, ski de fond, régional, été, printemps, automne, hiver, autres.
2 pers: B&B 60$ PAM 90$ 1 pers: B&B 50$ PAM 65$.
Enfant (12 ans et −): B&B 15$ PAM 25$
Réduction: long séjour.
Ouvert: à l'année.

◆ ✖ AV @ **Certifié: 2003**

Saint-Casimir-de-Portneuf
Gîte B&B «Pour les Amis» Hébergement à la Campagne ✖ ✖ ✖

Gîte du Passant à la Ferme
certifié

Érablière – Ferme d'élevage. En nomination pour le Coup de Cœur du Public régional 2006. «Une adresse pleine d'authenticité qui porte bien son nom». Un vrai coup de cœur!». Maison de ferme de 1850 avec son poêle à bois, sa cuisine d'été, bordée de la rivière et de ses grands jardins. Visite à la cabane à sucre. Repas du soir: lapin, légumes du potager, desserts à l'érable. P. 312.

Gabrielle Poisson et Gaston Girard
950, rang de la Rivière Noire
Saint-Casimir-de-Portneuf G0A 3L0
Tél. (418) 339-2320
www.gitepourlesamis.com
gitepourlesamis@globetrotter.net
Aut. 40, sortie 254 dir. St-Casimir, rue Tessier est, prendre le pont de l'Île Grandbois, rang de la Rivière Noire, 6 km. Dernière maison. GPS: 46°N 41'80 72°O 08'22.

Aux alentours: spéléologie, escalade, golf, traîneau à chiens, descente de rivière, vélo de campagne, marche.
Chambres: cachet d'autrefois, tranquillité assurée, chambre familiale, vue sur campagne. **Lits:** simple, double, divan-lit. **3 ch. S. de bain privée(s) ou partagée(s).**
Forfaits: à la ferme, famille, printemps, hiver.
2 pers: B&B 60-80$ PAM 110-130$ 1 pers: B&B 45-65$ PAM 70-90$.
Enfant (12 ans et −): B&B 25$ PAM 40$
Réduction: long séjour.
Ouvert: à l'année.

A ◆ ⛄ ✖ AV ⛵ @ **Certifié: 2003**

Saint-Gabriel-de-Valcartier
La Jeanne-Claire Couette et Café ✖ ✖ ✖ ✖

Gîte du Passant
certifié

Vos hôtes Marie-Claire et Jean-Marc sont heureux de vous accueillir au cœur d'une nature riche et invitante! Situé à 20 km du centre-ville de Québec, entre Stoneham et le Village Vacances Valcartier, nous vous offrons 2 unités, dont l'une familiale avec cuisinette, stationnement, rangement pour vélo, aire de jeux pour enfants disponible. Certifié "Bienvenue cyclistes !"'MD

Marie-Claire Gaumond
303, 5e Avenue
Saint-Gabriel-de-Valcartier G0A 4S0
Tél. (418) 848-3039 (418) 570-8901
www.lajeanneclaire.com
mc.gaumond@videotron.ca
À Québec, boul. Henri IV, rte 573 N. De Montolieu à dr., boul. Valcartier, rte 371 N, à g., 5e av. à dr., 12 km. Ou aut. Laurentienne, rte 73, sortie 167, route 371 S, 16 km.

Aux alentours: Village Vacances Valcartier, Nordique Spa & Détente, expédition rafting, massothérapeute, route pavée pour vélo.
Chambres: téléphone, TV, CD, DVD, tranquillité assurée, entrée privée, suite familiale. **Lits:** simple, double, queen, d'appoint. **2 ch. S. de bain privée(s).**
Forfaits: croisière, plein air, été, hiver.
2 pers: B&B 90-115$ 1 pers: B&B 75$.
Enfant (12 ans et −): B&B 15$. Taxes en sus. AM MC VS
Réduction: long séjour.
Ouvert: à l'année. **Fermé:** 22 déc - 28 déc.

◆ ⛵ @ **Certifié: 2009**

Gîtes et Auberges du PassantMD
Maisons de Campagne et de Ville

Saint-Raymond
Manoir du Lac Sept-Îles ★ ★ ★

Auberge du Passant
certifiée

Érigé sur un promontoire dominant le lac Sept-Îles, c'est le refuge favori des amoureux et amants de la nature. Table des plus réputées du comté qui met en valeur les produits du terroir. Plage privée, spa, sentiers pédestres... «Halte merveilleuse, canotage, baignade, vélo et pour couronner le tout un repas délicieux», dit cet illustre client. P. 293.

Aux alentours: sur place: plage privée, spa, embarcations, vélo, marche, raquette, hydravion, pêche. Près: golf, vallée Bras du Nord.
Chambres: TV, accès Internet, meubles antiques, tranquillité assurée, terrasse, suite, vue sur lac. **Lits:** simple, double. **6 ch. S. de bain privée(s).**
Forfaits: vélo, gastronomie, golf, motoneige, plein air, romantique, été, hiver.
2 pers: B&B 110-130$ **PAM** 150-200$. Taxes en sus. AM IT MC VS
Réduction: long séjour.
Ouvert: à l'année.

A 🐾 ✕ AV ⛵ @ **Certifié: 2008**

Vincent Caron et Guillaume Bouquet
3679, ch. du lac Sept-Îles
Saint-Raymond G3L 2S3
Tél. (418) 337-8893 1-866-337 8893
Fax (418) 337-8883
www.manoirdulacseptiles.com
vincent@manoirdulacseptiles.com
De Montréal, aut. 40, sortie 281, rte 365 nord, à St-Raymond, rte 367 sud dir. Ste-Catherine, 5 km, ch. Du Lac Sept-Îles. De Québec, aut. 40, sortie 295, rte 367, 20 km.

■ Information supplémentaire sur l'hébergement à la ferme

Saint-Casimir-de-Portneuf
Gîte B&B «Pour les Amis» Hébergement à la Campagne

Gîte du Passant à la Ferme
certifié

Érablière – Ferme d'élevage. Nourrir les animaux de la basse-cour: poules, oies, lapins, chats et chiens. Visite au jardin, découverte de fines herbes et de fleurs comestibles. Promenade à la cabane à sucre en toutes saisons. Marche au bord de la rivière et observation en forêt de griffes d'ours. P. 311.

Activités: visite commentée français et anglais, randonnée pédestre, visite de jardins, raquettes, observation des activités de transformation, soin des animaux.

Services: aire de pique-nique, vente de produits, remise pour vélo.

950, rang de la Rivière Noire, Saint-Casimir-de-Portneuf
Tél. (418) 339-2320
www.gitepourlesamis.com
gitepourlesamis@globetrotter.net

Beaupré
Château Mont-Sainte-Anne

Richard Grenier, Directeur Restauration & Congrès
500, boul du Beaupré
Beaupré, G0A 1E0
Tél. 1-800-463-4467 (418) 827-1862
Fax (418) 827-5072
www.chateaumsa.com
rgrenier@chateaumsa.com
De Québec, rte 138 est, sortie 360, suivre les indications pour le Mont-Sainte-Anne.

Table aux Saveurs du Terroir
certifiée

Amoureux de la nature, laissez-vous séduire par l'environnement exceptionnel du Château Mont-Sainte-Anne. Nous sommes un complexe hôtelier de calibre international situé au pied du mont. Le Château Mont-Saint-Anne c'est simple comme c'est bon! P. 12, 314.

Spécialités : cuisine évolutive du terroir au goût actualisé, mettant en vedette les produits de la Côte de Beaupré, de Québec et de Charlevoix.
Repas offerts : brunch, midi, soir.
Menus : à la carte, table d'hôte, gastronomique.
Nbr personnes: 2-60.
Réservation: recommandée, requise pour groupe.
Table d'hôte: 45-55$/pers. Taxes en sus. AM ER IT MC VS
Ouvert: à l'année. **Fermé:** 21 oct - 1 déc. Horaire variable.

A ♿ **AV Certifié: 2008**

Château-Richer
Auberge Baker

Gaston Cloutier
8790, avenue Royale
Château-Richer, G0A 1N0
Tél. (418) 824-4478 1-866-824-4478
Fax (418) 824-4412
www.auberge-baker.qc.ca
gcloutier@auberge-baker.qc.ca
Rte 138 E. dir. Ste-Anne-de-Beaupré. 18,5 km à l'est de la chute Montmorency. Au 3e feu après l'église de Château-Richer, rue Huot à gauche. Au bout, à droite avenue Royale.

Table aux Saveurs du Terroir
certifiée

En 1935 Alvin A. Baker convertit la vieille maison de ferme construite en 1840 en auberge. Les planchers de bois ancestraux, les murs de pierres et le foyer ajouteront cette touche particulière que vous recherchez. Une salle à diner spacieuse fut ajoutée pour recevoir un groupe dans une ambiance idéale pour une réception ou une réunion d'affaire. P. 295.

Spécialités : cuisine gourmande actuelle et traditionnelle aux saveurs du terroir régional. Pain de ménage et carte de vins locaux et internationaux.
Repas offerts : brunch, midi, soir.
Menus : à la carte, table d'hôte, gastronomique.
Nbr personnes: 2-200. Min. de pers. exigé varie selon les saisons.
Réservation: recommandée, requise pour groupe.
Table d'hôte: 30-56$/pers. Taxes en sus. AM ER IT MC VS
Ouvert: à l'année. Tous les jours.

A AV Certifié: 2007

Deschambault
La Maison Deschambault

Hélène Grünert et Claude Fiset
128, chemin du Roy
Deschambault, G0A 1S0
Tél. (418) 286-3386
Fax (418) 286-4064
www.quebecweb.com/deschambault
auberge@globetrotter.qc.ca
À mi-chemin entre Trois-Rivières et Québec. Aut. 40, sortie 257, rte 138, chemin du Roy, 2,5 km.

Table aux Saveurs du Terroir
certifiée

Deux salles à manger soigneusement décorées avec vue sur les jardins. P. 296.

Spécialités : esturgeon fumé, saumon mariné dans le sirop d'érable, fromages locaux.
Repas offerts : brunch, soir.
Menus : table d'hôte.
Nbr personnes: 1-65.
Réservation: requise.
Table d'hôte: 32-38$/pers. Taxes en sus. AM ER IT MC VS
Ouvert: à l'année. **Fermé:** 22 déc - 1 fév. Tous les jours.

A ♿ **Certifié: 2007**

Tables aux Saveurs du Terroir^{MD} & Champêtres^{MD}

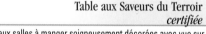

Simon Renaud

Savourez une
fine cuisine
régionale et festive !

TABLE
aux Saveurs du Terroir
CERTIFIÉ
On vous ouvre notre monde !

• Une cuisine inspirée et
inspirante élaborée à partir
des produits du terroir,
sans gras trans

LES GRANDS
PRIX
DU TOURISME
QUÉBÉCOIS
2008

• Grands Prix du tourisme
Québécois 2008,
Meilleure restauration -
Région de Québec

Le BISTro
restaurant

Slow Food
Côte de Beaupré

• Notre équipe est fondatrice
du nouveau Convivium
Slow Food Côte-de-Beaupré

418 827•5211
1 800 463•4467

chateaumsa.com

L'Île-d'Orléans, Saint-Laurent
Auberge Le Canard Huppé

Table aux Saveurs du Terroir
certifiée

Pour la fine gastronomie, l'hospitalité, la chaleur des aubergistes, le charme de l'Auberge…la quiétude des lieux et l'île d'Orléans. Un séjour à l'Auberge, c'est l'occasion privilégiée de découvrir les richesses et le charme de l'île d'Orléans. Le tour à vélo, promenade le long du fleuve, le golf, le ski de fond dans les boisés. Un pur plaisir! P. 298.

Spécialités : foie gras de canard boucané cuit au torchon, cake aux poires et son caramel de betteraves jaunes, saumon fumé maison, fromage poêlé...
Repas offerts : soir.
Menus : à la carte, table d'hôte, gastronomique.
Nbr personnes: 2-40. Min. de pers. exigé varie selon les saisons.
Réservation: requise.
Table d'hôte: 42-65$/pers. Taxes en sus. IT MC VS
Ouvert: 1 mars - 1 nov.

Certifié: 2007

Philip Rae
2198, chemin Royal
Saint-Laurent-de-l'Île-d'Orléans, G0A 3Z0
Tél. (418) 828-2292 1-800-838-2292
Fax (418) 828-0966
www.canardhuppe.com
info@canardhuppe.com
Aut. 40, 440 est ou rte 138 ouest, sortie Île-d'Orléans. Au feu, tout droit, 5,5 km, chemin Royal à gauche.

L'Île-d'Orléans, Saint-Laurent
Le Moulin de St-Laurent

Table aux Saveurs du Terroir
certifiée

Restaurant situé dans un ancien moulin à farine datant de 1720. Murs de pierres et collection de cuivres donnent une atmosphère romantique et chaleureuse. Magnifique terrasse avec petite chute pour le repas du midi ou du soir. Musiciens sur place les dimanches soirs. Récipiendaire de la Carte d'Or 2007-2008.

Spécialités : ris de veau, poissons et gibier sont des incontournables. Le Chef varie son menu aux 3 semaines selon les nouveaux arrivages de saison.
Repas offerts : midi, soir.
Menus : à la carte, table d'hôte, gastronomique.
Nbr personnes: 2-200.
Réservation: recommandée, requise pour groupe.
Table d'hôte: 32-48$/pers. Taxes en sus. AM ER IT MC VS
Ouvert: 25 avr - 31 oct. Tous les jours.

A AV Certifié: 2008

Anne Lachance et Julie Lachance
754, chemin Royal
Saint-Laurent-de-l'Île-d'Orléans, G0A 3Z0
Tél. (418) 829-3888 1-888-629-3888
Fax (418) 829-3716
www.moulinstlaurent.qc.ca
info@moulinstlaurent.qc.ca
Aut. 40, 440 est ou rte 138 ouest, sortie Île-d'Orléans. Au feu, tout droit, 11 km, chemin Royal à gauche.

L'Île d'Orléans, Sainte-Famille
Ferme Au goût d'Autrefois

Table Champêtre
certifiée

Ferme d'élevage. Découvrez la cuisine du terroir à l'unique Table Champêtre certifiée de la région, dans l'ambiance bucolique d'une ferme ancestrale de l'île d'Orléans. Dégustez nos produits frais de la ferme apprêtés par le grand chef Robert Bolduc. Visitez notre ferme réputée pour ses élevages au naturel d'oies, canards et dindes sauvages élevés écologiquement. P. 318.

Spécialités : magret poêlé, séché ou fumé. Confits d'oie et canard, rillettes, dinde sauvage, cuisine santé d'inspiration amérindienne et régionale.
Repas offerts : soir. Apportez votre vin.
Menus : à la carte, table d'hôte, gastronomique.
Nbr personnes: 2-40. Min. de pers. exigé varie selon les saisons.
Réservation: recommandée, requise pour groupe.
Repas: 35-70$/pers. Taxes en sus. IT MC VS
Ouvert: 1 mai - 31 déc. Tous les jours.

A AV Certifié: 2009

Jacques Legros
4311, chemin Royal
Sainte-Famille-de-l'Île-d'Orléans, G0A 3P0
Tél. (418) 829-9888
www.augoutdautrefois.ca
augoutdautrefois@videotron.ca
Aut. 40 ou rte 440 est, direction Ste-Anne-de-Beaupré. Après le pont de l'île d'Orléans, 1er feu, chemin Royal à gauche, 2 km passé le village de Ste-Famille, côté fleuve.

Neuville
Auberge aux Quatre Délices

Catherine Labrecque et Philippe Gasse
1208, route 138
Neuville, G0A 2R0
Tél. (418) 909-0604 (418) 998-4278
www.aux4delices.com
info@aux4delices.com
Aut. 40, sortie 281 sud, direction Neuville. Route 138 à
gauche, 150 mètres. L'auberge est à gauche.

Table aux Saveurs du Terroir
certifiée

L'Auberge aux Quatre Délices vous propose une table de grande qualité concoctée avec les produits du terroir québécois. Notre souci de vous faire vivre une expérience unique et délicieuse se traduit par le choix de nos ingrédients et la passion de notre chef à vous faire découvrir l'Auberge aux Quatre Délices... Un pur moment de bonheur! P. 300.

Spécialités : cuisse de canard confite, mijoté de caribou des Inuits, bison à l'érable, ne sont que quelques uns des délices que nous vous proposons.
Repas offerts : soir.
Menus : table d'hôte.
Nbr personnes: 1-60.
Réservation: requise.
Table d'hôte: 15-43$/pers. Taxes en sus. IT MC VS
Ouvert: à l'année. Ven au dim. Horaire variable.

Certifié: 2009

Québec, Sainte-Foy
Restaurant La Fenouillière

Yvon Godbout
3100, chemin Saint-Louis
Québec, G1W 1R8
Tél. (418) 653-3886 (418) 653-6368
Fax (418) 653-2630
www.fenouilliere.com
info@fenouilliere.com
Après le pont Pierre-Laporte, prendre la bretelle d'accès vers
ch. St-Louis, 0.3 km. Ch. St-Louis à gauche. Restaurant situé à
gauche au 3100, 0.2 km.

Table aux Saveurs du Terroir
certifiée

Considéré comme l'une des meilleures tables du Québec et maintes fois lauréat de prix gastronomiques, le Restaurant la Fenouillière ravira les plus fins palais. Du petit-déjeuner copieux, au dîner fin, vous découvrirez le plaisir des sens dans une atmosphère des plus détendues. P. 316.

Spécialités : Dans une ambiance feutrée et sympathique, découvrez la fine cuisine québécoise revalorisée par le savoir-faire de nos artisans.
Repas offerts : midi, soir.
Menus : à la carte, table d'hôte, gastronomique.
Nbr personnes: 1-80.
Réservation: requise.
Table d'hôte: 40-58$/pers. Taxes en sus. AM ER IT MC VS
Ouvert: à l'année.

A Certifié: 2009

Tables aux Saveurs du Terroirᴹᴰ & Champêtresᴹᴰ

L'Île-d'Orléans, Saint-Pierre
Vignoble Isle de Bacchus

Relais du Terroir
certifié

Lise Roy, Alexandre et Donald Bouchard
1071, chemin Royal
Saint-Pierre-de-l'Île-d'Orléans, G0A 4E0
Tél. (418) 828-9562
Fax (418) 828-1764
www.isledebacchus.com
isledebacchus@sympatico.ca
Aut. 40 ou 440 est dir. Ste-Anne-de-Beaupré, sortie Île-d'Orléans, au feu à gauche, 1,8 km.

Vignoble. Le vignoble tire son nom de l'appellation donnée à l'île d'Orléans par J. Cartier en 1535 «Isle de Bacchus», vu l'abondance de vignes indigènes. À 30 m du niveau du Saint-Laurent, orientation qui confère un climat bénéfique. Cuverie équipée d'accessoires des plus modernes. Chais d'élevage composé de barriques de chêne américain. La Maison du Vignoble, p. 291, 300.

Produits: vins: blanc, rosé, rouge, apéritif, liquoreux, vin de glace, «Grand Or», sélection mondiale 07. Vin de qualité internationale.
Activités sur place: dégustation, visite commentée français et anglais, visites offertes en d'autres langues, mini-ferme, participation aux vendanges.
Visite: gratuite. AM IT MC VS
Nbr personnes: 2-30.
Réservation: recommandée, requise pour groupe.
Ouvert: à l'année. Tous les jours. 10h à 18h.
Services: aire de pique-nique, vente de produits, dépliant explicatif ou panneaux français et anglais, salle de réception, réunion, emballages-cadeaux.

A AV Certifié: 2005

L'Île d'Orléans, Sainte-Famille
Ferme Au goût d'Autrefois

Relais du Terroir & Ferme Découverte
certifiés

Jacques Legros
4311, chemin Royal
Sainte-Famille-de-l'Île-d'Orléans, G0A 3P0
Tél. (418) 829-9888
www.augoutdautrefois.qc.ca
augoutdautrefois@videotron.ca
Aut. 40 ou rte 440 est, direction Ste-Anne-de-Beaupré. Après le pont de l'île d'Orléans, 1er feu, chemin Royal à gauche, 2 km passé le village de Ste-Famille, côté fleuve.

Ferme d'élevage. Visitez notre ferme ancestrale réputée pour ses produits santé et ses élevages au naturel d'oies, canards et dindes sauvages. Faites provision de produits du terroir. Découvrez la gastronomie du terroir à l'unique Table Champêtre certifiée de la région et dégustez nos produits frais de la ferme apprêtés par le grand chef Robert Bolduc. P. 315.

Produits: magret poêlé, confit, séché ou fumé. Pâtés de foie, confits d'oie et canard, produits du terroir régional, repas champêtres à emporter.
Activités sur place: dégustation, rencontre avec le producteur pour se familiariser avec les productions, les produits et/ou les procédés de transformation.
Visite: adulte: 3-5$, enfant: 0-2$ tarif de groupe. Taxes en sus. IT MC VS
Nbr personnes: 10-40.
Réservation: recommandée, requise pour groupe.
Ouvert: 1 mai - 31 déc. Tous les jours. 10h à 18h.
Services: terrasse, vente de produits, dépliant explicatif ou panneaux français, stationnement pour autobus, autres.

A AV Certifié: 2009

Saint-Ferréol-les-Neiges
Ferme Les Canardises

Relais du Terroir & Ferme Découverte
certifiés

Yolande et Pascal Klein
5170, avenue Royale
Saint-Ferréol-les-Neiges, G0A 3R0
Tél. (418) 826-2112
Fax (418) 827-4609
www.lescanardises.com
yolandeklein@xplornet.com
Mont-Sainte-Anne, route 360 en direction de Charlevoix, après le village de Saint-Ferréol-les-Neiges, 2 km après «Les 7 Chutes» sur votre droite.

Ferme d'élevage. La Ferme Les Canardises est spécialisée dans l'élevage de canards à foie gras. Nous cuisinons pour vous, dans notre conserverie, de délicieux plats de façon artisanale et traditionnelle, grâce à notre savoir-faire que nous ont transmis nos familles. Venez nous rencontrer et nous serons heureux de vous faire visiter notre ferme.

Produits: vous trouverez toutes les déclinaisons des produits du canard comme les rillettes, les confits, les pâtés et surtout le foie gras.
Activités sur place: dégustation, visite commentée français et anglais, mini-ferme.
Visite: adulte: 0-4$, enfant gratuit, tarif de groupe. MC VS
Réservation: requise pour groupe.
Ouvert: 1 juin - 31 oct. Tous les jours. 10h à 17h.
Services: aire de pique-nique, emballages-cadeaux.

A AV Certifié: 2008

Saint-Tite-des-Caps
La Bergerie des Caps

Relais du Terroir & Ferme Découverte
certifiés

Ferme d'élevage. Avec son élevage d'agneaux, son sentier pédestre bordé d'une vingtaine d'espèces d'animaux et de terrains de camping, nous sommes entourés d'une nature généreuse. N'oublions pas le jardin de plantes et de fleurs dédié à la petite Darianne. La Bergerie des Caps saura charmer vos yeux et votre cœur. Une belle expérience à vivre!

Produits: viandes d'agneaux surgelées et scellées sous vide, quelques produits de la ferme ainsi que quelques produits transformés.

Activités sur place: visite libre, mini-ferme, observation nature et faune, sentier d'interprétation, visite de jardins, raquettes, aire de jeux.

Visite: adulte: 2-4$, enfant: 0-2$ Taxes en sus.

Nbr personnes: 2-500.

Réservation: recommandée, requise pour groupe.

Ouvert: à l'année. Tous les jours. 10h à 16h.

Services: aire de pique-nique, vente de produits, dépliant explicatif ou panneaux français, salle de réception, réunion, stationnement pour autobus.

Réjean Blouin
415, route 138
Saint-Tite-des-Caps, G0A 4J0
Tél. (418) 823-2467
www.bergeriedescaps.com
info@bergeriedescaps.com

Boul. Ste-Anne dir Ste-Anne-de-Beaupré. Continuer tout droit, le boul. Ste-Anne devient la rte 138. Faire 15 km de Ste-Anne-de-Beaupré.

🐕 ✕ AV ⚓ **Certifié: 2009**

QUÉBEC (RÉGION)

Relais du Terroir[MD] & Fermes Découverte

Saguenay–Lac-Saint-Jean

Un pays de démesure…

Découvrez ce pays où les forces de la nature ont façonné un spectaculaire fjord et un sublime lac aux allures d'une petite mer intérieure bordée de plages dorées.

Le Saguenay-Lac-Saint-Jean a de quoi impressionner! Que vous fassiez le tour du vaste lac Saint-Jean, que vous exploriez les falaises abruptes et les caps vertigineux du fjord ou que vous visitiez le Haut-Saguenay plein de charme et d'animation, vous en aurez le souffle coupé!

S'offriront à vous des attraits aussi variés que le village de Petit- Saguenay, blotti au creux des montagnes et rappelant le charme des villages suisses; la baie des Ha! Ha!, qui accueille les plus hautes marées du Québec; et ce fameux fjord, classé par l'ouvrage *Enduring Treasures du National Geographic* parmi les cinq destinations nature à explorer en Amérique du Nord.

Pour vous accueillir, des gens de fête et de cœur dont la spontanéité surprenante et le phrasé mélodieux sont un pur ravissement. Certains, un tantinet taquin, vous diront que leurs bleuets sont si gros qu'un seul suffit à faire une tarte! Rien d'étonnant, car ce savoureux petit fruit sauvage y pousse en tellement grande quantité, qu'on surnomme affectueusement les habitants de la région les «Bleuets».

Si l'aventure et la nature vous interpellent, voilà votre prochaine destination écotouristique!

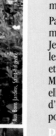

Saveurs régionales

Les habitants du Saguenay-Lac-Saint-Jean ont su conserver des coutumes culinaires traditionnelles où l'on retrouve, entre autres: la ouananiche (un saumon d'eau douce), le wapiti, la tourtière saguenéenne, les soupes et salades aux gourganes et le fromage cheddar Perron. Vins, pains artisanaux, miels et fromages de chèvre viennent aussi agrémenter la table.

Parler des saveurs de la région revient évidemment à parler du bleuet. Cette myrtille québécoise, emblème de la région, se retrouve au nord du lac Saint-Jean. Le bleuet est utilisé à toutes les sauces dans la région: dans les tartes, les confiseries, les coulis, les confitures, les sauces accompagnant les viandes et même dans les excellents chocolats et apéritifs des Pères Trappistes de Mistassini. Des classiques! Quant à la savoureuse tourtière saguenéenne, elle était à l'origine faite à base de perdrix et de divers petits gibiers couverts d'une pâte et longuement mijotés. De nos jours, dans les restaurants, on poursuit la tradition avec des viandes d'élevage.

Produits du terroir à découvrir et déguster

- La Magie du Sous-Bois Inc., Relais du Terroir ^{MD} & Ferme Découverte certifiés, Dolbeau-Mistassini. P. 343

- Les Cerfs Rouges de St-Étienne, Relais du Terroir ^{MD} & Ferme Découverte certifiés, Petit-Saguenay. P. 343

- Fromagerie au Pays des Bleuets, Relais du Terroir ^{MD} & Ferme Découverte certifiés, Saint-Félicien. P. 344

- Bergerie La Terre Promise, Relais du Terroir ^{MD} & Ferme Découverte certifiés, Saint-Nazaire. P. 344

La région compte quatre (4) Tables aux Saveurs du Terroir^{MD} et une (1) Table Champêtre^{MD} certifiées. Une façon originale de découvrir toutes ces saveurs. P. 341

Saguenay–Lac-Saint-Jean

Le saviez-vous?

En 1870, d'un petit feu destiné à brûler quelques arbres abattus naît un foudroyant brassier. Plus de 3 900 km² de territoire sont ravagés. Pour se protéger du feu, les gens devaient se réfugier dans des caves ou s'immerger dans les rivières et les lacs. En 1971, un énorme glissement de terrain à Saint-Jean-Vianney déplace l'équivalent de 8 millions de m³ d'argile et de sable. En 1988, un séisme atteignant 6,5 sur l'échelle de Richter frappe la région. En 1996, c'est un déluge de plus de 260 mm de pluie en 50 heures (l'équivalent de 3 m de neige) qui cause le débordement de plusieurs cours d'eau. Pays de démesure, disions-nous? Ajoutons même, de courage légendaire!

Clin d'oeil sur l'histoire

En 1838, 21 colons partent de Charlevoix (la Société des Vingt-et-Un) pour venir coloniser le territoire. On y implanta d'abord l'industrie forestière. Suivront l'industrie fromagère, de l'aluminium et du bleuet. C'est en 1880 que l'industrie fromagère connaît un essor avec la création d'une dizaine de fabriques de cheddar. Sous le Régime anglais, les fromages étant réservés à la noblesse, le cheddar devint l'un des produits canadiens les plus exportés, après la fourrure, la morue séchée et le bois de construction. La Fromagerie Perron de Saint-Prime est l'un des meilleurs exemples du savoir-faire fromager qui s'est transmis sur quatre générations, assurant ainsi le maintien de la qualité exceptionnelle de ce fromage de renommée internationale.

Quoi voir? Quoi faire?

Aux pourtours du lac Saint-Jean: plages, randonnée, diverses activités et attraits.

La caverne Trou de la Fée (Desbiens) et l'Ermitage Saint-Antoine de Lac-Bouchette.

La boulangerie Perron de Roberval, ÉCONOMUSÉE®.

Le Village historique de Val-Jalbert: moulin, chute, sentier... (Chambord).

Le Musée du fromage cheddar (Saint-Prime).

Jardin de Scullion pour la découverte d'aménagements exceptionnels (l'Ascension-de-Notre-Seigneur)

Le Zoo sauvage de Saint-Félicien et le Centre de Conservation de la Biodiversité Boréale Boréalie (Saint-Félicien).
Le Musée Louis-Hémon – Complexe touristique Maria-Chapdelaine (Péribonka).

Le Centre d'interprétation des battures et de réhabilitation des oiseaux (Saint-Fulgence).

À Jonquière, Chicoutimi et La Baie: divers attraits, dont la Pulperie de Chicoutimi, la Maison Arthur-Villeneuve, le spectacle La nouvelle Fabuleuse ou les aventures d'un Flo et le Musée du fjord, entre autres.

L'attrait historique le Site de la Nouvelle-France (Saint-Félix-d'Otis).

Les jolis villages de Petit-Saguenay, Anse Saint-Jean, Sainte Rose-du-Nord et Saint-Félix-d'Otis.

Le Festival des bleuets (août), le Festival international des arts de la marionnette (septembre), Jonquière en musique (juin à août), et plusieurs autres événements.

Faites le plein de nature

Croisière et expédition en kayak sur le lac Saint-Jean et sur le fjord.

La Véloroute des bleuets : un circuit cyclable de 256 km ceinturant le lac Saint-Jean.

Le parc national du Saguenay: plusieurs sentiers parcourant les deux rives du fjord.

Le Mont Lac-Vert (Hébertville) et le Domaine de la rivière Mistassini (Girardville).

Le Sentier des grands pins blancs (Alma).

La réserve faunique des Laurentides.

Le Centre touristique du Lac-Kénogami.

Le Parc de la Pointe-Taillon (Saint-Henri-de-Taillon).

Pour la famille, le Parc Aventures Cap-Jaseux (Saint-Fulgence).

Le parc national des Monts-Valin: marche, raquette, motoneige (Saint-Fulgence).

Le Parc de la Nordicité (La Baie).

Pour plus d'information sur la région du Saguenay-Lac-Saint-Jean: 1-877-253-8387
www.saguenaylacsaintjean.ca

Saguenay–Lac-Saint-Jean

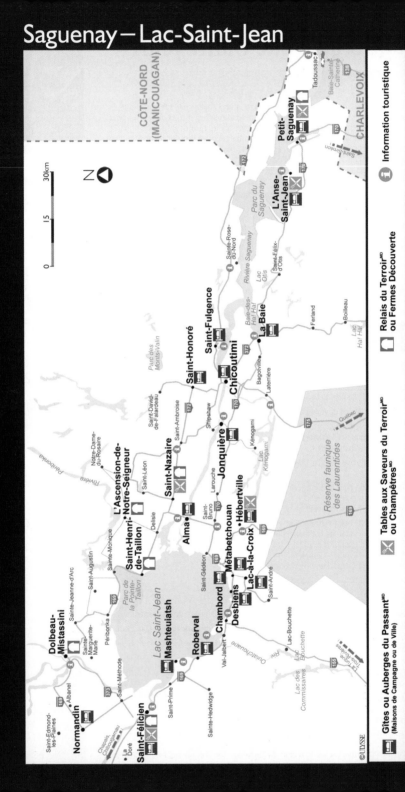

PRIX de L'EXCELLENCE 2008
Fédération des Agricotours du Québec
Coup de Cœur du Public régional

La Fédération des Agricotours du Québec* est fière de rendre hommage à l'hôtesse Denise Fortin Blackburn, du GÎTE AU MITAN, qui s'est illustrée de façon remarquable par son accueil de tous les jours envers sa clientèle. C'est dans le cadre des Prix de l'Excellence 2008 que la propriétaire de cet établissement, certifié Gîte du Passant[MD] depuis 1996, s'est vu décerner le « Coup de Cœur du Public régional » du Saguenay-Lac-Saint-Jean dans le volet Gîte du Passant[MD]. P. 330.

Félicitations !

La Fédération des Agricotours du Québec est propriétaire des marques de certification : Gîte du Passant[MD], Auberge du Passant[MD], Maison de Campagne ou de Ville, Table aux Saveurs du Terroir[MD], Table Champêtre[MD], Relais du Terroir[MD] et Ferme Découverte.

Jonquière
Gîte Au Mitan
Denise Fortin Blackburn
2840, boul. Saguenay
Jonquière
G7S 2H3
(418) 548-7388
Fax : (418) 548-3415
www.multimania.com/lemitan/
denisefblackburn@hotmail.com

Prix de l'Excellence

Merci au nom des lauréats!

Chaque année, les fiches d'appréciation permettent de décerner le Prix de l'Excellence, dans la catégorie « Coup de Cœur du Public », aux établissements qui se sont démarqués de façon remarquable par leur accueil. En remplissant une fiche d'appréciation, vous contribuez non seulement à maintenir la qualité constante des services offerts, mais également à rendre hommage à tous ces hôtes.

COUREZ LA CHANCE DE GAGNER UN SÉJOUR!

Chacune des fiches d'appréciation , vous donne la chance de gagner un séjour de 2 nuits pour 2 personnes dans un « Gîte ou une Auberge du Passant[MD] » de votre choix. La fiche d'appréciation est disponible dans tous les établissements certifiés et sur Internet :

www.gitesetaubergesdupassant.com
www.tablesetrelaisduterroir.com

Alma
Au Pied des Remous ✿ ✿ ✿

Gîte du Passant
certifié

Ambiance propice à la détente. Pour une randonnée de vélo autour du lac, laissez votre voiture au gîte et la Véloroute des Bleuets met à votre disposition une navette pour faire suivre vos bagages de gîte en gîte moyennant quelques frais.

Aux alentours: Jardins Scullion, parc national de la Pointe-Taillon, croisières, théâtre d'été, Complexe touristique Dam-en-Terre.

Chambres: ensoleillées, personnalisées, peignoir, ventilateur, chambre familiale, vue sur mont. **Lits:** simple, double, queen, d'appoint. **4 ch. S. de bain privée(s) ou partagée(s).**

2 pers: B&B 75-85$ **PAM** 75-85$ **1 pers:** B&B 70-75$ **PAM** 70-80$. Taxes en sus.
Réduction: long séjour.
Ouvert: à l'année.

⬤ **AV** @ 🐾 **Certifié: 2008**

Colombe Larouche et Carlos Barroso
342, rue Sacré-Cœur Est
Alma G8B 1A8
Tél. (418) 480-4189 (418) 480-0345
Fax (418) 480-4921
www.aupieddesremous.com
info@aupieddesremous.com
Parc des Laurentides, route 175 nord, route 169 nord, juste avant le Pont Carcajou, la rue Sacré-Cœur est à droite, au coin de la rue Quai.

Chambord
Gîte au Lac de l'Hécô ✿ ✿ ✿

Gîte du Passant
certifié

En bordure du majestueux lac Saint-Jean, sur un site magnifique, ma petite maison, d'un style moderne, construite en 1961 et joliment décorée, vous enchantera. Dans la salle, des petits souvenirs vous sont offerts à prix modique. Au matin, je vous propose un savoureux petit-déjeuner avant de poursuivre votre journée. Au plaisir de vous recevoir!

Aux alentours: motoneige sur le lac, ski Val-Jalbert, golf à Chambord, sentiers pédestres.

Chambres: certaines avec lavabo, unité pour fumeur, personnalisées, raffinées, peignoir, terrasse. **Lits:** queen. **3 ch. S. de bain partagée(s).**

2 pers: B&B 70$ **1 pers:** B&B 60$.
Enfant (12 ans et —): B&B 25$. Taxes en sus. ER
Ouvert: à l'année.

🐎 🐾 **Certifié: 2008**

Hélène Côté
1863, rue Principale
Chambord G0W 1G0
Tél. (418) 342-6938 1-877-259-9561
Fax (418) 342-1649
http://giteaulacdeheco.tripod.com/
giteaulacdelheco@hotmail.com
Rte 169 nord. À Chambord, au feu, jonction de la rte 155, à droite, direction Roberval. Du feu de circulation, gîte à 500 pieds du côté du lac St-Jean.

Chicoutimi
À la Bernache ✿ ✿ ✿

Gîte du Passant
certifié

Finaliste au prix Coup de Cœur du Public régional 2000. Surplombant un fjord majestueux, ce gîte très calme est bien centré et situé dans un des plus beaux coins de la région. Les chambres sont douillettes et les déjeuners, abondants et variés, sont servis dans une salle à manger verrière avec vue panoramique sur la rivière.

Aux alentours: grands spectacles, croisières sur le fjord, musées, kayak, rafting, vélo, équitation, golf, pêche.

Chambres: avec lavabo, raffinées, tranquillité assurée, lumineuses, bois franc, vue sur rivière. **Lits:** double, queen. **3 ch. S. de bain partagée(s).**

2 pers: B&B 65$ **1 pers:** B&B 55$.
Enfant (12 ans et —): B&B 15$
Ouvert: à l'année.

⬤ @ 🐾 **Certifié: 1994**

Denise Ouellet
3647, chemin Saint-Martin
Chicoutimi G7H 5A7
Tél. (418) 549-4960
www.gitebernache.com
deniseouellet2@videotron.ca
Rte 175 nord dir. Chicoutimi. Boul. Université est à droite, près centre commercial, boul. Saguenay à gauche, 1re rte à droite, rang St-Martin, 6,7 km.

Chicoutimi
Auberge Racine ✳ ✳ ✳ ✳

Gîte champêtre situé dans une magnifique demeure centenaire au cœur du centre-ville de Chicoutimi. Vous succomberez au charme enveloppant de nos chambres au confort douillet avec toutes les facilités d'aujourd'hui: internet sans fil, stationnement, espace pour vélos. À proximité du vieux port, de l'hôpital, CEGEP, université, restaurants. P. 324.

Aux alentours: le Vieux Port et les croisières, parc Rivière du Moulin, mont Valinouët, Parc Aventure Cap Jaseux.

Chambres: climatisées, baignoire sur pattes, TV, accès Internet, cachet champêtre, entrée privée. Lits: double, queen, divan-lit, d'appoint, pour bébé. **5 ch. S. de bain** privée(s).

Joseph Simard et Marie-Joelle Bolduc
334, rue Racine Est
Chicoutimi G7H 1S6
Tél. (418) 543-1919
www.aubergeracine.com
infos@aubergeracine.com
Rte 175 nord, à Chicoutimi devient Boul. Talbot, jusqu'au bout, rue Jacques Cartier à gauche, 5ᵉ feu, rue Labrecque à droite, au bout, rue Racine à gauche.

Forfaits: spectacle.
2 pers: B&B 99$ **1 pers:** B&B 89$.
Enfant (12 ans et −): B&B 17$. Taxes en sus. MC VS
Réduction: hors saison, long séjour.
Ouvert: à l'année.

A AV @ ⅋ Certifié: 2008

Chicoutimi
Gîte la Maison le Normand ✳ ✳ ✳

Maison ancestrale de deux étages avec petite ferme : chats, cailles et lapins. Havre de paix situé à la campagne, à 5 km de la ville, offrant une vue splendide sur les monts Valin. Maison qui renferme beaucoup de respect, d'amour et de joie. Forfaits spectacle offerts. Un accueil chaleureux et personnalisé vous attend. À bientôt! Certifié "Bienvenue cyclistes !"ᴹᴰ

Aux alentours: parc, rivière du moulin (randonnée pédestre), golf (Le Richochet), ski, sentier de motoneige.

Chambres: TV, accès Internet, balcon, ensoleillées, cachet ancestral, meubles antiques, chambre familiale. Lits: double, king, pour bébé. **3 ch. S. de bain partagée(s).**

Michelle Vigneault
2049, rang Sainte-Famille
Chicoutimi G7H 7W3
Tél. (418) 549-4068 (418) 557-2049
Fax (418) 612-0921
www.gitelamaisonlenormand.ca
infos@gitelamaisonlenormand.ca
Rte 175 nord, à Chicoutimi, rte 170 est, 1ᵉʳ feu, rang Sainte-Famille à gauche, 4,5 km.

Forfaits: spectacle.
2 pers: B&B 65$ **1 pers:** B&B 60$.
Enfant (12 ans et −): B&B 10$
Réduction: hors saison, long séjour.
Ouvert: à l'année.

✗ AV ≈ @ ⅋ Certifié: 2008

Chicoutimi
La Maison du Séminaire ✳ ✳ ✳ ✳

La Maison du Séminaire construite en 1915 sur une rue patrimoniale à l'ombre d'un magnifique tilleul est un havre de paix au centre-ville de Chicoutimi. La maison est grande, agréable, décorée avec des meubles d'époque, des couleurs chaudes, des papiers peints fleuris et autres commodités. Un séjour confortable vous attend. La belle vie! Certifié "Bienvenue cyclistes !"ᴹᴰ

Aux alentours: restos, activités du centre-ville, CEGEP, UQAC, hôpital, cathédrale, croisières sur le Saguenay.

Chambres: certaines climatisées, accès Internet, insonorisées, cachet ancestral, ventilateur. Lits: simple, double, queen, d'appoint, pour bébé. **5 ch. S. de bain** privée(s) ou partagée(s).

Gaëtane Harvey et Michel Carrier
285, rue du Séminaire
Chicoutimi G7H 4J4
Tél. / Fax (418) 543-4724
www.lamaisonduseminaire.com
infos@lamaisonduseminaire.com
Route 175 nord jusqu'à la fin. Rue Jacques-Cartier à gauche, 2ᵉ rue à droite. Notre maison est blanche du côté droit au 285.

2 pers: B&B 85-110$ **1 pers:** B&B 75-80$.
Enfant (12 ans et −): B&B 20$. Taxes en sus. MC VS
Réduction: hors saison, long séjour.
Ouvert: à l'année.

A 🛏 AV @ ⅋ Certifié: 2005

Chicoutimi
Le Chardonneret ❀ ❀ ❀

Gîte du Passant
certifié

Situé du côté est de Chicoutimi, vaste terrain avec vue imprenable sur la ville et le Saguenay. C'est un chez-soi tout confort. Petit-déjeuner copieux. Divers services à moins d'un km: restauration, pharmacie, dépanneur, station-service. Bienvenue chez-moi!

Aux alentours: théâtre, spectacles, vélo, canoë, randonnée, Parc Rivière-du-Moulin.
Chambres: certaines avec lavabo, ensoleillées, tranquillité assurée, vue panoramique.
Lits: simple, double, d'appoint. **3 ch. S. de bain partagée(s).**
2 pers: B&B 65-75$ **1 pers: B&B** 55$
Enfant (12 ans et –): B&B 15$
Ouvert: 15 mai - 31 oct.

AV ♿ **Certifié: 1995**

Claire Tremblay
1253, boul. Renaud
Chicoutimi G7H 3N7
Tél. (418) 543-9336
www.giteetaubergedupassant.com/chardonneret
lechardonneret@videotron.ca
De Québec, rte 175 nord dir. Chicoutimi. Boul. Université à droite, près centre commercial, boul. Saguenay à gauche. Après l'hôtel Parasol, boul. Renaud à droite.

Desbiens
Gîte Chez Mes 2 Fils ❀ ❀ ❀ ❀

Gîte du Passant
certifié

Un accueil amical et cordial vous attend avec vos hôtes Daniel & Myriam dans un décor champêtre qui reflète bien la personnalité de vos hôtes. Il fait bon dormir dans des lits douillets et de se réveiller avec l'odeur du petit-déjeuner et du café. De plus, vous aurez le choix de prendre votre petit-déjeuner à l'intérieur ou à l'extérieur. Certifié "Bienvenue cyclistes !"^{MD}

Aux alentours: Véloroute des Bleuets, plage, belvédère sur le lac pour regarder le coucher du soleil.
Chambres: climatisées, baignoire sur pattes, accès Internet, cachet d'autrefois, meubles antiques. **Lits:** simple, double. **4 ch. S. de bain privée(s).**
Forfaits: vélo, plein air, régional.
2 pers: B&B 85$ **1 pers: B&B** 70$. AM IT MC VS
Ouvert: à l'année.

A AV @ ♿ **Certifié: 2007**

Daniel Senécal et Myriam Dubé
1229, rue Hébert
Desbiens G0W 1N0
Tél. (418) 346-1087
Fax (418) 346-1560
www.chezmes2fils.com
chezmes2fils@sympatico.ca
Rte 155 nord dir. Chambord, rte 169, rue Hébert à droite.

Hébertville
Auberge Presbytère Mont Lac-Vert ★ ★ ★

Auberge du Passant
certifiée

Situé aux portes du lac Saint-Jean dans un décor enchanteur, à deux pas du mont Lac-Vert, l'auberge Presbytère entièrement rénovée a su conserver son cachet d'antan. On vous accueillera dans une ambiance chaleureuse, où vous pourrez bénéficier d'une tranquillité exceptionnelle entourée d'un paysage campagnard qui saura vous inspirer. Certifié "Bienvenue cyclistes !"^{MD} **Certifié Table aux Saveurs du Terroir^{MD}. P. 341.**

Aux alentours: randonnée pédestre, vélo, plage, motoneige, traîneau à chiens, ski alpin, raquette, glissade.
Chambres: cachet champêtre, décoration thématique, ventilateur, chambre familiale.
Lits: simple, double, divan-lit. **6 ch. S. de bain privée(s).**
Forfaits: charme, vélo, famille, gastronomie, golf, motoneige, romantique, ski alpin, autres.
2 pers: B&B 89-99$ **PAM** 141-151$ **1 pers: B&B** 74-99$ **PAM** 100-125$.
Enfant (12 ans et –): B&B 15$ **PAM** 27$. Taxes en sus. AM IT MC VS
Ouvert: à l'année.

✗ AV ♿ **Certifié: 1998**

Danielle Castonguay et Robert Bilodeau
335, rang Lac-Vert
Hébertville G8N 1M1
Tél. (418) 344-1548 1-800-818-1548
Fax (418) 344-1013
www.aubergepresbytere.com
aubergepresbytere@qc.aira.com
Accès par la rte 169, on n'entre pas dans le village d'Hébertville, suivre la dir. Mont-Lac-Vert, 4 km. Face au camping municipal.

Hébertville
L'Ancestrale Maison Rémi Hudon ✦ ✦ ✦

Gîte du Passant
certifié

Faites un séjour dans l'une des plus anciennes maisons du lac Saint-Jean. Une page d'histoire datant du début de la colonisation. M. Rémi Hudon fut un homme important dans l'histoire du village d'Hébertville.

Chambres: TV, DVD, unité pour fumeur, cachet ancestral, lucarnes, chambre familiale, vue sur mont. **Lits:** simple, double, divan-lit, d'appoint. **4 ch. S. de bain privée(s) ou partagée(s).**
2 pers: B&B 60-80$ **1 pers:** B&B 50-70$
Ouvert: à l'année.

● @ ♐ **Certifié: 2009**

Line Lessard
612, rue Labarre
Hébertville G8N 1C9
Tél. / Fax (418) 344-4120
www.giteetaubergedupassant.com/maisonremihudon
lessard.line@cgocable.ca
Rte 169, à Hébertville village, rue Labarre.

Hébertville
Le Gîte des Aulnaies ✦ ✦ ✦

Gîte du Passant
certifié

Gîte des Aulnaies, pour un accueil charmant. Bien situé pour visiter toute la région. Venez partager notre vie familiale. Bienvenue aux enfants. Repas du soir offert sur réservation. Profitez de cette halte de paix pour prendre un bain de nature. Après une nuit reposante, venez apprécier notre copieux petit-déj. servi par votre hôtesse.

Aux alentours: plage, motoneige, vélo, pêche, ski, piste cyclable, golf, VTT et moto.
Chambres: avec salle d'eau, foyer, TV, balcon, insonorisées, entrée privée, vue sur montagne. **Lits:** simple, double, pour bébé. **4 ch. S. de bain partagée(s).**
2 pers: B&B 54-130$ **1 pers:** B&B 42-82$.
Enfant (12 ans et −): B&B 10$
Ouvert: à l'année.

● ✕ AV ♐ **Certifié: 2008**

Carole et Jacques Martel
223, rue Potvin Sud
Hébertville G8N 1T4
Tél. / Fax (418) 344-1323
www.giteetaubergedupassant.com/gitedesaulnaies
Du parc des Laurentides, rte 169. Premier village, rue Martin.

Jonquière
Au Gîte de la Rivière-aux-Sables ✦ ✦ ✦ ✦

Gîte du Passant
certifié

Coup de Cœur du Public régional 2007. Le calme de la çampagne en ville. Havre de détente au cœur de la région. À 5 min à pied du centre-ville. Le déjeuner est servi dans spacieuse verrière climatisée. Jardin accessible à la rivière et vue sur passerelle. Salle de repos avec table, frigo et micro-ondes. Venez seul, en couple, en famille ou en groupe découvrir notre coin enchanteur!

Aux alentours: piste cyclable, pédestre, restos, bars, spectacles, pédalo, canot, ski de fond, parcs, cégep, musée.
Chambres: avec lavabo, certaines avec salle d'eau, TV, tranquillité assurée, chambre familiale. **Lits:** simple, double. **4 ch. S. de bain privée(s) ou partagée(s).**
2 pers: B&B 70-90$ **1 pers:** B&B 60-80$
Réduction: hors saison, long séjour.
Ouvert: à l'année.

● ⚓ @ ♐ **Certifié: 1994**

Chantale Munger et Robert Jacques
4076, rue des Saules
Jonquière G8A 2G7
Tél. (418) 547-5101
Fax (418) 547-6939
www.gitedelariviereauxsables.com
marie@gitedelariviereauxsables.com
Rte 175 ou aut. 70, sortie 33 dir. centre-ville, rue du Vieux-Pont à gauche, rue St-Jean-Baptiste à gauche, rue Des Saules à gauche.

SAGUENAY–LAC-SAINT-JEAN

Gîtes et Auberges du Passant[MD]
Maisons de Campagne et de Ville

Jonquière
Au P'tit Manoir ❋ ❋ ❋ ❋

Claire Larouche et Normand Otis
2263, rue St-Dominique
Jonquière G7X 6L9
Tél. / Fax (418) 542-6002 Tél. 1-888-547-2002
www.auptitmanoir.net
auptit_manoir@hotmail.com
Rte 175 dir. Chicoutimi, aut. 70 dir. Jonquière, sortie 33
St-Hubert, boul. Harvey, rue St-Dominique à droite, 500 m
à droite.

Gîte du Passant
certifié

Le gîte Au P'tit Manoir est une résidence de prestige de style manoir. C'est en découvrant sa salle à manger, son boudoir et en empruntant son escalier que vous découvrirez 5 grandes ch. décorées aux couleurs de différents pays. À votre réveil, un copieux déjeuner vous est offert par vos hôtes avec tout le plaisir de vous accueillir à Saguenay. Certifié "Bienvenue cyclistes !"[MD] P. 324.

Aux alentours: golf, théâtre, Jonquière musique, ski.
Chambres: climatisées, accès Internet, bois franc, entrée privée. **Lits:** double, queen, d'appoint. **5 ch. S. de bain privée(s) ou partagée(s).**
Forfaits: vélo, croisière, spectacle, théâtre.
2 pers: B&B 75-95$ **1 pers:** B&B 65-85$.
Enfant (12 ans et –): B&B 15$. VS
Réduction: hors saison, long séjour.
Ouvert: à l'année.

@ 🚲 **Certifié: 2008**

Jonquière
Gîte Au Mitan ❋ ❋ ❋

Denise Fortin Blackburn
2840, boul. Saguenay
Jonquière G7S 2H3
Tél. (418) 548-7388
Fax (418) 548-3415
www.multimania.com/lemitan/
denisefblackburn@hotmail.com
Rte 175 nord, à Chicoutimi rte 170 dir. Jonquière, 8 km, boul.
Mellon à droite, dir. carrefour giratoire, 3 km, boul. Saguenay
dir. Jonquière, 80 mètres.

Gîte du Passant
certifié

Coup de Cœur du Public régional 2003 et 2008. Coquette maison de style anglais du début du siècle dernier construite par Alcan avec boiseries et un bel escalier en chêne. Située dans le quartier historique d'Arvida. Petit-déjeuner savoureux servi dans une jolie verrière. Garage disponible pour moto et vélo. Forfaits motoneige et traîneau à chiens. Certifié "Bienvenue cyclistes !"[MD] P. 323.

Aux alentours: spectacles Québec Issime et Ecce Mundo, centre national d'exposition, croisières, golfs, Alcan, ski.
Chambres: avec lavabo, accès Internet, insonorisées, cachet champêtre, peignoir, bois franc. **Lits:** simple, double, queen. **3 ch. S. de bain privée(s) ou partagée(s).**
Forfaits: vélo, croisière, golf, ski alpin, ski de fond, spectacle, théâtre, régional.
2 pers: B&B 85$ **1 pers:** B&B 65$.
Enfant (12 ans et –): B&B 20$. Taxes en sus.
Réduction: hors saison.
Ouvert: à l'année.

A AV @ 🚲 **Certifié: 1996**

Jonquière
Gîte le Coup de Cœur ❋ ❋ ❋ ❋

Denise Bouchard
4000, rue du Vieux-Pont
Jonquière G7X 3M6
Tél. / Fax (418) 547-9231
www.giteetaubergedupassant.com/lecoupdecoeur
denisecoeur@videotron.ca
Aut. 70, sortie 33 dir. Jonquière centre-ville, suivre parc de la
Rivière-aux-Sables.

Gîte du Passant
certifié

Notre maison, âgée de 80 ans et rénovée avec beaucoup de goût et de charme, est située en plein centre-ville de Jonquière avec une vue magnifique sur la rivière aux Sables. Endroit très accueillant et décoré pour vous donner l'impression d'être chez vous. Dès votre arrivée, vous stationnez votre voiture et nous vous accueillons comme des amis.

Aux alentours: piste cyclable, randonnée pédestre, restaurant-bar, festival, spectacle, golf, pédalo.
Chambres: TV, accès Internet, peignoir, ventilateur, couettes en duvet, bois franc, entrée privée. **Lits:** double, divan-lit, d'appoint. **3 ch. S. de bain privée(s) ou partagée(s).**
Forfaits: vélo, golf, romantique, ski de fond, spectacle, théâtre, régional, restauration.
2 pers: B&B 80-105$ **1 pers:** B&B 80-105$.
Enfant (12 ans et –): B&B 20$. MC VS
Réduction: hors saison, long séjour.
Ouvert: à l'année.

AV @ 🚲 **Certifié: 2006**

La Baie
À la Vieille École ✸✸✸✸

Gîte du Passant
certifié

Depuis 1993, le gîte À la Vieille École vous offre chaleur, confort et hospitalité. Petits-déjeuners savoureux cuisinés le matin même. Notre maison centenaire est meublée à l'ancienne. Notre poêle au bois datant de 1934 vous réchauffera par temps frais et la brise du fjord vous rafraîchira par temps chaud. Venez nous visiter!

Aux alentours: La nouvelle Fabuleuse, spectacle Ecce Mundo, croisières sur le Fjord.
Chambres: climatisées, cachet ancestral, meubles antiques, suite familiale, vue panoramique. **Lits:** simple, double. **4 ch. S. de bain privée(s).**
2 pers: B&B 70-90$ **1 pers:** B&B 65-85$.
Enfant (12 ans et –): B&B 20$
Ouvert: à l'année.

A ◆ AV ≈ @ ⌘ **Certifié: 2008**

Maude Harvey et Yvon Roy
5762, ch. Saint-Martin RR 4
La Baie G7B 3N9
Tél. (418) 544-5094
Fax (418) 544-5696
www.giteetaubergedupassant.com/alavieilleecole
gitealavieilleecole@derytele.com

Rte 172 ouest ou 170 ouest. Suivre les indications (panneaux bleus). Rte du Fjord, rte 170 est ou rte 372, ch. de Grande-Anse dir. nord, ch. Saint-Martin à gauche.

La Baie
Auberge Au fil des saisons ★★

Auberge du Passant
certifiée

Un «pays» où la démesure n'a pas de frontière, où l'hospitalité n'a d'égale que les bras d'une mer. Goûtez à l'ivresse de notre nature. Emerveillez-vous de notre fjord. Savourez nos spectacles. Enrichissez-vous de nos musées. Au Saguenay, vous trouverez cette étincelle qui fait de nous des gens fiers de notre royaume et fiers d'y vivre.

Aux alentours: piste cyclable, croisière sur le fjord, kayak de mer, ski, motoneige, pêche blanche, site Okwari.
Chambres: foyer, TV, accès Internet, cachet champêtre, suite familiale, vue sur baie. **Lits:** queen. **9 ch. S. de bain privée(s) ou partagée(s).**
Forfaits: charme, croisière, golf, plein air, romantique, théâtre, traîneaux à chiens.
2 pers: B&B 85-115$ **1 pers:** B&B 75-90$.
Enfant (12 ans et –): B&B 20$. MC VS
Réduction: hors saison, long séjour.
Ouvert: à l'année.

A 🛏 ✗ AV ≈ @ ⌘ **Certifié: 2007**

Murielle Boulé
832, rue Cimon
La Baie G7B 3L2
Tél. / Fax (418) 697-1000 Tél. 1-888-697-1004
www.aufildessaisons.com
aufildessaisons@hotmail.com

Rte 138 est, rte 170 ouest, rte 372 nord (boul. de la Grande-Baie nord), rue Dr. Desgagné à droite, rue Cimon à droite.

La Baie
La Maison des Ancêtres ★★★

Maison de Campagne à la Ferme
certifiée

Ferme d'élevage – Ferme laitière. Maison patrimoniale appartenant à la même famille depuis plusieurs générations, soit depuis le début de la colonisation du Saguenay-Lac-Saint-Jean. P. 340.

Aux alentours: La Fabuleuse, Musée du fjord, site de la Nouvelle-France, kayak de mer, cap Jaseux, croisières.
Maisons: foyer, TV, unité pour fumeur, cachet particulier, ventilateur, vue sur campagne. **Lits:** simple, double. **1 maison(s). 5 ch. 2 -10 pers.**
SEM 600-700$ **WE** 250-350$ **JR** 100-200$
Réduction: hors saison.
Ouvert: à l'année.

🛏 AV ⌘ **Certifié: 1989**

Judith et Germain Simard
1722, chemin Saint-Joseph
La Baie G7B 3N9
Tél. (418) 544-2925 (418) 540-8652
Fax (418) 544-0241
www.maisondesancetres.com
simger@royaume.com

Rte 175 nord, Réserve faunique des Laurentides, rte 170 dir. La Baie, 13 km, rue Victoria, 2 km, qui devient St-Joseph à gauche.

L'Anse-Saint-Jean
À la Pantouflarde ✲ ✲ ✲

Gîte du Passant
certifié

Chaleureuse maison québécoise où les couleurs du fjord font écho. Petit-déjeuner servi dans la verrière avec vue sur la rivière et les montagnes. Confortables chambres pour le repos, murmures de la rivière pour la détente et les rêveries. Françoise vous accueille dans sa maison aux volets verts.

Aux alentours: kayak de mer, croisières sur le fjord, vélo de montagne, randonnées pédestres et équitation.
Chambres: certaines avec lavabo, ensoleillées, personnalisées, cachet particulier, ventilateur. Lits: double, queen. **3 ch. S. de bain partagée(s).**
2 pers: B&B 70$ **1 pers:** B&B 50$.
Enfant (12 ans et —): B&B 15$. MC VS
Ouvert: 15 juin - 15 oct.

Françoise Potvin
129, rue Saint-Jean-Baptiste
L'Anse-Saint-Jean G0V 1J0
Tél. (418) 272-2182 1-888-272-2182
Fax (418) 545-1914
www.giteetaubergedupassant.com/pantouflarde
lapantouflarde@hotmail.com
Rtes 138 est et 170 jusqu'à L'Anse-St-Jean. Rtes 175, puis 170, rue Principale de l'Anse, 3,5 km.

@ **Certifié:** 1993

L'Anse-Saint-Jean
Auberge des Cévennes ★ ★ ★

Auberge du Passant
certifiée

«De la terrasse du 2e étage de l'auberge… on ne voudrait plus bouger du reste des vacances» (La Presse, 16 octobre 2004). À quelques pas du fjord et des sentiers du parc, une petite auberge simple et confortable, une table giboyeuse. On y fait bonne chère et bon vin. Fraîcheur des galeries en été, chaleur des foyers en hiver. **Certifié Table aux Saveurs du Terroir^{MD}. P. 325, 341.**

Aux alentours: fjord du Saguenay, parc national, baleines, ski, motoneige, pêche blanche, croisières, kayak.
Chambres: foyer, TV, balcon, ensoleillées, confort moderne, ventilateur, entrée privée, vue splendide. Lits: double, queen. **14 ch. S. de bain privée(s).**
Forfaits: croisière, motoneige, ski alpin, hiver.
2 pers: B&B 93-117$ PAM 138-160$ **1 pers:** B&B 84-108$ PAM 105-129$.
Enfant (12 ans et —): B&B 17$ PAM 27$. Taxes en sus. IT MC VS
Ouvert: à l'année.

Enid Bertrand et Louis Mario Dufour
294, rue Saint-Jean-Baptiste
L'Anse-Saint-Jean G0V 1J0
Tél. (418) 272-3180 1-877-272-3180
Fax (418) 272-1131
www.auberge-des-cevennes.qc.ca
messages@auberge-des-cevennes.qc.ca
Rte 170 dir. L'Anse-St-Jean, rue St-Jean-Baptiste vers le quai. À 0,2 km de l'église, en face du pont couvert.

A ✕ **AV Certifié:** 1998

L'Anse-Saint-Jean
Auberge la Fjordelaise ★ ★ ★

Auberge du Passant
certifiée

Avec sa vue exceptionnelle sur le fjord, sa superbe terrasse face au Saguenay, cette chaleureuse auberge de 9 chambres avec salle de bain privée, à proximité des activités nautiques et des sports d'hiver, est un rêve accessible. Bonne table en plus! Au plaisir de vous accueillir chez nous! Vos hôtes Rita et Denis.

Aux alentours: croisière, kayak, équitation, randonnée, piste cyclable, ski alpin, traîneau à chiens, motoneige.
Chambres: balcon, personnalisées, cachet champêtre, peignoir, lucarnes, bois franc, vue splendide. Lits: double, queen. **9 ch. S. de bain privée(s) ou partagée(s).**
Forfaits: croisière, ski alpin, autres.
2 pers: B&B 87-107$ PAM 136-160$ **1 pers:** B&B 70-90$ PAM 98-120$.
Enfant (12 ans et —): B&B 16$. Taxes en sus. IT MC VS
Réduction: hors saison.
Ouvert: à l'année. **Fermé:** 1 nov - 1 déc.

Rita B. Gaudreault
370, rue Saint-Jean-Baptiste
L'Anse-Saint-Jean G0V 1J0
Tél. (418) 272-2560 1-866-372-2560
www.fjordelaise.com
infos@fjordelaise.com
Rte 138 est dir. St-Siméon, rte 170 dir. L'Anse-St-Jean, rue Saint-Jean-Baptiste jusqu'au bout du village, près de la marina.

✕ **AV Certifié:** 2007

Mashteuiatsh
Auberge Maison Robertson ※ ※ ※

Gîte du Passant
certifié

Située à Mashteuiatsh, sur les rives du lac Saint-Jean, cette magnifique maison patrimoniale, lieu historique où se pratiquait la traite des fourrures, vous offre toutes les commodités, le charme et le confort d'une authentique auberge. Plusieurs objets d'époque et des oeuvres réalisées par des artisans amérindiens agrémenteront votre séjour.

Aux alentours: Musée Amérindien, Renée Robertson Fourrures, plage Robertson, Musée du fromage cheddar, Village historique Val-Jalbert.
Chambres: TV, accès Internet, personnalisées, cachet ancestral, meubles antiques, vue sur lac. **Lits:** double, queen, divan-lit, d'appoint. **5 ch. S. de bain privée(s) ou partagée(s).**
Forfaits: divers.
2 pers: B&B 75-110$ **1 pers:** B&B 60-95$.
Enfant (12 ans et –): B&B 15$. MC VS
Réduction: hors saison.
Ouvert: à l'année.

1645, Ouiatchouan
Mashteuiatsh G0W 2H0
Tél. (418) 275-8375
www.aubergemaisonrobertson.ca
info@aubergemaisonrobertson.ca
Rte 169 nord. À Roberbal, 1er feu, rue Brassard à droite, boul. St-Joseph vers Mashteuiatsh.

AV @ Certifié: 2009

Mashteuiatsh
Auberge Shakahikan ※ ※ ※

Gîte du Passant
certifié

L'Auberge Shakahikan, «lac» en montagnais, offre un séjour confortable et douillet dans une magnifique maison de style canadien, sise sur le bord du lac St-Jean, au sein même de la communauté Mashteuiatsh. Assurance de tranquillité et offre de déjeuners aux saveurs régionales. En saison estivale, accès à la piscine creusée ou à la plage du lac.

Aux alentours: musée amérindien, village historique de Val-Jalbert, zoo de St-Félicien, Moulin des pionniers.
Chambres: cachet d'autrefois, tranquillité assurée, chambre familiale, vue splendide.
Lits: simple, queen. **4 ch. S. de bain partagée(s).**
2 pers: B&B 75-90$.
Enfant (12 ans et –): B&B 25$
Ouvert: 1 mai - 31 oct.

Jocelyne Paul et Len Moar
1380, rue Ouiatchouan
Mashteuiatsh G0W 2H0
Tél. (418) 275-3528
Fax (418) 275-3929
www.giteetaubergedupassant.com/shakahikan
auberge_shakahikan@hotmail.com
Du parc des Laurentides, rte 169 nord, au premier feu de Roberval, rue Brassard à droite, boul. St-Joseph dir. Mashteuiatsh.

A AV ⚓ ᵔᵕ Certifié: 2002

Métabetchouan-Lac-à-la-Croix
Céline et Georges Martin ※ ※ ※

Gîte du Passant à la Ferme
certifié

Ferme de grandes cultures – Ferme laitière – Ferme maraîchère. Chaleureuse maison de ferme centenaire où l'on aime perpétuer les coutumes. Vaches en pyjama à l'automne, délicieux repas maison. Havre de paix et de détente situé dans un environnement campagnard, bordé des montagnes du parc des Laurentides. Ski de fond sur la ferme et dans les montagnes. Très bien centré pour visiter la région. P. 340.

Aux alentours: ski de fond, plage, fromagerie.
Chambres: confort moderne, personnalisées, meubles antiques, tranquillité assurée, spacieuses. **Lits:** simple, double. **3 ch. S. de bain partagée(s).**
2 pers: B&B 48$ **PAM** 45-78$ **1 pers:** B&B 45$ **PAM** 45-60$.
Enfant (12 ans et –): B&B 13$ **PAM** 18$. Taxes en sus.
Ouvert: à l'année.

Céline et Georges Martin
2193, 3e Rang Ouest
Lac-à-la-Croix G8G 1M6
Tél. / Fax (418) 349-2583
www.giteetaubergedupassant.com/celineetgeorgesmartin
Du parc des Laurentides, rte 169, 1er rang à gauche, à la sortie du parc, 11 km.

✕ ᵔᵕ Certifié: 1975

Métabetchouan-Lac-à-la-Croix
Gîte de la Montagne Enchantée ❋ ❋ ❋

Gîte du Passant
certifié

Jean-Rock Gagnon
80, route St-André
Métabetchouan G8G 1X4
Tél. (418) 349-3582 (418) 818-7756
www.giteetaubergedupassant.com/
delamontagneenchantee
jeanrock777@hotmail.com
Face à l'église de Métabetchouan, se diriger vers la gauche,
le gîte se trouve à 10 km tout droit.

Situé dans les montagnes, là où nos coeurs rencontrent la nature, nous vous offrons tranquillité, repos, amitié et accueil chaleureux. Simple mais très agréable vous repartirez le cœur léger en vivant de beaux moments avec nous. Venez vous détendre en profitant de notre spa extérieur.

Aux alentours: randonnée pédestre, Véloroute, village fantôme de Val-Jalbert, Trou de la Fée, musée archéologique, plage, pêche.
Chambres: ensoleillées, cachet champêtre, décoration thématique, entrée privée, vue sur forêt. **Lits:** simple, double, king, divan-lit, d'appoint. **5 ch. S. de bain privée(s) ou partagée(s).**
Forfaits: vélo, croisière, plein air, hiver, autres.
2 pers: B&B 67$ **1 pers:** B&B 57$.
Enfant (12 ans et —): B&B 15$
Réduction: long séjour.
Ouvert: à l'année.

● ⛟ **AV** ⚓ @ ⚲ **Certifié: 2008**

Métabetchouan-Lac-à-la-Croix
La Nymphe des Eaux ❋ ❋ ❋ ❋

Gîte du Passant
certifié

Claire Chagnon et Daniel Rocheleau
27, rue Saint-Georges
Métabetchouan G8G 1E3
Tél. / Fax (418) 349-5076
www.nymphedeseaux.ca
daniel.rocheleau@cgocable.ca
Aut. 20. À Québec, aut. 73 nord. À Stoneham, rte 175, rte 169
dir. Alma. Suivre les indications pour Métabetchouan.

Laissez-vous envoûter par l'élégante douceur de la Nymphe des Eaux. Découvrez l'irrésistible charme, toujours présent, de notre maison centenaire. Le décor et le paysage, tendres et romantiques, vous procureront des moments d'un bonheur insoupçonné, le temps d'une escale en eaux calmes et sans nuage. Certifié "Bienvenue cyclistes !"^{MD}

Aux alentours: Véloroute des Bleuets, plage municipale, Camp musical de Métabetchouan-Lac-à-la-Croix.
Chambres: climatisées, avec lavabo, jacuzzi, accès Internet, raffinées, cachet d'autrefois, peignoir. **Lits:** double, queen. **4 ch. S. de bain partagée(s).**
2 pers: B&B 110-140$ **1 pers:** B&B 100-130$. Taxes en sus. IT MC VS
Réduction: long séjour.
Ouvert: 14 juin - 7 sept.

A AV @ ⚲ **Certifié: 2006**

Normandin
Les Gîtes Makadan ❋ ❋ ❋ ❋

Gîte du Passant
certifié

Micheline Villeneuve et Daniel Bergeron
1728, rue Saint-Cyrille
Normandin G8M 4K5
Tél. / Fax (418) 274-2867 Tél. 1-877-625-2326
http://gitemakadan.cjb.net
makadan@destination.ca
Du parc des Laurentides, rte 169 dir. Roberval, St-Félicien. Au
feu, de Normandin, dir. St-Thomas, 3 km.

Coup de Cœur du Public régional 2005. Nominés et récipiendaires de prix régionaux de 03-04-05, provinciaux 00-01 et lauréat national or 2001. Laissez-nous vous accueillir dans notre demeure qui était à l'origine un magasin général. Vous y trouverez un petit cachet d'autrefois doublé du charme et du luxe d'aujourd'hui. Nous vous promettons un séjour remarquable et inoubliable. Certifié "Bienvenue cyclistes !"^{MD}

Aux alentours: Grands Jardins Normandin, site de la chute à l'Ours, zoo de St-Félicien, Véloroute des Bleuets.
Chambres: avec lavabo, TV, balcon, meubles antiques, peignoir, ventilateur, suite familiale. **Lits:** simple, double, queen. **5 ch. S. de bain privée(s) ou partagée(s).**
Forfaits: charme.
2 pers: B&B 70-85$ **1 pers:** B&B 55-75$. VS
Réduction: hors saison, long séjour.
Ouvert: à l'année.

AV ⚓ ⚲ **Certifié: 1997**

Petit-Saguenay
Auberge du Jardin ★★★

Auberge du Passant
certifiée

Michel Bloch et Marie Jose Laurent
71, boul. Dumas
Petit-Saguenay G0V 1N0
Tél. (418) 272-3444 1-888-272-3444
Fax (418) 272-3174
www.aubergedujardin.com
aubergedujardin@hotmail.com
Au cœur du village de Petit-Saguenay, sur la route 170. À 55 km de St-Siméon en Charlevoix, 1 heure de Tadoussac, La Malbaie et Chicoutimi.

Véritable havre de paix et de détente au cœur du fjord du Saguenay. Nichée au creux des montagnes, dans un impressionnant parc paysager, au bord de la rivière à saumon. L'Auberge du Jardin vous offre un accueil chaleureux, un confort de grande qualité et une cuisine aussi originale que raffinée. Deux vastes salons avec foyer. **Certifié Table aux Saveurs du Terroir**MD. P. 341.

Aux alentours: parc du Saguenay, croisières, plage, kayak de mer, observation des saumons, traineau à chiens, ski, raquettes.
Chambres: certaines climatisées, téléphone, TV, personnalisées, raffinées, romantiques, spacieuses. **Lits:** queen, king. **12 ch. S. de bain privée(s).**
Forfaits: charme, croisière, plein air, romantique, ski alpin, été, automne, hiver, autres.
2 pers: B&B 120-184$ **PAM** 170-244$ **1 pers:** B&B 111-175$ **PAM** 136-205$.
Enfant (12 ans et –): B&B 25$ **PAM** 50-55$. Taxes en sus. AM IT MC VS
Réduction: hors saison, long séjour.
Ouvert: 1 déc - 31 oct.

A ✕ AV @ **Certifié: 2004**

Petit-Saguenay
Auberge les Deux Pignons ★★★

Auberge du Passant
certifiée

Régine Morin
117, boul. Dumas
Petit-Saguenay G0V 1N0
Tél. (418) 272-3091 1-877-272-3091
Fax (418) 272-1676
www.pignons.ca
contact@pignons.ca
Porte du parc Saguenay, à l'entrée du village près du kiosque touristique sur la route 170, à 54 km de St-Siméon.

Ancien hôtel campagnard qui a résisté aux caprices du temps. Son charme historique et son style champêtre font de cet endroit une escale désirée où la cordialité et l'atmosphère familiale sont à l'honneur. Drapée de souvenirs, elle vous ouvre grand ses portes, pour vous livrer son histoire et vous projeter un court instant dans le passé.

Aux alentours: parc Saguenay, kayak de mer, croisières, baleines, fjord, randonnées, pêche, traîneau à chiens, raquettes, motoneige.
Chambres: certaines climatisées, foyer, TV, balcon, personnalisées, cachet champêtre, vue sur rivière. **Lits:** simple, double, queen. **12 ch. S. de bain privée(s).**
Forfaits: croisière, gastronomie, plein air, romantique, été, printemps, automne.
2 pers: B&B 80-150$ **PAM** 140-210$ **1 pers:** B&B 70-140$ **PAM** 100-170$.
Enfant (12 ans et –): B&B 12$ **PAM** 32$. Taxes en sus. IT MC VS
Réduction: hors saison, long séjour.
Ouvert: à l'année.

A ✕ AV @ **Certifié: 1994**

Roberval
Gîte du Voyageur ❀ ❀ ❀

Gîte du Passant
certifié

Colette Taillon et Claude Grenon
2475, rue St-Dominique
Roberval G8H 2M9
Tél. / Fax (418) 275-0078 Tél. (418) 637-5953
www.giteetaubergedupassant.com/giteduvoyageur
giteduvoyageur@hotmail.com
À la sortie de Roberval dir. St-Félicien, rue Saint-Dominique à gauche.

À 4,5 km du centre-ville de Roberval. Gîte calme et paisible. Nombreux attraits touristiques à proximité. Un déjeuner copieux, un repos bienfaiteur vous y attend au pays des bleuets. Vous serez charmé par l'accueil de Colette et Claude.

Aux alentours: piste cyclable, rafting, Val-Jalbert, Musée du cheddar, Musée amérindien, zoo, moulin.
Chambres: climatisées, téléphone, TV, accès Internet, tranquillité assurée, chambre familiale. **Lits:** double, d'appoint. **3 ch. S. de bain partagée(s).**
2 pers: B&B 65$ **1 pers:** B&B 55$
Enfant (12 ans et –): B&B 10-15$
Réduction: hors saison, long séjour.
Ouvert: à l'année.

A ✕ ≋ @ ℃ **Certifié: 2007**

Gîtes et Auberges du PassantMD
Maisons de Campagne et de Ville

Roberval

Gîte Entre Deux Rivières ☼☼☼☼

Gîte du Passant *certifié*

Michèle Laflamme
2143, rue Saint-Dominique
Roberval G8H 2M9
Tél. (418) 275-3761
www.entredeuxrivieres.com
michele.laflamme@cgocable.ca

Route 169 jusqu'à Roberval, à la sortie de la ville, à gauche vers la route de Ste-Hedwidge et immédiatement à droite sur la rue St-Dominique.

Maison spacieuse bordée par deux plans d'eau. Boiseries en pin, foyer de pierres et meubles québécois contribuent à créer une atmosphère champêtre. À proximité des principaux attraits touristiques. L'eau, les multiples jardins, les pins qui entourent la maison vous prédisposent au calme et vous invitent à vivre en symbiose avec la nature.

Aux alentours: Zoo de St-Félicien, Village historique de Val-Jalbert, Véloroute des Bleuets, Musée amérindien de Mashteuiatsh.
Chambres: TV, accès Internet, cachet champêtre, meubles antiques, couettes en duvet, bois franc. **Lits:** queen. **2 ch. S. de bain partagée(s).**
2 pers: B&B 78$ **1 pers: B&B** 68$.
Enfant (12 ans et –): **B&B** 10$
Réduction: hors saison.
Ouvert: à l'année.

A AV @ Certifié: 2009

Saint-Félicien

À la Pépinière Ticouapé ☼☼☼☼

Gîte du Passant *certifié*

Diane St-Pierre et André Bouchard
2252, route 169
Saint-Félicien G8K 3A2
Tél. (418) 630-4888
www.gitestfelicien.ca
quebec@destination.ca

De St-Félicien, route 169 nord, traverser le pont, faire 7 km.

Localisé au cœur d'un écosystème riche en couleurs, vous ne manquerez pas d'être émerveillé par le calme et la beauté du site. Nous offrons 3 chambres spacieuses avec salle de bain privée. Occupation familiale de 4 à 5 personnes. Déjeuner copieux à la saveur des spécialités régionales servi dans la verrière avec vue sur la rivière Ticouapé.

Aux alentours: Zoo sauvage de St-Félicien, parc Boréal, Moulin des pionniers (La Doré), Village amérindien Mastheuiath, Val-Jalbert.
Chambres: accès Internet, cachet champêtre, chambre familiale, vue sur jardin, vue sur rivière. **Lits:** double, queen. **3 ch. S. de bain privée(s).**
2 pers: B&B 90$ **1 pers: B&B** 90$. Taxes en sus. ER
Ouvert: 15 mai - 15 oct.

AV Certifié: 2009

Saint-Félicien

Auberge des Berges ★★★

Auberge du Passant *certifiée*

Mireille Fleurant et Jacques Tremblay
610, boul. Sacré-Cœur
Saint-Félicien G8K 1T5
Tél. (418) 679-3346 1-877-679-3346
Fax (418) 679-8760
www.auberge-des-berges.qc.ca
aubergedesberges@videotron.ca

De Québec, parc des Laurentides, rte 169 N. dir. Roberval. De Montréal, aut.40 & 55 N., rtes 155 N., 169 N. dir. Roberval, St-Prime, St-Félicien. GPS: N48°38'34»/W72°24'07».

Offrez-vous une pause relaxante au rythme de la nature et de l'eau. Admirez les couchers de soleil flamboyants sur la magnifique rivière Ashuapmushuan. Avec le jacuzzi extérieur, tables bistro, terrasse, vous serez conquis par la beauté naturelle de notre site. Découvrez, en toutes saisons, nos mets cuisinés à saveur du terroir et des traditions. Certifié "Bienvenue cyclistes !"[MD] **Certifié Table aux Saveurs du Terroir[MD]**. P. 342.

Aux alentours: zoo, Val-Jalbert, Arbre en Arbre, musées: Amérindien, Cheddar, Pionniers, Véloroute, motoneige, traîneau à chiens.
Chambres: climatisées, jacuzzi, TV, accès Internet, cachet champêtre, suite familiale, vue sur rivière. **Lits:** simple, double, queen, divan-lit, d'appoint, pour bébé. **15 ch. S. de bain privée(s).**
Forfaits: charme, vélo, famille, golf, motoneige, romantique, traîneaux à chiens, autres.
2 pers: B&B 106-149$ **PAM** 162-205$ **1 pers: B&B** 97-140$ **PAM** 125-168$.
Enfant (12 ans et –): **B&B** 16-21$ **PAM** 29-34$. Taxes en sus. AM ER IT MC VS
Réduction: hors saison.
Ouvert: à l'année.

A @ Certifié: 2005

Saint-Félicien
Auberge la Seigneurie du Lac ✹✹✹✹

Auberge du Passant
certifiée

Évasion et détente dans un ancien presbytère centenaire restauré pour lui redonner son charme d'antan; 2 chambres, salle de bain privée, déjeuner et séance de spa extérieur inclus. Des serveuses vêtues en médiéval vous serviront les meilleurs fruits de mer de la région ainsi que des mets canadiens, italiens, cajuns et nos spécialités régionales.

Aux alentours: Zoo de St-Félicien, Val-Jalbert, Les Jardins de Normandin, Arbre en Arbre, vélo de montagne, kayak, fromageries.
Chambres: climatisées, raffinées, cachet ancestral, meubles antiques, peignoir, romantiques. **Lits:** double, d'appoint. **2 ch. S. de bain privée(s).**
Forfaits: charme, gastronomie, romantique.
2 pers: B&B 85$ **1 pers:** B&B 85$. Taxes en sus. IT MC VS
Ouvert: à l'année. **Fermé:** 12 oct · 1 mai.

Joel Azevedo et Alain Carbonneau
3127, rue de St-Méthode
Saint-Félicien G8K 3C2
Tél. (418) 630-4381 1-800-630-4381
www.giteetaubergedupassant.com/laseigneuriedulac
aubergelaseigneuriedulac@bellnet.ca
De Montréal, aut. 40 est, à Trois-Rivières, aut. 55 nord, à Chambord rte 169 dir. St-Félicien. De Chicoutimi, rte 170 ouest, à St-Bruno, rte 169 nord dir. St-Félicien.

A ✗ ♿ **Certifié: 2008**

Saint-Fulgence
Aux Bons Jardins ✹✹✹

Gîte du Passant à la Ferme
certifié

Ferme d'élevage – Ferme fruitière – Ferme maraîchère.
Situé dans une jolie vallée, entourée de montagnes boisées, surplombant le fjord du Saguenay. Un petit lac et un ruisseau traversent une partie de notre domaine. Nous exploitons une petite ferme et avons de nombreux jardins : fruits, légumes, fines herbes. Tous ces produits garnissent notre table. Des randonnées y sont possibles été comme hiver. P. 340.

Aux alentours: Parc Cap-Jaseux, fjord du Saguenay, CIBRO, parc des Monts-Valin, Ste-Rose-du-Nord, Chicoutimi.
Chambres: cachet champêtre, tranquillité assurée, chambre familiale, vue sur jardin, vue splendide. **Lits:** simple, double, king, d'appoint. **4 ch. S. de bain privée(s) ou partagée(s).**
Forfaits: hiver.
2 pers: B&B 77-97$ **1 pers:** B&B 62-77$.
Enfant (12 ans et –): B&B 10-15$
Ouvert: à l'année.

Mariko Watanabe et Richard Lapointe
127, ch. Pointe-aux-Pins
Saint-Fulgence G0V 1S0
Tél. (418) 674-2896
Fax (418) 674-1629
www.auxbonsjardins.com
mariko@auxbonsjardins.com
Entre Tadoussac et Chicoutimi, rte 172, au km 100, du côté du Saguenay, chemin de Pointe-aux-Pins, 1,2 km.

A ● 🐎 AV 🏊 **Certifié: 2005**

Saint-Fulgence
Gîte de l'Artisan B&B ✹✹✹

Gîte du Passant
certifié

À l'entrée du fjord du Saguenay, vous trouverez le Gîte de l'Artisan, où montagnes, champs et rivière s'unissent pour créer un véritable univers protégé. Linda et Pierrot vous offrent des chambres confortables et champêtres. L'artisan a su agencer les originalités de la nature et les créations de son imaginaire pour donner une âme à la maison. P. 338.

Aux alentours: parc Cap Jaseux, parc des Monts-Valin, CIBRO, Arbre en Arbre, Via Ferrata, kayak, sentiers pédestres, potier, peintre.
Chambres: cachet champêtre, ventilateur, tranquillité assurée, bois franc, vue panoramique. **Lits:** simple, double, d'appoint. **3 ch. S. de bain partagée(s).**
2 pers: B&B 75$ **1 pers:** B&B 55-75$.
Enfant (12 ans et –): B&B 15-55$
Réduction: long séjour.
Ouvert: à l'année.

Pierre Cubaynes et Linda Fortin
119, ch. de la Pointe-Aux-Pins
Saint-Fulgence G0V 1S0
Tél. (418) 674-1344 (418) 557-0467
Fax (418) 548-8068
www.gitedelartisan.ca
gitedelartisan@gmail.com
Rte 172 Saint-Fulgence, rte du Parc du Cap-Jaseux, 1 km, à gauche.

A AV @ **Certifié: 2008**

Gîtes et Auberges du Passant™
Maisons de Campagne et de Ville

Saint-Honoré
Gîte du Lac Docteur ❋ ❋ ❋

Gîte du Passant
certifié

Suzanne Côté et Régis Vallée
431, rue Honoré
Saint-Honoré G0V 1L0
Tél. (418) 673-4428 1-866-673-4001
Fax (418) 673-4679
www.gitedulacdocteur.com
suzanne@gitedulacdocteur.com
De Chicoutimi, pont Dubuc dir. nord. À 2,5 km, route qui mène
à St-Honoré. A 1 km avant le village, chemin Volair à droite.
Une fois l'aéroport passé, rue Honoré à gauche.

Le gîte du Lac Docteur, situé à proximité de Chicoutimi (10 min), vous offre un séjour dans un site enchanteur au pied des monts Valin. Un séjour tout en douceur dans un endroit calme, tranquille, paisible sur le bord du lac Docteur, là où le temps… suspendu. Bienvenue aux motoneigistes, raquetteurs, skieurs, quad, motocyclistes, pédalo, canot.

Aux alentours: cerfs rouges, motoneige-93, ski alpin et fond, équitation, raquette, arbre en arbre, croisière, parachute, tour d'avion.
Chambres: avec lavabo, balcon, insonorisées, meubles antiques, ventilateur, bois franc, vue sur lac. **Lits:** simple, double, pour bébé. **3 ch. S. de bain partagée(s).**
Forfaits: vélo, croisière, golf, motoneige, ski alpin, ski de fond, théâtre, parachutisme.
2 pers: B&B 72$ **1 pers: B&B** 62$.
Enfant (12 ans et –): **B&B** 15$. Taxes en sus.
Ouvert: à l'année.

AV ⚓ @ **Certifié: 2004**

Saint-Honoré
Gîte Papillon d'Or ❋ ❋ ❋

Gîte du Passant
certifié

Carole Grant et René Girard
1751, rue de l'Hotel de Ville
Saint-Honoré G0V 1L0
Tél. (418) 673-4819
www.gitepapillondor.com
gitepapillondor@sympatico.ca
Rte 175 nord, aut. 70 ouest, sortie boul. St-Paul, après
Dubuc, 5e feu à droite, à St-Honoré, 1er feu à gauche.

Situé au cœur de la région saguenéenne, sur une fermette, au pied des Monts Valin, le Gîte Papillon d'Or est l'escale incontournable de votre périple en «Terre du Royaume». Nous souhaitons la bienvenue aux amateurs de VTT, de motoneige, de ski alpin, aux randonneurs et aux amants de la nature. Confort, vue imprenable, havre de paix.

Aux alentours: Monts-Valin, centre de ski Le Valinouët, centre équestre, parachutisme, aéroport, plages, piste cyclable.
Chambres: certaines avec lavabo, ensoleillées, cachet champêtre, entrée privée, vue sur mont. **Lits:** simple, double, queen, pour bébé. **5 ch. S. de bain partagée(s).**
Forfaits: à la ferme, famille, motoneige, plein air, ski alpin, ski de fond.
2 pers: B&B 72$ **1 pers: B&B** 62$.
Enfant (12 ans et –): **B&B** 20$
Réduction: hors saison, long séjour.
Ouvert: à l'année.

⚓ @ **Certifié: 2008**

Saint-Honoré
Hébergement avec Mini-Ferme ★ ★ ★

Maison de Campagne à la Ferme
certifiée

Bertrand Robitaille
5490, boul. Martel
Saint-Honoré G0V 1L0
Tél. (418) 673-3956 (418) 673-4410
Fax (418) 673-6017
www.lamartingale.net
infos@lamartingale.net
De Chicoutimi, pont Dubuc, rte 172 ouest, 3 km, boul. Martel
tout droit, rte Chemin du Lac à droite.

Ferme d'élevage – Ferme laitière. Grand bâtiment en forme de grange avec vue sur les champs et sur les monts Valin. Cachet chaleureux tout en bois. Foyer dans la grande salle et poêle à bois dans la plus petite. Possibilité de cuisiner ou d'opter pour le service de traiteur. Repos garanti, aucun voisin proche, au beau milieu de la nature. Classifié Centre de Vacances 3 étoiles. P. 340.

Aux alentours: ski alpin et fond, motoneige, ferme laitière, traîneau à chiens, équitation.
Maisons: foyer, téléphone, TV, cachet d'autrefois, murs en bois rond, tranquillité assurée, poutres. **Lits:** simple, double, divan-lit. **1 maison(s). 1-5 ch. 2-16 pers.**
Forfaits: vélo, à la ferme, croisière, motoneige, plein air, ski alpin, ski de fond, autres.
SEM 850-1200$ **WE** 225-450$ **JR** 55-200$. Taxes en sus. ER
Réduction: long séjour.
Ouvert: à l'année.

A AV **Certifié: 2003**

Gîtes et Auberges du Passant[MD]
Maisons de Campagne et de Ville

La Baie
La Maison des Ancêtres

1722, chemin Saint-Joseph, La Baie
Tél. (418) 544-2925 (418) 540-8652
www.maisondesancetres.com
simger@royaume.com

Maison de Campagne à la Ferme
certifiée

Ferme d'élevage – Ferme laitière. Les sentiers de motoneige passent sur la ferme, raquette, ski de randonnée sur la ferme, pêche blanche... P. 331.

Activités: observation nature et faune, sentier d'interprétation, randonnée pédestre, raquettes, ski de fond, observation des activités de la ferme.

Services: aire de pique-nique, centre d'interprétation / musée, dépliant explicatif ou panneaux français, salle de réception, réunion, stationnement pour autobus, remise pour vélo, location de vélo à proximité, vélos disponibles.

Métabetchouan-Lac-à-la-Croix
Céline et Georges Martin

2193, 3ᵉ Rang Ouest, Lac-à-la-Croix
Tél. / Fax (418) 349-2583
www.giteetaubergedupassant.com/celineetgeorgesmartin

Gîte du Passant à la Ferme
certifié

Ferme de grandes cultures – Ferme laitière – Ferme maraîchère. Ferme de 80 hectares de terre et d'un total de 85 bêtes. J'offre le repas du soir, préparé avec les produits de la ferme. P. 333.

Activités: visite libre, observation nature et faune, raquettes, ski de fond, activités culturelles ou artistiques, souper-spectacle.

Services: remise pour vélo, location de vélo à proximité, location de voiture à proximité.

Saint-Fulgence
Aux Bons Jardins

127, ch. Pointe-aux-Pins, Saint-Fulgence
Tél. (418) 674-2896
www.auxbonsjardins.com
mariko@auxbonsjardins.com

Gîte du Passant à la Ferme
certifié

Ferme d'élevage – Ferme fruitière – Ferme maraîchère. Ferme d'autosuffisance bio: potagers, vergers, animaux variés, dans un cadre enchanteur avec vue panoramique sur le fjord. Transformations de nos produits: jus, conserves, fromage, yogourt, etc. Ambiance familiale. Ferme entourée de montagnes, lacs, forêt et ruisseau. P. 337.

Activités: visite libre, mini-ferme, observation nature et faune, randonnée pédestre, randonnée en traîneau à chiens, visite de jardins, raquettes, ski de fond, aire de jeux, observation des activités de la ferme, observation des activités de transformation.

Services: aire de pique-nique, remise pour vélo.

Saint-Honoré
Hébergement avec Mini-Ferme

5490, boul. Martel, Saint-Honoré
Tél. (418) 673-3956 (418) 673-4410
www.lamartingale.net
infos@lamartingale.net

Maison de Campagne à la Ferme
certifiée

Ferme d'élevage – Ferme laitière. Maison de campagne avec 5 ch. Peut accueillir un groupe de 40 à 80 personnes pour des activités tels que: mariage, club social, classe scolaire. Activités équestres, mini ferme, possibilité de pêche et activités diverses. Nous possédons un centre équestre de 20 chevaux. P. 339.

Activités: visite libre, mini-ferme, observation nature et faune, randonnée pédestre, randonnée en traîneau ou voiture à cheval, randonnée en traîneau à chiens, randonnée à cheval, balade en charrette, équitation, cours d'équitation, pêche, raquettes, ski de fond, aire de jeux, participation aux activités à la ferme, observation des activités de la ferme, soin des animaux, ramasser des oeufs, nourrir les animaux, tour de poney.

Services: aire de pique-nique, terrasse, salle de réception, réunion, stationnement pour autobus.

Hébertville
Auberge Presbytère Mont Lac-Vert

Danielle Castonguay et Robert Bilodeau
335, rang Lac-Vert
Hébertville, G8N 1M1
Tél. (418) 344-1548 1-800-818-1548
Fax (418) 344-1013
www.aubergepresbytere.com
aubergepresbytere@qc.aira.com
Accès par la rte 169, on n'entre pas dans le village
d'Hébertville, suivre la dir. Mont-Lac-Vert, 4 km. Face au
camping municipal.

Table aux Saveurs du Terroir
certifiée

Nous vous accueillerons dans notre salle à manger intime pour vivre une expérience gastronomique hors du commun. Nos tables d'hôte aux saveurs du terroir enchanteront votre palais. Vous pourrez agrémenter votre repas d'un bon vin sélectionné pour vous. Tout cela, dans une ambiance empreinte de chaleur dans un décor ancestral. P. 328.

Spécialités : nos mets sont cuisinés afin de mettre en valeur les produits régionaux et rehaussés par nos fines herbes du jardin...
Repas offerts : soir.
Menus : à la carte, gastronomique.
Nbr personnes: 1-20.
Réservation: recommandée, requise pour groupe.
Table d'hôte: 26-55$/pers. Taxes en sus. AM IT MC VS
Ouvert: à l'année. Tous les jours.

AV 🌿 **Certifié: 2007**

L'Anse-Saint-Jean
Auberge des Cévennes

Enid Bertrand et Louis Mario Dufour
294, rue Saint-Jean-Baptiste
L'Anse-Saint-Jean, G0V 1J0
Tél. (418) 272-3180 1-877-272-3180
Fax (418) 272-1131
www.auberge-des-cevennes.qc.ca
messages@auberge-des-cevennes.qc.ca
Rte 170 dir. L'Anse-St-Jean, rue St-Jean-Baptiste vers le quai.
À 0,2 km de l'église, en face du pont couvert.

Table aux Saveurs du Terroir
certifiée

Verrière et baie vitrée ouvrent la salle à manger sur un paysage bucolique entourant l'auberge et contribuent à créer une ambiance de confort et de quiétude. Le regard s'échappe... tout en savourant une cuisine soignée composée de gibiers, produits locaux et régionaux. Le personnel aimable et empressé contribue à la satisfaction du séjour. P. 325, 332.

Spécialités : «Tout est excellent, des poissons aux fruits de mer, en passant par le gibier et les produits du terroir», selon un guide réputé.
Repas offerts : soir.
Menus : table d'hôte.
Nbr personnes: 1-51.
Réservation: requise.
Table d'hôte: 28$/pers. IT MC VS
Ouvert: à l'année. Tous les jours.

A AV **Certifié: 2007**

Petit-Saguenay
Auberge du Jardin

Michel Bloch et Marie Jose Laurent
71, boul. Dumas
Petit-Saguenay, G0V 1N0
Tél. (418) 272-3444 1-888-272-3444
Fax (418) 272-3174
www.aubergedujardin.com
aubergedujardin@hotmail.com
Au cœur du village de Petit-Saguenay, sur la route 170. À
55 km de St-Siméon en Charlevoix, 1 heure de Tadoussac, La
Malbaie et Chicoutimi.

Table aux Saveurs du Terroir
certifiée

Véritable havre de paix et de détente au cœur du fjord du Saguenay. Nichée au creux des montagnes dans un impressionnant parc paysager au bord de la rivière à saumon. L'Auberge du Jardin vous offre un accueil chaleureux, un confort de grande qualité et une cuisine aussi originale que raffinée. Deux vastes salons avec foyers. P. 335.

Spécialités : saumon fumé à l'Auberge, médaillon de bison ou de caribou sauce bleuets, ris de veau sauce saguenéenne, tarte du chef au chocolat.
Repas offerts : soir.
Menus : table d'hôte, gastronomique.
Nbr personnes: 1-35.
Réservation: recommandée, requise pour groupe.
Table d'hôte: 24-44$/pers. Taxes en sus. AM IT MC VS
Ouvert: 1 déc - 31 oct. Tous les jours.

A AV **Certifié: 2007**

Tables aux Saveurs du Terroir^{MD} & Champêtres^{MD}

Saint-Félicien
Auberge des Berges

Table aux Saveurs du Terroir
certifiée

Sur les rives de l'Ashuapmushuan, découvrez nos spécialités de viande des bois, produits de la ferme et petits fruits qui sauront vous étonner et vous satisfaire. Notre devise: vous recevoir dans une ambiance chaleureuse et un décor simple, vous offrir une cuisine goûteuse et authentique dans le respect de l'environnement et des saveurs locales. P. 336.

Spécialités : tourtière et ragoût du Lac, filet doré et poulet canneberges, aumônière Perron, veau Charlevoix, cerf rouge à l'amélanche.
Repas offerts : soir.
Menus : table d'hôte.
Nbr personnes: 1-38.
Réservation: recommandée, requise pour groupe.
Table d'hôte: 30-50$/pers. Taxes en sus. AM ER IT MC VS
Ouvert: à l'année.

Mireille Fleurant et Jacques Tremblay
610, boul. Sacré-Cœur
Saint-Félicien, G8K 1T5
Tél. (418) 679-3346 1-877-679-3346
Fax (418) 679-8760
www.auberge-des-berges.qc.ca
aubergedesberges@videotron.ca

De Québec, parc des Laurentides, rte 169 N. dir. Roberval.
De Montréal, aut.40 & 55 N., rtes 155 N., 169 N. dir. Roberval,
St-Prime, St-Félicien. GPS: N48°38'34»/W72°24'07».

A ● ♨ Certifié: 2008

Saint-Nazaire
À l'Orée des Champs

Table Champêtre
certifiée

Ferme d'élevage. À L'Orée des Champs est un concept unique qui allie les plaisirs de la table et les beautés de la nature. Nos installations modernes aux accents traditionnels vous permettent de vous réunir et de déguster une cuisine du terroir délicieuse à base d'agneau produit directement sur notre ferme familiale. Profitez de nos sentiers de campagne.

Spécialités : À L'Orée des Champs se spécialise dans les événements et les repas pour groupe de tous les genres avec comme produit de base l'agneau.
Repas offerts : brunch, midi, soir.
Menus : à la carte, table d'hôte, gastronomique, méchoui.
Nbr personnes: 25-100. Min. de pers. exigé varie selon les saisons.
Réservation: requise.
Repas: 12-35$/pers. Taxes en sus. IT MC VS
Ouvert: 15 nov - 15 sept. **Fermé:** 16 sept - 14 nov. Horaire variable.

Myriam Larouche
795, Rang 7 Est
Saint-Nazaire, G0W 2V0
Tél. (418) 669-3038 (418) 487-3066
www.aloreedeschamps.com
aloreedeschamps@yahoo.com

Route 175 nord, route 169 à gauche. À Alma, route 172 ouest
à droite. À Saint-Nazaire, à l'arrêt à gauche, 1ʳᵉ avenue nord,
rang 7 est à droite.

A AV Certifié: 2009

Dolbeau-Mistassini
La Magie du Sous-Bois Inc.

**Lucina et Mariette Beaudet
801, 23ᵉ Avenue
Dolbeau-Mistassini, G8L 2V2
Tél. (418) 276-8926
Fax (418) 276-9447**
www.magiedusousbois.com
magiedusousbois@qc.aira.com
De Dolbeau-Mistassini, rte 169 dir. Normandin, 23ᵉ Avenue
à gauche, 2 km.

Relais du Terroir & Ferme Découverte
certifiés

Ferme fruitière. Centre écologique de culture de petits fruits nordiques et de transformation de produits du terroir. Autocueillette de bleuets et de framboises. 10 km de sentiers pédestres avec stations d'interprétation de la flore sauvage. Un petit lac invite au calme et à la détente. Observation des oiseaux. Service de détente : massothérapie, reiki...

Produits: produits transformés d'amélanche, bleuets, framboises. Coulis, beurre, tartinade, gelée, sirop, beurre de bleuets sans sucre ajouté.
Activités sur place: animation pour groupe scolaire, autocueillette, dégustation, visite libre, audio-visuel français, sentier d'interprétation, aire de jeux.
Visite: adulte: 5-10$, enfant: 4-7$ tarif de groupe, autres tarifs. Taxes en sus. AM ER IT MC VS
Nbr personnes: 1-45.
Réservation: requise pour groupe.
Ouvert: 1 mai - 15 oct. **Fermé:** 16 oct - 30 avr. Tous les jours. 9h à 18h.
Services: aire de pique-nique, centre d'interprétation / musée, vente de produits, stationnement pour autobus, emballages-cadeaux, autres.

A AV Certifié: 2003

L'Ascension-de-Notre-Seigneur
Jardin Scullion

**Brian Scullion
1985, rang 7 Ouest
L'Ascension-de-Notre-Seigneur, G0W 1Y0
Tél. (418) 347-3377 1-800-728-5546
Fax (418) 347-3378**
www.jardinscullion.com
info@jardinscullion.com
Rte 169 nord, à St-Cœur-de-Marie, dir. nord en face de
l'église, 6 km. Suivre les panneaux bleus.

Ferme Découverte
certifiée

Horticulture ornementale – Jardin. Découvrez les plus beaux aménagements paysagers du Saguenay-Lac-Saint-Jean. Lauréat régional des Grands Prix du tourisme québécois à 2 reprises, la notoriété du Jardin Scullion dépasse largement les frontières régionales. On y retrouve des aménagements paysagers exceptionnels, des sentiers forestiers, et une tourbière avec des plantes carnivores.

Particularités: ce jardin exceptionnel de plus de 850 espèces de plantes vivaces, d'arbres et de conifères rares provenant de partout dans le monde.
Activités sur place: mini-ferme, observation nature et faune, sentier d'interprétation, randonnée pédestre, visite de jardins, jardinage, aire de jeux, autres.
Tarif: adulte: 16-18$, enfant: 0-8$ tarif de groupe, autres tarifs. AM IT MC VS
Réservation: requise pour groupe.
Ouvert: 15 juin - 15 sept. Tous les jours. 8h à 17h.
Services: aire de pique-nique, bar-restaurant, centre d'interprétation / musée, salle de réception, réunion, stationnement pour autobus, autres.

A ⚟ ✕ AV Certifié: 2005

Petit-Saguenay
Les Cerfs Rouges de St-Étienne

**Francis Boudreault et Diane Lavoie
103, chemin des Îles
Petit-Saguenay, G0V 1N0
Tél. / Fax (418) 272-1157 Tél. (418) 272-1121**
www.tablesetrelaisduterroir.com/cerfsrougesdestetienne
cerfsrouges@xplornet.com
Rte 138 est direction St-Siméon, rte 170 jusqu'à Petit
Saguenay, avant l'entrée du village, chemin St-Étienne
à droite.

Relais du Terroir & Ferme Découverte
certifiés

Ferme d'élevage. Faire une visite agrotouristique de la ferme Les Cerfs Rouges de St-Étienne, c'est découvrir l'élevage d'une magnifique bête. On vous offre une visite guidée de la ferme, des dégustations, de la vente de produits dérivés du cerf rouge. Découvrez aussi les bois de velours et leurs bienfaits. P. 325.

Produits: saucisses, tournedos, burgers et autres pour le BBQ. Terrine, cerf fumé. Capsules de bois de velours Cervifor.
Activités sur place: animation pour groupe, dégustation, visite autoguidée, audio-visuel français, randonnée pédestre, observation des activités de la ferme.
Visite: adulte: 5-12$, enfant: 5$ ER
Nbr personnes: 10-20.
Réservation: recommandée, requise pour groupe.
Ouvert: 15 juin - 15 sept.
Services: aire de pique-nique, vente de produits, dépliant explicatif ou panneaux français, stationnement pour autobus.

AV Certifié: 2009

Saint-Félicien
Fromagerie au Pays des Bleuets

Relais du Terroir & Ferme Découverte
certifiés

Ferme laitière – Fromagerie fermière. Nous sommes fiers d'ouvrir les portes de notre ferme, située tout près du Jardin zoologique de St-Félicien et d'Arbre en Arbre. Visite guidée de la ferme laitière, fermette avec poules, lapins, chèvres, brebis, chatons, potager, vignoble, framboisier. Dégustation de fromage affiné, cheddar, lait.

Produits: fromages fermiers au lait cru: Le Desneiges et le Bouton d'Or, le cheddar frais du jour. Différents petits fruits à déguster.

Activités sur place: animation pour groupe scolaire, autocueillette, dégustation, visite commentée français, mini-ferme, observation des activités de transformation.

Visite: adulte: 6-10$, enfant: 3-5$ tarif de groupe. Taxes en sus.

Réservation: requise pour groupe.

Ouvert: à l'année. Tous les jours. 9h à 19h. Horaire variable.

Services: aire de pique-nique, vente de produits, dépliant explicatif ou panneaux français, salle de réception, réunion, stationnement pour autobus.

AV Certifié: 2007

Lise Bradette et Régis Morency
805, rang Simple Sud
Saint-Félicien, G8K 2N8
Tél. / Fax (418) 679-2058
www.tablesetrelaisduterroir.com/laferme3j
Rte 169 nord, Notre-Dame à gauche, rang Simple sud à gauche.

Saint-Henri-de-Taillon
Ferme Benoît et Diane Gilbert et Fils Inc.

Ferme Découverte
certifiée

Ferme de grandes cultures – Ferme d'élevage – Ferme laitière. Ferme de 4 générations sur les abords du Lac-St-Jean. Offrons des visites guidées à la ferme tout au long de l'année sur réservation. Heures de visites: 10, 14 et 16h30. Camp d'un jour pour jeune pendant l'été de 6-13 ans. Une occasion de prendre contact avec la vie agricole et de jeter un regard sur les hommes et femmes de passion qui y vivent.

Particularités: visite avec animation sur la vie à la ferme et visionnement d'un dvd la route du lait, le bleuet un vrai délice. Assistez à la traite.

Activités sur place: animation pour groupe scolaire, animation pour enfant, dégustation, visite autoguidée, mini-ferme, camp de jour, nourrir les animaux, observation de la traite des vaches.

Tarif: adulte: 8$, enfant: 4$ tarif de groupe.

Nbr personnes: 2-40.

Réservation: recommandée.

Ouvert: à l'année. Tous les jours. 10h à 18h. Horaire variable.

Services: aire de pique-nique, vente de produits, dépliant explicatif ou panneaux français et anglais, stationnement pour autobus.

AV Certifié: 2007

Benoît, Diane, Gino, Pascal et Tommy
587, rue Principale
Saint-Henri-de-Taillon, G0W 2X0
Tél. / Fax (418) 347-3697 Tél. (418) 487-8021
www.fermegilbert.com
dianeo@cablotaillon.com
Aut. 70 dir. Jonquière, rte 170, 1er feu de circulation, Fromagerie St-Laurent à droite, av. du Pont Nord à droite, rte 169, rue Principale à gauche.

Saint-Nazaire
Bergerie La Terre Promise

Relais du Terroir & Ferme Découverte
certifiés

Ferme d'élevage – Ferme fruitière. Venez vivre et découvrir nos délices de l'agneau et mouton. Dans un site enchanteur, on y retrouve une mini-ferme dans un milieu naturel où travaillent des gens passionnés de leur métier. Centre d'interprétation d'une bergerie et ses 300 agneaux. Visite guidée et éducative de la bergerie. Kiosque de vente. Rencontre avec le berger. À découvrir!

Produits: viande d'agneau, produits artisanaux, petits fruits de saison, peaux de moutons et boutique souvenirs, cadeaux: savons lait de brebis.

Activités sur place: animation pour groupe scolaire, animation pour groupe, mini-ferme, observation des activités de la ferme, ramasser des oeufs, nourrir les animaux.

Visite: adulte: 6$, enfant: 3$ tarif de groupe. Taxes en sus. AM IT MC VS

Nbr personnes: 2-25.

Réservation: recommandée, requise pour groupe.

Ouvert: à l'année. Tous les jours. 12h à 20h. Horaire variable.

Services: aire de pique-nique, centre d'interprétation / musée, vente de produits, stationnement pour autobus, emballages-cadeaux, autres.

AV Certifié: 2006

Dorisse Tremblay et Alain Fradette
107, route 172 Est
Saint-Nazaire, G0W 2V0
Tél. (418) 662-2479 (418) 487-6510
Fax (418) 669-9224
www.laterrepromise.com
doris_set@hotmail.com
Rte 172 est, à Alma, jonction rtes 169 et 172 est dir. Chicoutimi nord, Alma, 17 km. Rte 172 est, à Chicoutimi-nord, dir. St-Nazaire, 43 km.

Index des établissements

Index des municipalités

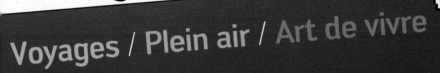

www.guidesulysse.com

Voyages / Plein air / Art de vivre

Infos-destinations

Conseils voyage

Extraits de nos guides

Dialogues avec les grands voyageurs

Vidéos de nos auteurs

CERTIFICAT-CADEAU
Un cadeau tout simple et à la fois personnalisé !

GÎTES *et*
AUBERGES *du Passant* MD
CERTIFIÉS

On vous ouvre notre monde !

Offrez à vos proches une escapade dans l'un des meilleurs gîtes ou auberges du Québec !

Ce certificat-cadeau est accepté
dans plus de **380** établissements à travers le Québec !
Valeur : 50 $, 100 $ ou 150 $.

En vente dans les boutiques « La Forfaiterie » situées
dans les grands centres d'achat. Pour connaître la liste des points
de vente, consultez le site Internet **www.laforfaiterie.com**.
Vous pouvez également acheter votre certificat-cadeau
en ligne sur ce même site Internet.